アナウンサーが読む

山川　詳説日本史

教科書

笹山晴生　佐藤 信　五味文彦　高埜利彦

山川出版社

『詳説日本史』が"聞く教科書"になりました。
学習の基本となる教科書をプロのナレーターが朗読。
教科書を見ながら聞けば，いっそう理解が深まります。
学校の予習・復習や受験対策，
さらに一般教養としてもおすすめです。

　本書に付属のCD-ROMには，高等学校の検定教科書『詳説日本史』の本文の音声データが収録されています。教科書の文章を追いながら，音声を聞けるように書籍とセットにいたしました。CD-ROMと書籍の内容は以下の通りです。

【CD-ROMについて】

　検定教科書『詳説日本史』（2013〈平成25〉年発行）の本文（注・コラム等は除く）の朗読を収録しています。
※本文中の（　）内の語句は，適宜，読み替え・省略をしています。

収 録 時 間　全13章　約14時間30分
ナレーター　岩井正・榊寿之（元NHKアナウンサー）
データ形式　MP3形式
データサイズ　399MB
製　　　作　NHKサービスセンター

【書籍について】

　本書のp.1～p.439は，検定教科書『詳説日本史』（2013〈平成25〉年）をそのまま掲載しています。なお，表紙や見返し部分は教科書と異なります。また書籍中，口絵参照の表示がありますが，口絵は掲載しておりません。

≪付属CD-ROMのご使用にあたって≫

　書籍付属のCD-ROMはMP3形式になっており，収録されているファイルは，MP3再生ソフトをインストールしたパソコンやMP3対応のデジタルオーディオプレーヤーなどで聞くことができます。このCD-ROMは通常のCDプレーヤーでは再生できませんのでご注意ください。

　音声の転送・再生につきましては，お使いのパソコンのメーカー・機種，使用ソフト，デジタルオーディオプレーヤー等によって異なりますので，機器の説明書やメーカーのホームページをご確認の上，自己責任で行ってください。機器やアプリケーションに関するお問い合わせにはお答えできませんので，あらかじめご了承ください。

☆付属CD-ROMに収録されているMP3ファイルのパソコンへの取り込み(例)

　CDドライブにMP3ディスクを挿入。マイコンピュータからドライブを開き，フォルダーごとデスクトップ(またはMy Musicなど好きなフォルダー)にドラッグ&ドロップすれば，MP3音声がパソコンに取り込まれます。

☆パソコンから他の機器への転送(例)

①iPod・iPhone・iPadなどのアップル製品※事前にiTunesのダウンロードが必要です。

　iTunesのミュージックライブラリーにMP3フォルダーごとドラッグ&ドロップするとiTunesにMP3データが取り込まれます。次に機器をUSBでパソコンにつなぎ，同期をとって転送します。

　詳細については，アップルのサポートページ(http://www.apple.com/jp/support/)でご確認ください。

②Walkman(ソニー)※事前にXアプリのダウンロードが必要です。

　XアプリのミュージックライブラリーにMP3フォルダーごとドラッグ&ドロップするとXアプリにMP3データが取り込まれます。Walkmanをパソコンにつなぎ，左下の「機器へ転送」をクリック，フォルダーを選択し，画面中央の「→」をクリックすると転送します。

　詳細については，Xアプリのサポートページ(http://www.sony.jp/support/pa_common/x-appli/index.html)でご確認ください。

③Android携帯

　USBケーブルでパソコンと携帯を接続。パソコン上でAndroidのフォルダーから「Music」を選択。そこへMP3フォルダーごとドラッグ&ドロップすれば，コピーを開始します。

CD-ROM ファイル構成

フォルダ名	ファイル名	時間	合計
01_第Ⅰ部 原始・古代 第1章 日本文化のあけぼの	001_第Ⅰ部概観	03:49	0:52:57
	002_1-1〈文化の始まり〉日本列島と日本人	03:04	
	003_1-1 旧石器時代人の生活	02:23	
	004_1-1 縄文文化の成立	02:28	
	005_1-1 縄文人の生活と信仰	04:56	
	006_1-2〈農耕社会の成立〉弥生文化の成立	03:39	
	007_1-2 弥生人の生活	04:51	
	008_1-2 小国の分立	02:12	
	009_1-2 邪馬台国連合	02:54	
	010_1-3〈古墳とヤマト政権〉古墳の出現とヤマト政権	01:46	
	011_1-3 前期・中期の古墳	03:17	
	012_1-3 東アジア諸国との交渉	02:34	
	013_1-3 大陸文化の受容	01:47	
	014_1-3 古墳文化の変化	02:47	
	015_1-3 古墳時代の人びとの生活	03:16	
	016_1-3 古墳の終末	03:01	
	017_1-3 ヤマト政権と政治制度	04:13	
02_第Ⅰ部 原始・古代 第2章 律令国家の形成	018_2-1〈飛鳥の朝廷〉東アジアの動向とヤマト政権の発展	04:07	1:07:01
	019_2-1 飛鳥の朝廷と文化	01:58	
	020_2-2〈律令国家への道〉大化改新	02:23	
	021_2-2 律令国家への道	04:00	
	022_2-2 白鳳文化	01:36	
	023_2-2 大宝律令と官僚制	03:21	
	024_2-2 民衆の負担	02:55	
	025_2-3〈平城京の時代〉遣唐使	02:35	
	026_2-3 奈良の都平城京	03:11	
	027_2-3 地方官衙と「辺境」	03:58	
	028_2-3 藤原氏の進出と政界の動揺	05:33	
	029_2-3 民衆と土地政策	04:11	
	030_2-4〈天平文化〉天平文化と大陸	00:42	
	031_2-4 国史編纂と『万葉集』	03:16	
	032_2-4 国家仏教の展開	02:51	
	033_2-4 天平の美術	03:03	
	034_2-5〈平安王朝の形成〉平安遷都と蝦夷との戦い	03:58	
	035_2-5 平安時代初期の政治改革	03:09	
	036_2-5 地方と貴族社会の変貌	02:40	
	037_2-5 唐風文化と平安仏教	05:47	
	038_2-5 密教芸術	01:47	
03_第Ⅰ部 原始・古代 第3章 貴族政治と国風文化	039_3-1〈摂関政治〉藤原氏北家の発展	04:08	0:32:39
	040_3-1 摂関政治	03:22	
	041_3-1 国際関係の変化	02:47	
	042_3-2〈国風文化〉国文学の発達	03:16	
	043_3-2 浄土の信仰	02:07	
	044_3-2 国風美術	03:23	
	045_3-2 貴族の生活	02:02	
	046_3-3〈地方政治の展開と武士〉受領と負名	03:52	
	047_3-2 荘園の発達	02:04	
	048_3-3 地方の反乱と武士の成長	03:29	
	049_3-3 源氏の進出	02:09	

フォルダ名	ファイル名	時間	合計
04_第Ⅱ部 中世 第4章 中世社会の成立	050_第Ⅱ部概観	02:55	1:11:25
	051_4-1〈院政と平氏の台頭〉延久の荘園整理令と荘園公領制	03:26	
	052_4-1 院政の開始	02:11	
	053_4-1 院政期の社会	02:36	
	054_4-1 保元・平治の乱	03:01	
	055_4-1 平氏政権	03:40	
	056_4-1 院政期の文化	03:30	
	057_4-2〈鎌倉幕府の成立〉源平の争乱	02:51	
	058_4-2 鎌倉幕府	03:50	
	059_4-2 幕府と朝廷	03:32	
	060_4-3〈武士の社会〉北条氏の台頭	01:33	
	061_4-3 承久の乱	02:46	
	062_4-3 執権政治	03:39	
	063_4-3 武士の生活	02:09	
	064_4-3 武士の土地支配	02:19	
	065_4-4〈蒙古襲来と幕府の衰退〉蒙古襲来	03:20	
	066_4-4 蒙古襲来後の政治	02:02	
	067_4-4 琉球とアイヌの動き	01:26	
	068_4-4 社会の変動	02:59	
	069_4-4 幕府の衰退	02:21	
	070_4-5〈鎌倉文化〉鎌倉文化	00:57	
	071_4-5 鎌倉仏教	06:16	
	072_4-5 中世文学のおこり	03:51	
	073_4-5 芸術の新傾向	04:15	
05_第Ⅱ部 中世 第5章 武家社会の成長	074_5-1〈室町幕府の成立〉鎌倉幕府の滅亡	03:03	1:02:27
	075_5-1 建武の新政	02:06	
	076_5-1 南北朝の動乱	02:59	
	077_5-1 守護大名と国人一揆	02:15	
	078_5-1 室町幕府	04:54	
	079_5-1 東アジアとの交易	04:44	
	080_5-1 琉球と蝦夷ヶ島	02:21	
	081_5-2〈幕府の衰退と庶民の台頭〉惣村の形成	02:41	
	082_5-2 幕府の動揺と土一揆	02:33	
	083_5-2 応仁の乱と国一揆	03:22	
	084_5-2 農業の発達	01:18	
	085_5-2 商工業の発達	03:46	
	086_5-3〈室町文化〉室町文化	01:26	
	087_5-3 南北朝文化	01:31	
	088_5-3 北山文化	02:54	
	089_5-3 東山文化	03:32	
	090_5-3 庶民文芸の流行	02:59	
	091_5-3 文化の地方普及	01:57	
	092_5-3 新仏教の発展	02:42	
	093_5-4〈戦国大名の登場〉戦国大名	04:32	
	094_5-4 戦国大名の分国支配	02:13	
	095_5-4 都市の発展と町衆	02:39	

フォルダ名	ファイル名	時間	合計
06_第Ⅲ部 近世 第6章 幕藩体制の確立	096_第Ⅲ部概観	03:19	1:29:50
	097_6-1〈織豊政権〉ヨーロッパ人の東アジア進出	02:02	
	098_6-1 南蛮貿易とキリスト教	03:00	
	099_6-1 織田信長の統一事業	03:57	
	100_6-1 豊臣秀吉の全国統一	04:00	
	101_6-1 検地と刀狩	03:51	
	102_6-1 秀吉の対外政策と朝鮮侵略	03:38	
	103_6-2〈桃山文化〉桃山文化	01:18	
	104_6-2 桃山美術	02:08	
	105_6-2 町衆の生活	02:21	
	106_6-2 南蛮文化	01:12	
	107_6-3〈幕藩体制の成立〉江戸幕府の成立	03:15	
	108_6-3 幕藩体制	02:59	
	109_6-3 幕府と藩の機構	03:52	
	110_6-3 天皇と朝廷	02:18	
	111_6-3 禁教と寺社	04:23	
	112_6-3 江戸時代初期の外交	03:09	
	113_6-3 鎖国政策	02:37	
	114_6-3 長崎貿易	01:36	
	115_6-3 朝鮮と琉球・蝦夷地	03:41	
	116_6-3 寛永期の文化	03:14	
	117_6-4〈幕藩社会の構造〉身分と社会	04:10	
	118_6-4 村と百姓	06:39	
	119_6-4 町と町人	04:19	
	120_6-4 農業	02:52	
	121_6-4 林業・漁業	03:04	
	122_6-4 手工業・鉱山業	04:29	
	123_6-4 商業	02:27	
07_第Ⅲ部 近世 第7章 幕藩体制の展開	124_7-1〈幕政の安定〉平和と秩序の確立	03:49	0:41:49
	125_7-1 元禄時代	03:59	
	126_7-1 正徳の政治	02:25	
	127_7-2〈経済の発展〉農業生産の進展	04:11	
	128_7-2 諸産業の発達	03:55	
	129_7-2 交通の整備と発達	05:40	
	130_7-2 貨幣と金融	02:41	
	131_7-2 三都の発展	02:46	
	132_7-2 商業の展開	02:06	
	133_7-3〈元禄文化〉元禄文化	01:15	
	134_7-3 元禄期の文学	02:30	
	135_7-3 儒学の興隆	02:12	
	136_7-3 諸学問の発達	02:14	
	137_7-3 元禄美術	02:06	

フォルダ名	ファイル名	時間	合計
08_第Ⅲ部 近世 第8章 幕藩体制の動揺	138_8-1〈幕政の改革〉享保の改革	05:30	1:05:59
	139_8-1 社会の変容	02:30	
	140_8-1 一揆と打ちこわし	02:39	
	141_8-1 田沼時代	03:02	
	142_8-2〈宝暦・天明期の文化〉洋学の始まり	02:10	
	143_8-2 国学の発達と尊王論	02:10	
	144_8-2 生活から生まれた思想	01:03	
	145_8-2 儒学教育と学校	03:16	
	146_8-2 文学と芸能	01:50	
	147_8-2 絵画	01:49	
	148_8-3〈幕府の衰退と近代への道〉寛政の改革	07:43	
	149_8-3 鎖国の動揺	04:29	
	150_8-3 文化・文政時代	01:58	
	151_8-3 大塩の乱	03:25	
	152_8-3 天保の改革	03:48	
	153_8-3 経済の変化	02:43	
	154_8-3 朝廷と雄藩の浮上	04:29	
	155_8-4〈化政文化〉化政文化	01:14	
	156_8-4 学問・思想の動き	03:57	
	157_8-4 教育	01:01	
	158_8-4 文学	01:54	
	159_8-4 美術	01:09	
	160_8-4 民衆文化の成熟	02:10	
09_第Ⅳ部 近代・現代 第9章 近代国家の成立	161_第Ⅳ部概観	03:15	2:36:19
	162_9-1〈開国と幕末の動乱〉開国	05:03	
	163_9-1 開港とその影響	04:39	
	164_9-1 公武合体と尊攘運動	06:39	
	165_9-1 倒幕運動の展開	03:15	
	166_9-1 幕府の滅亡	02:20	
	167_9-1 幕末の科学技術と文化	02:44	
	168_9-2〈明治維新と富国強兵〉戊辰戦争と新政府の発足	03:19	
	169_9-2 廃藩置県	05:48	
	170_9-2 四民平等	02:55	
	171_9-2 地租改正	03:01	
	172_9-2 殖産興業	05:39	
	173_9-2 文明開化	06:36	
	174_9-2 明治初期の対外関係	04:19	
	175_9-2 新政府への反抗	03:57	
	176_9-3〈立憲国家の成立と日清戦争〉自由民権運動	06:45	
	177_9-3 松方財政	03:04	
	178_9-3 民権運動の再編	03:36	
	179_9-3 憲法の制定	05:51	
	180_9-3 諸法典の編纂	01:52	
	181_9-3 初期議会	02:22	
	182_9-3 条約改正	04:08	
	183_9-3 朝鮮問題	02:50	
	184_9-3 日清戦争と三国干渉	03:58	
	185_9-4〈日露戦争と国際関係〉立憲政友会の成立	04:09	
	186_9-4 中国分割と日英同盟	04:10	
	187_9-4 日露戦争	02:33	
	188_9-4 日露戦後の国際関係	05:20	
	189_9-4 桂園時代	03:01	
	190_9-5〈近代産業の発展〉産業革命	03:05	
	191_9-5 紡績・製糸・鉄道	05:40	
	192_9-5 重工業の形成	04:10	
	193_9-5 農業と農民	02:19	
	194_9-5 社会運動の発生	03:08	
	195_9-6〈近代文化の発達〉明治の文化	01:19	
	196_9-6 思想と信教	03:53	
	197_9-6 教育の普及	03:07	
	198_9-6 科学の発達	01:34	
	199_9-6 ジャーナリズムと近代文学	04:39	
	200_9-6 明治の芸術	04:30	
	201_9-6 生活様式の近代化	01:47	

フォルダ名	ファイル名	時間	合計
10_第Ⅳ部 近代・現代 第10章 二つの世界大戦とアジア	202_10-1〈第一次世界大戦と日本〉大正政変	05:46	2:01:30
	203_10-1 第一次世界大戦	01:51	
	204_10-1 日本の中国進出	04:59	
	205_10-1 大戦景気	02:49	
	206_10-1 政党内閣の成立	05:29	
	207_10-2〈ワシントン体制〉パリ講和会議とその影響	03:51	
	208_10-2 ワシントン会議と協調外交	05:49	
	209_10-2 社会運動の勃興と普選運動	05:26	
	210_10-2 護憲三派内閣の成立	04:04	
	211_10-3〈市民生活の変容と大衆文化〉都市化の進展と市民生活	03:25	
	212_10-3 大衆文化の誕生	02:39	
	213_10-3 学問と芸術	04:50	
	214_10-4〈恐慌の時代〉戦後恐慌から金融恐慌へ	03:48	
	215_10-4 社会主義運動の高まりと積極外交への転換	05:11	
	216_10-4 金解禁と世界恐慌	03:18	
	217_10-4 協調外交の挫折	01:55	
	218_10-5〈軍部の台頭〉満州事変	02:23	
	219_10-5 政党内閣の崩壊と国際連盟からの脱退	03:43	
	220_10-5 恐慌からの脱出	03:44	
	221_10-5 転向の時代	01:39	
	222_10-5 二・二六事件	05:27	
	223_10-6〈第二次世界大戦〉三国防共協定	02:39	
	224_10-6 日中戦争	04:08	
	225_10-6 戦時統制と生活	06:13	
	226_10-6 戦時下の文化	02:20	
	227_10-6 第二次世界大戦の勃発	03:34	
	228_10-6 新体制と三国同盟	02:59	
	229_10-6 太平洋戦争の始まり	04:39	
	230_10-6 戦局の展開	06:14	
	231_10-6 国民生活の崩壊	03:20	
	232_10-6 敗戦	03:18	
11_第Ⅳ部 近代・現代 第11章 占領下の日本	233_11-1〈占領と改革〉戦後世界秩序の形成	03:19	0:39:41
	234_11-1 初期の占領政策	05:32	
	235_11-1 民主化政策	04:52	
	236_11-1 政党政治の復活	02:21	
	237_11-1 日本国憲法の制定	03:22	
	238_11-1 生活の混乱と大衆運動の高揚	04:00	
	239_11-2〈冷戦の開始と講和〉冷戦体制の形成と東アジア	03:27	
	240_11-2 占領政策の転換	04:23	
	241_11-2 朝鮮戦争と日本	02:13	
	242_11-2 講和と安保条約	02:37	
	243_11-2 占領期の文化	03:35	
12_第Ⅳ部 近代・現代 第12章 高度成長の時代	244_12-1〈55年体制〉冷戦構造の世界	03:29	0:35:20
	245_12-1 独立回復後の国内再編	02:38	
	246_12-1 55年体制の成立	02:39	
	247_12-1 安保条約の改定	02:15	
	248_12-1 保守政権の安定	03:35	
	249_12-2〈経済復興から高度成長へ〉朝鮮特需と経済復興	04:16	
	250_12-2 高度経済成長	05:52	
	251_12-2 大衆消費社会の誕生	06:55	
	252_12-2 高度成長のひずみ	03:41	
13_第Ⅳ部 近代・現代 第13章 激動する世界と日本	253_13-1〈経済大国への道〉ドル危機と石油危機	04:43	0:35:30
	254_13-1 高度経済成長の終焉	04:20	
	255_13-1 経済大国の実現	03:33	
	256_13-1 バブル経済と市民生活	04:43	
	257_13-2〈冷戦の終結と日本社会の動揺〉冷戦から内戦へ	04:08	
	258_13-2 55年体制の崩壊	02:58	
	259_13-2 平成不況下の日本経済	03:37	
	260_13-2 日本社会の混迷と諸課題	07:28	

合計　14:32:27

日本史を学ぶにあたって

　私たちは今，21世紀の初頭という時代に生きている。現代の私たちは，複雑な社会や経済の仕組みの中で，多くの他国の人びとと交流しつつ生活しているが，そのような経済や社会，文化が生み出されるまでには，数百万年前からの，地球上における人類の長い歩みがあった。その歩みを知ろうとするのが，歴史という学問である。
　日本史は，私たちの住む日本列島の中での人びとの歩みを探るものであるが，その歩みはさまざまな地域との交流の中で，その影響を受けつつ展開してきたものである。したがって私たちは日本史を学ぶ場合，いつの時代についても，周辺の国々をはじめとする各地域の歴史や，日本と諸外国との関係に目を向けていく必要がある。
　この教科書は，そのような視点から日本の歩みを知ることができるように編集したものである。その場合，考古学や民俗学などを含めた，歴史学の新しい研究の成果を十分に織り込み，包括的に叙述することを心がけた。また，日本史の全体像が理解できるよう，なるべく詳しく記述しているので，その内容をよく消化すれば，日本史についての十分な知識が得られると思う。
　この教科書は，全体を時代順に4部に分け，各部の冒頭にはその主要点を概説して，時代の流れをとらえやすくした。また，より深く歴史を探究する場合の手がかりとなることを願って，各所に主題を設定し追究する学習の項目を四つ設けている。その他に本文中の史料や地図なども活用して，積極的に学習することを期待したい。

執筆者一同

目次

歴史へのアプローチ
- 歴史と資料　大仏造立をめぐる歴史資料 …… 4
- 歴史の解釈　中世の商品流通 …… 153
- 歴史の説明　朝鮮通信使 …… 196
- 歴史の論述　歴史の流れを組み立てる …… 416

第Ⅰ部 原始・古代 …… 7

第1章 日本文化のあけぼの …… 8
1. 文化の始まり …… 8
2. 農耕社会の成立 …… 15
3. 古墳とヤマト政権 …… 23

第2章 律令国家の形成 …… 34
1. 飛鳥の朝廷 …… 34
2. 律令国家への道 …… 38
3. 平城京の時代 …… 44
4. 天平文化 …… 54
5. 平安王朝の形成 …… 60

第3章 貴族政治と国風文化 …… 68
1. 摂関政治 …… 68
2. 国風文化 …… 72
3. 地方政治の展開と武士 …… 78

第Ⅱ部 中世 …… 85

第4章 中世社会の成立 …… 86
1. 院政と平氏の台頭 …… 86
2. 鎌倉幕府の成立 …… 95
3. 武士の社会 …… 100
4. 蒙古襲来と幕府の衰退 …… 107
5. 鎌倉文化 …… 113

第5章 武家社会の成長 …… 120
1. 室町幕府の成立 …… 120
2. 幕府の衰退と庶民の台頭 …… 131
3. 室町文化 …… 139
4. 戦国大名の登場 …… 147

第Ⅲ部 近世 …… 155

第6章 幕藩体制の確立 …… 156
1. 織豊政権 …… 156
2. 桃山文化 …… 165
3. 幕藩体制の成立 …… 169
4. 幕藩社会の構造 …… 185

第7章 幕藩体制の展開 …… 198
1. 幕政の安定 …… 198
2. 経済の発展 …… 202
3. 元禄文化 …… 212

第8章 幕藩体制の動揺 …… 218
1. 幕政の改革 …… 218
2. 宝暦・天明期の文化 …… 224
3. 幕府の衰退と近代への道 …… 231
4. 化政文化 …… 243

第Ⅳ部 近代・現代 ……249

第9章 近代国家の成立 ……250
1 開国と幕末の動乱 ……250
2 明治維新と富国強兵 ……260
3 立憲国家の成立と日清戦争 ……276
4 日露戦争と国際関係 ……291
5 近代産業の発達 ……299
6 近代文化の発達 ……308

第10章 二つの世界大戦とアジア ……318
1 第一次世界大戦と日本 ……318
2 ワシントン体制 ……325
3 市民生活の変容と大衆文化 ……333
4 恐慌の時代 ……339
5 軍部の台頭 ……345
6 第二次世界大戦 ……352

第11章 占領下の日本 ……369
1 占領と改革 ……369
2 冷戦の開始と講和 ……379

第12章 高度成長の時代 ……386
1 55年体制 ……386
2 経済復興から高度成長へ ……392

第13章 激動する世界と日本 ……402
1 経済大国への道 ……402
2 冷戦の終結と日本社会の動揺 ……409

コラム
年輪年代法と炭素14年代法 11／環濠集落と高地性集落 20／木簡 48／地名から中世を探る 106／悪党の活動 112／柳生の徳政碑文 133／鉄砲 157／石見銀山 162／生類憐みの令と服忌令 201／山里の歴史と古文書 204／興行 248／形式的な解放令 265／日韓両国民の歴史認識の相違 289／工女のこえた峠 306／田中正造と足尾鉱毒事件 307／東京の変容 317／関東大震災の混乱 331／沖縄戦 366／東京裁判 372／復員と引揚げ 377

日本史年表 ……418
索引 ……426

【凡例】
1. 年は年代を知るのに便利なため西暦を主とし，日本の年号は（ ）の中に入れた。明治5年までは日本暦と西暦とは1ヵ月前後の違いがあるが，年月はすべて日本暦をもとにし，西暦に換算しなかった。たとえば天正14年12月1日は，西暦では1587年1月9日であるが，1586(天正14)年12月とした。改元のあった年は，その年の初めから新しい年号とした。たとえば慶応4年は9月8日に改元して明治元年となったのであるが，この年のことはすべて1868(明治元)年とした。
2. 史料引用はできるだけ必要な部分にとどめたが，その際も前略・後略は特別には記さなかった。また，読みやすく書き改めたところもある。
3. 挿入した図版には原則として出所・原作者・所蔵者を明示したが，著者作成の図版および出所・所蔵不明のものは省略した。

歴史へのアプローチ

歴史と資料
大仏造立をめぐる歴史資料

創建当時の東大寺大仏殿(『信貴山縁起絵巻』,部分, 縦31.8cm, 朝護孫子寺蔵, 奈良県)

　私たちが過去の歴史像を明らかにするために欠くことのできない材料が, 歴史資料である。

　歴史資料にも, 文字で伝えられた文献史料や木簡をはじめとした出土文字資料などの文字資料と, 遺跡・遺物・建造物・美術工芸品・歴史的景観などの非文字資料とがあり, 無形の口頭伝承を含めて多様な資料が存在している。こうした歴史資料の史料的性格を考慮しながら批判的に史実を確定していく作業のうえに, これまでの歴史像が組み立てられている。ここでは, 古代の大仏造立をめぐる歴史資料についてみてみたい。

奈良の大仏

　奈良東大寺の大仏は, 奈良時代に鋳造された高さ15mもの巨大な仏像であり, みるものを圧倒する迫力をもっている。中世の絵巻物『信貴山縁起絵巻』には奈良時代に造立された大仏の姿が描かれているが, 大仏殿は創建のあと源平合戦と戦国時代の戦火にあって二度焼け落ちており, 大仏も何度もの補修を経て今日の姿になったのは江戸時代で, 奈良時代にさかのぼる部分は台座や左膝に限られている。歴史の風雪の中で, 大仏は多くの人びとによって補われつつ守られてきたといえる。

大仏造立の詔

　平安時代初期に国家的に編纂された歴史書『続日本紀』によれば, 聖武天皇は743(天平15)年に近江の紫香楽宮(滋賀県甲賀市)で「大仏造立の詔」(→p.51)を発して巨大な仏像の鋳造を命じた。

　同書によれば, 聖武天皇が大仏造立を思いたったのは, 740(天平12)年に河内国の知識寺(大阪府柏原市)の盧舎那仏を拝んだ時の感動に始まり, 最終的に決断したのは, 宇佐八幡宮(大分県宇佐市)の神が完成への助力を表明したからであった。知識寺の遺跡は塔心礎石をわずかに残すのみであるが, 寺号の「知識」は結束した仏教信徒, また仏への献納物のことである。渡来系氏族が多く, 豊かな人びとが仏への信仰を共有しつつ安定した社会を実現していた姿に, 聖武天皇は理想像をみたのだろうか。

　天平の時代は, 藤原広嗣の乱(→p.50)などの政治的混乱と飢饉・疫病による社会的不安とが広がっていたことが『続

知識寺塔心礎石(大阪府)

宇佐八幡宮（大分県）

日本紀』から知られるので，大仏造立を通して仏教による鎮護国家の実現をめざしたのであろう。平城京や畿内で社会事業をおこないながら民衆に布教して絶大な支持を得ていた僧行基も，大僧正に任じられて協力することになった。造立事業は，のち平城京の東大寺に移され，造東大寺司という役所により進められた。

大仏鋳造

東大寺史の編纂史料である『東大寺要録』によれば，巨大な銅像の本体は，747（天平19）年から3年がかりで八段にわけて溶かした銅を鋳型に流し込んでつくられた。銅は「奉鋳用銅四十万一千九百十一斤両」といい，500トンちかい大量の銅が使用されている。奈良の正倉院に伝わる造東大寺司関係の正倉院文書の一点によれば，長門国司から銅（約18トン）が造東大寺司あてに海路送られたことが知られる。『続日本紀』のように後から編纂された歴史書とは違い，古文書はその時点に記された生の史料であり，造営の実像を示している。

大仏鋳造を担ったのは，国君麻呂という渡来系の技術者であったことが『続日本紀』にみえる。工人たちが尻込みする中で，白村江の敗戦（→p.39）の663（天智2）年に渡来してきた百済官僚の孫である彼だけが，すぐれた技術により難工事を成し遂げたという。

■ 大仏殿回廊西遺跡と長登銅山跡

1988（昭和63）年，東大寺大仏殿回廊西遺跡が発掘調査され，銅を溶かして大仏の鋳型に流し込んだ鋳造現場の遺跡・遺物とともに，木簡がみつかった。銅の成分分析の結果，ヒ素を多く含む山口県美祢市にある長登銅山（1960年閉山）の銅が大仏の原材料であったことがわかった。木簡は，木の札に文字を記載した文書や荷札で，その当時に記載された文字資料であり，古代には紙の文書とともに使い分けて使用されていた。ここの木簡からは，光明皇后のもとから上質の銅が大量に大仏鋳造現場にもたらされていたことがわかった。

美祢市には，大仏の銅を送ったことから「奈良上り」が「長登」になったという地名伝承があり，また長登銅山跡の手掘りの古代坑道の底から奈良時代の土器がみつかっていた。発掘調査の結果，長門国司のもとで国家的に営まれた銅生産の工房遺跡が明らかになり，銅鉱石を採掘し，さらに製錬して銅のインゴット（塊）をつくるまでの工程が一貫しておこなわれていたことがわかった。また，銅塊の発送作業も，ここの役所でおこなわれていた。

出土した約800点の天平初めの木簡からは，銅生産やインゴット発送の様子が明らかになった。インゴットの荷札木簡の宛先記載からは，長登銅山の銅が都の光明皇后のもとに送られたことも知られた。こうして，奈良市と美祢市で出土した2点の木簡から，長登銅山の銅が光明皇后のもとを経て大仏造営現場に送られたという結びつきが証明されたのである。

黄金山産金遺跡

大仏が完成に近づいた749（天平勝宝元）年，陸奥守の百済王敬福（百済王の末

黄金山産金遺跡
出土瓦（宮城県）

裔）から，管内の小田郡で産出した黄金900両が献上された（『続日本紀』）。国内にはないとされた金が東北の地から出現し，大仏塗金のための原料が得られたことを聖武天皇はたいへん喜び，元号は天平から天平感宝へと改元された。この時の産金の遺跡が宮城県遠田郡涌谷町の黄金山産金遺跡である。砂金が採取できる沢に面して黄金山神社が位置するこの遺跡では，発掘調査によって奈良時代の堂舎跡がみつかり，「天平」の文字を記した瓦が出土している。この産金には，やはり百済系渡来人の技術が発揮されたのであろう。

大仏開眼供養会

大仏が完成を迎えたのは造立の詔から9年たった752（天平勝宝4）年のことで，東大寺で盛大な大仏開眼供養会がおこなわれた。『続日本紀』『東大寺要録』によれば，聖武太上天皇・光明皇太后・孝謙天皇をはじめ百官が並び，僧1万が参列した。開眼の儀式を担う僧としてインド僧の菩提僊那や唐僧の道璿が参加し，アジア各国の楽舞が披露されるという，国際色豊かな儀式であった。正倉院宝庫に伝えられる正倉院宝物の中には，菩提僊那が大仏の眼を点じる開眼に用いた筆など，開眼供養会で用いられた品々の現物があり，「天平勝宝四年四月九日」という当日の日付を記した寄進物も多い。

大仏造立の歴史的背景

「国の銅を尽く」すといわれた大仏用の銅の調達にあたっては，光明皇后だけでなく，長門国司や長登銅山の経営・生産にあたった地方豪族・民衆たち，そして海上輸送者などの力の結合があった。また，河内知識寺・宇佐八幡宮・陸奥産金遺跡といった遺跡・遺物など，そして百済系渡来人の存在もあってはじめて造営が達成されたといえよう。大規模な大仏造営事業は，律令国家が税制や地方制度をととのえたことが前提となったと同時に，一方では事業を通して，中央集権的な国家システムが実質的に機能するようになったともみられるのである。

こうして，大仏造立は列島各地域の歴史や東アジアとの国際関係などとのネットワークのもとで進められた。各地域の歴史はさまざまな形で大仏造立と関係しつつ，日本列島の古代史を構成していたといえるだろう。

歴史資料を調べよう

多様な歴史資料から得られる情報を総合することによって，私たちは歴史像を組み立てることができるのである。みなさんの郷土の歴史も，寺院・神社，遺跡・遺物や文献史料などの文化財，そして伝承などを組み合わせて，何がわかるのか調べてみよう。また，時代をこえて歴史を物語ってくれる文化財を，私たちはさらに未来へと守り伝えていこう。

大仏開眼1250年慶讃大法要（2002年，奈良県）

第Ⅰ部 原始・古代

　人類の歴史は今からおよそ650万年前、地質時代区分でいう新第三紀の終わり頃に始まるが、猿人・原人・旧人の段階を経て、現代人と同じ新人が出現するのは約20万年前と考えられる。彼らは野生の動植物を狩猟・採取して生活し、さらに植物を栽培し動物を飼育する農耕・牧畜の段階に進むと、急速に社会を発展させた。

　紀元前7000年頃、エジプト、メソポタミアの「肥沃な三日月地帯」と呼ばれる地域で、農耕・牧畜が始まった。やがて強力な帝王の支配のもとでピラミッドや神殿などの巨大な建造物が築かれ、象形文字や楔形文字で記録する方法も考え出された。農耕・牧畜の文化は、約4000年のあいだに、西はヨーロッパから東は中国に至るユーラシア大陸に広まり、西方ではギリシア・ローマ文化、東方では漢文化・インド文化を開花させ、ローマ帝国と漢帝国のあいだには、シルク＝ロード(絹の道)と呼ばれる東西交流の道も開かれた。

　やがてゲルマン人の大移動が活発になり、西のローマ帝国では支配が崩れ、東の漢帝国も分裂ののち、北方民族の侵入を受けて五胡十六国時代を迎えた。民族移動によって新しい地での活動を始めたゲルマン人の中で、フランク王国を中心に新しい支配体制が生まれ、キリスト教を奉じて封建社会が築かれていった。一方、中国では律令制度をもとにして隋・唐が国家統一をはかり、そのもとで文化が栄え、つぎの宋に受け継がれていった。同じ頃、東西間に横たわる乾燥地帯に、ムハンマドに始まる「イスラーム帝国」が生まれ、イスラーム教による独自の文化を広めて8～12世紀に全盛を誇った。

　このような世界の動きに対し、更新世の旧石器文化から完新世の縄文文化へと進んだ日本の社会は、中国・朝鮮半島の農耕文化の影響を受けて弥生文化を生み、国家の形成を進め、律令制を導入して古代国家を築いた。しかし、支配層としての貴族の地位は、やがて各地に成長してきた武士によって制約を受けるようになった。

西暦	B.C. A.D. 100	200	300	400	500	600	700	800	900	1000	1100
時代	縄文／弥生				古墳		飛鳥	奈良	平安		
文化					〔古　墳〕	〔飛　鳥〕〔白鳳〕	〔天平〕	〔弘仁・貞観〕	〔国風〕		
政治	(小国の分立)				(ヤマト政権)		(律令国家)	(摂関政治)			
主要事項	ペルシア戦争／アレクサンドロスの東方遠征／ポエニ戦争／ローマ帝政／イエス誕生／倭奴国、後漢に入貢／ローマ領域最大／邪馬台国／ヤマト政権の成立／倭の五王時代／ゲルマン人の移動／仏教伝来／ムハンマド誕生／大化改新／平城京遷都／ヨーロッパ封建社会成立／平安京遷都／摂関政治始まる／承平・天慶の乱／十字軍始まる／武士の成長										
世界	秦／前漢／新／後漢／三国／西晋／東晋・五胡十六国／南北朝／隋／唐／五代／宋					東ローマ(ビザンツ)帝国(～1453)			アッバース朝		
	ギリシア／ローマ帝国／西ローマ帝国／フランク王国／神聖ローマ帝国(～1806)										

7

第1章 日本文化のあけぼの

1 文化の始まり

《日本列島と日本人》 地球上に人類が誕生したのは，今からおよそ650万年前の地質学でいう新第三紀の中新世後期である。人類は新第三紀の終わり近くから第四紀を通じて発展したが，この第四紀は，およそ1万年余り前を境に更新世と完新世とに区分される。更新世は氷河時代とも呼ばれ，寒冷な氷期と比較的温暖な間氷期が交互に繰り返して訪れ，氷期には海面が現在に比べると著しく下降した。

この間少なくとも2回，日本列島はアジア大陸北東部と陸続きになり，トウヨウゾウやナウマンゾウなどがやってきたと想定されている。こうした大型動物を追って，人類も日本列島に渡来した可能性はあるが，その確実な証拠はまだ発見されていない。最後の氷期が過ぎて完新世になると海面が上昇し，およそ1万年余り前にはほぼ現在に近い日本列島が成立する。

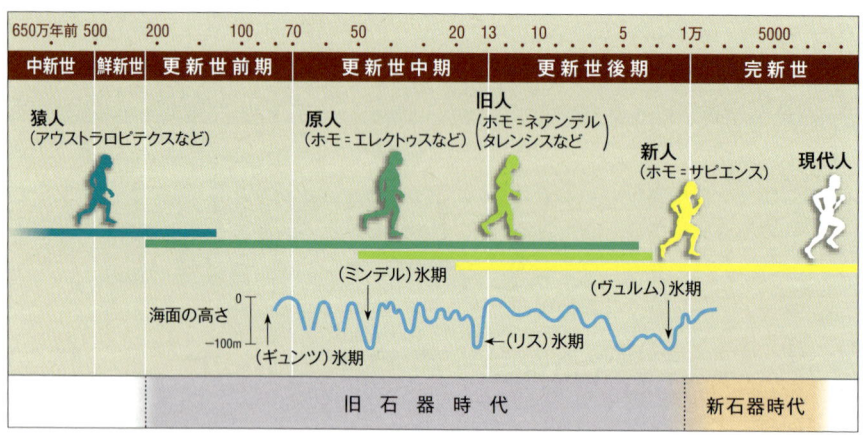

人類の進化と地質年代 現代人と同じ新人が現われたのは，約20万年前の更新世中期のことである。

人類は化石人類の研究により、猿人❶・原人・旧人・新人の順に出現したことが知られるが、現在までに日本列島で発見された更新世の化石人骨は、静岡県の浜北人や沖縄県の港川人・山下町洞人など、いずれも新人段階のものである❷。このうち港川人は、小柄で顔が四角く立体的であるなど、縄文人と似ているところもあるが、オーストラリア先住民と似ているところもあることから、南方からの渡来が考えられる。日本人の原型は古くからアジア大陸南部に住んでいた人びとの子孫の縄文人であり、その後、もともとは北アジアに住んでいて弥生時代以降に渡来した人びとの混血を繰り返し❸、現在の日本人が形成されたとされる❹。また、現在の日本人でも北海道に住むアイヌの人びとや沖縄など南西諸島の人びとは、より強く縄文人の特徴を受け継いでいると考えられる。

更新世末期の日本列島（町田洋原図より）　更新世末期の最後の氷期には、対馬と朝鮮半島の間、本州と北海道の間はこの図のように切れていたと考えられる。

旧石器時代人の生活

人類がまだ金属器を知らなかった石器時代❺は、主として更新世に当たる。基本的には打ち欠

---

❶　猿人の化石は、アフリカにしか発見されておらず、人類はまずアフリカで誕生したと考えられる。

❷　1931（昭和6）年に兵庫県明石で発見された明石人を原人とする説があったが、最近の研究では新人であることが判明し、さらに完新世のものとする意見が強い。

❸　現在のアジア人（アジア系人種）は、数万年前にアフリカから東南アジアにやってきた人びとの子孫である東南アジア人と、3万～2万年前に北アジアの寒冷な気候に適応するように変化した人びとの影響が強い北東アジア人にわけられる。

❹　日本語も、語法は朝鮮語やモンゴル語などと同じアジア大陸北方のアルタイ語系に属する。ただし、語彙などには南方系の要素も多く、その成立についてはまだ明らかではない。

❺　遺跡や遺物から人間の歴史を研究する考古学では、使用された道具（利器）の材質により、人類の文化を石器時代・青銅器時代・鉄器時代に区分している。日本列島の場合は、縄文時代までは石器時代であるが、それに続く弥生時代は、少なくとも中期以降は青銅器とともにすでに鉄器があるので鉄器時代であり、本格的な青銅器時代を欠いている。

1.　文化の始まり　　9

ただけの**打製石器**のみを用いた旧石器時代から，**完新世**になり，石器を磨いて仕上げた**磨製石器**が出現する新石器時代へと移っていった。かつて，日本列島には旧石器時代の遺跡は存在しないと考えられていたが，1949(昭和24)年，群馬県の**岩宿遺跡**の調査❶により，更新世にたい積した関東ローム層から打製石器が確認された。以後，日本列島の各地で更新世の地層から石器の発見があいつぎ，旧石器時代の文化の存在が明らかになった❷。

この時代の人びとは，**狩猟**と植物性食料の**採取**の生活を送っていた。狩猟には**ナイフ形石器**や**尖頭器**などの石器を棒の先端につけた石槍を用い，ナウマンゾウ・オオツノジカ・ヘラジカなどの大型動物を捕えた。人びとは獲物や植物性の食料を求めて，絶えず小河川の流域など一定の範囲内を移動していた。このため，住まいも簡単なテント式の小屋で，一時的に洞穴を利用することもあった。

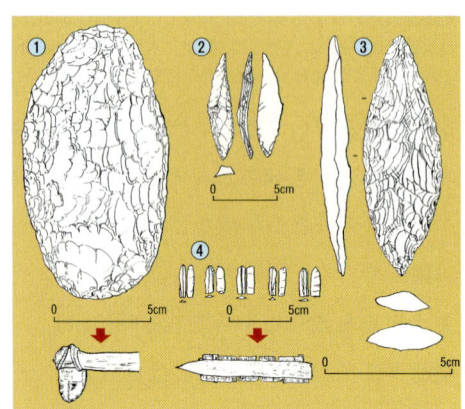

旧石器時代の石器と使用法 ①打製石斧(東京都鈴木遺跡出土)，②ナイフ形石器(埼玉県砂川遺跡出土)，③尖頭器(神奈川県月見野遺跡出土)，④細石器(北海道置戸安住遺跡出土)。

生活をともにする集団は，10人前後の小規模なものであったらしい。こうした小集団がいくつか集まり，遠隔地から石器の原材料を手に入れて分配する部族的な集団も形成されていたと考えられる。

また，旧石器時代の終わり頃には，**細石器**❸と呼ばれる小型の石器も出現している。この細石器文化は，中国東北部からシベリアにかけて著しく発達したもので，北方から日本列

---

❶ 1946(昭和21)年に相沢忠洋によって関東ローム層の中から石器が発見され，1949(昭和24)年に学術調査がおこなわれた。

❷ 日本列島で発見されている旧石器時代の遺跡の多くは約3万6000年前以降の後期旧石器時代のものであるが，各地で中期(約3万6000〜約13万年前)や前期(約13万年以前)旧石器時代にさかのぼる遺跡の探究が進められている。

❸ 細石器は，長さ3〜4cmの小石器(細石刃)を，木や骨などでつくった軸の側縁の溝に何本か並べて埋めこんで用いる，組合せ式の石器である。この時期の遺跡としては，北海道の白滝遺跡などが知られている。

島におよんだものである。

縄文文化の成立

今からおよそ1万年余り前の完新世になると、地球の気候も温暖になり、現在に近い自然環境となった。植物は亜寒帯性の針葉樹林にかわり、東日本にはブナやナラなどの落葉広葉樹林が、西日本にはシイなどの照葉樹林が広がった。動物も、大型動物は絶滅し、動きの速いニホンシカとイノシシなどが多くなった。

こうした自然環境の変化に対応して、人びとの生活も大きくかわり、縄文文化が成立する。この文化は約1万3000年前から、水稲農耕をともなう弥生時代が始まる約2500年前頃までの期間にわたった（縄文時代）。縄文文化

年輪年代法と炭素14年代法 ■最近では、さまざまな自然科学的方法で、考古学的な遺跡や遺物の年代を測定する方法が開発されてきている。そのうち実用化が進み、日本でもさかんに用いられるようになっているのが、年輪年代法と炭素14年代法である。

樹木の年輪は毎年1本ずつ形成されるが、その幅は春から夏にかけての気温と雨量によって左右される。この年輪幅の変動を利用して、遺跡などから出土した樹木や木製品の年代を決めるのが年輪年代法である。実際には、古い木材のデータをいくつも重ねて標準となるパターンをつくり、それに出土資料の年輪パターンを重ねて照合し、年代を決定する。最終年輪の残る資料があれば、その伐採年代が1年単位で決定できる便利な方法である。日本では現在、スギで前1313年まで、ヒノキで前912年までの標準パターンができあがっている。

一方、大気や大気中に生息している生物には、放射性炭素14が含まれているが、それは生物がその生命を終えると一定の割合で減少する。この原理を応用して生物遺体の炭素14の残存量を測定し、死後経過した年数を算出するのが炭素14年代法である。この方法は、過去から現在に至る大気中の炭素14の濃度はつねに一定であるとの前提に立つが、実際にはその濃度は変動していることが知られるようになった。

最近では、AMS法（加速器質量分析法）の採用によって精度が高くなった炭素14年代を、さらに年輪年代法などの確実な年代決定法で補正する研究が進んできた。実際には、年輪年代法で正確な年代の知られている試料を炭素14年代法で測定して年代ごとの誤差を明らかにし、炭素14年代の誤差を補正するのである。こうして補正された炭素年代を較正炭素年代、その方法を較正炭素年代法という。

この較正炭素年代法によると、縄文時代の始まりは1万6500年前、弥生時代の始まりは約2800年前になる。較正炭素年代法は欧米では広く用いられているが、日本ではその有効性を認めない研究者もいる。本書では、弥生時代以前の年代については、従来の補正以前の炭素14年代で記述しているが、実際にはこれよりかなり古くなる可能性がある。

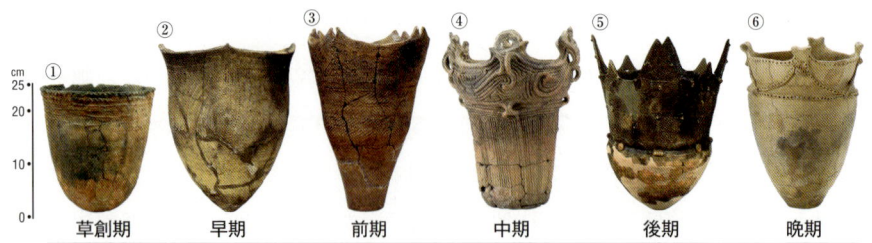

縄文土器の変遷 縄文土器の多くは深鉢であるが，他に浅鉢・台付鉢・注口土器などもある（①長野県出土，国学院大学研究開発推進機構蔵，②市立函館博物館蔵，③南山大学人類学博物館蔵，④福島県文化財センター白河館，⑤八戸市教育委員会蔵，⑥桐生市教育委員会）。

を特徴づけるのは，増加する中・小型動物を射とめる狩猟具の弓矢，主として植物性食物を煮るための土器，さらに**磨製石器**の出現などである❶。

この時代に用いられた土器は，表面に器面を平らにするため縄(撚糸)を転がしてつけた縄文と呼ばれる文様をもつものが多いので**縄文土器**といわれ，低温で焼かれた厚手で黒褐色のものが多い。また，この縄文土器の変化から，縄文時代は草創期・早期・前期・中期・後期・晩期の6期に区分される。このうち草創期の土器❷は，現在のところ世界でもっとも古い土器の一つである。アジア大陸などで，これと同じような古い土器が発見されつつあるが，日本列島に住んだ人びとも更新世から完新世への自然環境の変化に対応する新しい文化を，早い段階に生み出していたことは確かである。

縄文人の生活と信仰

縄文時代の人びとは，大きく変化した新しい環境に対応していった。とくに気候の温暖化にともなって植物性食料の重要性が高まり，前期以降にはクリ・クルミ・トチ・ドングリなどの木の実やヤマイモなどを採取するばかりでなく，クリ林の管理・増殖，ヤマイモなどの保護・増殖，さらにマメ類・エゴマ・ヒョウタンなどの栽培もおこなわれたらしい❸。また一部にコメ・ムギ・アワ・ヒエ

---

❶ 磨製石器が広く存在することから，縄文時代がユーラシア大陸各地の新石器時代に対応することは明らかであるが，西アジアや中国などでは新石器時代になると農耕や牧畜などの食料生産の段階に入るのに対し，日本の縄文文化は基本的には食料採取段階の文化である。

❷ 無文土器・隆起線文土器・爪形文土器などがあり，器形も円形丸底と方形平底のものがある。これは，はじめて土器をつくる時のモデルとなった皮袋や編籠の形と関係すると考えられている。縄文をほどこしたものは，早期以降に多くなる。

❸ トチノミやドングリを食用とするには，水にさらしたり，土器で煮たりしてあく抜きをする必要があるが，すでに縄文時代前期にはその方法が知られていたらしい。

縄文時代の道具 ①②石鏃，③石匙，④打製石斧，⑤磨製石斧，⑥⑦鹿の角でつくった釣針と銛，⑧石皿とすり石（①②⑥⑦東京国立博物館蔵，③国立歴史民俗博物館蔵，④⑤千葉市立加曽利貝塚博物館，⑧高山市教育委員会）。

などの栽培も始まっていた可能性が指摘されているが，本格的な農耕の段階には達していなかった。土掘り用の打製の石鍬，木の実をすりつぶす石皿やすり石なども数多く出土している。

狩猟には弓矢が使用され，落し穴などもさかんに利用され，狩猟のおもな対象はニホンシカとイノシシであった。また，海面が上昇する海進の結果，日本列島は入江の多い島国になり，漁労の発達をうながした。このことは，今も各地に数多く残る縄文時代の**貝塚❶**からわかる。釣針・銛・やすなどの**骨角器**とともに石錘・土錘がみられ，網を使用した漁法もさかんにおこなわれていた。また，丸木舟が各地で発見されており，伊豆大島や南の八丈島にまで縄文時代の遺跡がみられることは，縄文人が外洋航海術をもっていたことを物語っている。

食料の獲得法が多様化したことによって，人びとの生活は安定し，定住的な生活が始まった。彼らは地面を掘りくぼめ，その上に屋根をかけた**竪穴住居**を営んだ。住居の中央に炉を設け，炊事をともにし，同じ屋根の下に

貝塚（千葉県貝の花貝塚）　台地上に馬蹄形に広がる貝塚の下から，約33軒の住居跡が発見された。住居跡のない中央の広場は，祭や会議の場所であったのだろう。このような集落構成をみると，共同体としての規律の存在がうかがわれる。

---

❶　貝塚は，人びとが食べた貝の貝殻など，捨てたものがたい積して層をなしている遺跡である。土器・石器・骨角器などの人工遺物のほか，貝殻に含まれるカルシウム分によって保護された人骨や獣・魚などの骨が出土し，その時代の人びとの生活や自然環境を知るうえで重要な資料となっている。なお，日本の近代科学としての考古学は，1877(明治10)年にアメリカ人のモースが東京にある**大森貝塚**を発掘調査したことに始まる。

1. 文化の始まり　13

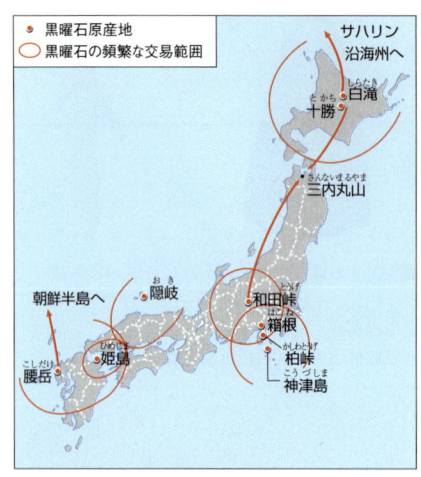

日本列島における黒曜石の分布 （藁科哲男ほか『黒曜石，サヌカイト製石器の産地推定による古文化交流の研究』などによる） 黒曜石は，石器の原材料として盛んに用いられた。北海道白滝，長野県和田峠などの原産地が確認されている。製品の広範な分布から，原産地・消費地間の交易のあり方がわかる。

住む小家族の住まいであったらしい。集落は，日当たりがよく，飲料水の確保にも便利な水辺に近い台地上に営まれた。それは，広場をかこんで数軒の竪穴住居が環状に並ぶものが多く，住居だけではなく，食料を保存するための貯蔵穴群や墓地，さらに青森県三内丸山遺跡のように，集合住居と考えられる大型の竪穴住居がともなう場合もある。これらのことから，縄文時代の社会を構成する基本的な単位は，竪穴住居4〜6軒程度の世帯からなる20〜30人ほどの集団であったと考えられている。

こうした集団は近隣の集団と通婚し，さまざまな情報を交換しあった。また**黒曜石**など石器の原材料やひすい（硬玉）などの分布状況から，かなり遠方の集団との交易もおこなわれていたことが知られている。人びとは集団で力をあわせて働き，彼らの生活を守った。男性は狩猟や石器づくり，女性は木の実とりや土器づくりにはげみ，集団には統率者はいても，身分の上下関係や貧富の差はなかったと考えられている。

縄文人たちは，あらゆる自然物や自然現象に霊威が存在すると考えたらしい。これを**アニミズム**というが，呪術によってその災いを避けようとし，また豊かな収穫を祈った。こうした呪術的風習を示す遺物に，女性をかたどった**土偶**や男性の生殖器を表現したと思われる**石棒**などがある。

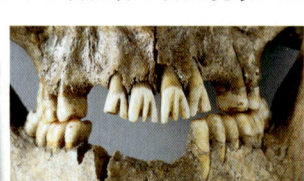

土偶・石棒と抜歯 左は，宮城県恵比須田遺跡出土の遮光器土偶（高さ36.1cm，東京国立博物館蔵）。中央は，北海道美沢1遺跡出土の石棒（長さ42.2cm）。抜歯は成人の健康な歯を抜く風習で，上の写真は下の門歯4本と上の犬歯2本を抜き，上の門歯4本をフォーク状に削っている（東京大学総合研究博物館）。

14　第1章　日本文化のあけぼの

縄文時代の中頃から
さかんになった**抜歯**
の風習は，通過儀礼
の一つとして成人式
の際などにおこなわ
れたものと考えられ

縄文時代の葬法(岡山県津雲貝塚)　縄文時代の葬法としては，体を強く折り曲げて葬る屈葬が一般的である。写真の人物は，強く膝と腰を折り，腕を前にあわせ，腰には腰飾をつけていた。(京都大学文学部考古学研究室)

ており，集団の統制のきびしさをうかがわせる。死者の多くが**屈葬**されているのは，死者の霊が生者に災いをおよぼすことを恐れたためであろう。

2　農耕社会の成立

《弥生文化の成立》

　日本列島で1万年余りも縄文文化が続いているあいだに，中国大陸では紀元前6500〜5500年頃，北の黄河中流域でアワやキビなどの農耕がおこり，南の長江(揚子江)下流域でも稲作が始まり，農耕社会が成立した。さらに紀元前6世紀頃から鉄器の使用が始まり，春秋・戦国時代（前770〜前403・前403〜前221）には農業生産も著しく進み，こうした生産力の発展にともなって，やがて紀元前3世紀には秦・漢(前漢)（前221〜前206・前202〜後8）という強力な統一国家が形成された。こうした動きは，周辺地域に強い影響をおよぼし，朝鮮半島を経て日本列島にも波及したのである。

　およそ2500年前と想定される縄文時代の終わり頃，朝鮮半島に近い九州北部で水田による米づくりが開始された❶。短期間の試行段階を経て，紀元前4世紀頃には，西日本に**水稲農耕**を基礎とする**弥生文化**が成立し，やがて東日本にも広まった。こうして北海道と南西諸島を除く日本列島の大部分の地域は，食料採取の段階から食料生産の段階へと入った❷。この紀元前4世紀

❶　佐賀県の菜畑遺跡，福岡県の板付遺跡など西日本各地で縄文時代晩期の水田が発見され，この時期に水稲農耕が始まっていたことが知られる。このように一部で稲作が開始されていながら，まだ縄文土器を使用している段階を，弥生時代の早期ととらえようとする意見もある。
❷　縄文文化が今日の日本列島全域におよんだのに対して，弥生文化は北海道や南西諸島にはおよばず，北海道では「続縄文文化」，南西諸島では「貝塚文化」と呼ばれる食料採取文化が続いた。また，北海道では7世紀以降になると，擦文土器をともなう擦文文化やオホーツク式土器をともなうオホーツク文化が成立するが，これらの文化も漁労・狩猟に基礎をおく文化である。

2．農耕社会の成立　15

弥生時代のおもな遺跡

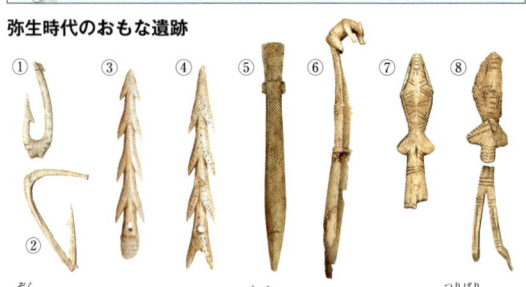

「続縄文文化」の骨角器（北海道有珠モシリ遺跡出土）　①②釣針，③④かえしのある銛頭，⑤槍，⑥クマの彫刻をほどこしたスプーン，⑦⑧クジラを彫刻したスプーン。これらは墓の副葬品として特別につくられたものとされている。（文化庁蔵）

頃から紀元後3世紀の中頃までの時期を**弥生時代**と呼んでいる❶。

弥生文化は，水稲農耕を基礎とし，銅と錫の合金である青銅，中期以降は鉄などを用いた**金属器**，木材を伐採し加工するための石斧類，稲の穂摘み用具である石包丁など朝鮮半島系の磨製石器，機織り技術などをともなう新しい文化である。また土器も，煮炊き用の甕，貯蔵用の壺，食物を盛る鉢や高杯など赤焼きの**弥生土器**❷に変化した。

こうした水稲農耕❸や金属器生産などの新しい技術は，中国や朝鮮半島から伝えられたものである。九州北部や中国・近畿地方などで発見されている弥生人骨の中には，縄文人骨に比べて背が高く，顔は面長で起伏の少ないものがみられる。しかし弥生文化には，土器づくりの基本的な技術や打製石器・竪穴住居など，明らかに縄文文化の伝統を受け継いでいる面もある。

❶ 弥生時代は，土器の編年をもとにさらに前期・中期・後期に区分されている。
❷ 弥生土器の名称は，1884（明治17）年，この様式の土器が東京の本郷弥生町（現在の文京区弥生2丁目）の向ヶ岡貝塚で発見され，この地名にちなんでつけられたものである。
❸ 弥生時代の水稲農耕の技術が朝鮮半島南部から伝えられたことは，それと共存する各種の遺物が共通することからも確実といえる。イネは本来，雲南（中国）・アッサム（インド）地方に起源をもつが，中国の長江下流域から山東半島付近を経て朝鮮半島の西岸に至り，さらに日本にもたらされたものと考えられる（→p.17地図①）。このほか山東半島・遼東半島経由で朝鮮半島におよんだとする説（→地図②）や，長江下流域から直接日本に伝えられたとする説（→地図③）もあり，かつては南西諸島を経由したとする説（→地図④）などもあった。

16　第1章　日本文化のあけぼの

前期の弥生土器
(①福岡県板付遺跡出土，②③④福岡県今川遺跡出土）左から大小の壺形土器，甕形土器，高杯形土器。(①福岡市教育委員会蔵，②〜④福津市教育委員会蔵)

稲作の伝来ルート

　これらのことから弥生文化は，金属器をともなう農耕社会をすでに形成していた朝鮮半島から，必ずしも多くない人びとがその新しい技術をたずさえて日本列島にやってきて，在来の縄文人とともに生み出したものと考えられる。

《弥生人の生活》　弥生時代になって食料生産が始まるとともに，人びとの生活も大きく変化した。この時代の水田は，一辺数m程度の小区画のものが多いが，灌漑・排水用の水路を備えた本格的なものであり，また田植えもすでに始まっていたことが知られている。

　耕作用の農具は刃先まで木製の鋤や鍬が用いられ，収穫は石包丁による穂首刈りがおこなわれた。穀を穂からとり，もみがらを穀粒から取り去る脱穀には木臼と竪杵が用いられ，収穫物は高床倉庫や貯蔵穴におさめられた。

　木製農具の製作には，初めは大陸系の磨製石器が用いられたが，しだいに斧・鉇・刀子などの鉄製工具が使用されるようになった。後期には石器

弥生時代前期の水田跡　高知県南国市の田村遺跡は，物部川河口右岸の標高約7〜8mの自然堤防の上に広がっている。水田の上に畦が縦横に走って，田を現在よりも小さな区域にわけていることがわかる。(〈財〉高知県文化財団埋蔵文化財センター)

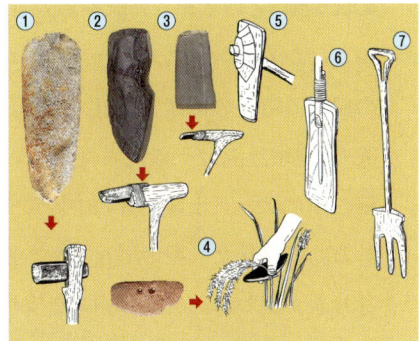

弥生時代の農具　①太型蛤刃石斧(伐採用)，②柱状片刃石斧，③扁平片刃石斧(②③ともに木工用)，④石包丁，⑤鍬，⑥⑦鋤。①〜④にはそれぞれ使用例をつけた。

2．農耕社会の成立　17

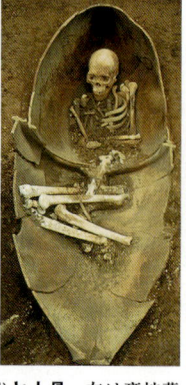

甕棺墓（福岡県永岡遺跡，復元模型）**と人骨** 左は甕棺墓の埋葬を復元したもので，右は甕棺内の状況と人骨である。弥生時代には，土器を小児用の棺に利用することは広くおこなわれたが，とくに九州北部では成人を埋葬するための特製の甕棺が用いられた。（模型：国立歴史民俗博物館蔵）

の多くが姿を消し，かわって鉄器が普及した。鉄製の刃先をもつ農具の普及とともに，前期の湿田だけでなく中・後期には乾田の開発も進められた❶。地域によっては陸稲やさまざまな雑穀の栽培がおこなわれ，また農耕と併行して狩猟や漁労も盛んで，ブタの飼育がおこなわれたことも知られている。

人びとの住居は縄文時代と同じく竪穴住居が一般的であったが，集落には掘立柱の高床倉庫や平地式建物もしだいに多くなった。集落を構成する住居の数も多くなり，大規模な集落も各地に現われた。それらの中には，まわりに深い濠や土塁をめぐらした環濠集落も少なくない。

死者は，集落の近くの共同墓地に葬られた。土壙墓・木棺墓・箱式石棺墓などに伸展葬したものが多い。九州北部などでは，地上に大石を配した支石墓を営んだり，特製の大型の甕棺に死者を葬ったりしたものがみられる。また東日本では，初期には死者の骨を土器に詰めた再葬墓がみられる。

盛り土を盛った墓が広範囲に出現するのも，弥生時代の特色である。方形の低い墳丘のまわりに溝をめぐらした方形周溝墓が各地にみられるほか，後期になると各地にかなり大規模な墳丘をもつ墓が出現した。直径40m余りの円形の墳丘の両側に突出部をもつ岡山県の楯築墳丘墓，山陰地方の四隅突出型墳丘墓はその代表例である。また，九州北部の弥生時代中期の甕棺墓の中には，三十数面もの中国鏡や青銅製の武器などを副葬したものがみられる。こうした大型の墳丘墓や多量の副葬品をもつ墓の出現は，集団の中に身分差が現われ，各地に強力な支配者が出現したことを示している。

---

❶ 湿田は，地下水位が高く湿潤なため，排水施設を必要とする水田で，生産性は低い。これに対して乾田は，地下水位が低く，灌漑施設を必要とする水田で，灌漑・排水を繰り返すことによって土壌の栄養分がよくなり，生産性も高くなった。

集落では、豊かな収穫を祈願し、また収穫を感謝する祭がとりおこなわれ、これらの祭には、銅鐸や銅剣・銅矛・銅戈などの青銅製祭器❶が用いられた。このうち、銅鐸は近畿地方、平形銅剣は瀬戸内中部、銅矛・銅戈は九州北部を中心にそれぞれ分布しており、共通の祭器を用いる地域圏がいくつか出現していたことを示している。これらの青銅製祭器は、個人の墓に埋められることはほとんどなく、集落の人びとの共同の祭に用いられる祭器であった。それらは、日常は土の中に埋納し、祭の時だけ掘り出して使用したものと考える説もある。

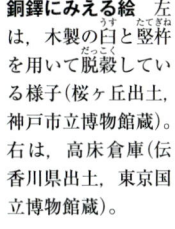

銅鐸にみえる絵 左は、木製の臼と竪杵を用いて脱穀している様子（桜ヶ丘出土、神戸市立博物館蔵）。右は、高床倉庫（伝香川県出土、東京国立博物館蔵）。

荒神谷遺跡の銅矛・銅鐸出土状況 島根県簸川郡斐川町荒神谷遺跡では、銅鐸6点、銅矛16本が一つの穴に埋納されていた。また、すぐ近くには358本もの銅剣が埋められていた。さらに近くの島根県雲南市加茂岩倉遺跡では、39点の銅鐸が一括埋納されていた。（島根県教育庁埋蔵文化財調査センター）

小国の分立

弥生時代には環濠集落が現われ、縄文時代にはみられなかった石製や金属製の武器が出現する。世界の各地でも農耕社会が成立するとともに、戦いのための武器や防御的施設を備えた集落が出現し、蓄積された余剰生産物をめぐって戦いが始まったことが知られている。

日本列島もこうして戦いの時代に入り、強力な集落は周辺のいくつかの集落を統合し、各地に「クニ」と呼ばれる政治的なまとまりが分立していった。弥生時代中期の多量の副葬品をもつ甕棺や、あるいは後期の大きな墳丘をもつ墓の被葬者は、こうした小国の王であろう。

---

❶ 銅鐸は、朝鮮式小銅鐸と呼ばれる朝鮮半島の鈴に起源をもち、銅剣・銅矛・銅戈も、もとは朝鮮半島から伝えられた実用の青銅製武器であった。いずれも日本列島で祭器としてしだいに大型化したものである。弥生時代には青銅製祭器が数多くつくられたが、初期を除くと鉄器も知られており、その大部分は考古学的な時代区分では鉄器時代である。

2. 農耕社会の成立　19

環濠集落と高地性集落

弥生時代の集落には、まわりに濠や土塁をめぐらしたものが少なくない。たとえば前期の福岡市板付遺跡は南北370m、東西170mの外濠と、南北110m、東西80mの内濠からなる2重の環濠をめぐらし、中期の奈良県田原本町唐古・鍵遺跡は直径400〜500mの集落を4重ほどの濠がかこむ。こうした防御用の施設をもつ集落は縄文時代にはみられなかったものであり、弥生時代が戦いの時代であったことを物語っている。

また、弥生時代の中期から後期には、瀬戸内海に面する海抜352mの山頂に位置する香川県三豊市の紫雲出山遺跡のように、日常の生活には不便な山上にも高地性集落と呼ばれる集落が出現する。こうした集落は瀬戸内海沿岸を中心とする西日本に多く分布するが、これも戦争に備えた逃げ城的な集落と考えられている。

吉野ヶ里遺跡（復元）　内外2重の環濠をめぐらし、外濠でかこまれた範囲は40haにおよぶ。また、内濠の張り出し部には、望楼かと思われる掘立柱の建物跡などがみつかっている。（佐賀県教育委員会）

この小国分立の状況は、中国の歴史書にも記載されている。1世紀につくられ、前漢の歴史を述べた『漢書』地理志によると、「倭人」❶の社会は百余国にわかれ、楽浪郡❷に定期的に使者を送っていたという。

また『後漢書』東夷伝には、紀元57年に倭の奴国の王の使者が後漢の都洛陽におもむいて光武帝（位25〜57）から印綬を受け、107年には倭国王帥升等が生口160人を安帝（位106〜125）に献じたことが記されている❸。奴国は今の福岡市付近にあった小国で、同市の志賀島からは倭の奴国の王が光武帝から授かったものと考えられる金印が発見されている。

---

❶　当時中国では、日本列島の人びとを「倭人」、その国を「倭国」と呼んでいたが、7世紀末から8世紀初めにわが国がみずから「日本」と称し、唐の歴史書でもはじめて「日本」という国号を採用した（→ p.41注❶）。

❷　前漢の武帝が紀元前108年、朝鮮半島においた4郡の一つ。現在のピョンヤン（平壌）付近を中心とした地域と想定され、中国風の高い文化を誇った。

❸　後者の記事については、「倭面土国王帥升等」と記されたものもあり、倭国王とみるか倭の一小国の王とみるかで意見がわかれている。ただ倭国王とみる場合でも、それは九州北部の小国の連合体にすぎなかったと考えられている。

金印 1784(天明4)年，福岡県志賀島で一農夫が偶然に掘り出したもの。印には「漢委奴国王」とあり，「漢の委の奴の国王」と読まれている。こうした印は，文書の秘密を守るための封印に用いられるもの。(一辺2.3cm，重さ109g，福岡市博物館蔵)

『漢書』地理志

夫れ楽浪海中に倭人有り，分れて百余国と為る。歳時を以て来り献見すと云ふ。
（原漢文）

❶定期的に。

『後漢書』東夷伝

建武中元二年❶，倭の奴国，貢を奉じて朝賀す。使人自ら大夫と称す。倭国の極南界なり。光武，賜ふに印綬❷を以てす。安帝の永初元年❸，倭の国王帥(師)升等，生口❹百六十人を献じ，請見を願ふ。桓霊の間❺，倭国大いに乱れ，更相攻伐して歴年主なし。
（原漢文）

❶五七年。❷印は「漢委奴国王」の金印〈右写真〉といわれている。印に通し身につけるための組ひもで，印の材質と綬の色によって格式を表わした。❸一〇七年。❹生きている人，奴隷であろうといわれる。❺後漢の桓帝・霊帝の頃，すなわち一四七～一八九年のあいだ。

　これら小国の王たちは，中国や朝鮮半島の先進的な文物を手に入れるうえで有利な位置にあり，他の小国より倭国内での立場を高めようとして，中国にまで使いを送ったのであろう。

邪馬台国連合

　中国大陸では220年に後漢が滅び，かわって魏・呉・蜀（220～265 222～280 221～263）が並び立つ三国時代を迎えた。その三国時代の歴史書『三国志』の「魏志」倭人伝❶によると，倭国では２世紀の終わり頃に大きな争乱がおこり，なかなかおさまらなかった。そこで諸国は共同して邪馬台国の女王卑弥呼を立てたところ，ようやく争乱はおさまり，ここに邪馬台国を中心とする29国ばかりの小国の連合が生まれた。卑弥呼は239年，魏の皇帝に使いを送り，「親魏倭王」の称号と金印，さらに多数の銅鏡などをおくられた。卑弥呼は巫女として神の意志を聞くことにたけていたらしく，その呪術的権威を背景に政治をおこなったという。

　邪馬台国では大人と下戸などの身分差があり，ある程度の統治組織や租税・刑罰の制度も整い，市も開かれていた。卑弥呼は晩年，狗奴国と争った

❶『三国志』の一つである『魏書』の東夷伝倭人の条のこと。『三国志』は，紀元３世紀に晋の陳寿によって編纂された。

2. 農耕社会の成立　21

『魏志』倭人伝

倭人は帯方の東南大海の中に在り、山島に依りて国邑を為す。旧百余国、漢の時朝見する者あり。今使訳通ずる所三十国。郡より倭に至るには、海岸に循ひて水行し、……邪馬壹国に至る。女王の都する所なり。……男子は大小と無く、皆黥面文身す。……租賦を収むに邸閣有り。国々に市有り。女王国より以北には、特に一大率を置き、諸国を検察せしむ。諸国之を畏憚す。……下戸、大人と道路に相逢へば、逡巡して草に入り、辞を伝へ事を説くには、或は蹲り或は跪き、両手は地に拠り之が恭敬を為す。其の国、本亦男子を以て王と為す。住まること七、八十年。倭国乱れ、相攻伐して年を歴たり。乃ち共に一女子を立てて王と為す。名を卑弥呼と曰ふ。鬼道を事とし、能く衆を惑はす。年已に長大なるも、夫婿無し。男弟有り、佐けて国を治む。……景初二年六月、倭の女王、大夫難升米等を遣し郡に詣り、天子に詣りて朝献せんことを求む。……その年十二月、詔書して倭の女王に報じて曰く、「今汝を以て親魏倭王と為し、金印紫綬を仮し、装封して帯方の太守に付し仮授せしむ。……」と。……卑弥呼以て死す。大いに冢を作る。径百余歩、徇葬する者、奴婢百余人。更に男王を立てしも、国中服せず、更々相誅殺し、当時千余人を殺す。復た卑弥呼の宗女壹与の年十三なるを立てて王と為す。国中遂に定まる。

（原漢文）

❶倭は漢末に楽浪の南半を割いて設けた郡。❷朝貢謁見する。❸使節。❹帯方郡。❺壹（壱）は臺（台）の誤りか。❻長幼。❼顔や体にいれずみをする。❽租税。❾倉庫。❿役職の一つと推定される。⓫おそれはばかる。⓬夫。⓭しりごみする。⓮呪術。⓯官名。⓰三年（二三九年）の誤り。⓱墳丘。⓲列死。⓳一族の女。⓴臺与の誤りともいわれる。

が、247年かその直後に亡くなった。そののち男の王が立ったが国内がおさまらず、卑弥呼の宗女(同族の女性)である壱与(台与か)が王となってようやくおさまったという。しかし、266年、魏にかわった晋の都洛陽に倭の女王(壱与のことか)が使いを送ったのを最後に、以降約150年間、倭国に関する記載は中国の歴史書から姿を消している。

この邪馬台国の所在地については、これを近畿地方の大和に求める説と、九州北部に求める説とがある。**近畿説**をとれば、すでに3世紀前半には近畿中央部から九州北部におよぶ広域の政治連合が成立していたことになり、のちに成立するヤマト政権につながることになる。一方、**九州説**をとれば、邪馬台国連合は九州北部を中心とする比較的小範囲のもので、ヤマト政権はそれとは別に東方で形成され、九州の邪馬台国連合を統合したか、逆に邪馬台国の勢力が東遷してヤマト政権を形成したということになる❶。

---

❶ 奈良県の纒向遺跡では、2009(平成21)年に3世紀前半頃の整然と配置された大型建物跡が発見され、邪馬台国との関係で注目されている。

3 古墳とヤマト政権

古墳の出現とヤマト政権

　弥生時代の後期には,すでに大きな墳丘をもつ墓が各地で営まれていたが,3世紀中頃から後半になると,より大規模な前方後円墳をはじめとする古墳が西日本を中心に出現する。これら出現期の古墳は,多くは前方後円墳もしくは前方後方墳で,長い木棺を竪穴式石室におさめた埋葬施設や,多数の銅鏡をはじめとする呪術的な副葬品をもつなど,画一的な特徴をもっていた。
　それは古墳が各地の首長たちの共通の意識のもとにつくり出された墓制で,その背景には古墳の出現に先だって広域の政治連合が形成されていたことが考えられる。出現期の古墳❶の中でもっとも規模が大きいものは,奈良県(大和)にみられ,この時期大和地方を中心とする近畿中央部の勢力によって政治連合が形成されていた。この大和地方を中心とする政治連合を**ヤマト政権**という。古墳は遅くとも4世紀の中頃までに東北地方中部にまで波及したが,これも東日本の広大な地域がヤマト政権に組み込まれたことを示している❷。

前期・中期の古墳

　古墳には,前方後円墳・前方後方墳・円墳・方墳などさまざまな墳形がみられる。数が多いのは円墳や方墳であるが,大規模な

箸墓古墳　奈良県桜井市にあり,出現期の前方後円墳として,最大の規模をもつ。

---

❶　古墳時代前期の前半を出現期という。この時期の古墳の中で最大の規模をもつものは,奈良県の**箸墓古墳**である。墳丘長280mの前方後円墳で,やはり出現期のものである岡山県の浦間茶臼山古墳(前方後円墳,墳丘長140m)や福岡県の石塚山古墳(前方後円墳,墳丘長約120m)をはるかにしのぐ規模をもつ。出現期の古墳は,西日本では前方後円墳が多かったのに対し,東日本では前方後方墳が多い。

❷　古墳が営まれた3世紀中頃から7世紀を古墳時代と呼び,これを古墳がもっとも大型化する中期を中心に,前期(3世紀中頃〜4世紀後半),中期(4世紀後半〜5世紀末),後期(6〜7世紀)に区分している。古墳時代後期のうち,前方後円墳がつくられなくなる7世紀を終末期(→p.31)と呼ぶこともある。古墳時代の終末期は,政治史のうえでは飛鳥時代に当たる。

古墳に並べられた埴輪（群馬県綿貫観音山古墳，復元模型）墳丘には円筒埴輪，石室の前には人物埴輪がみられる。（国立歴史民俗博物館蔵）

竪穴式石室 滋賀県雪野山古墳の石室。天井石を取り除いた状態である。（東近江市教育委員会）

横穴式石室 奈良県牧野古墳の石室。玄室内には凝灰岩製の家形石棺をおさめる。（奈良県立橿原考古学研究所）

古墳はいずれも前方後円墳であり，各地の有力な首長たちが採用した墳形であった❶。古墳の墳丘上には埴輪が並べられ，斜面は葺石がふかれ，墳丘のまわりには，濠をめぐらしたものも少なくない。埴輪は，前期には円筒埴輪や家形埴輪，盾・靫・蓋などの器財埴輪が用いられた❷。

埋葬施設には，前期・中期は木棺や石棺を竪穴式石室におさめたものや棺を粘土でおおった粘土槨など竪穴形態のものが営まれ，後期になると横穴式石室❸が多くなる。副葬品も，前期には，三角縁神獣鏡❹をはじめとする多量の銅鏡や腕輪形石製品，鉄製の武器や農工具など呪術的・宗教的色彩の強いものが多く，この時期の古墳の被葬者である各地の首長たちは司祭者的な性格をもっていたことをうかがわせる。中期になって，副葬品の中に鉄製武器・武具の占める割合が高くなるのは，馬具なども加わって被葬者の武人的性格が強まったことを示している。

---

❶ 日本の古墳を墳丘の長さの順にあげると，46位まではすべて前方後円墳である。弥生時代後期になると，円形や方形の墳丘墓ではその周溝に陸橋部をもつものが現われるが，その陸橋部が発達して突出部（前方部）となり，前方後円墳や前方後方墳になったものと考えられている。

❷ 弥生時代後期に吉備地方（岡山県・広島県東部）で有力な首長墓に供えられた特殊壺を載せる特殊器台に起源をもつ。円筒埴輪に対して，前期後半に現われる家形・器財埴輪，さらに中期中頃に現われる人物・動物埴輪などを形象埴輪（→ p.28）と呼ぶ。

❸ 横穴式石室は，死者をおさめる墓室である玄室と，それと墳丘外部とを結ぶ通路（羨道）をもち，追葬が可能なことが竪穴系の埋葬施設と異なる。中期の初め頃に朝鮮半島の影響を受けて九州北部に出現し，後期には日本の古墳の一般的な埋葬施設となった。

❹ 邪馬台国が交渉した中国の三国時代の魏の鏡とする説と，中国から渡来した工人が日本でつくったものとする説とがある。

三角縁神獣鏡 周縁の断面形が三角形をしている。写真は奈良県黒塚古墳のもの。(奈良県立橿原考古学研究所)

空からみた大仙陵古墳(仁徳天皇陵古墳) 大阪府堺市の東部に展開する百舌鳥古墳群の盟主的位置を占める。

古墳時代中期の大型前方後円墳 旧国別に古墳時代中期(5世紀)の最大規模の前方後円墳の大きさを示したもの。近畿地方を中心とする政治的な連合の中で，それぞれの地域の勢力が占めた位置を物語っている。

鉄製の武具 右は短甲と呼ばれ，上半身を防御する武具。左はかぶと。(姫路市教育委員会蔵，兵庫県)

　最大の規模をもつ古墳は，中期に造営された大阪府の**大仙陵古墳**(仁徳天皇陵古墳)で，前方後円形の墳丘の長さが486mあり，2〜3重の周濠をめぐらしている。さらにそのまわりの従属的な小型の古墳である陪冢が営まれた区域をも含めると，その墓域は80haにもおよぶ❶。第2位の規模をもつ大阪府の誉田御廟山古墳(応神天皇陵古墳)などとともに，5世紀のヤマト政権の**大王**の墓と考えられる。

　中期の巨大な前方後円墳は近畿中央部だけでなく，群馬県(上毛野)・京都府北部(丹後)・岡山県(吉備)・宮崎県(日向)などにもみられる。とくに岡山県の造山古墳は墳丘の長さが360mもあり，日本列島の古墳の中で第4位の規模をもつ。このことは，ヤマト政権と呼ばれる政治的な連合体において，これらの地域の豪族が重要な位置を占めていたことを示している。

---

❶　その築造には，全盛時で1日当たり2000人が動員されたとして，延べ680万人の人員と，15年8カ月の期間が必要であったと計算されている。

東アジア諸国との交渉

中国では三国時代のあと晋が国内を統一したが、4世紀初めには北方の匈奴をはじめとする諸民族（五胡）の侵入を受けて南に移り、南北分裂の南北朝時代を迎えた。このため、周辺諸民族に対する中国の支配力は弱まり、東アジアの諸地域はつぎつぎと国家形成へと進んだ。

中国東北部からおこった高句麗は、朝鮮半島北部に領土を広げ、313年には楽浪郡を滅ぼした。一方、朝鮮半島南部では馬韓・弁韓・辰韓というそれぞれ小国の連合が形成されていたが、4世紀には馬韓から百済が、辰韓から新羅がおこり、国家を形成した。

朝鮮半島南部の鉄資源を確保するために、早くからかつての弁韓の地の加耶（加羅）諸国❶と密接な関係をもっていた倭国（ヤマト政権）は、4世紀後半に高句麗が南下策を進めると、百済や加耶とともに高句麗と争うことになった。高句麗の好太王碑❷の碑文には、倭国が高句麗と交戦したことが記されている。高句麗の騎馬軍団との戦いなどから、乗馬の風習がなかった倭人たちも、騎馬技術を学ぶようになり❸、5世紀になると日本列島の古墳にも馬具が副葬される

好太王碑 子の長寿王が、好太王の事業を記念するため、その王陵に建てた碑である。（高さ約6.34m）

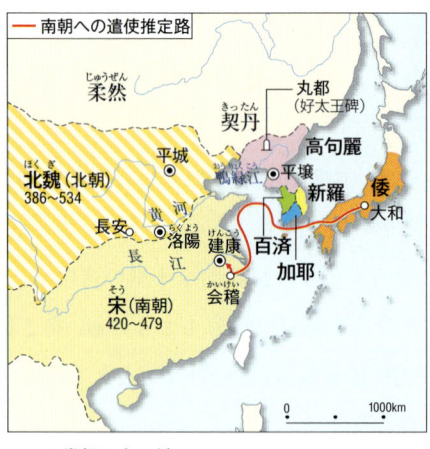

4〜5世紀の東アジア

---

❶ 馬韓諸国では百済が、辰韓諸国では新羅が台頭したのに対し、弁韓と呼ばれた朝鮮半島南部の地域では4〜6世紀になっても小国連合的な状態が続いた。それらの諸国を加耶（→ p.34）と呼ぶ。『日本書紀』では加耶を「任那」と呼んでいる。

❷ 高句麗の都であった丸都（中国吉林省集安市）にある好太王（広開土王）一代の事績を記した石碑で、碑文は当時の朝鮮半島情勢を知るための貴重な史料である。その中に「百残（百済）新羅は旧是属民なり。由来朝貢す。而るに倭、辛卯の年(391年)よりこのかた、海を渡りて百残を破り新羅を□□し、以て臣民と為す」とあり、その解釈が議論されている。

❸ 古墳時代の前期と中期以後とのあいだに文化的断層を認め、中期古墳のもつ軍事的性格を大陸北方の騎馬民族による征服の結果と考える説（騎馬民族征服王朝説）が提起されたこともある。

26 第1章 日本文化のあけぼの

倭王武の上表文

興死して弟武立つ。自ら使持節都督倭・百済・新羅・任那・加羅・秦韓・慕韓七国諸軍事安東大将軍倭国王と称す。
順帝の昇明二年❶、使を遣して上表して曰く、「封国❷は偏遠にして、藩を外に作す。昔より祖禰❸躬ら甲冑を擐き、山川を跋渉して寧処にあらず。東は毛人❹を征すること五十五国、西は衆夷❺を服すること六十六国、渡りて海北❼を平ぐること九十五国……」と。

（『宋書』倭国伝、原漢文）

❶四七八年。❷領域、自分の国のこと。❸父祖という説と、武の祖父の珍を指すという説がある。❹落ちついていない蝦夷だけでなく東国の人びとを呼んだのであろうか。❺西国の人びとのことか。❻朝鮮半島のことか。

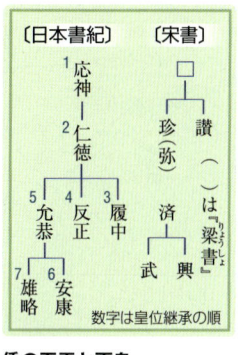

倭の五王と天皇

ようになった。この間、倭国は百済や加耶からさまざまな技術を学び、また多くの**渡来人**が海をわたって、多様な技術や文化を日本に伝えた。

さらに、朝鮮半島南部をめぐる外交・軍事上の立場を有利にするため、5世紀初めから約1世紀近くのあいだ、『**宋書**』**倭国伝**に讃・珍・済・興・武と記された**倭の五王**❶があいついで中国の南朝に朝貢している。
420〜589

大陸文化の受容

このような朝鮮半島や中国との盛んな交渉の中で、より進んだ鉄器・須恵器の生産、機織り・金属工芸・土木などの諸技術が、主として朝鮮半島からやってきた渡来人たちによって伝えられた❷。

ヤマト政権は彼らを**韓鍛冶部**・**陶作部**・**錦織部**・**鞍作部**などと呼ばれる技術者集団に組織し、各地に居住させた。また、**漢字**の使用も始まり、埼玉県の**稲荷山古墳**出土の稲荷山鉄剣の銘文などからも明らかなように、漢字の音を借りて日本人の名や地名などを

（表）辛亥の年七月中、記す。ヲワケの臣。上祖、名はオホヒコ。其の児、名はタカリのスクネ。其の児、名はテヨカリワケ。其の児、名はタサキワケ。其の児、名はハテヒ。

（裏）其の児、名はカサヒヨ。其の児、名はヲワケの臣。世々、杖刀人の首と為り、奉事し来り今に至る。ワカタケルの大王の寺、シキの宮に在る時、吾、天下を左治し、此の百練の利刀を作らしめ、吾が奉事の根原を記す也。

稲荷山古墳出土鉄剣と銘文
（文化庁蔵）

---

❶ 『宋書』倭国伝に記されている倭の五王のうち、済とその子である興と武については『古事記』『日本書紀』（「記紀」という）にみられる允恭とその子の安康・雄略の各天皇にあてることにはほとんど異論はないが、讃には応神・仁徳・履中天皇をあてる諸説があり、珍についても仁徳・反正天皇をあてる2説がある。

❷ 「記紀」には西文氏・東漢氏・秦氏らの祖先とされる王仁・阿知使主・弓月君らの渡来の説話が伝えられている。

3. 古墳とヤマト政権　27

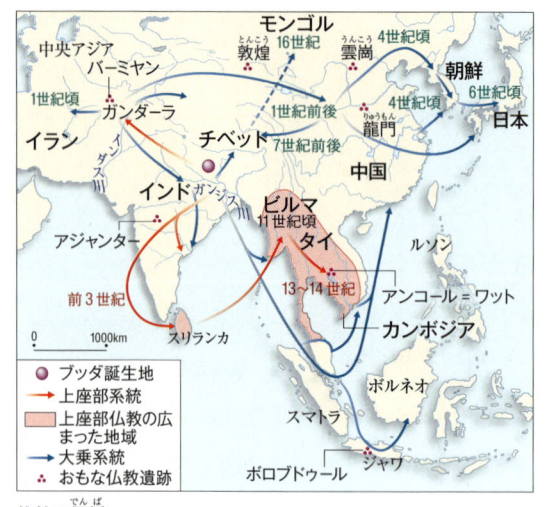
仏教の伝播

書き表わすことができるようになった。漢字を用いてヤマト政権のさまざまな記録や出納・外交文書などの作成に当たったのも，史部などと呼ばれる渡来人たちであった。

6世紀には百済から渡来した五経博士により儒教が伝えられたほか，医・易・暦などの学術も支配者層に受け入れられ，仏教も朝鮮半島から伝えられた❶。また，8世紀初めにできた歴史書である『古事記』『日本書紀』の（→p.55）もとになった「帝紀」（大王の系譜を中心とする伝承）や「旧辞」（朝廷の伝承・説話）も，この頃まとめられ始めたと考えられている。

古墳文化の変化

6世紀の古墳時代後期になると，古墳自体にも大きな変化が現われた。従来の竪穴式の埋葬施設にかわって朝鮮半島と共通の横穴式石室が一般化し，新しい葬送儀礼にともなう多（→p.24）量の土器の副葬が始まった。また，墓室を丘陵や山の斜面に掘り込んだ横穴が各地に出現した。埴輪も人物・動物埴輪などの形象埴輪がさかんに用いられるようになる。古墳のまわりや墳丘上に並べられた人物・動物埴輪の群像は，葬送儀礼ないし

埴輪　上は切妻造の家形埴輪（高さ53.2cm），右は椅座の巫女の人物埴輪（高さ69.5cm）。（東京国立博物館蔵）

❶ 日本にもたらされた仏教は，北伝仏教の系統に属するもので，西域・中国・朝鮮半島を経て公式に伝えられた。百済の聖（明）王が欽明天皇の時に仏像・経論などを伝えたとされるが，その年代については538年（『上宮聖徳法王帝説』『元興寺縁起』）とする説と552年（『日本書紀』）とする説があり，前者の説が有力である。ただ一部の渡来人のあいだでは，それ以前から信仰されていた可能性がある。

28　第1章　日本文化のあけぼの

群集墳 奈良県新沢千塚古墳群。丘陵一帯の約500基におよぶ大小さまざまな古墳からなる。大多数は、直径10～20m内外の円墳である。

竹原古墳石室壁画 福岡県宮若市竹原古墳の横穴式石室の奥壁には、馬を引く人物や船などが、中国思想にもとづく四神の青龍かと思われる獣とともに描かれている。船や馬は、来世への乗りものとする説がある。

は生前の首長が儀礼をとりおこなう様子を後世に残そうとしたものであろう。

さらに九州北部の古墳には石の埴輪である石人・石馬が立てられ、九州各地や茨城県・福島県などの古墳や横穴の墓室には彩色あるいは線刻による壁画をもつ**装飾古墳**がつくられるなど、古墳の地域的特色が強くなった。

一方、5世紀後半から6世紀には古墳のあり方にも変化がみられる。近畿中央部では大規模な前方後円墳が依然として営まれるのに対し、それまで近畿についで巨大な前方後円墳を営んだ吉備地方などで、大きな古墳がみられなくなった。これは各地の豪族が連合して政権をつくる形から、大王を中心とした近畿地方の勢力に各地の豪族が服属するという形へと、ヤマト政権の性格が大きく変化したことを示している。

ヤマト政権の変化と関連して、小型古墳の爆発的な増加があり、山間や小島にまで広く**群集墳**と呼ばれる小古墳が数多く営まれるようになった。これは、古墳の造営など考えられなかった有力農民層までが、古墳をつくるようになったことの現れである。そして本来は首長層だけで構成されていたヤマト政権の身分制度に、新たに台頭してきた有力農民層を組み入れて、ヤマト政権が直接支配下におこうとしたものと考えられる。

《《《 **古墳時代の人びとの生活** 》》》 古墳時代は支配者である豪族（在地首長）と被支配者である民衆の生活がはっきり分離した時代でもあった。豪族は民衆の住む集落から離れた場所に、周囲に環濠

古墳時代の豪族居館の復元図 この時代、豪族は人びとの住む集落から離れた場所に居館をかまえた。群馬県高崎市の三ツ寺遺跡は、5～6世紀の地方豪族の居館として最大級の遺跡。一辺約90mの方形の区画を幅30～40mの濠でかこみ、その内側に川原石を積み上げて高さ3mもの葺石をふいている。

古墳時代の集落（群馬県黒井峯遺跡、復元模型） 6世紀中頃の榛名山二ッ岳の噴火で噴出した軽石層の下から当時の村が検出された。竪穴住居、複数の平地式建物と高床倉庫などからなる屋敷がいくつか集まって一つの村が構成されている。（国立歴史民俗博物館蔵）

や柵列をめぐらした居館を営んだ。この居館は、豪族がまつりごとをとりおこなう所で、また生活の場でもあった。さらに余剰生産物を蓄える倉庫群もおかれたらしい。

民衆の住む集落には環濠などはみられず、複数の竪穴住居と平地住居、さらに高床倉庫などからなる基本単位がいくつか集まって構成された。5世紀になると朝鮮半島の影響を受け、竪穴住居にはつくりつけのカマドがともなうようになった。

土器は、古墳時代前期から中期の初めまでは弥生土器の系譜を引く赤焼きの土師器が用いられたが、5世紀になると朝鮮半島から硬質で灰色の須恵器の製作技術が伝えられ、土師器とともに用いられるようになった。衣服は、男性が衣と乗馬ズボン風の袴、女性が衣とスカート風の裳という上下にわかれたものが多かったようで、古墳の人物埴輪に表現されている。(→口絵③, p.28)

農耕に関する祭祀は、古墳時代の人びとにとってももっとも大切なものであり、なかでも豊作を祈る春の祈年の祭や収穫を感謝する秋の新嘗の祭は重要なものであった。弥生時代の青銅

土師器(上)と須恵器(右) 土師器は古墳時代中期の壺（東京国立博物館蔵）、須恵器は古墳時代後期の脚付壺（豊田市郷土資料館蔵、愛知県）。

福岡県沖ノ島(上)と島内祭祀場の巨石群(復元模型) 玄界灘の孤島からは，4世紀後半から9世紀にわたる各時期の豪華な奉献品や大量の祭祀遺物が出土している。そこでは，日本列島と朝鮮半島とのあいだの海上交通の安全を祈る国家的な祭祀がおこなわれたと考えられている。(模型：国立歴史民俗博物館蔵)

製祭器にかわって，古墳の副葬品にもみられる銅鏡や鉄製の武器と農工具が重要な祭器になり，5世紀になると，それらの品々の模造品を石などで大量につくって祭に用いるようになった。

人びとは，円錐形の整った形の山や高い樹木，巨大な岩，絶海の孤島，川の淵などを神のやどる所と考え，祭祀の対象とした。それらの中には，現在も残る神社につながるものも少なくない。また，氏の祖先神(氏神)をまつることもおこなわれるようになったらしい❶。

汚れをはらい，災いを免れるための禊や祓，鹿の骨を焼いて吉凶を占う太占の法，さらに裁判に際して，熱湯に手を入れさせ，手がただれるかどうかで真偽を判断する神判の盟神探湯などの呪術的な風習もおこなわれた。

《《古墳の終末》》 6世紀末から7世紀初めになると，各地の有力な首長たちが営んでいた前方後円墳の造営が終わる。各地でその時期がほぼそろっているのは，ヤマト政権による強力な規制の結果であろう。この時期，中国では隋が南北統一を果たし，朝鮮半島にも進出する姿勢を示していた。こうした東アジアの国際情勢の大きな変化から，倭国も大王を中心とする中央集権的な国家形成をめざすようになり，古い首長連合体制やその象徴である前方後円墳の造営と決別したものであろう。

前方後円墳の造営が停止されても，なお古墳の造営は100年間ほど続く。

❶ 三輪山を神体とし拝殿のみで本殿のない奈良県大神神社の周辺や，玄界灘の孤島沖ノ島を神としてまつる福岡県宗像大社の沖津宮などでは，いずれも古墳時代の祭祀遺跡・祭祀遺物が発見されており，古墳時代以来の祭祀が続いていることが知られる。

3. 古墳とヤマト政権　31

この時期を考古学では古墳時代終末期，この時期の古墳を終末期古墳と呼んでいる。かつて前方後円墳を造営していた首長層は大型の方墳や円墳を営むようになるが，地方では国造（→p.33）に任じられた一部の有力な首長だけが大型の方墳や円墳を営んだらしい。終末期古墳としては最大の千葉県龍角寺岩屋古墳（方墳，一辺80m）や栃木県壬生車塚古墳（円墳，径80m）なども，国造に任じられた東国豪族が営んだものと考えられている。

さらに7世紀中頃になると，近畿の大王の墓が八角墳になる。これはそれまで，規模は大きいが各地の首長層と同じ前方後円墳を営んでいた大王が，大王にのみ固有の八角墳を営んで，一般の豪族層を超越した存在であることを墳墓のうえでも示そうとしたものであろう。その後も有力な首長層はしばらく古墳の造営を続けるが，7世紀も終わり近くになると，彼らも顕著な古墳を営まなくなり，大王とその一族，さらにその支配を助けたごく一部の有力支配者層だけが，伝統的な墳丘をもつ古墳を営んだらしい。こうした前方後円墳の造営停止，大王墓の八角墳化，さらに有力首長層の古墳造営の停止などは，まさに統一国家の形成から律令国家への動きに対応するものといえよう。

《《ヤマト政権と政治制度》》　5世紀後半から6世紀にかけて，大王を中心としたヤマト政権は，関東地方から九州中部におよぶ地方豪族を含み込んだ支配体制を形成していった。『宋書』倭国伝には，倭の五王（→p.27）が中国の南朝に朝貢して倭王と認められたことや，478年の倭王武の上表文（→p.27）に，倭の王権が勢力を拡大して東・西・海北の地方豪族たちを服属させたという記事がみえる。そのことは，この時代の大規模な前方後円墳が近畿を中心として展開したことにもうかがえる。また，埼玉県の稲荷山古墳出土の鉄剣銘と熊本県の江田船山古墳出土の鉄刀銘（→p.27）には，ともに「獲加多支鹵大王」という大王名が記され，その統治を助けた豪族名がそれぞれみられる。この大王は，倭王武であり，雄略天皇にあたる。

ヤマト政権は，5世紀から6世紀にかけて氏姓制度と呼ばれる支配の仕組みをつくり上げていった。豪族たちは血縁やその他の政治的関係をもとに構成された氏と呼ばれる組織に編成され，氏単位にヤマト政権の職務を分担し，

大王は彼らに姓(カバネ)❶を与えた。
　　　中央の政治は臣姓・連姓の豪族から大臣・大連が任じられてその中枢を担い、その下の伴造が、職務に奉仕する伴やそれを支える部と呼ばれる集団を率いて軍事・財政・祭祀・外交や文書行政などの職掌を分担した。また新しい知識・技術を伝えた渡来人たちも、伴造や伴に編成され、品部の集団がそれを支えた。奈良盆地南部には、大王の住む大王宮を中心に有力王族の皇子宮やヤマト政権を構成する中央有力豪族の邸宅が集中し、それぞれに中央の中小豪族、地方豪族や伴などが奉仕していた。有力な豪族は、それぞれ私有地である田荘や私有民である部曲を領有して、それらを経済的な基盤とした。また氏や氏を構成する家々には奴隷として所有されるヤツコ(奴婢)がいた。
　　　大王権力の拡大に対しては、地方豪族の抵抗もあった。とくに6世紀初めには、新羅と結んで筑紫国造磐井が大規模な戦乱をおこした。大王軍はこの磐井の乱を2年がかりで制圧し、九州北部に屯倉を設けた。ヤマト政権はこうした地方豪族の抵抗を排しながら彼らを従属させ、直轄領としての屯倉や、直轄民としての名代・子代の部を各地に設けていった。6世紀には地方豪族は国造に任じられ、その地方の支配権をヤマト政権から保証される一方、大王のもとにその子女を舎人・采女として出仕させ、地方の特産物を貢進し、屯倉や名代・子代の部の管理をおこない、軍事行動にも参加するなどして、ヤマト政権に奉仕するようになった。

島根県岡田山1号墳出土の大刀　上半分を欠くが、「各田卩臣」(額田部臣)の文字がある。(島根県教育委員会)

---

❶ 姓としては、地名を氏の名とした近畿の葛城・平群・蘇我などの有力豪族に臣、職掌を氏の名とした大伴・物部などの有力豪族に連、有力地方豪族に君、地方豪族に直を与えた。カバネの実例としては、6世紀頃の島根県の岡田山1号墳出土大刀銘の「各(額)田卩(部)臣」が古いとされる。

3．古墳とヤマト政権　　33

第2章 律令国家の形成

1 飛鳥の朝廷

東アジアの動向とヤマト政権の発展

　6世紀の朝鮮半島では，高句麗の圧迫を受けた百済や新羅が勢力を南に広げ，加耶❶の諸小国をあわせたため，加耶諸国は562年までにつぎつぎに百済・新羅の支配下に入った。そして，加耶と結びつきのあったヤマト政権の朝鮮半島での影響力は後退した。6世紀初めの政治を主導した大伴氏は，朝鮮半島への政策をめぐり勢力を失い❷，6世紀中頃には，物部氏と新興の蘇我氏とが対立するようになった❸。蘇我氏は渡来人と結んで朝廷の財政権を握り❹，政治機構の整備や仏教の受容を積極的に進めた。

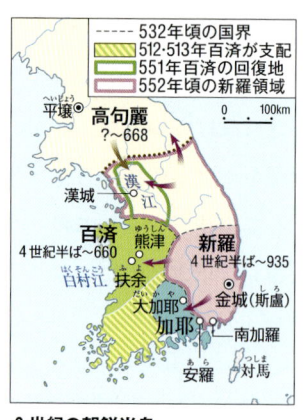

　589年に中国で隋が南北朝を統一し，高句麗などの周辺地域に進出し始めると，東アジアは激動の時代を迎えた。国内では，大臣蘇我馬子が587年に大連の物部守屋を滅ぼし，592年には崇峻天皇を暗殺して政治権力を握った。そして，敏達天皇の后であった推古天皇が新たに即位し，国際的緊張のもとで蘇我馬子や推古天皇の甥の厩戸王(聖徳太子)ら

6世紀の朝鮮半島

----

❶ 朝鮮半島南部の加耶は，前期は金官国(金海)，後期は大加耶国(高霊)を中心とした国家で，百済・新羅・倭などの諸国と外交関係を展開したが，小国連合的な性格が強かったとされる。

❷ 6世紀初めに，加耶西部の地域に対する百済の支配権が確立したことが失政とされ，大伴金村は失脚したという。

❸ 先進文化とともに仏教の受容に積極的な蘇我氏と，伝統を重んじて反対する物部氏・中臣氏のあいだの戦いとなり，587年に物部氏を滅ぼした蘇我氏の権勢が確立した。

❹ 斎蔵・内蔵・大蔵の三蔵を管理し，屯倉の経営にも関与したと伝えられる。

憲法十七条

一に曰く、和を以て貴しとなし、忤ふること無きを宗とせよ。

二に曰く、篤く三宝❶を敬へ。三に曰く、詔❷を承りては必ず謹め。君をば則ち天とす、臣をば地とす。

十二に曰く、国司・国造、百姓に斂とることなかれ。国に二の君なく、民に両の主なし。率土の兆民❹、王を以て主とす。

十七に曰く、それ事は独り断むべからず。必ず衆と論ふべし。

（『日本書紀』、原漢文）

❶仏教。❷天皇の命令。❸税を不当にとる。❹すべての人民。

天皇家と蘇我氏の関係系図

太字は天皇、数字は皇位継承の順、丸数字は女性天皇

が協力して国家組織の形成を進めた。603年には**冠位十二階**、翌604年には**憲法十七条**が定められた。冠位十二階は氏族でなく個人の才能・功績に対し冠位を与えることにより、氏族単位の王権組織を再編成しようとしたものであり、憲法十七条も豪族たちに国家の官僚としての自覚を求めるとともに、仏教を新しい政治理念として重んじるものであった。こうして王権のもとに中央行政機構・地方組織❶の編成が進められた。中国との外交も

遣隋使の派遣

開皇二十年（六〇〇）、倭王あり、姓は阿毎、字は多利思比孤、阿輩雞彌と号す。使を遣して闕に詣る。上、所司をしてその風俗を訪はしむ。

（『隋書』倭国伝、原漢文）

大業三年、其の王多利思比孤❹、使を遣して朝貢す。使者曰く、「聞くならく、海西の菩薩天子❺、重ねて仏法を興すと。故、遣して朝拝せしめ、兼ねて沙門❼数十人、来りて仏法を学ぶ」と。其の国書に曰く、「日出づる処の天子、書を日没する処の天子に致す。恙無きや、云々」と。帝、之を覧て悦ばず、鴻臚卿❽に謂ひて曰く、「蛮夷の書、無礼なる有らば、復た以て聞する勿れ」と。

（『隋書』倭国伝、原漢文）

（推古天皇十五年）秋七月庚戌、大礼小野臣妹子を大唐に遣はす。鞍作福利を以て通事❷とす。

（『日本書紀』、原漢文）

❶隋の文帝。❷通訳。❸隋の煬帝の年号、六〇七年。「たらしひこ」足彦）は男性の天皇につけられる呼び名であるが、ここの天皇が誰か不明。❹僧侶。❺遣隋使小野妹子。❻外国に関する事務、朝貢のことなどを取り扱う官。

❶ 中国の歴史書である『隋書』によると、7世紀の倭には中国の牧宰（地方官）のような「軍尼」（クニ、国か）、里長のような「伊尼翼」（イナギ、稲置か）などの地方組織があり、10伊尼翼が1軍尼に属していたという。

遣隋使の派遣により再開され、『隋書』にみえる600年の派遣に続けて607年には小野妹子が遣隋使として中国に渡った。この時の隋への国書は倭の五王時代とは異なり、中国皇帝に臣属しない形式をとり、煬帝から無礼とされた。

618年に隋が滅んで唐がおこり、強大な帝国を築くと、倭は630年の犬上御田鍬をはじめとして引き続き遣唐使を派遣し、東アジアの新しい動向に応じて中央集権体制の確立をめざした。遣隋使に同行した高向玄理・南淵請安・旻・旻らの留学生・学問僧は、長期の滞在ののち中国の制度・思想・文化についての新知識を伝えて7世紀半ば以降の政治に大きな影響を与えた。

《飛鳥の朝廷と文化》

6世紀末から、奈良盆地南部の飛鳥の地に大王の王宮がつぎつぎに営まれた。有力な王族や中央豪族は大王宮とは別にそれぞれ邸宅をかまえていたが、大王宮が集中し、その近辺に王権の諸施設が整えられると、飛鳥の地はしだいに都としての姿を示すようになり、本格的宮都が営まれる段階へと進んだ。

7世紀前半に、蘇我氏や王族により広められた仏教中心の文化を飛鳥文化という。飛鳥文化は、渡来人の活躍もあって百済や高句麗❶、そして中国の南北朝時代の文化の影響を多く受け、当時の西アジア・インド・ギリシアともつながる特徴をもった。蘇我氏による飛鳥寺(法興寺)❷や、舒明天皇創建と伝える百済大寺、厩戸王(聖徳太子)創建といわれる四天王寺・法隆寺(斑鳩寺)❸などが建

法隆寺の西院全景 金堂は1949(昭和24)年に火災にあい、壁画の大部分を焼損した。中門・金堂・五重塔・歩廊は飛鳥様式を伝えており、世界でもっとも古い木造建築の遺構という。金堂や歩廊の柱には中央部がふくらんだエンタシスがみられる。

---

❶ 百済の僧観勒が暦法を、高句麗の僧曇徴が彩色・紙・墨の技法を伝えたという。

❷ 蘇我馬子は、はじめて塔・金堂などの本格的伽藍をもつ飛鳥寺(法興寺)を596年に完成させた。百済からの技術者が参加して、従来の掘立柱とは違い、礎石の上に柱を立てて屋根に瓦を葺く建築技法が用いられた。飛鳥寺の発掘調査では、塔の心礎から古墳の副葬品と同種の品が出土し、在来の信仰と習合する形で仏教が導入されたことが知られた。

❸ 『日本書紀』に670年法隆寺焼失の記事があり、古い様式を伝える法隆寺の建物の再建・非再建をめぐって明治以降論争があったが、法隆寺の当初の建物である若草伽藍跡の発掘成果などから、現存の金堂・五重塔などは焼失後に再建されたものとされる。

おもな建築・美術作品

【建築】
法隆寺金堂・五重塔・中門・歩廊(回廊)(p.36)

【彫刻】
飛鳥寺釈迦如来像〈金銅像〉
法隆寺金堂釈迦三尊像〈金銅像〉(p.37)
　〃　百済観音像〈木像〉(p.37)
　〃　夢殿救世観音像〈木像〉
中宮寺半跏思惟像〈木像〉(p.37)
広隆寺半跏思惟像〈木像〉

【絵画】
法隆寺玉虫厨子須弥座絵・扉絵

【工芸】
獅子狩文様錦
法隆寺玉虫厨子(p.37)
中宮寺天寿国繡帳(断片)

法隆寺百済観音像　樟の木像。「百済観音」の称は近代以降。長身のなで肩で水瓶をもち、崇高な印象を与える。(高さ210.9cm、奈良県)

法隆寺金堂釈迦三尊像　須弥壇中央に安置された鞍作鳥作と伝える金銅像。北魏様式を受け、厳しくおごそかな表情をもつ。(高さ86.4cm〈中尊〉、90.7cm〈左脇侍〉、92.4cm〈右脇侍〉、奈良県)

中宮寺半跏思惟像　7世紀後半の樟の木像。片足を膝に置き、片手を頬にあて思惟する姿で、慈愛に満ちた表情をもつ。中国南朝(梁)様式の影響が認められる。(高さ87.9cm、奈良県)

法隆寺玉虫厨子　檜製で黒漆塗りの厨子。透彫の金具の下に玉虫の羽が飾られる。宮殿部と須弥座の側面に仏教説話の絵画が描かれている。(高さ233cm、奈良県)

立され、寺院の建立は古墳にかわって豪族の権威を示すものとなった。伽藍建築は、礎石・瓦を用いた新技法による大陸風建物であった。仏像彫刻では、鞍作鳥(生没年不詳)の作といわれる金銅像の法隆寺金堂釈迦三尊像のように、整ったきびしい表情の中国南北朝の北魏様式を受容しているもののほか、やわらかい表情の中宮寺半跏思惟像・法隆寺百済観音像などの木像がある。

1. 飛鳥の朝廷　37

2 律令国家への道

《大化改新》 7世紀半ばに充実した国家体制を整えた唐が高句麗への侵攻を始めると、国際的緊張の中で周辺諸国は中央集権の確立と国内統一の必要にせまられた。倭では、蘇我入鹿が厩戸王（聖徳太子）の子の山背大兄王を滅ぼして権力集中をはかったが、中大兄皇子は、蘇我倉山田石川麻呂や中臣鎌足の協力を得て、王族中心の中央集権をめざし、645（大化元）年に蘇我蝦夷・入鹿を滅ぼした（乙巳の変）。そして皇極天皇の譲位を受けて、王族の軽皇子が即位して孝徳天皇となり、中大兄皇子を皇太子、また阿倍内麻呂・蘇我倉山田石川麻呂を左・右大臣、中臣鎌足を内臣、旻と高向玄理を国博士とする新政権が成立し、大王宮を飛鳥から難波に移して政治改革を進めた。

646（大化2）年正月には、「改新の詔」が出され、豪族の田荘・部曲を廃止して公地公民制への移行をめざす政策方針が示されたという❶。全国的な人民・田地の調査、統一的税制の施行がめざされ、地方行政組織の「評」❷が各地に設置されるとともに、中央の官制も整備されて大規模な難波宮が営まれた。王権や中大兄皇子の権力が急速に拡大する中で❸、中央集

大化改新の詔

其の一に曰く、「昔在の天皇等の立てたまへる子代の民、処々の屯倉、及び、別には臣・連・伴造・国造・村首の所有る部曲の民、処々の田荘を罷めよ。
食封を大夫より以上に賜ふこと、各差あらむ。」
其の二に曰く、「初めて京師を修め、畿内・国司・郡司・関塞・斥候・防人・駅馬・伝馬を置き、及び鈴契を造り、山河を定めよ。」
其の三に曰く、「初めて戸籍・計帳・班田収授の法を造れ。」
其の四に曰く、「旧の賦役を罷めて、田の調を行へ。」
（『日本書紀』、原漢文）

❶屯倉 ❷部曲 ❸田荘 ❹国造 ❺村首 ❻郡司 ❼関塞 ❽斥候 ❾防人 ❿駅馬 ⓫伝馬 ⓬鈴契 ⓭戸籍 ⓮計帳 ⓯調
①333ページ参照。②おのおのの地位に応じて給付する。③北辺の監視要員。④公的な伝達・輸送に用いられる馬。⑤畿内・国の司と読む説もある。⑥関節、ともに駅馬・伝馬を利用する際の証明とした。⑪地方の境界を定める。⑫一定基準で田地に賦課する税。

---

❶『日本書紀』が伝える詔の文章にはのちの大宝令などによる潤色が多くみられ、この段階で具体的にどのような改革がめざされたかについては慎重な検討が求められる。
❷藤原宮木簡などの7世紀代の木簡や金石文に各地の「評」の記載がみられる。また、地方豪族たちの申請により「評」（郡）を設けた経緯が、『常陸国風土記』などに記されている。
❸中大兄皇子の主導のもとに、蘇我氏系の大王候補であった古人大兄王、ついで蘇我倉山田石川麻呂、その後、孝徳天皇の皇子有間皇子が滅ぼされて権力の集中が進んだ。

第2章 律令国家の形成

権化が進められた。こうした孝徳天皇時代の諸改革は，**大化改新**といわれる。

《 律令国家への道 》　朝鮮半島では，唐と新羅が結んで660年に百済を，668年には高句麗を滅ぼした。孝徳天皇の没後飛鳥で即位した斉明天皇(皇極天皇の重祚)のもとで，倭は唐・新羅に対し根強い抵抗を示す旧百済勢力による百済復興を支援するため大軍を派遣したが，663年に白村江の戦いで唐・新羅連合軍に大敗した。この後，新羅が朝鮮半島の支配権を確立し，676年に半島を統一した。白村江の敗戦を受けて防衛政策が進められ，664年には対馬・壱岐・筑紫に防人と烽がおかれた。また，百済からの亡命貴族の指導下に，九州の要地を守る水城や大野城・基肄城（→p.44）が築かれ，対馬から大和にかけて古代朝鮮式山城が築かれた。国内政策でも，664年には氏上を定め，豪族領有民を確認するなど豪族層の編成が進められた。中大兄皇子は667年に都を近江大津宮に移し，翌年即位して**天智天皇**（位668〜671）となり，670年には最初の戸籍である**庚午年籍**を作成した❶。

天智天皇が亡くなると，翌672年に，天智天皇の子で近江朝廷を率いる**大友皇子**(648〜672)と天智天皇の弟**大海人皇子**(631?〜686)とのあいだで皇位継承をめぐる戦い(**壬申の乱**)がおきた。大海人皇子は東国の美濃に移り，東国豪族たちの軍事動員に成功して大友皇子を倒し，翌年飛鳥浄御原宮で即位した(**天武天皇**（位673〜686）)。乱の結果，近江朝廷側についた有力中央豪族が没落し，強大な権力を手にした天武天皇を中心に中央集権的国家体制の形成が進んだ❷。

天武天皇は，675年に豪族領有民をやめ，官人の位階や昇進の制度を定めて官僚制の形成を進めた。684年には**八色の姓**を定めて豪族たち

藤原京の条坊復元図　藤原京は，中央の藤原宮を中心に約5.3km四方の規模をもち，そこに有力な王族や豪族たちを住まわせた。

---

❶　天智天皇は，はじめての法典近江令を定めたともいわれるが，その完成を疑う説もある。
❷　それまでの大王にかわって「天皇」という称号が用いられるのも，この頃のこととされる。

2．律令国家への道　39

を天皇を中心とした新しい身分秩序に編成した。また国家体制の充実をはかり、銭貨(富本銭)の鋳造をおこない、さらに律令・国史の編纂や中国の都城制にならった藤原京の造営を始めたが、それらの完成前に亡くなった。

天武天皇のあとを継いだ皇后の持統天皇は諸政策を引き継ぎ、689年には飛鳥浄御原令を施行し、翌690年には戸籍(庚寅年籍)を作成して民衆の把握を進めた。そして694年には、飛鳥から本格的な宮都藤原京❶に遷都した。

白鳳文化

飛鳥文化に続く、7世紀後半から8世紀初頭にかけての文化を白鳳文化という。天武・持統天皇の時代を中心とする、律令国家が形成される時期の生気ある若々しい文化で、7世紀には新羅を経由し、8世紀には遣唐使によって伝えられた唐初期の文化の影響を受け、仏教文化を基調にしている。

天武天皇によって大官大寺・薬師寺がつくり始められるなど仏教興隆は国家的に推進され、地方豪族も競って寺院を建立したので、この時期に仏教は急速に展開した。彫刻では興福寺仏頭などがおおらかな表情を伝え、絵画では法隆寺金堂壁画にインドや西域の影響が、また高松塚古墳壁画に中国や朝鮮半島の影響が認められている。

おもな美術作品

【彫刻】
法隆寺阿弥陀三尊像〈金銅像〉
〃　夢違観音像〈金銅像〉
興福寺仏頭〈金銅像〉(p.40)
薬師寺東院堂 聖観音像〈金銅像〉
〃　金堂薬師三尊像〈金銅像〉(p.41)

【絵画】
法隆寺金堂壁画(1949年焼損)
高松塚古墳壁画(p.41)

薬師寺東塔 730(天平2)年頃建てられ、白鳳様式を伝えるとされる。三重塔の各層に裳階がついている。(高さ34.1m、奈良県)

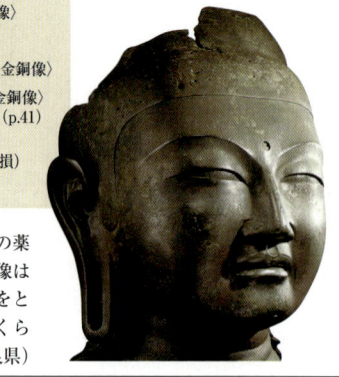

興福寺仏頭 もと山田寺の薬師三尊の本尊の頭部で、像は蘇我倉山田石川麻呂の霊をとむらうため、685年につくられた。(高さ98.3cm、奈良県)

❶ 藤原京は、それまでの一代ごとの大王宮とは違って、三代の天皇の都となり、宮の周囲には条坊制をもつ京が設けられて、有力な王族や中央豪族がそこに集住させられた。そして国家の重要な政務・儀式の場として、中国にならった瓦葺で礎石建ちの大極殿・朝堂院がつくられるなど、新しい中央集権国家を象徴する首都となった。

薬師寺金堂薬師三尊像 薬師寺本尊の金銅像。やわらかいながら写実的で威厳に富む表情をもち，奈良薬師寺金堂が造営された養老年間(717〜723年)頃の作品説がある。(高さ254.8cm〈中尊〉，311.8cm〈左脇侍〉，309.4cm〈右脇侍〉，奈良県)

高松塚古墳壁画(西壁) 石棺式石室の内壁に，漆喰の上に彩色された壁画。男性群像・女性群像のほか四神・星宿が描かれている。唐や高句麗の壁画の影響が指摘されている。(奈良県)

　豪族たちは中国的教養を受容して漢詩文をつくるようになり，一方で和歌もこの時期に形式を整えた。またこの時代には，中央集権的国家組織の形成に応じて，中央の官吏だけでなく地方豪族にも漢字文化と儒教思想の受容が進んだ。

《大宝律令と官僚制》

　701(大宝元)年に刑部親王(?〜705)や藤原不比等(659〜720)らによって**大宝律令**が完成し，律令制度による政治の仕組みもほぼ整った❶。律は今日の刑法に当たり，令は行政組織・官吏の勤務規定や人民の租税・労役などの規定である。

　中央行政組織には，神々の祭祀をつかさどる**神祇官**と行政全般を管轄する**太政官**の二官があり，太政官のもとで**八省**が政務を分担した。行政の運営は，有力諸氏から任命された**太政大臣・左大臣・右大臣・大納言**などの太政官の**公卿**による合議によって進められた。

　地方組織としては，全国が**畿内・七道**に行政区分され，**国・郡・里**(のち郷と改められる)がおかれて，**国司・郡司・里長**が任じられた。国司には中

❶ 律と令がともに日本で編纂されたのは大宝律令がはじめてで，「日本」が国号として正式に用いられるようになったのもこの頃のことである。日本の律令は，唐の律令にならいながら，独自の実情にあわせて改めたところもある。718(養老2)年に藤原不比等らによりまとめられた**養老律令**は，大宝律令を大きくかえたものではなく，757(天平宝字元)年に施行された。

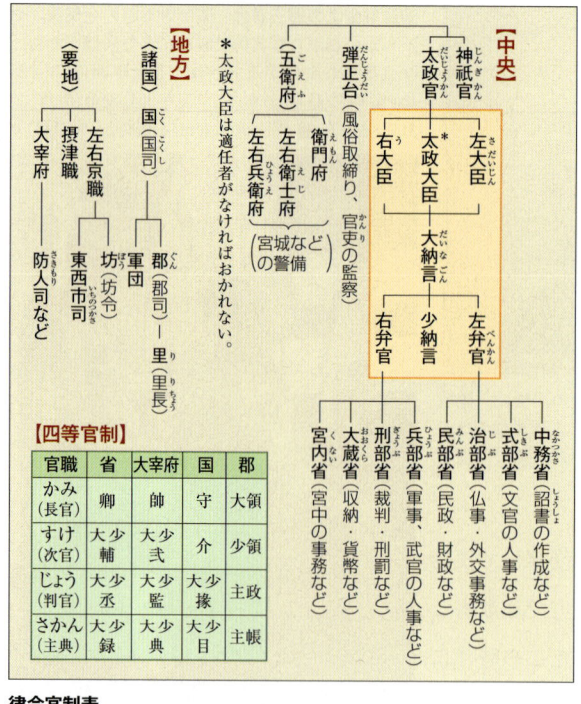

律令官制表

【中央】
- 神祇官
- 太政官*
  - 左大臣
  - 右大臣
  - 太政大臣
  - 大納言
  - 少納言 — 左弁官・右弁官
    - 中務省(詔書の作成など)
    - 式部省(文官の人事など)
    - 治部省(仏事・外交事務など)
    - 民部省(民政・財政など)
    - 兵部省(軍事、武官の人事など)
    - 刑部省(裁判・刑罰など)
    - 大蔵省(収納・貨幣など)
    - 宮内省(宮中の事務など)
- 弾正台(風俗取締り、官吏の監察)
- 五衛府
  - 衛門府
  - 左右衛士府
  - 左右兵衛府 (宮城などの警備)

*太政大臣は適任者がなければおかれない。

【地方】
- 諸国
  - 国(国司) — 郡(郡司) — 里(里長)
  - 軍団
  - 坊(坊令)
- 要地
  - 左右京職 — 東西市司
  - 摂津職
  - 大宰府 — 防人司など

【四等官制】

官職	省	大宰府	国	郡
かみ(長官)	卿	帥	守	大領
すけ(次官)	大少輔	大少弐	介	少領
じょう(判官)	大少丞	大少監	大少掾	主政
さかん(主典)	大少録	大少典	大少目	主帳

央から貴族が派遣され、役所である国府(国衙)を拠点に国内を統治した。一方、郡司にはかつての国造など伝統的な地方豪族が任じられ、郡の役所である郡家(郡衙)を拠点として郡内を支配した。そのほか、京には左・右京職、難波には摂津職、外交・軍事上の要地である九州北部には西海道を統轄する**大宰府**がおかれた。これらの諸官庁には、多数の官吏が勤務したが、官吏となるためには漢字の文筆能力と儒教の教養とが求められた。

官吏は位階を与えられて位階に対応する官職に任じられ(官位相当制)、位階・官職に応じて封戸・田地・禄などの給与❶が与えられたほか、調・庸・雑徭などの負担は免除された。とくに五位以上の貴族は手厚く優遇され、五位以上の子(三位以上の子・孫)は父(祖父)の位階に応じた位階を与えられる**蔭位の制**により貴族層の維持がはかられた❷。

司法制度では、刑罰に笞・杖・徒・流・死の五刑があり、地方では郡司が笞罪までの裁判権をもった。国家的・社会的秩序を守るため、国家・天皇・尊属に対する罪はとくに重罪とされた❸。

---

❶ 官吏の給与には、その戸からの税収が封主に与えられる位封・職封などの封戸、位田・職田などの田地、年2回与えられる現物給与の季禄などがあった。
❷ 貴族や役人には、刑罰に際しても重罪でない限り実刑を受けず、免職や代償をおさめることで刑罰が免除される特権があった。
❸ 天皇に対する謀反や尊属に対する不孝などを八虐といい、有位者でも減免しない重い罪とされた。

民衆の負担

　律令国家では，民衆は戸主を代表者とする戸❶に所属する形で戸籍・計帳に登録され，50戸で1里が構成されるように里が編成された。この戸を単位として口分田が班給され❷，租税が課せられた。戸籍は6年ごとに作成され，それにもとづいて6歳以上の男女に一定額の口分田が与えられた。家屋やその周囲の土地は私有が認められたが，口分田は売買できず，死者の口分田は6年ごとの班年に収公された(班田収授法)❸。

　民衆には租・調・庸・雑徭などの負担が課せられた。租は口分田などの収穫から3％程度の稲をおさめるもので，おもに諸国において貯蔵された。調・庸は，絹・布・糸や各地の特産品を中央政府におさめるもので，おもに正丁(成人男性)に課せられ，それらを都まで運ぶ運脚の義務があった。雑徭は，国司の命令によって水利工事や国府の雑用に年間60日を限度に奉仕する労役であった。このほか，国家が春に稲を貸し付け，秋の収穫時に高い利息とともに徴収する出挙(公出挙)❹もあった。

　兵役は，成人男性3～4人に1人の割で兵士が徴発され，兵士は諸国の軍

区分	正丁 (21～60歳の男性)	次丁(老丁) (61～65歳の男性)	中男(少丁) (17～20歳の男性)	備考
租	田1段につき稲2束2把 (収穫の約3％に当たる。田地にかかる租税)			
調	絹・絁・糸・布など 郷土の産物の一種を一定量	正丁の1/2	正丁の1/4	ほかに正丁は染料などの調の副物を納入
庸	都の労役(歳役)10日にかえ，布2丈6尺(約8m)	正丁の1/2	なし	京・畿内はなし
雑徭	地方での労役，60日以下	正丁の1/2	正丁の1/4	のちに半減される

公民の税負担(養老令より)

❶ 戸は実際の家族そのままではなく，編成されたもので，平均的な戸の成員は25人程度であった。8世紀前半の一時期には，この郷戸のもとに10人程度の小家族からなる房戸が設けられた。同じ時期，国・郡・里の「里」は「郷」とされて，そのもとにいくつかの「里」がおかれる郷里制が施行された。
❷ 男性は2段(1段＝360歩＝約11.9a)，女性はその3分の2，私有の奴婢は良民男女のそれぞれ3分の1が班給された。土地の広狭に応じて，実際の班給面積には差があった。
❸ 班田収授法は，豪族による土地・人民の支配を排除して国家が直接民衆を掌握しようとしたものであるが，その実施には，郡司など地方豪族の協力が必要であった。
❹ 出挙は，もともと農民の生活維持のために豪族たちがおこなってきたものであったが，律令制下では国家の租税となり(公出挙)，その利息の稲は諸国の重要な財源となった。

団で訓練を受けた。一部は宮城の警備に当たる衛士となったり，九州の沿岸を守る防人❶となった。兵士の武器や食料も自弁が原則であり，家族内の有力な労働力をとられることから，民衆には大きな負担であった。

身分制度は，良民と賤民にわけられ，賤民には官有の陵戸・官戸・公奴婢(官奴婢)と，私有の家人・私奴婢の五種類(五色の賤)があった。賤民の割合は人口の数％程度と低かったが，大寺院や豪族の中には，数百人をこえる奴婢を所有したものもあった。

3 平城京の時代

《遣唐使》 618年，隋にかわって中国を統一した唐は，アジアに大帝国を築き，広大な領域を支配して周辺諸地域に大きな影響を与えた。西アジアとの交流もさかんになり，都の長安(西安)は世界的な都市として国際的な文化が花開いた。

東アジアの諸国も唐と通交するようになり，日本からの遣唐使は8世紀にはほぼ20年に1度の割合で派遣された❷。大使をはじめとする遣唐使には，留学生・学問僧なども加わり，多い時は約500人もの人びとが，4隻の船に乗って渡海した。しかし，造船や航海の技術は未熟であったため，政治的緊張から新羅の沿岸を避けて東シナ海を横切る航路をとるようになると，海上での遭難も多かった。遣唐使たちは，唐から先進的な政治制度や国際的な文化をもたらし，日本に大きな影響を与えた。とくに帰国した吉備真備(693?～775)や玄昉(?～746)

8世紀中頃の東アジアと日唐交通路 遣唐使の航路は，初め北路をとったが，新羅との関係が悪化した8世紀には危険な南路をとった。

❶ 防人には東国の兵士があてられ，3年間大宰府に属した。故郷を遠く離れて九州におもむく防人たちのよんだ和歌が，『万葉集』に多く伝えられている(→p.56)。

❷ 894(寛平6)年の菅原道真の建議で停止(→p.71)に至るまで，十数回にわたり渡海した。

44　第2章　律令国家の形成

は，のち聖武天皇に重用されて政界でも活躍した❶。
　朝鮮半島を統一した新羅とも多くの使節が往来したが，日本は国力を充実させた新羅を従属国として扱おうとしたため，ときには緊張が生じた❷。8世紀末になると遣新羅使の派遣はまばらとなるが，外交とは別に民間商人たちの往来はますますさかんになった。一方，北方の中国東北部などに住む靺鞨族や旧高句麗人を中心に建国された渤海(698〜926)と日本とのあいだでは，親密な使節の往来がおこなわれた。渤海は，唐・新羅との対抗関係から727（神亀4）年に日本に使節を派遣して国交を求め，日本も新羅との対抗関係から，渤海と友好的に通交した❸。

《奈良の都平城京》　710（和銅3）年，元明天皇(位707〜715)は藤原京から奈良盆地北部の平城京へと遷都した。こののち，山背国の長岡京・平安京に遷都するまでを奈良時代という。
　平城京は唐の都長安にならい，碁盤の目状に東西・南北に走る道路で区画

平城宮図　奈良時代後半には，朱雀門を入った中央区の朝堂院の北に西宮があり，壬生門を入った東区には内裏の南に大極殿・朝堂院・朝集殿院が位置する。その他，二官八省の官庁群の配置が発掘調査によって知られている。

平城京図　平城京は道幅74mの朱雀大路を中軸に左京・右京にわかれ，全体をかこむ羅城の城壁はなかったとされる。長岡遷都後，大寺院周辺を除いて水田化し，遺跡が残っている。

❶　遣唐留学生だった阿倍仲麻呂は帰国の船の遭難で唐にとどまり，唐の玄宗皇帝に重用されて高官にのぼり，詩人王維・李白らとも交流して，その地で客死した。
❷　唐で安禄山・史思明の乱（安史の乱，755〜763）がおこり混乱が広がると，渤海が唐・新羅に進出する動きに応じて藤原仲麻呂は新羅攻撃を計画したが，実現しなかった。
❸　渤海の都城跡からは和同開珎(→p.46)が発見され，日本でも日本海沿岸で渤海系の遺物が出土するなど，交流の痕跡が知られている。

3．平城京の時代　45

される条坊制をもつ都市であった。都は中央を南北に走る朱雀大路で東の左京と西の右京とにわけられ、北部中央には平城宮が位置した。平城宮には天皇の生活の場である内裏、政務・儀礼の場である大極殿・朝堂院、そして二官・八省などの官庁がおかれていた。京には貴族・官人・庶民が住み、はじめ大安寺・薬師寺・元興寺・興福寺、のちには東大寺・西大寺などの大寺院が立派な伽藍建築を誇った。人口は約10万人といわれる。

　平城宮跡は、保存されて計画的に発掘調査がおこなわれ、宮殿・官庁・庭園などの遺構や木簡などの遺物が発見されて、古代の宮廷生活やそれを支えた財政構造などが明らかになっている。

　平城京跡の発掘調査では、長屋王らの貴族の邸宅から下級官人の屋敷に至る各階層の人びとの生活の様相が明らかになり、五条以北の平城宮近くには貴族たちの大邸宅が建ち並び、八条・九条などの宮から遠い地区には下級官人たちの小規模な住宅が分布していたことがわかった。

　左京・右京には官営の市が設けられ、市司がこれを監督した。市では、地方から運ばれた産物、官吏たちに現物給与として支給された布や糸などが交換された。708(和銅元)年、武蔵国から銅が献上されると、政府は年号を和銅と改め、7世紀の天武天皇時代の富本銭に続けて、唐にならい和同開珎

富本銭(左, 径約2.4cm)**と和同開珎**(右, 径2.4cm)　富本銭(銅銭, 奈良文化財研究所蔵)も、和同開珎(銀銭・銅銭, 日本銀行貨幣博物館蔵)も、唐の銭貨にならったもので、近畿地方のほか各地から出土する。

長屋王邸(復元模型)　長屋王邸は、左京三条二坊に4町(約250m四方)の敷地を占め、儀礼空間・生活空間や家政機関の空間などから構成されていた。(奈良文化財研究所蔵)

庶民の住宅(復元模型)　平城京南端に近い右京八条一坊では、1町の16分の1や32分の1という小規模な住宅跡がみつかり、下級官人や庶民の住宅の姿がわかった。宅地には2～3棟の建物・倉と井戸が配されていた。(奈良文化財研究所蔵)

を鋳造した❶。銭貨は都の造営に雇われた人びとへの支給など宮都造営費用の支払いに利用され、政府はさらにその流通をめざして**蓄銭叙位令**を発したものの、京・畿内を中心とした地域の外では、稲や布などの物品による交易が広くおこなわれていた。

《 **地方官衙と「辺境」** 》中央と地方とを結ぶ交通制度としては、都をかこむ畿内を中心に東海道など七道の諸国府へのびる官道(駅路)が整備され、約16kmごとに駅家を設ける駅制が敷かれ、官吏が公用に利用した。地方では、駅路と離れて郡家などを結ぶ道(伝路)が交通体系の網目を構成した❷。

都から派遣された国司が地方を統治する拠点である**国府**(国衙)には、政務・儀礼をおこなう国庁(政庁)、各種の実務をおこなう役所群、国司の居館、倉庫群などが設けられて、一国内の政治・経済の中心地となった。国府の近くにはのちに国分寺も建立され、(→p.50)文化的な中心でもあった。また、各郡の郡司の統治拠点である**郡家**(郡衙)も、国府と同様に郡庁・役所群・郡司の居館・倉庫群などの施設をもち、近くに郡司の氏寺も営まれる

下野国庁(復元模型) 国府の中心となる国庁(政庁)は、公的な政務・儀式の場であった。下野国庁(栃木市)では、南門が開く方形の区画の中に、前殿をともなう正殿と東西の脇殿とにかこまれて広場があった。(栃木県教育委員会蔵)

武蔵国都築郡家(復元模型) 郡庁と思われる大規模な掘立柱建物群が「コ」の字状に並び、正倉の高床倉庫群などの施設が整然と配置されていた。(横浜市歴史博物館蔵)

---

❶ 奈良時代初めの和同開珎のあと、国家による銅銭の鋳造は、10世紀半ばの乾元大宝(→p.69)まで12回にわたり続けられて「本朝(皇朝)十二銭」と呼ばれたが、富本銭がみつかったことにより日本古代の銭貨は13種類となった。

❷ 東海・東山・北陸・山陰・山陽・南海・西海の七道の駅路が推定される各地では、一定規格の道幅(12・9・6m)で、側溝をもって平地部を直線的にのびる古代の官道の遺跡が発見されている。

3. 平城京の時代

など郡内における中心となった。任期のある国司と違って伝統的な地方豪族が終身制で任命された郡司により，実際の民衆支配が展開したと思われる。郡家の遺跡からも木簡・墨書土器などの文字資料が出土し，律令制の文書主義にもとづき漢字文化が地方にも展開した様子が知られる。

　政府は，鉄製の農具や進んだ灌漑技術を用いて耕地の拡大にもつとめ，長門の銅，陸奥の金などの鉱物資源の採掘も国家主導でおこなわれた。また養蚕や高級織物の技術者を地方に派遣して生産をうながし，各地で税のための特産品も生まれた。

　律令にもとづく国家体制が実現し，充実した力をもった中央政府は，支配領域の拡大にもつとめた。政府が蝦夷と呼んだ東北地方に住む人びとに対しては，唐の高句麗攻撃により対外的緊張が高まった7世紀半ばに，日本海側

木簡

木の札に文字を墨書したおもに古代の文字資料を木簡と呼んでいる。古代に，堅牢で加工や削り直しが可能という木の特性を生かして，役所の日常的な文書や都への貢進物の荷札などさまざまな場面で利用され，紙の文書とは使いわけられた。平城宮跡・平城京跡をはじめ全国の役所の遺跡などから，すでに35万点余りの木簡が出土している。木簡の内容は，文書，貢進物荷札などの付札，習書などであり，形態としては，文書は長方形の短冊型が多く，荷札は左右両端から紐をかけるための切欠きを入れたり下端を尖らせたりする。木簡は，国家が編纂した文献史料とは異なり，その時点で記載されたなまの同時代史料であり，食料の米・塩のことや下級官人たちに関する日常的な記録を伝え，さらに都に送られた荷札や地方出土の木簡は，都だけでなくそれぞれの地方の歴史も明らかにしてくれる。

　文献の少ない7世紀の古代史では，藤原宮跡から出土した藤原宮木簡によって701(大宝元)年の大宝令施行以前は地方行政単位の「郡」は「評」と記されていたことが確認されたことなど，木簡は大きな役割を果たしている。平城宮木簡では，文書木簡から役所の文書作成法，下級官人の出身地や勤務状況，貢進物荷札木簡から国家財政の運用システムなどがわかってきた。平城京では，長屋王家木簡によって王家の生活，家政運営，経済基盤や家内で働く多数の人びとの実態などが明らかになった。

（左：奈良県立橿原考古学研究所附属博物館蔵，他3点：奈良文化財研究所蔵）

に渟足柵・磐舟柵が設けられた。斉明天皇の時代には阿倍比羅夫が遣わされ，秋田地方などさらに北方の蝦夷と関係を結んだ。しかし，政府の支配領域はまだ日本海沿いの拠点にとどまっていた。8世紀になると，蝦夷に対する軍事的な制圧政策も進められた❶。日本海側には712（和銅5）年に出羽国がおかれ，ついで秋田城が築かれ，太平洋側にも7世紀後期の城柵に続けて陸奥国府となる多賀城が築かれて，それぞれ出羽・陸奥の政治や蝦夷対策の拠点となった。

多賀城跡（復元模型） 多賀城には，築地・材木塀にかこまれた外郭の中央に政務・儀式をおこなう政庁があり，他に実務を担う役所群・倉庫群や兵士の住居群などがあった。文書行政で使われた木簡や漆紙文書が出土している。（東北歴史博物館，宮城県）

一方，南九州の隼人と呼ばれた人びとの地域には，抵抗を制圧して8世紀初めに薩摩国ついで大隅国がおかれ，種子島・屋久島も行政区画化されるなど南西諸島の島々も政府に赤木などの産物を貢進する関係に入った。

藤原氏の進出と政界の動揺

8世紀の初めは，皇族や中央の有力貴族間で勢力が比較的均衡に保たれる中，藤原不比等を中心に律令制度の確立がはかられた。しかし，やがて藤原氏が政界に進出すると，大伴氏や佐伯氏などの旧来の有力諸氏の勢力は後退していった。藤原不比等は，娘の宮子を文武天皇に嫁がせ，その子の皇太子（のち聖武天皇）にも娘の光明子を嫁がせて天皇家と密接な関係を築いた。

不比等が死去すると，皇族の長屋王❷が右大臣となり政権を握ったが，藤原氏の外戚としての地位が危うくなると，不比等の子の武智麻呂・房前・宇合・麻呂の4兄弟は，729（天平元）年，策謀によって左大臣であった長屋王を自

---

❶ 蝦夷に対する政策は，帰順する蝦夷は優遇する一方，反抗する蝦夷は武力でおさえつけるという二面をもち，さらに「夷を以て夷を制する」政策がとられた。

❷ 壬申の乱で活躍した高市皇子（天武天皇の子）の子で，文武天皇の妹吉備内親王を妻とした。不比等は長屋王にも娘を嫁がせていた。『懐風藻』『万葉集』（→p.55）から長屋王邸は有力な文化サロンであったことが知られ，平城京にあった大規模な邸宅跡が発掘されている（→p.46）。

3. 平城京の時代　49

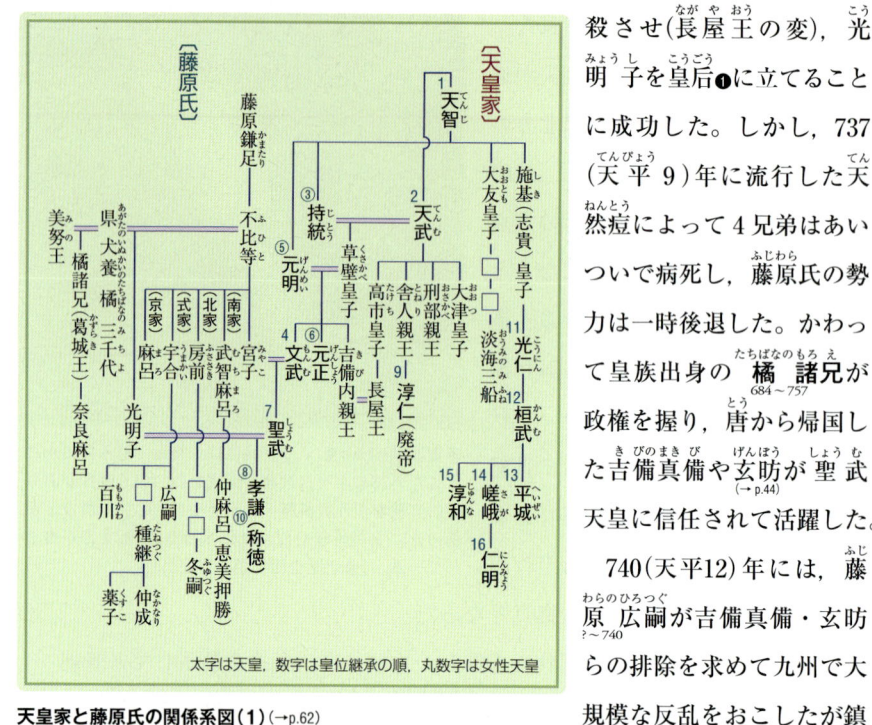

殺させ(長屋王の変)，光明子を皇后❶に立てることに成功した。しかし，737(天平9)年に流行した天然痘によって4兄弟はあいついで病死し，藤原氏の勢力は一時後退した。かわって皇族出身の橘諸兄が政権を握り，唐から帰国した吉備真備や玄昉が聖武天皇に信任されて活躍した。

740(天平12)年には，藤原広嗣が吉備真備・玄昉らの排除を求めて九州で大規模な反乱をおこしたが鎮圧された(藤原広嗣の乱)。この乱がおきてから数年のあいだ，聖武天皇は恭仁京・難波宮・紫香楽宮などに都を転々と移した。

こうした政治情勢や飢饉・疫病などの社会的不安のもと，仏教を厚く信仰した聖武天皇は，仏教のもつ鎮護国家の思想によって国家の安定をはかろうとし，741(天平13)年に国分寺建立の詔を出して，諸国に国分寺・国分尼寺をつくらせることにした❷。ついで743(天平15)年には近江の紫香楽宮で大仏造立の詔を出した。745(天平17)年に平城京に戻ると，大仏造立は奈良で続けられ，752(天平勝宝4)年，聖武天皇の娘である孝謙天皇の時に，大仏の開眼供養の儀式が盛大におこなわれた❸。

孝謙天皇の時代には，藤原仲麻呂が光明皇太后と結んで政界で勢力をのば

天皇家と藤原氏の関係系図(1)(→p.62)

❶ 皇后は律令では皇族であることが条件とされ，天皇亡きあと臨時に政務をみたり，みずから天皇として即位することもあり，また皇位継承への発言権をもてる立場であった。
❷ 大事業であるため，諸国ではなかなか完成せず，のちに地方豪族の協力を求めている。
❸ この儀式は，聖武太上天皇・光明皇太后・孝謙天皇，文武百官や渡来したインド僧・中国僧のほか，1万人の僧が参列する盛儀であった。

国分寺建立の詔

（天平十三年）❶三月……乙巳、詔して曰く、「……宜しく天下諸国をして各々敬みて七重塔一区を造り、幷せて金光明最勝王経・妙法蓮華経各一部を写さしむべし。……僧寺には必ず廿僧有らしめ、其の寺の名を金光明四天王護国之寺❷と為し、尼寺には一十尼ありて、其の寺の名を法華滅罪之寺❹と為し、両寺相共に宜しく教戒❺を受くべし。……」と。（続日本紀）、原漢文）

❶七四一年。❷二月十四日の誤り。❸国分寺。❹国分尼寺。❺教え。

大仏造立の詔

（天平十五年）冬十月辛巳、詔して曰く、「……粵に天平十五年歳次癸未十月十五日を以て、菩薩❷の大願を発して盧舎那仏の金銅像一軀を造り奉る。……夫れ天下の富を有つ者は朕なり。天下の勢を有つ者も朕なり。此の富勢を以てこの尊像を造る。事や成り易く、心や至り難き。……」と。（続日本紀』、原漢文）

❶七四三年。❷仏教を興隆し、衆生を救おうという願い。❸華厳経の本尊。仏国土をあまねく照らす仏。

した。橘諸兄の子の奈良麻呂は仲麻呂を倒そうとするが、逆に滅ぼされた（橘奈良麻呂の変）。仲麻呂は淳仁天皇を擁立して即位させると恵美押勝の名を賜り、破格の経済的特権を得るとともに権力を独占し、大師（太政大臣）にまでのぼった。

恵美押勝は後ろ盾であった光明皇太后が死去すると孤立を深め、孝謙太上天皇が自分の看病に当たった僧道鏡を寵愛して淳仁天皇と対立すると、危機感をつのらせて764（天平宝字8）年に挙兵したが、太上天皇側に先制され滅ぼされた（恵美押勝の乱）。淳仁天皇は廃されて淡路に流され、孝謙太上天皇が重祚して称徳天皇となった。

道鏡は称徳天皇の支持を得て太政大臣禅師、さらに法王となって権力を握り、仏教政治をおこなった❶。769（神護景雲3）年には、称徳天皇が宇佐神宮の神託によって道鏡に皇位をゆずろうとする事件がおこったが、この動きは和気清麻呂らの行動で挫折した❷。称徳天皇が亡くなると、後ろ盾

8世紀の政情（月は陰暦）

720.8	藤原不比等、死去
721.1	長屋王、右大臣となる
724.2	長屋王、左大臣となる
729.2	長屋王の変
8	光明子、皇后となる
734.1	藤原武智麻呂、右大臣となる
737.	疫病流行、武智麻呂ら4兄弟死去
738.1	橘諸兄、右大臣となる
740.9	藤原広嗣の乱
12	山背の恭仁京に遷都
745.5	平城京へ戻る
757.7	橘奈良麻呂の変
760.1	藤原仲麻呂、太政大臣となる
761.	道鏡、孝謙太上天皇の病気治療
764.9	恵美押勝（藤原仲麻呂）の乱
765.閏10	道鏡、太政大臣禅師となる
769.9	宇佐八幡神託事件
770.8	道鏡を下野に追放

❶ この時期には、西大寺の造営や百万塔の製作など、造寺・造仏がよくおこなわれている。
❷ 九州の宇佐八幡神が道鏡の即位をうながすお告げをしたが、その神意を聞く使いとなった和気清麻呂は、逆の神意報告をして道鏡の即位を挫折させた。清麻呂の行動の背景には、彼を支えた藤原百川ら道鏡に反対する貴族たちが存在したとみられる。

3. 平城京の時代

を失った道鏡は退けられた❶。つぎの皇位には、藤原式家の藤原百川らがはかって、長く続いた天武天皇系の皇統にかわって天智天皇の孫である光仁天皇が迎えられた。光仁天皇の時代には、道鏡時代の仏教政治で混乱した律令政治と国家財政の再建がめざされた。

民衆と土地政策

律令政治が展開した8世紀には、農業にも進歩がみられ、鉄製の農具がいっそう普及した。生活では、竪穴住居にかわって平地式の掘立柱住居が西日本からしだいに普及した。家族のあり方は今日と違い、結婚は初め男性が女性の家に通う妻問婚に始まり、夫婦としていずれかの父母のもとで生活し、やがてみずからの家をもった。夫婦は結婚しても別姓のままで、また自分の財産をもっていた。律令では中国の家父長制的な家族制度にならって父系の相続を重んじたが、一般民衆の家族では、生業の分担や子どもの養育などの面で女性の発言力が強かったとみられる。

農民は、班給された口分田を耕作したほか、口分田以外の公の田（乗田）や寺社・貴族の土地を原則として1年のあいだ借り、収穫の5分の1を地子として政府や持ち主におさめた（賃租）。農民には兵役のほか、雑徭などの労役や運脚などの負担があった（→p.43）ため、生活に余裕はなかった。さらに、天候不順や虫害などに影響されて飢饉もおこりやすく、国司・郡司らによる勧農政策があっても不安定な生活が続いた❷。

村上遺跡（復元模型） 東国の丘陵上に営まれた8世紀頃の村落遺跡（千葉県八千代市）の復元。当時、東国では竪穴式の住居が基本で、竪穴住居数棟に倉庫などの掘立柱建物1～2棟と井戸からなる単位が多数集合して村落が構成されていた。こうした集落内に簡素な仏堂建物があった例もみられる。（国立歴史民俗博物館蔵）

---

❶ 道鏡は下野薬師寺の別当として追放され、そこで死去した。
❷ 農民たちの窮乏生活をうたった『万葉集』にみえる山上憶良の貧窮問答歌（→p.56）は、そうした農民への共感からつくられた作品といえる。

三世一身法

（養老七年四月）辛亥、太政官奏すらく、「頃者百姓漸く多くして、田池窄狭なり。望み請ふらくは、天下に勧め課せて、田疇を開闢かしめん。其の新たに溝池を造り、開墾を営む者有らば、多少を限らず、給ひて三世❷に伝へしめん。若し旧き溝池を逐❸に其の一身に給せん」と。

（『続日本紀』、原漢文）

❶太政官が天皇に上申する書。 ❷狭い。 ❸本人・子・孫・曾孫の三代とする説もある。 ❹既設の溝や池を利用して開墾した場合には。

墾田永年私財法

（天平十五年五月）乙丑、詔して曰く、「聞くならく、墾田は養老七年の格❶に依りて、限満つる後、例に依りて収授す。是に由りて農夫怠倦し、開ける地復た荒る。今より以後、任に私財と為し、三世一身を論ずること無く、咸悉くに永年取る莫れ。其の親王の一品及び一位は五百町、初位已下庶人に至るまでは十町。但し郡司は、大領❸少領❹に三十町、主政❺主帳❻に十町。」と。

（『続日本紀』、原漢文）

❶三世一身法を指す。 ❷意のままに。 ❸❹❺❻いずれも郡司の職名。

　政府は人口増加による口分田の不足を補い税の増収をはかるため、722（養老6）年には百万町歩の開墾計画❶を立て、723（養老7）年には**三世一身法**を施行した。この法は、新たに灌漑施設を設けて未開地を開墾した場合は三世にわたり、旧来の灌漑施設を利用して開墾した場合は本人一代のあいだ田地の保有を認めるというもので、民間の開墾による耕地の拡大をはかるものであった。743（天平15）年には政府は**墾田永年私財法**を発し、開墾した田地の私有を永年にわたって保障した❷。この法は、政府の掌握する田地を増加させることにより土地支配の強化をはかる積極的な政策であったが、その一方で貴族・寺院や地方豪族たちの私有地拡大を進めることになった❸。とくに東大寺などの大寺院は、広大な原野を独占し、国司や郡司の協力のもとに、付近の農民や浮浪人らを使用して灌漑施設をつくり、大規模な原野の開墾をおこなった。これを**初期荘園**❹という。

　農民には、富裕になるものと貧困化するものとが現われた。困窮した農

---

❶　農民に食料・道具を支給し、10日間開墾に従事させて良田を開こうとしたが、成果は上げられなかった。

❷　墾田の面積は身分に応じて制限され、一品の親王や一位の貴族の500町から初位以下庶民の場合の10町まで差が設けられていた。また墾田は、租をおさめるべき輸租田であった。

❸　のち、765（天平神護元）年に寺院などを除いて開墾は一時禁止されたが、道鏡が退いたあとの772（宝亀3）年には、ふたたび開墾と墾田の永年私有が認められた。

❹　初期荘園は、経営拠点の荘所を中心に、国司・郡司の地方統治に依存して営まれたが、独自の荘民をもたず、郡司の弱体化にともない衰退していった。

3. 平城京の時代　53

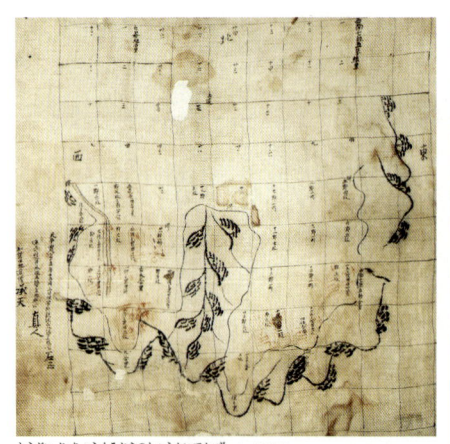

東大寺領糞置荘開田図(正倉院宝物) 759(天平宝字3)年につくられた越前国足羽郡(福井市)の東大寺領糞置荘の開田図。絵図の山や条里制水田の様子は、現在もそっくりの地形が残る。

条里制図 田地は国家の手で6町四方に区画され、一辺を条、他辺を里と呼び、田地の所在は何条何里何坪で示された。一坪は、10段(1町)の耕地からなる。

浮浪・逃亡の続出

(養老元年五月)丙辰、詔して曰く、「率土の百姓❶、四方に浮浪❷して課役を規避するを得るを求む。王臣本属を経ずに自ら駈使し、国郡に嘱請して遂に其の志を成す。茲に因りて、天下に流宕して郷里に帰らず。若し斯の輩有りて、輒く私に容止せば、状を揆りて罪を科すること、並に律令の如くせよ」と。
（『続日本紀』、原漢文）

❶全国の人民。
❷律令では、本籍地を離れてもまだ賦役をおさめるものである者。おさめないものを逃亡という。
❸調・庸・雑徭。
❹五位以上および大納言以上の護衛・雑役のために給わる従者。課役が免除された。
❺本籍地の役所を通さず。
❻国家の規定に従って正式に出家すること。
❼国司・郡司に頼んで、人民を私に駆使するようになる。
❽流浪のまま過ごす。
❾かくまう。

民の中には、口分田を捨てて戸籍に登録された地を離れて他国に浮浪したり、都の造営工事現場などから逃亡して、地方豪族などのもとに身を寄せるものも増えた。一方、有力農民の中にも、経営を拡大するために浮浪人となったり、勝手に僧侶となったり(私度僧)、貴族の従者となって、税負担を逃れるものがあった。8世紀の末には、調・庸の品質の悪化や滞納が多くなり、また兵士の弱体化が進んで、国家の財政や軍制にも大きな影響が出るようになった。

4 天平文化

天平文化と大陸

奈良時代には、中央集権的な国家体制が整って富が中央に集められ、平城京を中心として高度な貴族文化が花開いた。この時代の文化を、聖武天皇の時代の年号をとって天平文化という。当時の貴族は、遣唐使などによってもたらされる唐の進んだ文

化を重んじたから,天平文化は,唐の文化の影響を強く受けた国際色豊かな文化となった。

《 国史編纂と『万葉集』 》律令国家の確立にともなって国家意識が高まったことを反映して,政府の立場から統治の由来や国家の形成・発展の経過を示すために,中国にならって国史の編纂がおこなわれた。

天武天皇の時代に始められた国史編纂事業は,奈良時代に『**古事記**』『**日本書紀**』として完成した。712(和銅5)年にできた『古事記』は,宮廷に伝わる「帝紀」「旧辞」をもとに天武天皇が稗田阿礼によみならわせた内容を,太安万侶(安麻呂)(654?〜?)が筆録したもので,神話・伝承から推古天皇に至るまでの物語であり❶,日本語を漢字の音・訓を用いて表記している。720(養老4)年にできた『日本書紀』は,舎人親王(676〜735)が中心となって編纂したもので,中国の歴史書の体裁にならい漢文の編年体で書かれている。神話・伝承や「帝紀」「旧辞」などを含めて,神代から持統天皇に至るまでの歴史を天皇中心に記している❷。

歴史書とともに,713(和銅6)年には諸国に郷土の産物,山川原野の名の由来,古老の伝承などの筆録が命じられ,地誌である『**風土記**』❸が編纂された。

また,貴族や官人には漢詩文の教養が必要とされ,751(天平勝宝3)年には現存最古の漢詩集『**懐風藻**』が編まれ,大友皇子・大津皇子(663〜686)・長屋王らの7世紀後半以来の漢詩をおさめている。8世紀半ばからの漢詩文の文人としては,淡海三船(722〜785)や石上宅嗣(729〜781)❹らが知られている。日本古来の和歌も,天皇から民衆に至るまで多くの人びとによってよまれた。『**万葉集**』は759(天平宝字3)年までの歌約4500首を収録した歌集で,宮廷の歌人や貴族だけで

---

❶ 神話は,創世の神々と国生みをはじめとして,天孫降臨,神武天皇の「東征」,日本武尊の地方制圧などの物語が律令国家の立場から編まれており,そのまま史実とはいえない。

❷ 本文中には中国の古典や編纂時点の法令によって文章を作成した部分もあることから十分な検討が必要であるが,古代史の貴重な史料である。この『日本書紀』をはじめとして朝廷による歴史編纂は平安時代に引き継がれ,『続日本紀』『日本後紀』『続日本後紀』『日本文徳天皇実録』『日本三代実録』と六つの漢文正史が編纂された。これらを「**六国史**」と総称する。

❸ 常陸・出雲・播磨・豊後・肥前の5カ国の『風土記』が伝えられている。このうちほぼ完全に残っているのは,『出雲国風土記』である。

❹ 石上宅嗣は自分の邸宅を寺とし,仏典以外の書物をも所蔵する今日の図書館のような施設をおいて芸亭と名づけ,学問する人びとに開放したという。

4. 天平文化 55

なく東国の民衆たちがよんだ東歌や防人歌などもある。心情を率直に表わしており，心に強く訴える歌が多くみられる❶。

教育機関としては，官吏養成のために中央に**大学**，地方に**国学**がおかれた。入学者は，大学の場合は貴族の子弟や朝廷に文筆で仕えてきた人びとの子弟，国学の場合は郡司の子弟らを優先した。学生は大学を修了し，さらに試験に合格してようやく官人となることができた❷。

> **農民の苦しみ——貧窮問答歌**❶
>
> 人並に 吾も作るを 綿も無き 布肩衣の 海松の如 わわけさがれる 襤褸のみ 肩に打ち懸け 伏廬の 曲廬の内に 直土に 藁解き敷きて 父母は 枕の方に 妻子どもは 足の方に 囲み居て 憂へ吟ひ 竈には 火気ふき立てず 甑には 蜘蛛の巣懸きて 飯炊く 事も忘れて 鵺鳥の 呻吟ひ居るに いとのきて 短き物を 端截ると 云へるが如く 楚取る 五十戸良が声は 寝屋戸まで 来立ち呼ばひぬ ……
>
> （『万葉集』，原万葉がな）

❶山上憶良が筑前守であった七三一（天平三）年の頃の，中国の漢詩に ならった作という。貧者と窮者の問答の形をとり，ここは貧者の問いに窮者がこたえている部分。❷耕作term。❸麻布でつくられた粗末な海藻の一種。❹海藻の一種。❺破れてぶら下がる。❻ゆがみ傾いた家。❼地面にじかに。❽ほろ。❾屋根が低くくつぶれた家。❿「のどよぶ」にかかる枕詞。⓫細い力のない声を出す。⓬嘆きうめく。⓭むち。⓮里長。

国家仏教の展開

奈良時代には，仏教は国家の保護を受けてさらに発展した。とくに仏教によって国家の安定をはかるという**鎮護国家**の思想は，この時代の仏教の性格をよく示している。

奈良の大寺院では，インドや中国で生まれたさまざまな仏理論の研究が進められ，**三論・成実・法相・俱舎・華厳・律**の**南都六宗**と呼ばれる学系が形成された。法相宗の義淵は玄昉・**行基**ら多くの門下を育て，華厳宗の
?～728　668～749
良弁は唐・新羅の僧から華厳を学び，**東大寺**建立に活躍した。また，入唐
689～773
して三論宗を伝えた道慈も大安寺建立などの事業に活躍した。
?～744

当時の僧侶は宗教者であるばかりでなく，最新の文明を身につけた一流の知識人でもあったから，玄昉のように**聖武**天皇に信任されて政界で活躍し

---

❶ 天智天皇時代までの第1期の歌人としては有間皇子・額田王，つづく平城遷都までの第2期の歌人としては柿本人麻呂，天平年間(729～749)の初め頃までの第3期の歌人としては山上憶良・山部赤人・大伴旅人，淳仁天皇時代に至る第4期の歌人としては大伴家持・大伴坂上郎女らが名高い。編者は大伴家持ともいわれるが，未詳である。
❷ 大学の教科は，五経（易経・尚書・詩経・春秋・礼記）などの儒教の経典を学ぶ明経道，律令などの法律を学ぶ明法道，音・書・算などの諸道があり，のち9世紀には漢文・歴史を含む紀伝道が生まれた。これらのほかに，陰陽・暦・天文・医などの諸学が各官司で教授された。

56　第2章　律令国家の形成

た僧もあった。日本への渡航にたびたび失敗しながら，ついに日本に戒律を伝えた唐の鑑真らの活動も，日本の仏教の発展に寄与した❶。

　一方で，仏教は政府からきびしく統制を受け，一般に僧侶の活動も寺院内に限られていた。行基のように，民衆への布教とともに用水施設や救済施設をつくる社会事業をおこない，国家から取締りを受けながらも多くの民衆に支持された僧もあった❷。

　仏教の鎮護国家の思想を受けて，聖武天皇による国分寺建立や大仏造立などの大事業が進められたが，仏教保護政策下における大寺院の壮大な伽藍や広大な寺領は，国家財政への大きな負担ともなった。仏教が日本の社会に根づく過程では，現世利益を求める手段とされたり，在来の祖先信仰と結びついて，祖先の霊をとむらうための仏像の造立や経典の書写などもおこなわれた。また，仏と神は本来同一であるとする神仏習合思想がおこった❸。さらに仏教の政治化をきらい，大寺院を離れて山林にこもって修行する僧たちが出て，やがて平安新仏教の母体となっていった。

鑑真像　鑑真は，たびたびの渡航の失敗にも屈しないで日本に渡来した。像は苦労の末，盲目になった高僧の慈悲深い姿をよく表現している。（乾漆像，高さ80.1cm，唐招提寺蔵，奈良県）

天平の美術

奈良時代には，宮廷・貴族や寺院の豊かな生活と仏教の発展とに支えられ，多くのすぐれた美術作品がつくられた。

❶　当時，正式な僧侶となるには，得度して修行し，さらに戒を受けること（受戒）が必要とされたが，受戒の際の正式な戒律のあり方を鑑真が伝えた。鑑真はのちに唐招提寺をつくり，そこで死去した。聖武太上天皇・光明皇太后・孝謙天皇は，鑑真から戒を受けた。受戒の場として，東大寺の戒壇に加え，761（天平宝字5）年には遠方の受戒者のために，九州の筑紫観世音寺，東国の下野薬師寺にも戒壇が設けられて「本朝三戒壇」と称された。
❷　のち行基は大僧正に任ぜられて大仏の造営に協力した。社会事業は善行を積むことにより福徳を生むという仏教思想にもとづいており，光明皇后が平城京に悲田院を設けて孤児・病人を収容し，施薬院を設けて医療に当たらせたことも仏教信仰と関係している。
❸　すでに中国において，仏教と中国の在来信仰の融合による神仏習合思想がおこっていたことにも影響を受けている。

4．天平文化

正倉院宝庫 東大寺の倉庫群のうちの一つ。右より北・中・南の三つの倉にわかれ、聖武太上天皇の遺品や正倉院文書などをおさめていた。三角材を井桁に積み上げた校倉造がみられ、高床式の構造をもつ。開扉には天皇の許可がいる「勅封」の倉であった。(奈良県)

　建築では、寺院や宮殿に礎石・瓦を用いた壮大な建物が建てられた。もと貴族の邸宅であった法隆寺伝法堂、もと平城宮の宮殿建築であった唐招提寺講堂のほか、東大寺法華堂・唐招提寺金堂・正倉院宝庫などが代表的で、いずれも均整がとれて堂々としている。

　彫刻では、表情豊かで調和のとれた仏像が多く、以前からの金銅像や木像

おもな建築・美術作品

【建築】
法隆寺夢殿・伝法堂
東大寺法華堂〔三月堂〕・転害門
正倉院宝庫(p.58)
唐招提寺金堂・講堂

【彫刻】
興福寺八部衆像〈乾漆像〉〈阿修羅像〉(p.58)
　〃　十大弟子像〈乾漆像〉
東大寺法華堂不空羂索観音像〈乾漆像〉(p.59)
　〃　　〃　日光・月光菩薩像〈塑像〉(p.59)
　〃　　〃　執金剛神像〈塑像〉(口絵⑥)
　〃　戒壇堂四天王像〈塑像〉(p.58)
唐招提寺鑑真像〈乾漆像〉(p.57)
　〃　金堂盧舎那仏像〈乾漆像〉
聖林寺十一面観音像〈乾漆像〉
新薬師寺十二神将像〈塑像〉

【絵画】
正倉院鳥毛立女屏風
薬師寺吉祥天像(p.59)
過去現在絵因果経(口絵⑦)

【工芸】
正倉院螺鈿紫檀五絃琵琶(p.59)
　〃　漆胡瓶
　〃　白瑠璃碗
東大寺大仏殿八角灯籠
金銀鍍龍首水瓶(口絵⑤)

東大寺戒壇堂広目天像 仏法を守護する四天王の一つで、天平の塑像。他の堂から移され、現在は戒壇の北西隅に安置される。(高さ163.0cm、奈良県)

興福寺阿修羅像 光明皇后が造営した興福寺西金堂に安置された護法神の八部衆の一つ。乾漆像。細身の少年を思わせる清浄な像容と表情をもつ。(高さ153cm、奈良県)

58　第2章　律令国家の形成

東大寺法華堂不空羂索観音像 法華堂の本尊。乾漆像。羂索によって多くの人びとを救うという観音で、呪的な威厳に満ちた像容。玉・ガラスを散りばめた宝冠や光背などにも高い工芸技術がみられる。(高さ362cm, 207.2cm〈右, 日光菩薩像〉, 204.8cm〈左, 月光菩薩像〉, 奈良県)

薬師寺吉祥天像 吉祥天は福徳をつかさどる女神で、麻布に描かれている。(縦53.3cm, 奈良県)

正倉院螺鈿紫檀五絃琵琶 (正倉院宝物) ラクダに乗った西域の胡人が描かれている。(表面, 全長108.1cm, 幅30.9cm, 奈良県)

　のほかに、木を芯として粘土を塗り固めた**塑像**や、原型の上に麻布を幾重にも漆で塗り固め、あとで原型を抜きとる**乾漆像**の技法が発達した。東大寺法華堂には、乾漆像の不空羂索観音像を中心に、塑像の日光・月光菩薩像・執金剛神像など天平仏がまとまって伝わってきた。また興福寺では、乾漆像の釈迦十大弟子像や八部衆像(阿修羅像を含む)などが知られる。

　絵画の作例は少ないが、**正倉院**に伝わる鳥毛立女屏風の樹下美人図や、薬師寺に伝わる吉祥天像などが代表的で、唐の影響を受けた豊満で華麗な表現である。釈迦の一生を描いた過去現在絵因果経にみられる絵画は、のちの絵巻物の源流といわれる。

　工芸品としては、正倉院宝物が有名である。聖武太上天皇の死後、光明皇太后が遺愛の品々を東大寺に寄進したものを中心に、服飾・調度品・楽器・武具など多様な品々が含まれる。螺鈿紫檀五絃琵琶・漆胡瓶・白瑠璃碗など、きわめてよく保存された優品が多く、唐ばかりでなく西アジアや

4. 天平文化　59

南アジアとの交流を示すものがみられ，当時の宮廷生活の文化的水準の高さと国際性がうかがえる。また，称徳天皇が恵美押勝の乱後につくらせた木造小塔の百万塔と，その中におさめられた百万塔陀羅尼❶も，この時代のすぐれた工芸技術を示している。

5 平安王朝の形成

平安遷都と蝦夷との戦い

光仁天皇は，行財政の簡素化や公民の負担軽減などの政治再建政策につとめた。やがて781(天応元)年に亡くなる直前，天皇と渡来系氏族の血を引く高野新笠とのあいだに生まれた桓武天皇が即位した。

桓武天皇は光仁天皇の政策を受け継ぎ，仏教政治の弊害を改め，天皇権力を強化するために，784(延暦3)年に平城京から山背国の長岡京に遷都した。しかし，桓武天皇の腹心で長岡京造営を主導した藤原種継が暗殺される事件がおこり，首謀者とされた皇太子の早良親王(桓武天皇の弟)❷や大伴氏・佐伯氏らの旧豪族が退けられた。ついで794(延暦13)年，平安京に再遷都して，山背国を山城国と改めた。都が平安京に移って以後，源頼朝が鎌倉に幕府を開くまでの約400年間を平安時代という。

東北地方では，奈良時代にも陸奥側では多賀城を基点として北上川

平安京図 東西約4.5km，南北約5.2kmで構造は平城京に類似している。右京は早くからさびれ，のちに左京と洛東がにぎわった。

---

❶ 百万塔陀羅尼は，木版か銅版か説がわかれるが，年代の確かな現存最古の印刷物といわれている。

❷ 早良親王はみずから食を絶って死に，その後，桓武天皇の母や皇后があいついで死去するなどの不幸が早良親王の怨霊によるものとされた。その他，長岡京がなかなか完成しなかったことも，平安遷都の理由とされている。

沿いに北上して城柵を設け，出羽側では秋田城を拠点に日本海沿いに勢力を北上させていった。城柵は，政庁を中心として外郭の中に実務をおこなう役所群・倉庫群が配置され，行政的な役所としての性格をもち，そのまわりに関東地方などから農民（柵戸）を移住させて開拓が進められた❶。こうして城柵を拠点に，蝦夷地域への支配の浸透が進められた。しかし，光仁天皇の780(宝亀11)年には帰順した蝦夷の豪族伊治呰麻呂が乱をおこし，一時は多賀城をおとしいれて焼くという大規模な反乱に発展した。こののち，東北地方では三十数年にわたって戦争があいついだ。

東北地方の城柵 東北の城柵は北上川や日本海沿いを北上するように営まれていった。城柵を拠点に，政府の行政支配の浸透がはかられた。

桓武天皇の789(延暦8)年には紀古佐美を征東大使として大軍を進め，北上川中流の胆沢地方の蝦夷を制圧しようとしたが，蝦夷の族長阿弖流為の活躍により政府軍が大敗する事件もおこった。その後，征夷大将軍となった坂上田村麻呂は，802(延暦21)年胆沢の地に胆沢城を築き，阿弖流為を帰順させて鎮守府を多賀城からここに移した。翌年にはさらに北上川上流に志波城を築造し，東北経営の前進拠点とした❷。日本海側でも，米代川流域まで律令国家の支配権がおよぶことになった。

しかし，東北地方での戦いと平安京の造営という二大政策は，国家財政や民衆にとって大きな負担となり，805(延暦24)年，桓武天皇は徳政論争と呼ばれる議論を裁定して，ついに二大事業を打ち切ることにした❸。

---

❶ 一方，帰順した蝦夷を関東以西の各地に俘囚として移住させた。
❷ のち，嵯峨天皇の時に将軍文室綿麻呂が派遣され，最後の城柵徳丹城を築いた。
❸ 藤原緒嗣は「天下の民が苦しむところは軍事と造作である」と批判して，二大政策の継続を主張する菅野真道と論争した。桓武天皇は緒嗣の議を採用し，蝦夷との戦争と平安京造営とを停止した。

5. 平安王朝の形成　61

平安時代初期の政治改革

桓武天皇は，長い在位期間のうちに天皇の権威を確立し，積極的に政治改革を進めた。

国家財政悪化の原因となった地方政治を改革することに力を入れ，増えていた定員外の国司や郡司を廃止し，また勘解由使❶を設けて，国司の交替に際する事務の引継ぎをきびしく監督させた。

一般民衆から徴発する兵士の質が低下したことを受けて，792(延暦11)年には東北や九州などの地域を除いて軍団と兵士とを廃止し，かわりに郡司の子弟や有力農民の志願による少数精鋭の健児❷を採用した。しかしこれらの改革は，十分な成果を上げるところまではいかなかった。

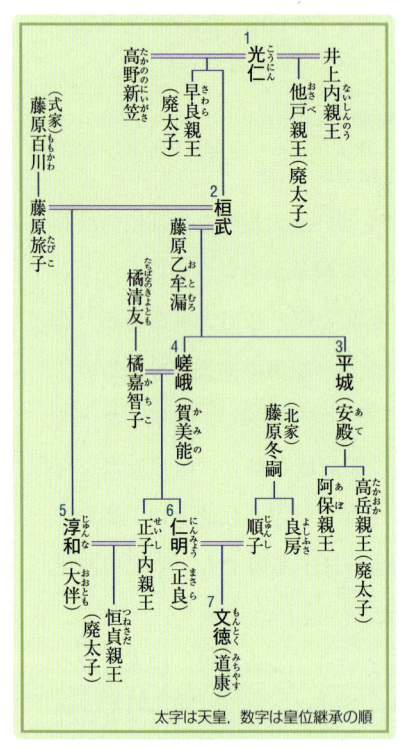

桓武天皇の改革は平城天皇（位806〜809）・嵯峨天皇（位809〜823）にも引き継がれた。嵯峨天皇は，即位ののち810(弘仁元)年に，平城京に再遷都しようとする兄の平城太上天皇と対立し，「二所朝廷」と呼ばれる政治的混乱が生じた。結局，嵯峨天皇側が迅速に兵を展開して勝利し，太上天皇はみずから出家し，その寵愛を受けた藤原薬子（?〜810）は自殺，薬子の兄藤原仲成（764〜810）は射殺された（平城太上天皇の変，薬子の変ともいう）。この対立の際に，天皇の命令をすみやかに太政官組織に伝えるために，秘書官長としての蔵人頭が設けられ，藤原冬嗣（775〜826）らが任命された。その役所が蔵人所で，所属する蔵人は，やがて天皇の側近として宮廷で重要な役割を果たすことになった。また嵯峨天皇は，平安京

天皇家と藤原氏の関係系図（2）（→p.50・68）

［系図：
光仁─井上内親王─他戸親王（廃太子）
光仁─高野新笠─桓武（2）、早良親王（廃太子）
藤原式家─藤原百川
藤原旅子
桓武─藤原乙牟漏─嵯峨（4）、平城（3）
桓武─橘清友─橘嘉智子
嵯峨─賀美能─仁明（6）、正子内親王
平城（安殿）─藤原冬嗣（北家）─高岳親王（廃太子）、阿保親王、藤原良房、順子
淳和（5）（大伴）─正良
仁明（正良）─文徳（7）（道康）、恒貞親王（廃太子）
太字は天皇，数字は皇位継承の順］

---

❶ 令に定められていない新しい官職を令外官という。勘解由使もその一つで，国司在任中の租税徴収や官有物の管理などに問題がない時に，新任国司から前任国司に対して与えられる文書である解由状の授受の審査に当たった。

❷ 国の大小や軍事的必要に応じて国ごとに20〜200人までの人数を定めて，60日交替で国府の警備や国内の治安維持に当たらせた。

62　第2章　律令国家の形成

内の警察に当たる**検非違使**を設けた。検非違使は，のちには裁判もおこなうようになり，京の統治を担う重要な職となっていった。

　嵯峨天皇のもとでは，法制の整備も進められた。律令制定後，社会の変化に応じて出された法令を，律令の規定を補足・修正する**格**と施行細則の**式**とに分類・編集し，**弘仁格式**が編纂された。これは，官庁の実態にあわせて政治実務の便をはかったもので，こののち，さらに**貞観格式**・**延喜格式**が編纂された。これらをあわせて**三代格式❶**という。

《《 地方と貴族社会の変貌 》》
8世紀後半から9世紀になると，農民間に貧富の差が拡大したが，有力農民も貧窮農民もさまざまな手段で負担を逃れようとした。そして戸籍には，兵役・労役・租税を負担する成人男性ではなく女性の登録を増やす偽りの記載（**偽籍**）が増え，律令の制度は実態とあわなくなった。こうして，手続きの煩雑さもあって**班田収授**は実施が困難になっていった。

　桓武天皇は班田収授を励行させるため，6年ごとの戸籍作成にあわせて6年1班であった班田の期間を12年（一紀）1班に改めた。また，公出挙の利息を利率5割から3割に減らし，雑徭の期間を年間60日から30日に半減するなど，負担を軽減して公民たちの維持をめざした。しかし効果はなく，9世紀には班田が30年，50年とおこなわれない地域が増えていった。

　調・庸などの未進によって中央の国家財政の維持が困難になると，政府は国司・郡司たちの租税徴収に関わる不正・怠慢を取り締まるとともに，823（弘仁14）年には大宰府において**公営田**を，879（元慶3）年には畿内に**官田**（元慶官田）を設けて，有力農民を利用した直営方式を採用して収入をはかるなど，財源の確保につとめた。しかし，やがて中央の各官庁はそれぞれ財源となる**諸司田**をもち，官人たちも墾田を集めて国家財政に対する依存を弱めた。天皇も**勅旨田**と呼ぶ田をもち，皇族にも天皇から**賜田**が与えられた。天皇と親近な関係にある少数の皇族や貴族は**院宮王臣家**と呼ばれて，私的に

---

❶ 格は三代の格を集めた『**類聚三代格**』が，式は『**延喜式**』（→ p.69）が伝わっている。その他，国司交替についての規定として延暦・貞観・延喜の三代の交替式もつくられた。833（天長10）年には，令の解釈を公式に統一した『**令義解**』が清原夏野らによって編まれ，9世紀後半には，惟宗直本によって令の注釈を集めた『**令集解**』が編まれた。

5．平安王朝の形成　63

多くの土地を集積し，国家財政を圧迫しつつ勢いをふるうようになった❶。

《唐風文化と平安仏教》

平安遷都から9世紀末頃までの文化を，嵯峨・清和天皇の時の年号から**弘仁・貞観文化**と呼ぶ。この時代には，平安京において貴族を中心とした文化が発展した。文芸を中心として国家の隆盛をめざす**文章経国**の思想が広まり，宮廷では漢文学が発展し❷，仏教では新たに伝えられた**天台宗・真言宗**が広まり**密教**がさかんになった。

嵯峨天皇は，唐風を重んじ，平安宮の殿舎に唐風の名称をつけたほか，唐風の儀礼を受け入れて宮廷の儀式を整えた。また，文学・学問に長じた文人貴族を政治に登用して国家の経営に参加させる方針をとった。

貴族は，教養として漢詩文をつくることが重視され，漢文学がさかんになり，漢字文化に習熟して漢文をみずからのものとして使いこなすようになった。このことは，のちの国風文化の前提となった。著名な文人としては嵯峨天皇・**空海**（774〜835）・**小野篁**（802〜852）・**菅原道真**（845〜903）らが知られている。空海は，漢詩文作成についての評論『**文鏡秘府論**』や詩文集『**性霊集**』（『遍照発揮性霊集』）などにすぐれた文才を示し，菅原道真も『**菅家文草**』を著した。

大学での学問も重んじられ，とくに**儒教**を学ぶ**明経道**や，中国の歴史・文学を学ぶ**紀伝道**（**文章道**）がさかんになり，貴族は一族子弟の教育のために，寄宿舎に当たる**大学別曹**❸を設けた。また空海が創設した**綜芸種智院**は，庶民に対しても教育の門戸を開いたことで名高い。

奈良時代後半には，仏教が政治に深く介入して弊害もあったことから，桓武天皇の長岡京・平安京へ

おもな著作物

【漢詩文集】
凌雲集（小野岑守ら編）
文華秀麗集（藤原冬嗣ら編）
経国集（良岑安世ら編）
性霊集（空海）
菅家文草（菅原道真）

【詩論・説話集】
文鏡秘府論（空海）
日本霊異記（景戒）

【史書】
類聚国史（菅原道真編）

---

❶ 下級官人たちは進んで院宮王臣家の従者（家人）になろうとし，地方の有力農民たちも国司に対抗して保護を求めてやはり院宮王臣家の勢力下に入っていった。

❷ 814（弘仁5）年に『凌雲集』，818（弘仁9）年に『文華秀麗集』，827（天長4）年に『経国集』といった三つの勅撰漢詩集があいついで編まれた。

❸ 大学別曹は大学に付属する寄宿施設的なもので，学生たちは学費の支給を受け，書籍を利用しながら大学で学んだ。和気氏の弘文院，藤原氏の勧学院，在原氏や皇族の奨学院，橘氏の学館院などが知られる。

64　第2章　律令国家の形成

の遷都では南都奈良の大寺院が新京に移転することはなく，桓武天皇や嵯峨天皇は最澄(767〜822)・空海らの新しい仏教を支持した。

最澄は，近江出身で近江国分寺や比叡山で修学し，804(延暦23)年遣唐使に従って入唐，天台の教えを受けて帰国して，天台宗を開いた。彼はそれまでの東大寺戒壇における受戒制度に対して，新しく独自の大乗戒壇の創設をめざした。これは南都の諸宗から激しい反対を受けることとなり，最澄は『顕戒論』を著して反論した。その死後，大乗戒壇の設立が公認され，最澄の開いた草庵に始まる比叡山延暦寺は，やがて仏教教学の中心となっていくとともに，平安京の王城鎮護の寺院とされた。浄土教の源信(942〜1017(→p.74))や鎌倉新仏教の開祖たち(→p.113)は，多くここで学んでいる。

空海は，讃岐出身で上京して大学などに学び，儒教・仏教・道教の中で仏教の優位を論じた『三教指帰』を著して仏教に身を投じた。のち804(延暦23)年に入唐し，長安で密教を学んで2年後に帰国，紀伊の高野山に金剛峰寺を建てて真言宗❶を開いた。また，空海が嵯峨天皇から賜った平安京の教王護国寺(東寺)も，都にあって密教の根本道場となった。

天台宗も最澄ののち，入唐した弟子の円仁(794〜864)・円珍(814〜891)によって本格的に密教が取り入れられた❷。天台・真言の両宗はともに国家・社会の安泰を祈ったが，加持祈禱によって災いを避け，幸福を追求するという現世利益の面から皇族や貴族たちの支持を集めた。

最澄 唐に渡り天台の教えを受けて帰国。天台宗を開き，南都の寺院と対決しつつ新しい戒壇の創設をめざした。(一乗寺蔵，兵庫県)

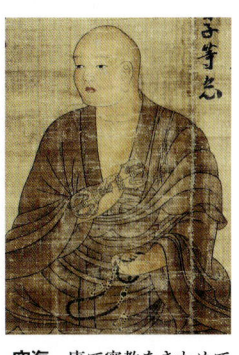

空海 唐で密教をきわめて帰国し，真言宗を開いたほか，すぐれた漢詩文を残した。(東寺蔵，京都府)

❶ 真言は大日如来の真実の言葉の意で，その秘奥なことを指して密教と呼ばれた。釈迦の教えを経典から学び修行して悟りを開こうとする顕教に対して，秘密の呪法の伝授・習得により悟りを開こうとする。

❷ 真言宗の密教を東密と呼び，天台宗の密教を台密と呼んでいる。円仁が838(承和5)年に渡唐し，密教を学び847(承和14)年に帰国するまでの苦労の記録が『入唐求法巡礼行記』である。10世紀末以降，円仁の門流は延暦寺に拠って山門派と呼ばれ，円珍の門流は園城寺(三井寺)に拠って寺門派と呼ばれ，両者は対立した。

5．平安王朝の形成　65

8世紀頃から，神社の境内に神宮寺を建てたり，寺院の境内に守護神を鎮守としてまつり，神前で読経する神仏習合の風潮がみられたが，平安時代に入るとこの傾向はさらに広まっていった。天台宗・真言宗では，奈良時代の仏教とは違って山岳の地に伽藍を営み，山中を修行の場としたから，在来の山岳信仰とも結びついて修験道の源流となった。修験道は，山伏にみられるように山岳修行により呪力を体得するという実践的な信仰であり，山岳信仰の対象であった奈良県吉野の大峰山や北陸の白山などの山々がその舞台となった。

密教芸術

天台・真言両宗がさかんになると，神秘的な密教芸術が新たに発展した。建築では，寺院の堂塔が山間の地において，以前のような形式にとらわれない伽藍配置でつくられた。室生寺の金堂などは，その代表である。

彫刻では，密教と関わりのある如意輪観音や不動明王などの仏像が多くつくられた。これらの仏像は，一木造で神秘的な表現をもつものが多い。また神仏習合を反映してさかんになった神像彫刻としては，薬師寺の僧形八幡神像や神功皇后像などがある。

絵画では，園城寺の不動明王像（黄不動）など神秘的な仏画が描かれ，その他神護寺や

おもな建築・美術作品

【建築】
室生寺金堂(p.66)・五重塔

【彫刻】
薬師寺僧形八幡神像〈木像〉
神護寺薬師如来像〈木像〉
元興寺薬師如来像〈木像〉
室生寺金堂釈迦如来像〈木像〉
 〃 弥勒堂釈迦如来坐像〈木像〉(p.67)
観心寺如意輪観音像〈木像〉(p.67)
教王護国寺講堂不動明王像〈木像〉
法華寺十一面観音像〈木像〉
新薬師寺薬師如来像〈木像〉

【絵画・書道】
神護寺両界曼荼羅
教王護国寺両界曼荼羅(p.67)
青蓮院不動明王二童子像（口絵⑧）
園城寺不動明王像（黄不動）
西大寺十二天像
風信帖（空海）(p.67)

室生寺金堂 もと正面5間，側面4間で，屋根は柿葺。柱の組み方など簡素な構造が特徴である。江戸時代に前面部分が追加された。山地を開いて建てられた平安時代初期の寺院建築の姿がうかがえる，数少ない遺構である。(奈良県)

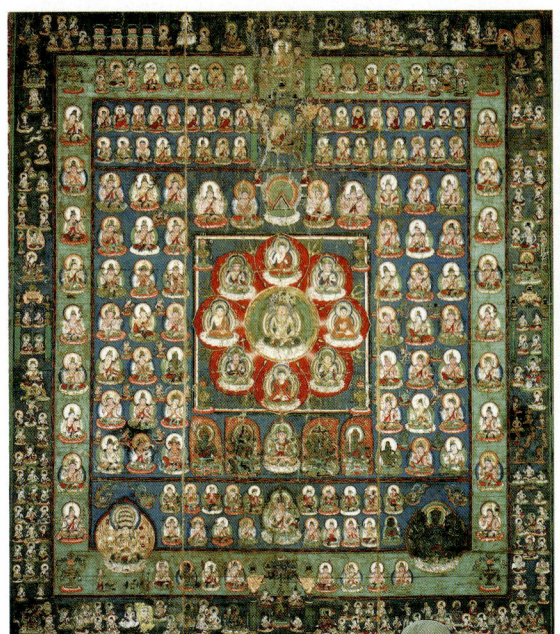

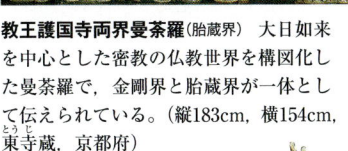

教王護国寺両界曼荼羅(胎蔵界) 大日如来を中心とした密教の仏教世界を構図化した曼荼羅で，金剛界と胎蔵界が一体として伝えられている。(縦183cm，横154cm，東寺蔵，京都府)

室生寺弥勒堂釈迦如来坐像 室生寺弥勒堂に伝わる，榧の一木造の等身坐像。ふくよかな半身と表情，鋭い衣文の表現をもつ。(高さ106.3cm，奈良県)

観心寺如意輪観音像 観心寺の本尊。木彫に乾漆を併用する坐像。密教と結びついた如意輪観音像の代表作とされる。(高さ109.4cm，大阪府)

風信帖(部分) 空海が最澄に送った書状。書き始めに「風信雲書，天より翔臨す」とあることから，この名称がある。(縦28.8cm，横158.0cm，東寺蔵，京都府)

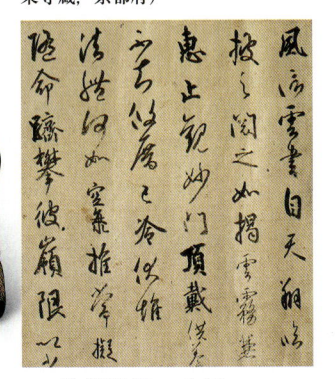

　教王護国寺の両界曼荼羅など，密教の世界観を表わした曼荼羅が発達した。曼荼羅は，密教で重んじる大日如来の智徳を表わす金剛界と，同じく慈悲を表わす胎蔵界の二つの仏教世界を整然とした構図で図化したものである。なお，この時代の絵師としては百済河成らの名が伝わっている。
782〜853

　書道では，唐風の書が広まり，嵯峨天皇・空海・橘 逸勢らの能書家が出て，のちに三筆と称せられた。
?〜842

5．平安王朝の形成　67

第3章 貴族政治と国風文化

1 摂関政治

《藤原氏北家の発展》

9世紀の半ばまでは、桓武天皇や嵯峨天皇が貴族たちをおさえて強い権力を握り、国政を指導した。

しかし、この間に**藤原氏**とくに**北家**が天皇家との結びつきを強めて、しだいに勢力をのばした。

北家の藤原冬嗣は嵯峨天皇の厚い信任を得て蔵人頭になり、皇室と姻戚関係を結んだ。ついでその子の**藤原良房**(804〜872)は、842(承和9)年の承和の変で藤原氏の中での北家の優位を確立する一方、伴(大伴)健岑・橘逸勢ら他氏族の勢力を退けた。

858(天安2)年に幼少の清和天皇を即位させた良房は、天皇の外祖父として臣下ではじめて**摂政**(在位858〜876)になり、866(貞観8)年の応天門の変❶では、伴・紀両

天皇家と藤原氏の関係系図(3)(→p.50・62)

---

❶ 大納言伴善男が応天門に放火し、その罪を左大臣源信に負わせようとしたが発覚して、流罪に処せられたという事件。

氏を没落させた。良房の地位を継いだ藤原基経は、陽成天皇を譲位させて光孝天皇を即位させ、天皇はこれに報いるために、884（元慶8）年に基経をはじめて関白とした。さらに基経は、宇多天皇が即位に当たって出した勅書に抗議して、888（仁和4）年、これを撤回させ（阿衡の紛議）、関白の政治的地位を確立した❶。こうして藤原氏北家の勢力は、急速に強大になった。

基経の死後、藤原氏を外戚（母方の親戚）としない宇多天皇は摂政・関白をおかず、学者菅原道真を重く用いたが、続く醍醐天皇の時、藤原時平は策謀を用いて道真を政界から追放した❷。

10世紀前半の醍醐天皇の時代には、班田を命じ、延喜の荘園整理令を出すなど、律令体制の復興がめざされ、また六国史の最後である『日本三代実録』のほか、『延喜格』『延喜式』という法典や『古今和歌集』の編纂がおこなわれた。その子の村上天皇は、「本朝（皇朝）十二銭」の最後となった乾元大宝を発行し、『延喜式』を施行した。両天皇の時代には、摂政・関白がおかれずに親政がおこなわれ、のちに「延喜・天暦の治」とたたえられるようになった。しかし親政の合間には、藤原忠平が摂政・関白をつとめ、太政官の上に立って実権を握った。村上天皇の死後の969（安和2）年に、醍醐天皇の子で左大臣の源高明が左遷されると（安和の変）、藤原氏北家の勢力は不動のものとなり、その後は、ほとんどつねに摂政または関白がおかれ、その地位には藤原忠平の子孫がつくのが例となった。

《《摂関政治》》　摂政は天皇が幼少の期間にその政務を代行し、関白は天皇の成人後に、その後見役として政治を補佐する地位である。摂政・関白が引き続いて任命され、政権の最高の座にあった10世紀後半から11世紀頃の政治を摂関政治と呼び、摂政・関白を出す家柄を摂関家という。

❶　宇多天皇が出した勅書には基経を阿衡に任ずるとしていたが、中国の古典にみえる阿衡には実職がともなっていないとして、基経は政務をみなくなった。このため、宇多天皇は勅書を撤回して、あらためて基経を関白に任じた。関白とは、天皇と太政官とのあいだの文書などのやりとりすべてに「関り白す」（関与する）という意味で、これが地位の呼び名になった。

❷　901（延喜元）年、右大臣の道真は大宰権帥に左遷され、任地で死去した。死後、道真は怨霊として恐れられるようになり、これを鎮めるために、京都には北野天満宮（北野神社）が、道真の墓所には大宰府天満宮がつくられた。のちに天神（菅原道真）は学問の神として広く信仰されるようになった。

1．摂関政治　69

摂政・関白は藤原氏の中で最高の地位にあるものとして、藤原氏の「氏長者」❶を兼ね、人事の全体を掌握し、絶大な権力を握った。

摂関家の内部では、摂政・関白の地位をめぐって争いが続いたが、10世紀末の藤原道長（966〜1027）の時におさまった❷。道長は4人の娘を中宮（皇后）や皇太子妃とし、30年にわたって朝廷で権勢をふるった。後一条（位1016〜36）・後朱雀（位1036〜45）・後冷泉（位1045〜68）3代の天皇は道長の外孫であり、道長のあとを継いだ藤原頼通（992〜1074）は、3天皇の50年にわたって摂政・関白をつとめ、摂関家の勢力は安定していた。

当時の貴族社会では、結婚した男女は妻側の両親と同居するか、新居を構えて住むのが一般的であった。夫は妻の父の庇護を受け、また子は母方の手で養育されるなど、母方の縁が非常に重く考えられていた。摂政・関白は、天皇のもっとも身近な外戚として、伝統的な天皇の高い権威を利用し、大きな権力を握ったのである。

政治の運営は、摂関政治のもとでも天皇が太政官を通じて中央・地方の官吏を指揮し、全国を統一的に支配する形をとった。おもな政務は太政官で公卿によって審議され、多くの場合は天皇（もしくは摂政）の決裁を経て太政官符・宣旨などの文書で政策が命令・伝達された。外交や財政に関わる重要な問題については、内裏の近衛の陣でおこなわれる陣定という会議で、公卿各自の意見が求められ、天皇の決裁の参考にされた。

摂政・関白は官吏の人事権を掌握していたため、中・下級の貴族たちは摂関家を頂点とする上級貴族に隷属するようになり、やがて昇進の順序や限度

藤原氏の栄華

（寛仁二年❶）十月）十六日乙巳、今日、女御藤原威子を以て皇后に立つるの日なり。……太閤❷下官❸を招き呼びて云く、「和歌を読まむと欲す。必ず和すべし。」者。答へて云く、「何ぞ和し奉らざらむや。」又云ふ、「誇りたる歌になむ有る。但し宿構❹に非ず。」者。「此の世をば我が世とぞ思ふ望月の欠けることも無しと思へば」。余❺申して云く、「御歌優美なり。酬答に方無し。満座只この御歌を誦すべし。……」と。

（『小右記』、原漢文）

❶ 一〇一八年。
❷ 藤原道長。
❸ この日記の筆者、小野宮右大臣藤原実資の自称。
❹ 前々から準備したもの。
❺ 筆者。

---

❶ 藤原氏の氏長者は、氏寺の興福寺や氏社の春日社、大学別曹の勧学院などを管理し、任官や叙位の際には、氏に属する人びとの推薦権ももっていた。

❷ とくに、藤原兼通・兼家の兄弟の争い、藤原道長・伊周の叔父・甥の争いは有名である。しかし、伊周が左遷されて道長が左大臣に進むと、摂関家内部の争いはいったんおさまった。

は，家柄や外戚関係によってほぼ決まってしまうようになった。その中で中・下級の貴族は，摂関家などに取り入ってその家の事務を扱う職員である家司となり，経済的に有利な地位となっていた国司(受領)(→p.79)になることを求めた。

国際関係の変化

8世紀末に新羅からの使節の来日はなくなるが，9世紀前半には新羅の商人が貿易のために来航するようになった。やがて9世紀の後半には，唐の商人が頻繁に来航するようになり，朝廷では彼らとの貿易の仕組みを整えて，書籍や陶磁器などの工芸品の輸入につとめた。こうした背景があったので，894(寛平6)年に遣唐大使に任じられた菅原道真は，唐はすでに衰退しており，多くの危険をおかしてまで公的な交渉を続ける必要がないとして，派遣の中止を提案し，結局，この時の遣唐使は派遣されずに終わった。

907(延喜7)年，東アジアの政治と文化の中心であった唐が滅んだ。中国では五代十国の諸王朝が興亡し，このうちの江南の杭州に都をおいた呉越国(907～979)からは日本に商人が来航して，江南の文化を伝えた。やがて中国は，宋(北宋)(960～1127)によって再統一されたが，日本は東アジアの動乱や中国中心の外交関係(朝貢関係)を避けるために，宋と正式な国交を開こうとはしなかった。

しかし，九州の博多に頻繁に来航した宋の商人を通じて，書籍や陶磁器などの工芸品，薬品などが輸入され，かわりに金や水銀・真珠，硫黄などが輸出された❶。日本人の渡航は律によって禁止されてい

10～11世紀の東アジア

---

❶ 金は奥州の特産であったことから，奥州への関心が高まった。11世紀に成立した『新猿楽記』には，「商人の主領」として描かれた人物が，東は「俘囚の地(奥州)」から西は「貴賀の島(九州の南)」にわたって活動し，唐物や日本の多くの品々を取り扱ったと記されている。

1. 摂関政治　71

たが，天台山や五台山への巡礼を目的とする僧には許されることがあったので，10世紀末の奝然（938〜1016），11世紀半ばの成尋（1011〜81）らの僧のように，宋の商人の船を利用して大陸に渡り，宋の文物を日本にもたらすものもいた❶。

中国東北部では，奈良時代以来日本と親交のあった渤海が，10世紀前半に，契丹（遼）（916〜1125）に滅ぼされた❷。朝鮮半島では，10世紀初めに高麗（918〜1392）がおこり，やがて新羅を滅ぼして半島を統一した。日本は遼や高麗とも国交を開かなかったが，高麗とのあいだには商人などの往来があった。

2 国風文化

国文学の発達

9世紀後半から10世紀になると，貴族社会を中心に，それまでに受け入れられた大陸文化を踏まえ，これに日本人の人情・嗜好を加味し，さらに日本の風土にあうように工夫した，優雅で洗練された文化が生まれてきた。このように10〜11世紀の文化は，国風化という点に特色があるので，**国風文化**と呼ばれる。

文化の国風化を象徴するのは，**かな文字**の発達である。すでに9世紀には，万葉がなの草書体を簡略化した**平がな**，漢字の一部分をとった**片かな**が表音文字として用いられていたが，それらの字形は，11世紀の初めにはほ

おもな著作物

【詩歌】
古今和歌集（紀貫之ら）
和漢朗詠集（藤原公任）

【物語】
竹取物語
伊勢物語
宇津保物語
落窪物語
源氏物語（紫式部）
栄華物語（赤染衛門?）

【日記・随筆】
土佐日記（紀貫之）
蜻蛉日記（藤原道綱の母）
枕草子（清少納言）
和泉式部日記（和泉式部）
紫式部日記（紫式部）
更級日記（菅原孝標の女）

【その他】
和名類聚抄（源順）

ア	イ	ウ	エ	オ	カ	キ
阿	伊	宇	江	於	加	幾
阝	イ	ウ	エ	オ	カ	乡キ

い	ろ	は	に	ほ	へ	と
以	呂	波	仁	保	部	止
い	ろ	は	に	ほ	へ	と
い	ろ	は	に	ほ	へ	と
い	ろ	は	に	ほ	へ	と

かな文字の発達 上は片かな，下は平がなの例である。

❶ 奝然が持ち帰った釈迦如来像は，京都嵯峨の清涼寺に安置されて厚い信仰を獲得し，経典は摂関家にささげられた。

❷ 契丹の支配下にあった沿海州地方に住む刀伊（→p.83注❷）と呼ばれる女真人は，のちに金を建国した。

ぼ一定し，広く使用されるようになった。その結果，人びとの感情や感覚を，日本語で生き生きと伝えることが可能になり，多くの文学作品が生まれた。

まず，和歌がさかんになり，905(延喜5)年，紀貫之らによって最初の勅撰和歌集である『**古今和歌集**』が編集された❶。その繊細で技巧的な歌風は，古今調と呼ばれて長く和歌の模範とされた。

貴族は公式の場では従来通り漢字だけで文章を記したが，その文章は純粋な漢文とはかなりへだたった和風のものになった❷。

一方，かなは和歌を除いて公式には用いられなかったが，日常生活では広く用いられるようになり，それに応じてすぐれたかな文学の作品がつぎつぎに著された。かな物語では，伝説を題材にした『竹取物語』や歌物語の『伊勢物語』などに続いて，中宮彰子(道長の娘)に仕えた紫式部の『源氏物語』が生まれた。これは宮廷貴族の生活を題材にした大作で，皇后定子(道隆の娘)に仕えた清少納言が宮廷生活の体験を随筆風に記した『枕草子』とともに，国文学で最高の傑作とされている。また，道長の栄華をたたえた歴史物語『栄華物語』も，女性の手によってかなで書かれた。かなの日記は，紀貫之の『土佐日記』を最初とするが，宮廷に仕える女性の手になるものが多く，細やかな感情が込められている。

こういったかな文学の隆盛は，貴族たちが天皇の後宮に入れた娘たちにつきそわせた，すぐれた才能をもつ女性たちに負うところが大きい。

《《 **浄土の信仰** 》》 摂関時代の仏教は，天台・真言の2宗が圧倒的な勢力をもち，祈禱を通じて現世利益を求める貴族と強く結びついた。その一方で神仏習合も進み，仏と日本固有の神々とを結びける**本地垂迹説**❸も生まれた。また怨霊や疫神をまつることで疫病や飢饉などの災厄から逃れようとする御霊信仰が広まり，御霊会がさかんにもよおさ

❶ 『古今和歌集』以後，鎌倉時代初めの『新古今和歌集』(→ p.116)まで合計8回にわたって勅撰和歌集が編集されたので，これらを総称して八代集という。
❷ 10世紀以降，朝廷での儀式・行事の比重が増大したこともあって，貴族はその様子を漢字を用いて日記に詳細に記録した。藤原道長の日記『御堂関白記』は，自筆のものが現存している。
❸ 神は仏が仮に形をかえてこの世に現われたもの(権現)とする思想で，のちには天照大神を大日如来の化身と考えるなど，それぞれの神について特定の仏をその本地として定めることがさかんになった。

2. 国風文化　73

『往生要集』の序文

夫れ往生極楽の教行は、濁世末代❶の目足なり。道俗貴賤、誰か帰せざる者あらんや。但し顕密の教法❸は、其の文一に非ず。事理の業因は、其の行惟れ多し。利智精進の人は、未だ難しとなさざるも、予の如き頑魯の者、豈敢てせんや。是の故に念仏の一門によりて、聊か経論の要文を集む。之を披き之を修すれば、覚り易く行ひ易からん。

❶にごり果てた末法の世。❷道標。❸顕教と密教。「今までの仏教はすべて」の意。❹おろか。
（原漢文）

極楽歌

極楽浄土のめでたさは ひとつも虚なることぞなき 吹く風立つ波鳥も皆 妙なる法をぞ唱ふなる
（『梁塵秘抄』）

空也像 「市聖」と呼ばれた空也が、民間で念仏行脚している姿を表わしたもの。口に「南無阿弥陀仏」ととなえると、その1音1音が阿弥陀仏になったという伝説を彫刻化している。鎌倉時代中期の康勝の作。
（木像、高さ117.5cm、六波羅蜜寺蔵、京都府）

れた❶。

現世利益を求めるさまざまな信仰と並んで、現世の不安から逃れようとする**浄土教**も流行してきた。浄土教は、阿弥陀仏を信仰し、来世において極楽浄土に往生し、そこで悟りを得て苦がなくなることを願う教えである。10世紀半ばに**空也**（903〜972）が京の市でこれを説き、ついで**源信**（→p.65）（恵心僧都）が『**往生要集**』を著して念仏往生の教えを説くと、浄土教は貴族をはじめ庶民のあいだにも広まった。

この信仰は、**末法思想**❷によっていっそう強められた。盗賊や乱闘が多くなり、災厄がしきりにおこった世情が、仏教の説く末法の世の姿によくあてはまると考えられ、来世で救われたいという願望をいっそう高めたのである。そして、めでたく往生をとげたと信じられた人びとの伝記を集めた**慶滋保胤**（?〜1002）の『**日本往生極楽記**』をはじめ、多くの往生伝がつくられた。また、法華経などの経典を書写し、これを容器（経筒）におさめて地中に埋める**経塚**

---

❶ 御霊会は、初め早良親王（→p.60）ら政治的敗者をなぐさめる行事として、9世紀半ばに始まったが、やがて疫病の流行を防ぐ祭礼となった。北野天満宮や祇園社（八坂神社）の祭などは、元来は御霊信仰から生まれたものである。
❷ 釈迦の死後、正法・像法の世を経て末法の世がくるという説で、当時、1052（永承7）年から末法の世に入るといわれていた。

寝殿造(東三条殿、復元模型) 東三条殿は平安時代の摂関家の邸宅で、当時の代表的寝殿造である。東西約109m・南北約229mの広さで、周囲に築地塀をめぐらし、東と西に四脚門がある。敷地の中央に寝殿(正殿)があり、東側には透渡殿が設けられて東対と接続する。西側は透渡殿から西透廊がのびて釣殿へと続く。庭園には池や中島があった。(国立歴史民俗博物館蔵)

も、各地に営まれた❶。

《国風美術》 美術工芸の面でも、国風化の傾向は著しかった。貴族の住宅は、白木造・檜皮葺で開放的な寝殿造と呼ばれる日本風のものになり、そこに畳や円座をおいて座る生活になった。建物内部は襖(障子)や屏風で仕切られ、これらには、中国の故事や風景を描いた唐絵とともに、日本の風物を題材とし、なだらかな線と上品な彩色とをもつ大和絵も描かれた❷。

屋内の調度品にも、日本独自に発達をとげた蒔絵❸や螺鈿❹の手法が多く用いられた。これは華やかな中にも落ち着いた趣きをそえたもので、輸出品としても珍重されるようになった。書道も、前代の唐風の書に対し、優美な線を表わした和様が発達し、小野道風(894〜966)・藤原佐理(944〜998)・藤原行成(972〜1027)の三跡(蹟)と呼ばれる名手が現われた。それらの書は美麗な草紙や大和絵屏風などにも書かれ、調度品や贈答品としても尊重された。

片輪車螺鈿蒔絵手箱 牛車の車輪を水に漬けた情景をデザインした手箱である。(東京国立博物館蔵)

浄土教の流行にともない、これに関係し

---

❶ 藤原道長が1007(寛弘4)年に法華経を金銅製の経筒(→p.76)におさめて埋納した金峯山経塚が有名である。
❷ 初期の大和絵の画家としては、巨勢金岡が知られている。
❸ 漆で文様を描き、それに金・銀などの金属粉を蒔きつけて模様とする漆器の技法。
❹ 貝殻の真珠光の部分を薄く剝いでみがき、種々の形に切って漆器に埋め込む技法で、材料の貝には奄美大島や喜界島などの南島でとれる夜光貝や芋貝が用いられた。

2. 国風文化

おもな建築・美術作品

【建築】
醍醐寺五重塔
平等院鳳凰堂(p.76)
法界寺阿弥陀堂

【彫刻】
平等院鳳凰堂阿弥陀如来像〈寄木造〉(口絵⑨)
法界寺阿弥陀如来像〈寄木造〉

【絵画・書道】
高野山聖衆来迎図(p.77)
平等院鳳凰堂扉絵
屏風土代(小野道風)
離洛帖(藤原佐理)
白氏詩巻(藤原行成)

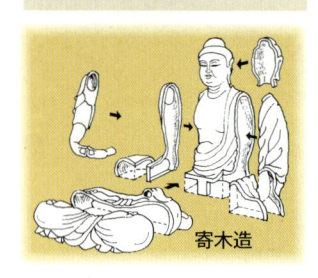

平等院鳳凰堂 1052(永承7)年、藤原頼通が宇治の別荘を寺としたのが平等院である。その阿弥陀堂である鳳凰堂は、1053(天喜元)年に落成した。裳階をつけた中堂と2階建ての翼楼とは、鳳凰が翼を広げた姿をかたどったものともいわれている。(京都府)

藤原道長埋納経筒 1007(寛弘4)年、藤原道長が金峯山にのぼって祭儀をおこない、法華経などを埋納した時に用いたもの。「大日本国左大臣正二位藤原朝臣道長」の銘がある。埋納用の経筒としては、日本では現存最古。(金銅製、高さ34.6cm、直径15.3cm、金峯神社蔵、奈良県)

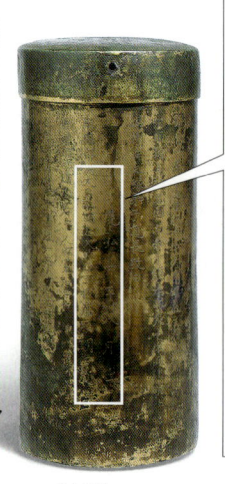

た建築・美術作品が数多くつくられた。藤原道長が建立してその壮麗さをうたわれた**法成寺**は、阿弥陀堂を中心とした大寺であり、その子藤原頼通の建立した**平等院鳳凰堂**は、阿弥陀堂の代表的な遺構である。その本尊の阿弥陀如来像(→口絵⑨)をつくった仏師**定朝**(?～1057)は、従来の一木造にかわる**寄木造**❶の手法を完成し、末法思想を背景とする仏像の大量需要にこたえた。また、往

❶ 一木造は一木から一体の仏像を彫りおこすもので、寄木造は仏像の身体をいくつかの部分にわけて別々に分担して彫り、これを寄せあわせてつくる効率的な手法である。

76　第3章　貴族政治と国風文化

高野山聖衆来迎図(部分)　阿弥陀如来が32尊を従えて正面から来臨する様子を描いたもので，元来は比叡山にあったとされている。(全図縦210cm・横420cm，高野山有志八幡講蔵，和歌山県)

生しようとする人を迎えるために仏が来臨する場面を示した**来迎図**もさかんに描かれた。

貴族の生活

貴族男性の正装は**束帯**やそれを簡略にした**衣冠**，女性の正装は唐衣や裳をつけた**女房装束**(十二単)で，これらは唐風の服装を大幅に日本人向きにつくりかえた優美なものである❶。衣料はおもに絹を用い，文様や配色などにも日本風の意匠をこらした。

食生活は比較的簡素で，仏教の影響もあって獣肉は用いられず，調理に油を使うこともなく，食事は日に2回を基準とした。

10～15歳くらいで男性は**元服**，女性は**裳着**の式をあげて，成人として扱われ，男性は官職を得て朝廷に仕えた。彼らの多くは左京に住み，とくに摂関家などは京中に大邸宅をもっていたが，大和の長谷寺など近郊の寺社に参

束帯・女房装束・水干　束帯は，身分により色が違った。宮廷での女性の正装は女房装束で，色の異なる袿を何枚も重ねて美しさを強調した。水干や直垂は庶民や武士などに広く用いられた。

❶　男性の通常服は正装を簡略化した直衣・狩衣で，女性の通常服は小袿に袴を着けた。

2．国風文化　77

詣するほかは，京を離れて旅行することはまれであった。

9世紀半ば以降，日本古来の風習や中国に起源をもつ行事などを年中行事❶として編成し，これが宮廷生活の中で洗練され，発展していった。

貴族は，運命や吉凶を気にかけ，祈禱によって災厄を避け，福を招くことにつとめ，日常の行動にも吉凶にもとづく多くの制約が設けられていた❷。こうしてのぞんだ現世の富貴栄達が得られなかった時の失望は大きく，これもまた，彼らが来世を頼みに浄土教を信仰する一因となった。

3　地方政治の展開と武士

受領と負名

10世紀の初めは，律令体制のいきづまりがはっきりしてきた時代であった。政府は，902（延喜2）年に出した法令で，違法な土地所有を禁じたり（延喜の荘園整理令），班田を命じたりして，令制の再建をめざした。しかし，もはや戸籍・計帳の制度は崩れ，班田収授も実施できなくなっていたので，租や調・庸を取り立てて，諸国や国家

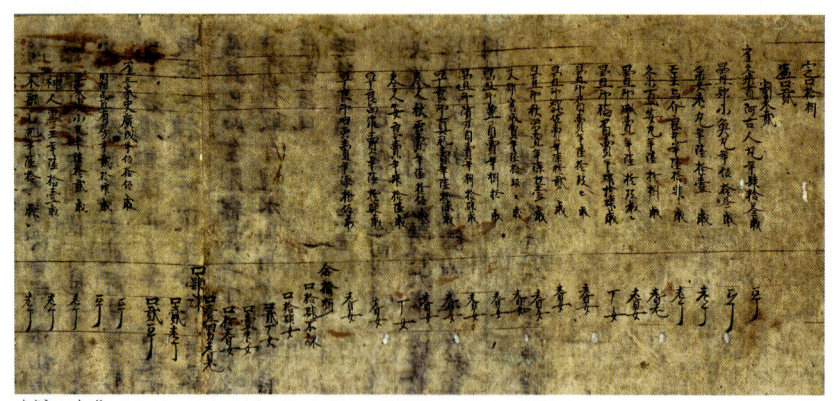

周防国玖珂郡玖珂郷908（延喜8）年の戸籍　戸内の女性の数が男性に比べて一方的に多いのは，調・庸などの税を逃れるために作為されたからであると思われる。（石山寺蔵，滋賀県）

❶　年中行事には，大祓・賀茂祭のような神事や，灌仏のような仏事，七夕・相撲などの遊興のほか，叙位・除目（官吏の任命）などの政務に関することまで含まれていた。
❷　中国から伝来した陰陽五行説にもとづく陰陽道の影響が大きく，天体現象や暦法もすべて吉凶に関連するものとして解釈され，日柄によって行動が制限された。また少しかわったことがあるとその吉凶を占い，物忌と称して引きこもってつつしんだり，方違といって凶の方角を避けて行動したりした。

78　第3章　貴族政治と国風文化

の財政を維持することはできなくなっていた❶。

こうした事態に直面した政府は、9世紀末から10世紀前半にかけて国司の交替制度を整備し、任国に赴任する国司の最上席者(ふつうは守)に、大きな権限と責任とを負わせるようにした。この地位は、新たに任じられたものが、交替の際に一国の財産などを前任者から引き継ぐことから、やがて受領と呼ばれるようになった。

受領は、有力農民(田堵)❷に田地の耕作を請け負わせ、租・調・庸や公出挙の利稲の系譜を引く税である官物と、雑徭に由来し本来力役である臨時雑役を課すようになった。課税の対象となる田地は、名という徴税単位にわけられ、それぞれの名には、負名と呼ばれる請負人の名がつけられた。こうして、戸籍に記載された成人男性を中心に課税する律令体制の原則は崩れ、土地を基礎に受領が負名から徴税する体制ができていった。

これまでは、税の徴収・運搬や文書の作成などの実務は郡司がおこなってきたが、受領は、郡司に加えてみずからが率いていった郎等たちを強力に指揮しながら徴税を実現し、みずからの収入を確保するとともに国家の財政を支えた❸。一方で、受領以外の国司は、実務から排除されるようになり、赴

国司の暴政──尾張国郡司百姓等解

尾張国郡司百姓等解❶し申し請ふ官裁の事。
裁断せられむことを請ふ、当国の守藤原朝臣元命、三箇年の内に責め取る非法の官物幷せて濫行横法卅一箇条の事。
一、例挙❸の外に三箇年の収納、暗に以て加徴せる正税四十三万千二百四十八束が息利の十二万九千三百七十四束四把一分の事。
一、守元命朝臣、京より下向する度毎に、有官散位の従類、同じき不善の輩を引率するの事。
永延二年十一月八日 郡司百姓等
(原漢文)

❶上申する文書の形式。❷嘆願書。❸定例の出挙。省略した部分に正税二四万六一一〇束、息利七万三八六三束(利率三割)が定例とある。❹位に応じて官職をもつもの。❺官職はないが位階をもっているもの。

---

❶ 902(延喜2)年の阿波国の戸籍では、5戸435人の内訳は、男59人・女376人となっていて、班田は受けるが調・庸を負担しない女性の数を増やしたあとが明らかである。このような戸籍にもとづいて班田収授を実施することは困難であり、実際、902年を最後に班田を命じる史料はみられなくなった。また914(延喜14)年に三善清行が醍醐天皇に提出した「意見封事十二箇条」にも、その頃の財政の窮乏と地方の混乱ぶりが指摘されている。
❷ 田堵の中には国司と結んで勢力をのばし、大規模な経営をおこなって大名田堵と呼ばれるものも現われた。
❸ 受領が勤務する国衙や居宅である館は、以前よりも重要な役割をもつようになり、その一方で、これまで地方支配を直接担ってきた郡家(郡衙)の役割は衰えていった。

3. 地方政治の展開と武士　79

任せずに，国司としての収入のみを受け取ること(遙任)もさかんになった。

受領たちの中には，巨利を得ようとする強欲なものもおり❶，郡司や有力農民からしばしば暴政を訴えられた。988（永延2）年の「尾張国郡司百姓等解」によって訴えられた藤原元命は，この一例である。

この頃には私財を出して朝廷の儀式や寺社の造営などを請け負い，その代償として官職に任じてもらう成功や，同様にして収入の多い官職に再任してもらう重任がおこなわれるようになった。こうした中で，一種の利権とみなされるようになった受領には，成功や重任で任じられることが多くなった。

やがて11世紀後半になると，受領も交替の時以外は任国におもむかなくなり，かわりに目代を留守所❷に派遣し，その国の有力者が世襲的に任じられる在庁官人たちを指揮して政治をおこなわせるようになった。

荘園の発達

10世紀後半には，有力農民や地方に土着した国司の子孫たちの中に，国衙から臨時雑役などを免除されて一定の領域を開発するものが現われ，11世紀に彼らは開発領主と呼ばれるようになった。

開発領主の中には，所領にかかる税の負担を逃れるために所領を中央の権力者に寄進し，権力者を領主と仰ぐ荘園として，みずからは預所や下司などの荘官となるものも現われ

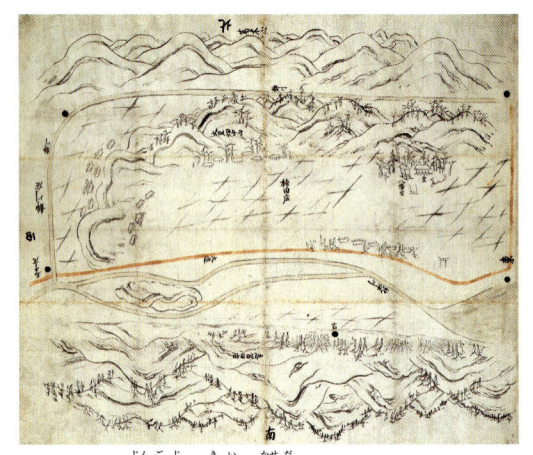

荘園の絵図 神護寺領紀伊国桛田荘の図で，荘園村落の実情をよく知ることができる。荘園の東北端に八幡宮があり，民家は山麓や紀伊川（紀ノ川）のへりの大道にそっている。四隅と紀伊川の南の点は荘の領域の境目（牓示）を示す。この荘園は9世紀初めに開発され，12世紀末に神護寺に寄進された。（神護寺蔵，京都府）

---

❶ 信濃守藤原陳忠が，谷底に落ちてもそこに生えていた平茸をとることを忘れず，「受領は倒るるところに土をもつかめ」といったという『今昔物語集』(→p.93)の話などは，受領の強欲さをよく物語っている。
❷ 受領が赴任していない時の国衙を，留守所と呼ぶ。

荘園の寄進

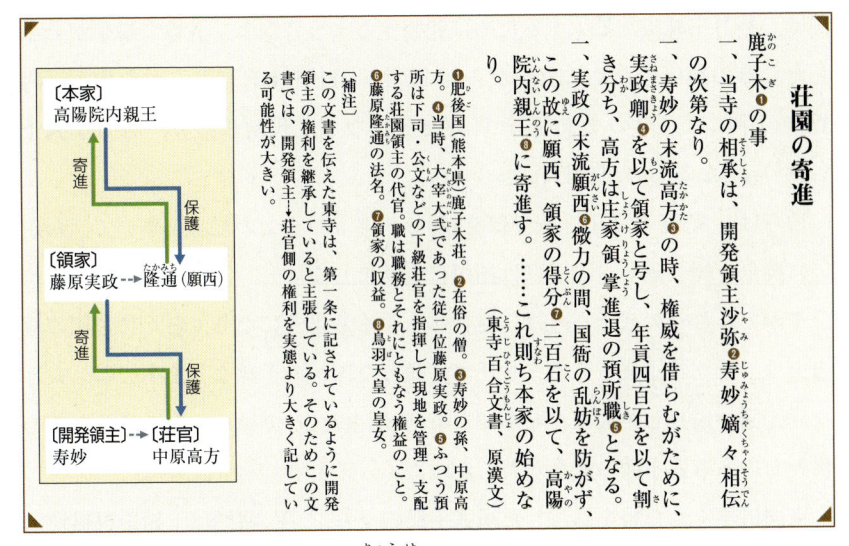

鹿子木❶の事
一、当寺の相承は、開発領主沙弥❷寿妙嫡々相伝の次第なり。
一、寿妙の末流高方❸の時、威を借らむがために、実政卿❹を以て領家と号し、年貢四百石を以て割き分ち、高方は庄家領掌進退の預所職となる。
一、実政の末流願西❺微力の間、国衙の乱妨を防がず、この故に願西、領家の得分❻二百石を以て、高陽院内親王❼に寄進す。……これ則ち本家の始めなり。
（東寺百合文書、原漢文）

〔補注〕この文書を伝えた東寺は、第一条に記されているように開発領主の権利を継承していると主張している。そのためこの文書では、開発領主→荘官側の権利を実態より大きく記している可能性が大きい。

❶肥後国（熊本県）鹿子木荘。❷在俗の僧。❸寿妙の孫、中原高方。❹当時、大宰大弐であった従二位藤原実政。❺ふつう願西。所は下司・公文などの下級荘官を指揮して現地を管理・支配する荘園領主の代官。職は職務とそれにともなう権益のこと。❻領家の収益。❼鳥羽天皇の皇女。❽ふつう預❾藤原隆通の法名。

```
〔本家〕
高陽院内親王
  ↑寄進  ↓保護
〔領家〕
藤原実政‑‑‑隆通（願西）
  ↑寄進  ↓保護
〔開発領主〕→〔荘官〕
寿妙    中原高方
```

た。寄進を受けた荘園の領主は**領家**と呼ばれ、この荘園がさらに上級の貴族や有力な皇族に重ねて寄進された時、上級の領主は**本家**と呼ばれた❶。こうしてできた荘園を**寄進地系荘園**と呼ぶ。

　荘園の中には、貴族や有力寺社の権威を背景にして、政府から官物や臨時雑役の免除（**不輸**）を承認してもらう荘園がしだいに増加し、のちには受領によってその任期中に限り不輸が認められた荘園も生まれた❷。やがて、荘園内での開発が進展するにともない、不輸の範囲や対象をめぐる荘園領主と国衙との対立が激しくなると、荘園領主の権威を利用して、**検田使**❸など国衙の使者の立入りを認めない**不入**の特権を得る荘園も多くなっていった。その結果、11世紀後半になると、受領から中央に送られる税収が減少し、律令制で定められた**封戸**などの収入が不安定になった皇室や摂関家・大寺社は、積極的に寄進を受け、さらに荘園の拡大をはかるようになった。

地方の反乱と武士の成長

　9世紀末から10世紀にかけて地方政治が大きく変化していく中で、地方豪族や有力農

---

❶　領家・本家のうち、実質的な支配権をもつものを**本所**といった。また畿内およびその近辺では、有力寺社が農民の寄進を受けて成立させた小さな規模の寺社領荘園がたくさん生まれた。
❷　政府の出した太政官符や民部省符によって税の免除が認められた荘園を**官省符荘**と呼び、国司によって免除を認められた荘園を**国免荘**と呼んだ。
❸　国内の耕作状況を調査し、官物や臨時雑役の負担量を定めるために派遣される使者。

3. 地方政治の展開と武士　81

民は，勢力を維持・拡大するために武装するようになり，各地で紛争が発生した。その鎮圧のために政府から押領使・追捕使❶に任じられた中・下級貴族の中には，そのまま在庁官人などになって現地に残り，有力な武士（兵）❷となるものが現われた。

彼らは，家子などの一族や郎党（郎等・郎従）などの従者を率いて，たがいに闘争を繰り返し，ときには国司にも反抗した。

やがてこれらの武士たちは，連合体をつくるようになり，とくに辺境の地方では，任期終了後もそのまま任地に残った国司の子孫などを中心に，大きな武士団が成長し始めた。なかでも東国（関東地方）では，良馬を産したため，機動力のある武士団の成長が著しかった。

東国に早くから根をおろした桓武平氏のうち，平将門は下総を根拠地にして一族と争いを繰り返すうちに，国司とも対立するようになり，939（天慶2）年に反乱をおこした（平将門の乱）。将門は常陸・下野・上野の国府を攻め落とし，東国の大半を占領して新皇と自称したが，同じ東国の武士の平貞盛・藤原秀郷らによって討たれた。

同じ頃，もと伊予の国司であった藤原純友も，瀬戸内海の海賊を率いて反

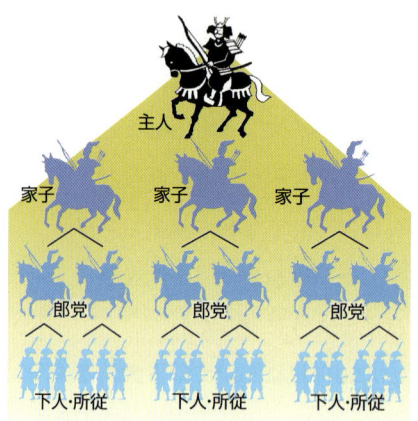

武士の家の構造 武士の家は主人を中心に形成された。主人のもとには家子が従っており，家子は郎党や下人・所従を抱えるようになった。

門番をする武士（『粉河寺縁起絵巻』，部分） 河内国の地方豪族の家。門前に弓矢をもった武士の姿がみられる。（粉河寺蔵，和歌山県）

❶ 押領使・追捕使はともに盗賊の追捕や内乱の鎮圧のために派遣されるもので，いずれも初めは臨時に任命されていたが，しだいに諸国に常置されるようになった。
❷ 武士とは，もともとは朝廷に武芸をもって仕える武官を指していた。

将門の首を運ぶ藤原秀郷の隊列(『俵藤太絵巻』，部分) 都の大路を行く藤原秀郷の隊列。下野国の押領使であった秀郷は，将門のライバルで俵藤太と呼ばれた。(金戒光明寺蔵，京都府)

乱をおこし(藤原純友の乱)，伊予の国府や大宰府を攻め落としたが，やがて清和源氏の祖である源経基(?～961)らによって討たれた。こうして東西の反乱(あわせて承平・天慶の乱と呼ばれる)はおさまったが，この乱を通じて朝廷の軍事力の低下が明らかになり，地方武士の組織はいっそう強化された。

地方武士の実力を知った朝廷や貴族たちは，彼らを侍として奉仕させ，9世紀末に設けられた滝口の武者のように宮中の警備に用いたり，貴族の身辺や都の市中警護に当たらせたりした。なかでも摂津に土着していた清和源氏の源満仲(912?～997)と，その子の頼光(948～1021)・頼信(968～1048)兄弟は，摂関家への奉仕の見返りとしてその保護を受け，勢威を高めた。また地方でも武士を館侍や国侍❶として国司のもとに組織するとともに，追捕使や押領使に任命して，治安維持を分担させることがさかんになった。

《《源氏の進出》》 11世紀になると，開発領主たちは私領の拡大と保護を求めて，土着した貴族に従属してその郎党となったり，在庁官人になったりしてみずからの勢力をのばし，地方の武士団として成長していった❷。彼らはやがて中央貴族の血筋を引く清和源氏や桓武平氏を棟

---

❶ 館侍とは受領の家子・郎党からなる受領直属の武士たちで，国侍とは地方の武士を国衙の軍事力として組織したものである。
❷ 1019(寛仁3)年，九州北部を襲った刀伊(→p.72注❷)の来襲の際には，大宰権帥の藤原隆家の指揮のもと，九州の武士たちがこれを撃退した。このことは，当時の九州にも武士団がつくられつつあったことを示している。

3．地方政治の展開と武士　83

後三年合戦図(『後三年合戦絵巻』，部分)　義家軍が金沢の柵(現，秋田県)で雁の列の乱れをみて敵の伏兵を知り，これを攻めているところ。(東京国立博物館蔵)

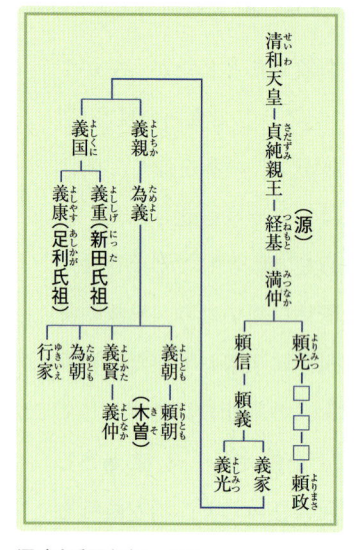

源氏略系図(1)(→p.101)

梁と仰ぐようになり，その結果，源平両氏は地方武士団を広く組織した武家(軍事貴族)を形成して，大きな勢力を築くようになった。
　1028(長元元)年，上総で平忠常の乱がおこると，源頼信は房総半島に広がった乱を鎮圧して，源氏の東国進出のきっかけをつくった。
　また，陸奥では豪族安倍氏の勢力が強大で国司と争っていたが，源頼信の子頼義は陸奥守として任地にくだり，子の源義家とともに東国の武士を率いて安倍氏と戦い，出羽の豪族清原氏の助けを得て安倍氏を滅ぼした(前九年合戦)。その後，陸奥・出羽両国で大きな勢力を得た清原氏一族に内紛がおこると，陸奥守であった源義家が介入し，藤原(清原)清衡を助けて内紛を制圧した(後三年合戦)。こののち奥羽地方では陸奥の平泉を根拠地として，清衡の子孫(奥州藤原氏)による支配が続くが，一方でこれらの戦いを通じて源氏は東国の武士団との主従関係を強め，武家の棟梁としての地位を固めていった。

84　第3章　貴族政治と国風文化

第 II 部 中世

　12世紀から13世紀にかけては，ヨーロッパでは封建社会が一つの転機を迎える時期であった。11世紀末から始まった十字軍の活動は，聖地回復を掲げたローマ教皇の権威を高めたものの，封建社会を支えていた騎士階級の没落をうながし，逆に基地となったイタリア諸都市をはじめとする各地の都市で商工業者の活動を導いた。

　こうした都市の活況を背景に，ルネサンスや宗教改革という精神面での封建社会からの解放が進められ，さらに新天地を求める大航海時代の幕開けとなって，今まで閉ざされていたヨーロッパ文化圏の枠を一挙に取り払う結果になった。このような動きと呼応して，国王権の伸張がはかられ，14世紀から15世紀にかけておこった百年戦争・バラ戦争を通してイギリス・フランスという近代国家の母体が形成され，イベリア半島でもスペイン・ポルトガルが成立した。

　一方，中国では，宋の建国当初から恐れられていた北方民族がしだいに優勢となった。13世紀にはモンゴル人が中国全土の支配を完成して国号を元と称し，その力は遠く西方におよんでヨーロッパからアジアにまたがる大帝国を建設した。しかし元の支配は長くは続かず，約1世紀後には漢民族の明による支配が回復し，以後，江南の開発と商工業の発達がうながされた。概してアジアの社会はヨーロッパに比べると豊かであった。

　同じ頃，イスラーム世界は王朝の分裂と交替を繰り返すうちにモンゴルの侵入を受けて崩壊したが，イスラームとその文化は14～15世紀に中央アジアを支配下においたティムール朝と，16世紀にインドに建国されたムガル帝国を通して広まり，これらの地のイスラーム化を進めた。

　世界の情勢がこのように推移する中で，日本では12世紀後半に武士による政権が生まれ，各地で荘園・公領の支配権を貴族層から奪い，しだいに武家社会を確立していった。

時代	平安	鎌倉	南北朝	室町	戦国	安土・桃山
文化	(院政)	(鎌倉)	(南北朝)	(北山)	(東山)	
政治	(院政)	(執権政治)	(南北朝争乱)	(守護領国)	(群雄割拠)	
主要事項	平氏滅亡／鎌倉幕府成立	承久の乱／英，マグナ=カルタ／モンゴル統一／蒙古襲来	英仏百年戦争／ローマ教会大分裂／鎌倉幕府滅亡／建武の新政／室町幕府成立	南北朝合体／正長の徳政一揆／応仁の乱／英，バラ戦争／コロンブス，アメリカ到達	室町幕府滅亡／英，エリザベス一世即位／鉄砲伝来／キリスト教伝来／イエズス会成立／マゼラン，世界周航／ルター，宗教改革	文禄・慶長の役
		ルネサンス			宗教改革／大航海時代	
	十字軍		百年戦争			
		高麗		朝鮮		
世界	南宋／アッバース朝	元		明／ティムール朝／オスマン帝国	ムガル帝国	

第4章 中世社会の成立

1 院政と平氏の台頭

延久の荘園整理令と荘園公領制

関白の藤原頼通の娘には皇子が生まれなかったので，時の摂政・関白を外戚としない後三条天皇（位1068〜72）が即位した。個性の強かった天皇は，大江匡房（1041〜1111）らの学識にすぐれた人材を登用し，強力に国政の改革に取り組んだ❶。

とくに天皇は荘園の増加が公領（国衙領）を圧迫しているとして，1069（延久元）年に延久の荘園整理令を出した❷。中央に記録荘園券契所（記録所）を設けて，荘園の所有者から提出された証拠書類（券契）と国司の報告とをあわせて審査し，年代の新しい荘園や書類不備のものなど，基準にあわない荘園を停止した。摂関家の荘園も例外ではなく，整理令はかなりの成果を上げた❸。

この荘園整理によって，貴族や寺社の支配する荘園と，国司の支配する公領（国衙領）とが明確になり，貴族や寺社は支配する荘園を整備していった。国司は

記録荘園券契所の設置

コノ後三条位ノ御時，……延久ノ記録所トテハジメテヲカレタリケルハ，諸国七道ノ所領ノ宣旨❶・官符❷モナクテ公田ヲカスムル事，一天四海ノ巨害ナリトキコシメシツメテアリケルハ，スナハチ宇治殿ノ時，一ノ所❹ノ御領ノ大ニツメテ❸，御領トノミ云テ，庄園諸国ニミチテ受領❺ノタヘガタシナド云ヲ，キコシメシモチタリケルニコソ，……

❶官の命令を伝える文書のこと。❷太政官からくだす文書をいう。❸横領する。❹「一ノ所」とは「摂関家」のことで，摂関家領の意。❺聞き入れ，用いられた。（『愚管抄』）

---
❶ 後三条天皇は荘園整理令を出すとともに枡の大きさを一定にした。これは宣旨枡と称され，枡の基準として太閤検地（→ p.162）まで用いられる一方，荘園ではさまざまな枡が用いられた。
❷ 荘園整理令は醍醐天皇の902（延喜2）年が最初（→ p.78）で，その後1045（寛徳2）年にも新たに成立した荘園を停止するなどしばしば出されたが，整理令の実施は国司にゆだねられていたので不徹底であった。
❸ 石清水八幡宮領では，34カ所の荘園のうち21カ所だけが認められ，残りの13カ所の権利は停止された。

86　第4章　中世社会の成立

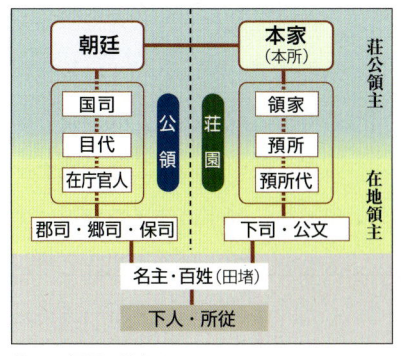

荘園公領制の仕組み

支配下にある公領で力をのばしてきた豪族や開発領主に対し、国内を郡・郷・保などの新たな単位に再編成し、彼らを郡司・郷司・保司に任命して徴税を請け負わせた。また田所・税所などの国衙の行政機構を整備し、代官として派遣した目代の指揮のもとで在庁官人に実務をとらせた。

在庁官人や郡司らは、公領をみずからの領地のように管理したり、荘園領主に寄進したりしたため、かつての律令制度のもとで国・郡・里(郷)の上下の区分で構成されていた一国の編成は、荘・郡・郷などが並立する荘園と公領で構成される体制(**荘園公領制**)に変化していった。

この整備された荘園や公領では、耕地の大部分は**名**とされ、田堵などの有力な農民に割り当てられたが、田堵らは名の請負人としての立場から権利をしだいに強めて**名主**と呼ばれた。名主は、名の一部を下人などの隷属農民に、また他の一部を作人と呼ばれる農民などに耕作させながら、**年貢・公事・夫役**など❶を領主におさめ、農民の中心となった。

院政の開始

白河天皇(位1072～86)は父の後三条天皇にならって親政をおこなったが、1086(応徳3)年、にわかに幼少の堀河天皇(位1086～1107)に位をゆずると、みずから**上皇**(**院**)❷として**院庁**を開き、天皇を後見しながら政治の実権を握る**院政**の道を開いた。

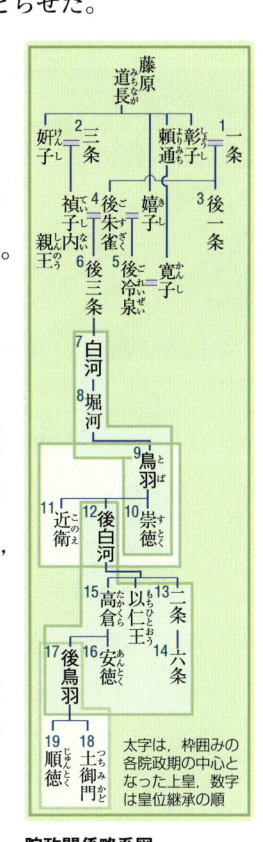

院政関係略系図

太字は、枠囲みの各院政期の中心となった上皇、数字は皇位継承の順

---

❶ 名主はおもに米・絹布などでおさめる年貢のほか、糸・炭・野菜など手工業製品や特産物を納入する公事、労役を奉仕する夫役などを負担した。これは、国司が名を請け負った田堵に課税した官物・臨時雑役の系統を引くものである。

❷ 院とは、もともと上皇の住居のことで、のちには上皇自身を指すようになった。女院は、上皇と同じような待遇を与えられた天皇の后妃や娘を指す。

1. 院政と平氏の台頭

院政の開始

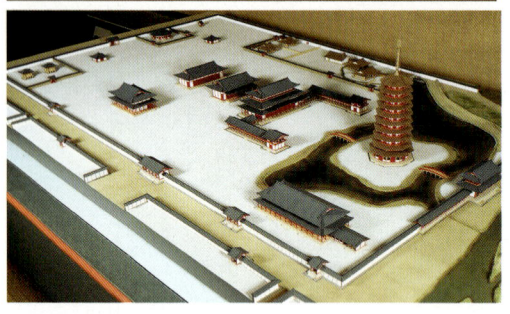

禅定法王(白河上皇)は、後三条院崩御の後、天下の政をとること五十七年、年、位を避くるの意に任せ、法に拘らず、除目・叙位❶を行ひ給ふ。古今未だあらず。……威四海に満ち天下帰服す、幼主三代の政をとり❷、斎王六人の親となる、桓武より以来、絶えて例なし。聖明の君、長久の主と謂ふべきなり。但し理非決断❸、賞罰分明❹、愛悪掲焉にして、貧富顕然なり。男女の殊寵多きにより❺、賞罰破る、なり。

(『中右記』)

❶官位の人事。❷裁判をしっかりとおこなう。❸堀河・鳥羽・崇徳天皇の時期の治世。❹賞と罰とをはっきりとおこなう。❺いつくしみと憎しみとを優遇する。

法勝寺(復元模型) 院の権威を象徴する法勝寺は焼け落ちてもその都度再建されたが、南北朝時代に焼けてから再建されなかった。(京都市歴史資料館蔵)

白河上皇は荘園整理の断行を
　院政1086〜1129
歓迎する国司(受領)たちを支
持勢力に取り込み、人事権を握
って、院の御所に北面の武士を
組織し、源平の武士を側近にす
るなど、院の権力を強化してい
った。ついに堀河天皇の死後に
は本格的な院政を始めたが、こ
の院政では、院庁からくださ
れる文書の院庁下文や、院の命
令を伝える院宣が国政一般にし
だいに効力をもつようになった。

院政は、自分の子孫の系統に
皇位を継承させようとするとこ
ろから始まったが、法や慣例に
こだわらずに院が政治の実権を
専制的に行使するようになり、
白河上皇・鳥羽上皇・後白河上皇と100年余りも続いた。そのため摂関家は、
　　　　　院政1129〜56　院政1158〜79,81〜92
院と結びつくことで勢力の衰退を盛りかえそうとつとめた。

上皇は仏教を厚く信仰し、出家して法皇となり、六勝寺❶など多くの大寺院を造営し、堂塔・仏像をつくって盛大な法会をおこない、しばしば紀伊の熊野詣や高野詣を繰り返した。また、京都の郊外の白河や鳥羽に離宮を造営したが、これらの費用を調達するために成功などの売位・売官の風
　　　　　　　　　　　　　　　　　　　　　　　(→p.80)
がさかんになり、行政機構は変質していった。

院政期の社会

上皇の周囲には、富裕な受領や后妃・乳母の一族など院近臣と呼ばれる一団が形成され❷、上皇から荘園

---

❶ 白河天皇の造立した法勝寺や堀河天皇の造立した尊勝寺など、院政期に天皇家の手で造営された「勝」のつく6寺をいう。
❷ 院庁の職員である院司として上皇に仕えた近臣たちは、初めのうちは朝廷での官職はさほど高くなく、諸国の国司をつとめたものが多かった。

僧兵（「天狗草紙」，模本，部分） 僧兵は地方武士の出身者が多い。図は興福寺の僧兵で，袈裟で頭をつつみ，鎧をつけて長刀をもって武装している。（東京国立博物館蔵）

能登国の荘園と公領 能登国の荘園と公領がいつ，どれだけ生まれたのかを能登国の大田文（→p.99注❷）により記したもの。荘園は国府から遠くに，公領は近くに多いことがわかり，鳥羽院政期から荘園が増えていることがうかがえる。

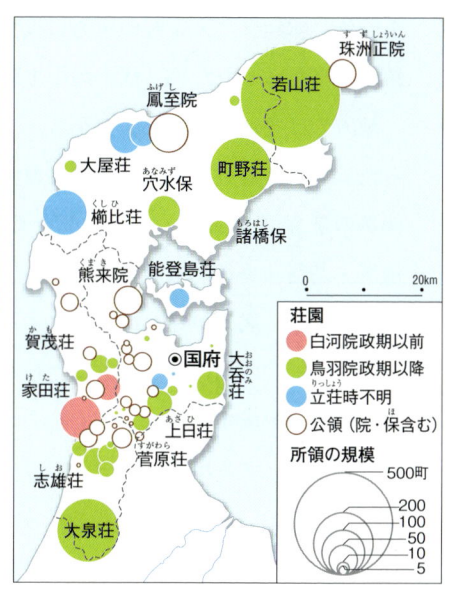

や収益の豊かな国を与えられた。とくに鳥羽上皇の時代になると，院の周辺に荘園の寄進が集中したばかりでなく，有力貴族や大寺院への荘園の寄進も増加した❶。また，不輸・不入の権をもつ荘園が一般化し，不入の権の内容も警察権の排除にまで拡大されて，荘園の独立性が強まった。

またこの頃には**知行国**の制度❷や，上皇自身が国の収益を握る**院分国**の制度が広まって，公領は上皇や知行国主・国司の私領のようになり，院政を支える経済的基盤となった。

大寺院も多くの荘園を所有し，下級僧侶を**僧兵**として組織し，国司と争い，神木や神輿を先頭に立てて朝廷に**強訴**して要求を通そうとした❸。神仏の威

❶ 上皇は，近親の女性を院と同じく待遇（女院）して大量の荘園を与えたり，寺院に多くの荘園を寄進したりした。たとえば，鳥羽上皇が皇女八条院に伝えた荘園群（八条院領）は平安時代末に約100カ所，後白河上皇が長講堂に寄進した荘園群（長講堂領）は鎌倉時代初めに約90カ所という多数にのぼり，それぞれ鎌倉時代の末期には大覚寺統・持明院統（→p.120）に継承され，その経済的基盤となった。

❷ 上級貴族に知行国主として一国の支配権を与え，その国からの収益を取得させる制度。知行国主は子弟や近親者を国守に任じ，現地には目代を派遣して国の支配をおこなったが，これは貴族の俸禄支給が有名無実化したため，その経済的収益を確保する目的で生み出された。

❸ 興福寺の僧兵は奈良法師と呼ばれ，春日神社の神木の榊をささげて京都に入って強訴し，延暦寺の僧兵は山法師と呼ばれ，日吉神社の神輿をかついで強訴した。興福寺・延暦寺を南都・北嶺という。鎮護国家をとなえていた大寺院のこうした行動は，法によらずに実力で争うという院政期の社会の特色をよく表わしている。

1. 院政と平氏の台頭　89

を恐れた朝廷は、大寺院の圧力に抗することができず、武士を用いて警護や鎮圧に当たらせたため、武士の中央政界への進出をまねくことになった。

地方では各地の武士が館を築き、一族や地域の結びつきを強めるようになった。なかでも奥羽地方では、藤原清衡が奥六郡(岩手県)の支配権を握ると、陸奥の平泉を根拠地として支配を奥羽全域に広げていった。**奥州藤原氏**は、清衡・基衡・秀衡の３代100年にわたって、金や馬などの産物の富で京都文化を移入し、北方の地との交易によって独自の文化を育て、繁栄を誇った❶。

こうして院政期には、私的な土地所有が展開して、院や大寺社、武士が独自の権力を形成するなど、広く権力が分散していくことになり、社会を実力で動かそうとする風潮が強まって、中世社会はここに始まった。

保元・平治の乱

武家の棟梁としての源氏が、東国に勢力を広げると、東国武士団の中には源義家に土地を寄進して保護を求めるものが増えたため、朝廷があわてて寄進を禁止したほどである。義家のあと、源氏が一族の内紛により勢力がやや衰える中、院と結んで発展したのが、桓武平氏のうちで伊勢・伊賀を地盤とする**伊勢平氏**である。

なかでも平正盛は、出雲で反乱をおこした源義家の子義親を討ち、正盛の子の忠盛は、瀬戸内海の海賊平定などで鳥羽上皇の信任を得て、殿上人となって貴族の仲間入りをし、武士としても院近臣としても重く用いられるようになった。その平氏の勢力をさらに飛躍的にのばしたのが、忠盛の子の**平清盛**である。

天皇方	後白河 (弟)	関白忠通 (兄)	清盛 (甥)	義朝 (子)
	天皇家	藤原氏	平氏	源氏
上皇方	崇徳 (兄)	左大臣頼長 (弟)	忠正 (叔父)	為義 (父)

保元の乱関係図

通憲(信西) [自殺]	清盛	重盛	頼盛
院近臣の藤原氏		平氏	
		源氏	
信頼 [斬首]	義朝 [謀殺]	義平 [斬首]	頼朝 [伊豆へ]

平治の乱関係図

---

❶ 11世紀に奥州で２度の合戦(→p.84)がおきたあと、奥州の藤原氏が勢力を築くと、これを媒介として北方の産物が都にもたらされた。藤原氏は金の力を背景に平泉を中心に繁栄し、中尊寺(→口絵⑬)や毛越寺などの豪華な寺院を建立した。最近の平泉の発掘調査では、京都と北方の文化の影響がみられ、日本海をめぐる交流や北海道からさらに北方とのつながりもあるなど、広い範囲で文化の交流があったことが明らかになってきた。

90　第４章　中世社会の成立

1156(保元元)年，鳥羽上皇が死去するとまもなく，かねて皇位継承をめぐり鳥羽上皇と対立していた崇徳上皇は，摂関家の継承をめざして兄の関白藤原忠通と争っていた左大臣藤原頼長と結んで，源為義・平忠正らの武士を集めた。これに対して，鳥羽上皇の立場を引き継いでいた後白河天皇は，忠通や近臣の藤原通憲(信西)の進言により，平清盛や為義の子源義朝らの武士を動員し，上皇方を攻撃して破った。その結果，崇徳上皇は讃岐に流され，為義らは処刑された(保元の乱)。

　つづいて，院政を始めた後白河上皇の近臣間の対立から，1159(平治元)年には，清盛と結ぶ通憲に反感をいだいた近臣の一人藤原信頼が，源義朝と結んで兵をあげ，通憲を自殺に追い込んだ。だが，武力にまさる清盛によって信頼や義朝は滅ぼされ，義朝の子の頼朝は伊豆に流された(平治の乱)。

　この二つの乱に動員された兵士の数はわずかであったが，貴族社会内部の争いも武士の実力で解決されることが明らかとなり，武家の棟梁としての清盛の地位と権力は急速に高まった。

《平氏政権》　平治の乱後，清盛は後白河上皇を武力で支えて昇進をとげ，蓮華王院を造営するなどの奉仕をした結果，1167(仁安2)年には太政大臣となった。その子平重盛らの一族もみな高位高官にのぼり，勢威は並ぶものがなくなった。

平氏略系図

蓮華王院本堂内部　清盛は後白河上皇の信任を得て，法住寺御所の近くに蓮華王院を造営した。本堂(三十三間堂)に1001体の千手観音像を安置するとともに，宝蔵には古今東西の宝物をおさめた。現在の本堂は鎌倉時代の再建。(京都府)

1.　院政と平氏の台頭　91

平氏が全盛を迎えるようになった背景には,各地での**武士団**の成長がある。清盛は彼らの一部を荘園や公領の現地支配者である**地頭**に任命し,畿内から瀬戸内海を経て九州までの西国一帯の武士を**家人**❶とすることに成功した。

平氏の繁栄

……六波羅殿❶の御一家の君達といひてしかば,花族❷も栄耀❸も面をむかへ肩をならぶる人なし。されば入道相国❹のこじうと❺平大納言時忠卿ののたまひけるは,「此一門にあらざらん人は皆人非人なるべし」とぞのたまひける。かゝりしかば,いかなる人も相構えて其ゆかりにむすぼほれんとぞしける。

日本秋津嶋は纔に六十六箇国,平家知行の国卅余箇国,既に半国にこえたり。其外庄園田畠いくらといふ数を知ず。綺羅❼充満して,堂上花の如し。軒騎❽群集して,門前市をなす。楊州の金,荊州の珠,呉郡の綾,蜀江の錦❾,七珍万宝一つとして闕たる事なし。
（『平家物語』）

❶平清盛は,京の六波羅に邸宅をかまえた。❷貴族の家格。❸入道太政大臣清盛。❺清盛の妻時子の弟。平氏の知行国は一一八〇（治承四）年には三十国。❻とうず絹。美服○○○○。❼車や馬。❽いずれも中国の地名で,それぞれの物品の名産地。

平氏の経済的基盤は,全盛期には日本全国の約半分の**知行国**や500にのぼる荘園であり,さらに平氏が忠盛以来,力を入れていた**日宋貿易**もある。11世紀後半以降,日本と高麗・宋とのあいだで商船の往来が活発となり,12世紀に宋が北方の女真人の建てた**金**に圧迫されて**南宋**となってからは,さかんに貿易がおこなわれた。これに応じて清盛は,摂津の**大輪田泊**（神戸市）を修築して,瀬戸内海航路の安全をはかり,宋商人の畿内への招来にもつとめて貿易を推進した❷。この清盛の積極的な対外政策の結果,宋船のもたらした多くの珍宝や宋銭・書籍は,以後の日本の文化や経済に大きな影響を与え,貿易の利潤は平氏政権の重要な経済的基盤となった。

しかし一方で,清盛は娘徳子（建礼門院）を高倉天皇の中宮に入れ,その子の安徳天皇を即位させ**外戚**として威勢をふるうなど,平氏政権は著しく摂関政治に似たもので,武士でありながら貴族的な性格が強かった。平氏はまた一門が官職について支配の拡大をはかったために,排除された旧勢力から強い反発を受けた。

❶ 武士の社会では従者を一般に家人というが,鎌倉幕府の場合は将軍への敬意から御家人（→p.98）と呼ばれ,その後,御家人は武士の身分を示すものとなった。
❷ 日宋貿易では,日本からは金・水銀・硫黄・木材・米・刀剣・漆器・扇などを輸出し,大陸からは宋銭をはじめ陶磁器（→口絵⑱）・香料・薬品・書籍などを輸入したが,そのうちの香料・薬品類は,もともとは東南アジア産のものであった。

92　第4章　中世社会の成立

とくに後白河法皇の近臣との対立の深まりとともに、1177(治承元)年には藤原成親や僧の俊寛らが、京都郊外の鹿ケ谷で平氏打倒をはかり、失敗する事件がおこった(**鹿ケ谷の陰謀**)。そこで清盛は1179(治承3)年、後白河法皇を鳥羽殿に幽閉し、関白以下多数の貴族を処罰し、官職を奪うという強圧的手段で国家機構をほとんど手中におさめ、政界の主導権を握った。

ここに清盛の権力集中は頂点に達するかにみえたが、こうした権力の独占はかえって院や貴族、寺社、源氏などの反対勢力の結集をうながし、平氏の没落を早める結果となった。

《《 院政期の文化 》》 貴族文化は院政期に入ると、新たに台頭してきた武士や庶民とその背後にある地方文化を取り入れるようになって、新鮮で豊かなものを生み出した。

後白河上皇がみずから民間の流行歌謡である今様を学んで『梁塵秘抄』を編んだことは、この時代の貴族と庶民の文化との深い関わりをよく示している。今様は当時流行した歌謡であり、この他に古代の歌謡から発達した催馬楽や和漢の名句を吟じる朗詠も流行した。田楽や猿楽などの芸能も、庶民のみならず、貴族のあいだにもおおいに流行し、祇園祭などの御霊会や大寺院の法会などで演じられた。

また、インド・中国・日本の1000余りの説話を集めた『今昔物語集』には、武士や庶民の活動・生活がみごとに描かれており、将門の乱を描いた『将門記』に続いて、前九年合戦を描いた『陸奥話記』などの初期の軍記物語が書かれたことも、この時代の貴族が地方の動きや武士・庶民の姿に関心をもっていたことを示している。

これまでの物語文学とともに、『大鏡』や『今鏡』などの和文体のすぐれた歴史物語が著されたのは、転換期に立って過去の歴史を振り返ろうとする、この時期の貴族の思想の表れである。

貴族と武士や庶民を結んだのは、寺院に所属しない聖や上人などと呼ばれた民間の布教者であって、その浄土教の思想は全国に広がった。奥州藤原

おもな著作物

【歌謡】
梁塵秘抄(後白河上皇)
【歴史・説話】
大鏡
今鏡(藤原為経)
将門記
陸奥話記
今昔物語集

おもな建築・美術作品

【建築】
中尊寺金色堂〈口絵⑬〉
富貴寺大堂〈大分〉(p.94)
白水阿弥陀堂〈福島〉〈口絵⑫〉
三仏寺投入堂〈鳥取〉〈口絵⑪〉

【彫刻】
蓮華王院千手観音像〈京都〉(p.91)
臼杵磨崖仏〈大分〉

【絵画】
源氏物語絵巻
信貴山縁起絵巻(p.95)
鳥獣戯画〈伝鳥羽僧正〉
伴大納言絵巻〈口絵⑩〉
扇面古写経〈扇面法華経冊子〉(p.95)
厳島神社平家納経(p.95)
年中行事絵巻

毛越寺庭園跡(上)と復元模型(左) 奥州藤原氏2代基衡の創建で，3代秀衡の代に完成した。建物は中世に焼失したが，浄土式庭園の遺構はよく残っている。（模型：平泉文化史館蔵，岩手県）

富貴寺大堂 大分県の国東半島にある九州最古の阿弥陀堂建築で，浄土教の地方伝播を示す典型例。堂内には「来迎壁画」と定朝様阿弥陀如来坐像を有する。（大分県）

　氏が建てた平泉の**中尊寺金色堂**や，陸奥の白水阿弥陀堂，九州豊後の富貴寺大堂など，地方豪族のつくった阿弥陀堂や浄土教美術の秀作が各地に残されている。また，平氏に信仰された安芸の厳島神社には，豪華な『**平家納経**』が寄せられており，平氏の栄華と貴族性を物語っている。

　絵と詞書を織りまぜて時間の進行を表現する絵巻物が，この時代には大和絵の手法が用いられて発展した。『**源氏物語絵巻**』は貴族の需要に応じて描かれ，『**伴大納言絵巻**』は応天門の変に取材し，同じく朝廷の年中行事を描いた『**年中行事絵巻**』とともに，院政の舞台となった京都の姿を描いている。また『**信貴山縁起絵巻**』は聖の生き方や風景・人物をたくみに描き，『**鳥獣戯画**』は，動物を擬人化していきいきと描いている。この絵巻物や『**扇面古写経**』の下絵からは，地方の社会や庶民の生活が浮かび上がってくる。

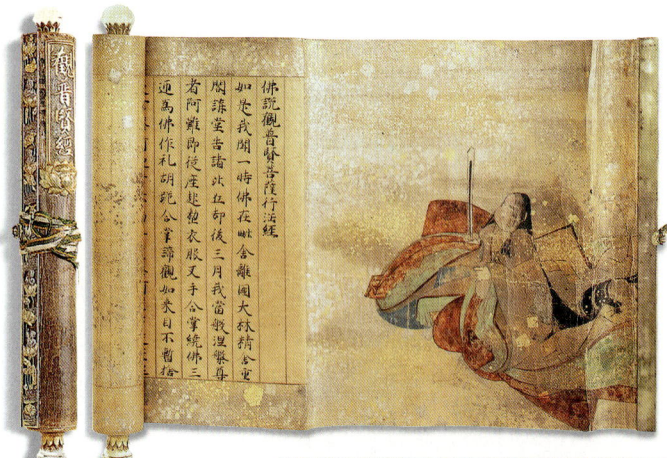

厳島神社『平家納経』
平清盛は安芸の厳島神社を平家一門の氏神とした。清盛は一門の繁栄のために法華経などの写経を奉納した。(広島県)

『信貴山縁起絵巻』(飛倉の巻,部分)
12世紀の絵巻。命蓮という僧が鉢を飛ばして長者(地方豪族)の倉を信貴山まで運んだという話などを描く。動的な線描で庶民の生活や風俗を描く。(朝護孫子寺蔵,奈良県)

『扇面古写経』 扇紙に大和絵で当時の風俗を描き,これに経文をそえている。図は市の風景で,庶民の生活がしのばれる。(四天王寺蔵,大阪府)

2 鎌倉幕府の成立

《源平の争乱》 平清盛が後白河法皇を幽閉し、1180(治承4)年に孫の安徳天皇を位につけると、地方の武士団や中央の貴族・大寺院の中には、平氏の専制政治に対する不満がうずまき始めた。

この情勢をみた後白河法皇の皇子以仁王(1151〜80)と、畿内に基盤をもつ源氏の源頼政(1104〜80)は、平氏打倒の兵をあげ、挙兵を呼びかける以仁王の命令(令旨)が諸国

2. 鎌倉幕府の成立 95

の武士に伝えられた。

　これに応じて，園城寺(三井寺)や興福寺などの僧兵が立ちあがり，つづいて伊豆に流されていた源頼朝や信濃の木曽谷にいた源義仲をはじめ，各地の武士団が挙兵して，ついに内乱は全国的に広がり，5年にわたって争乱が続いた(治承・寿永の乱)。

　平氏は当初，都を福原京(神戸市)に移した。福原は近くに良港大輪田泊があり，瀬戸内海支配のための平氏の拠点であったが，この遷都には大寺院や貴族たちが反対したため，約半年間でまた京都に戻し，平氏は畿内を中心とする支配を固めてこれらの動きに対応した。しかし，清盛の突然の死や，畿内・西国を中心とする飢饉などで平氏の基盤は弱体化し，1183(寿永2)年，北陸で義仲に敗北すると，平氏は安徳天皇を奉じて西国に都落ちした。その義仲を，院と結んだ源頼朝は弟の源範頼・義経らの軍を派遣して滅ぼすと，さらに平氏と戦い，摂津の一の谷，讃岐の屋島の合戦を経て，ついに1185(文治元)年に長門の壇の浦で平氏を滅亡させた。

　この一連の争乱で大きな活躍をしたのは地方の武士団であり，彼らは国司や荘園領主に対抗して新たに所領の支配権を強化・拡大しようとつとめ，その政治体制を求めていた。

鎌倉幕府

　反平氏の諸勢力のうち，東国の武士団は武家の棟梁で源氏の嫡流である頼朝のもとに結集し，もっとも有力な勢力に成長した。頼朝は挙兵すると，相模の鎌倉を根拠地として広く主従関係の確立につとめ，関東の荘園・公領を支配して御家人の所領支配を保障していった。1183(寿

源平の争乱 (月は陰暦による。＊印は幕府設立関係)

1177. 5	鹿ヶ谷の陰謀
1179.11	平清盛，後白河法皇を幽閉
1180. 2	安徳天皇即位
5	以仁王・源頼政ら挙兵，敗死
6	福原京遷都(11月には京都に戻す)
8	源頼朝挙兵，石橋山で敗れる
9	源義仲挙兵
10	＊頼朝鎌倉入り。富士川の戦い
11	＊頼朝，侍所を設置
12	平重衡，南都を焼打ち
1181.閏2	清盛の死(64歳)
4	養和の飢饉
1183. 5	倶利伽羅峠(砺波山)の戦い
7	平氏の都落ち，義仲入京
10	＊後白河法皇，頼朝の東国支配権を認める
1184. 1	源範頼・義経，義仲を討つ
2	摂津一の谷の合戦
10	＊頼朝，公文所・問注所を設置
1185. 2	讃岐屋島の合戦
3	壇の浦の戦い，平氏滅亡
11	＊頼朝，守護・地頭を設置
1189. 9	頼朝，奥州平定
1192. 7	＊頼朝，征夷大将軍となる

永2)年には，平氏の都落ちのあと，京都の後白河法皇と交渉して，東海・東山両道の東国❶の支配権の承認を得た(寿永二年十月宣旨)。

ついで1185(文治元)年，平氏の滅亡後，頼朝の支配権の強大化を恐れた法皇が義経に頼朝追討を命じると，頼朝は軍勢を京都に送って法皇にせまり，諸国に守護❷を，荘園や公領には地頭を任命する権利や1段当たり5升の兵粮米を徴収する権利，さらに諸国の国衙の実権を握る在庁官人を支配する権利を獲得した。こうして東国を中心にした頼朝の支配権は，西国にもおよび，武家政権としての**鎌倉幕府**が確立した。

その後，頼朝は逃亡した義経をかくまったとして奥州藤原氏を滅ぼすと❸，1190(建久元)年には念願の上洛が実現して右近衛大将となり，1192(建久3)年，後白河法皇の死後には，**征夷大将軍**❹に任ぜられた。こうして鎌倉幕府が成立してから滅亡するまでの時代を**鎌倉時代**と呼んでいる。

幕府の支配機構は，簡素で実務的なものであった。鎌倉には中央機関として，御家人を組織し統制する**侍所**，一般政務や財政事務をつかさどる**政**

鎌倉要図 鎌倉は源頼義以来，源氏とのゆかりが深い地で，三方を小さな丘陵にかこまれ，南は海にのぞむ要害の地であった。頼朝によって，幕府所在地となる。

❶ 幕府の支配権が強力におよぶ東国の範囲は，やがて遠江・信濃以東の15カ国とされた。
❷ 守護は初当，惣追捕使や国地頭などとも呼ばれたが，のちに守護に統一された。
❸ 藤原秀衡の死後，子の泰衡が頼朝の要求に屈服して義経を殺すと，さらに頼朝は泰衡が義経をかくまったことを理由に，1189(文治5)年，奥州に軍を進めて泰衡を討ち，陸奥・出羽2国を支配下においた。
❹ 幕府とは，もともと出征中の将軍が幕を張って，その中で軍務を決裁した陣営を指す漢語であるが，日本では近衛大将や征夷大将軍の中国風の呼び方として用いられ，転じて武士の首長が打ちたてた政権を指す語となった。なお，征夷大将軍は本来は蝦夷を討つための臨時の将軍を意味していたが，頼朝が任命されて以後，しだいに武士の統率者の地位を示す官職となっていった。

2．鎌倉幕府の成立　97

所（初めは公文所），裁判事務を担当する問注所などがおかれ，京都からまねいた下級貴族を主とする側近たちが将軍頼朝を補佐した❶。

地方には守護と地頭がおかれた。守護は原則として各国に一人ずつ，主として東国出身の有力御家人が任命されて，大犯三カ条❷などの職務を任とし，国内の御家人を指揮して平時には治安の維持と警察権の行使に当たり，戦時には国内の武士を統率した。また在庁官人を支配し，とくに東国では国衙の行政事務を引き継いで，地方行政官としての役割も果たした。

地頭は御家人の中から任命され，任務は年貢の徴収・納入と土地の管理および治安維持であった❸。それまでの下司などの荘官の多くは，新たに頼朝から任命を受けた地頭となり，広く御家人たちの権利が保障されたが，地頭の設置範囲は平家没官領を中心とする謀叛人の所領に限られていた。

幕府と朝廷

幕府支配の根本となったのは，将軍と御家人との主従関係である。頼朝は主人として御家人に対し，おもに地頭に任命することによって先祖伝来の所領の支配を保障したり（本領安堵），新たな所領を与えたりした（新恩給与）。この御恩に対して御家人は，戦時には軍役を，平時には京都大番役や幕府御所を警護する鎌倉番役などをつとめて，従者として奉公した。

こうして院政期以来，各地に開発領主として勢力を拡大してきた武士団，

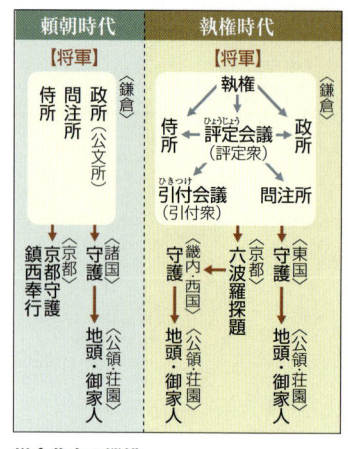

鎌倉幕府の機構

頼朝時代【将軍】
- 侍所
- 政所（公文所）
- 問注所
  - 京都守護
  - 鎮西奉行
  - 諸国〈守護〉
  - 〈公領荘園〉地頭・御家人

執権時代【将軍】
- 執権
- 侍所
- 評定会議（評定衆）
- 政所
- 引付会議（引付衆）
- 問注所
  - 六波羅探題（京都・畿内・西国）〈守護〉〈公領荘園〉地頭・御家人
  - 〈東国〉〈守護〉〈公領荘園〉地頭・御家人

---

❶ 侍所の長官(別当)には東国御家人の和田義盛が任じられたが，公文所(政所)の長官(別当)は大江広元，問注所の長官(執事)は三善康信で，ともに貴族出身であった。

❷ 大犯三カ条は，諸国の御家人に天皇・院の御所を警護させる京都大番役の催促と，謀叛人・殺害人の逮捕で，平時の守護の職務でもっとも重要なものであった。また京都守護は朝廷との関係でも重視され，のちには六波羅探題(→p.102)と改められ，西国の御家人を統轄した。なお九州には鎮西奉行がおかれ，この地域の御家人を統轄するとともに大宰府の実権も握って現地の職務をおこなった。

❸ 地頭は平氏政権のもとでも一部におかれていた(→p.92)が，給与には一定の決まりがなく，土地ごとの慣例に従っていたので，頼朝はその職務を明確にするとともに，任免権を国司や荘園領主から奪って幕府の手におさめた。

とくに東国武士団は御家人として幕府のもとに組織され，地頭に任命されて，所領を支配することを将軍から保障された❶。東国は実質上幕府の支配地域であり，行政権や裁判権を幕府が握り，その他の地方でも国司の支配下にある国衙の任務は守護を通じて幕府に吸収されていった❷。

　このように土地の給与を通じて，主人と従者が御恩と奉公の関係によって結ばれる制度を**封建制度**というが，鎌倉幕府は封建制度にもとづいて成立した最初の政権であり，守護・地頭の設置によって，はじめて日本の封建制度が国家的制度として成立した❸。

　しかし，この時代には，京都の朝廷や貴族・大寺社を中心とする荘園領主の力もまだ強く残っており，政治の面でも経済の面でも，二元的な支配が特徴であった。朝廷は国司を任命して全国の一般行政を統轄し，貴族・大寺社は受領や荘園領主として，土地からの収益の多くを握っており，そのもとには幕府に属さない武士たちも多くいた。

　将軍である頼朝自身も多くの知行国（関東知行国）や平家没官領を含む大量の荘園（関東御領）を所有しており，これが幕府の経済的基盤となっていた❹。

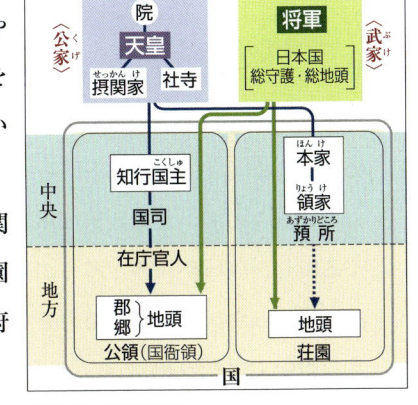

　幕府と朝廷の関係も，新制❺と呼ばれる

公武二元支配の機構

---

❶ 御家人の中でも西国御家人の多くは地頭に任じられることなく，守護を通じて御家人として登録され，京都大番役をつとめ，幕府の保護を受けた。
❷ 一国内の荘園・公領ごとの田地の面積や，荘園領主・地頭の氏名を調査した**大田文**は，本来国衙の土地台帳としてつくられたものであった。幕府が国衙の在庁官人に命じて諸国の大田文をつくらせていることは，国衙に対する幕府の支配力を示している。
❸ 封建制度は，土地の給与を通じて主従のあいだに御恩と奉公の関係が結ばれるという支配階級内部の法秩序をいう。
❹ 頼朝が朝廷から与えられた関東知行国（関東御分国）は，もっとも多い時で9カ国あり，頼朝の所有した関東御領は平家没官領500余カ所以上という多数にのぼっていた。
❺ 10世紀以後，律令・格式の編纂ののちに朝廷から出された法令はしだいに新制と呼ばれるようになり，荘園整理令も新制の一つである。こうした公家法としての新制は引き続き鎌倉時代にも出され，やがて幕府もこれにならって新制と呼ばれる法を出すようになった。

2．鎌倉幕府の成立　99

朝廷の法令や宣旨で定められており、朝廷と幕府とは支配者としての共通面をもっていた。幕府は守護・地頭を通じて全国の治安の維持に当たり、また年貢を納入しない地頭を罰するなど、一面では朝廷の支配や荘園・公領の維持を助けた。

しかし他面で、幕府は東国はもちろん、他の地方でも支配の実権を握ろうとしたために、守護・地頭と国司・荘園領主とのあいだでしだいに紛争が多くなっていった。やがて各地で荘官などが地頭へかわっていき、幕府による現地支配力が強まると、対立も深まっていった。

3　武士の社会

北条氏の台頭

幕府政治はすぐれた指導者である源頼朝が将軍独裁の体制で運営していたが、頼朝の死後、若い頼家（1182〜1204）と実朝（1192〜1219）の時代になると、御家人中心の政治を求める動きが強まった❶。それとともに有力な御家人のあいだで政治の主導権をめぐる激しい争いが続き、多くの御家人が滅んでいった。その中で勢力をのばしてきたのが、伊豆の在庁官人出身の北条氏である。

1203（建仁3）年、頼朝の妻北条政子（1157〜1225）の父である北条時政（1138〜1215）は、将軍の頼家を廃し❷、弟の実朝を立てて幕府の実権を握った。この時政の地位は執権と呼ばれて、子の義時（1163〜1224）に継承されたが、さらに義時は、侍所の長官（別当）であった和田義盛（1147〜1213）

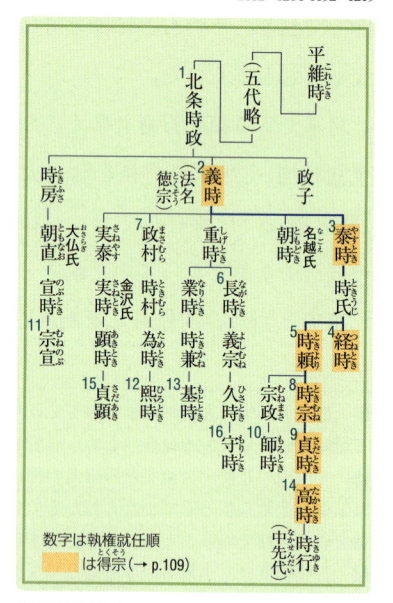

北条氏略系図

❶　頼朝の死後、大江広元・三善康信ら貴族出身の頼朝側近と、北条時政・梶原景時・三浦義澄・比企能員・和田義盛ら有力御家人からなる13名の合議制によって政治がおこなわれた。

❷　この時、時政は頼家の後見の比企能員を滅ぼし、頼家を伊豆の修禅寺に幽閉して、翌1204（元久元）年、暗殺した。

を滅ぼし(和田合戦),政所と侍所の別当を兼ねてその地位を固めた。これ以後,執権は北条氏一族のあいだで世襲されるようになっていった。

《承久の乱》 京都の朝廷では,幕府の成立と勢力の拡大に直面して,これまでの朝廷の政治の立直しがおこなわれた。その中心にあったのが後鳥羽上皇である。上皇は,分散していた広大な皇室領の荘園を手中におさめるとともに,新たに西面の武士をおいて軍事力の増強をはかるなど院政を強化し,幕府と対決して朝廷の勢力を挽回する動きを強めた。

その中で1219(承久元)年,上皇との連携をはかっていた将軍実朝が頼家の遺児公暁に暗殺される事件がおきると,これをきっかけに,朝幕関係が不安定になり❶,1221(承久3)年,上皇は,畿内・西国の武士や大寺院の僧兵,さらに北条氏の勢力増大に反発する東国武士の一部をも味方に引き入れて,ついに北条義時追討の兵をあげた。

しかし,上皇側の期待に反して,東国武士の大多数は源頼朝の妻であった北条政子の呼びかけに応じて結集し,戦いにのぞんだ。幕府は,義時の子泰時,弟の時房らの率いる軍を送り京

執権政治の確立(月は陰暦による)

年月	事項
1199. 1	源頼朝死去。源頼家,家督を相続
4	源頼家の親裁を制限。13名の合議制
1200. 1	梶原景時ら,討伐され,敗死
1203. 9	北条時政,比企能員を討つ(比企氏の乱)
	北条時政,源頼家を修禅寺に幽閉
	源実朝,将軍就任
	北条時政,政所別当となる
1204. 7	源頼家,修禅寺で謀殺される
1205. 閏7	北条義時,政所別当となる
1213. 5	北条義時,和田義盛を滅ぼす(和田合戦)
1219. 1	源実朝,暗殺される(源氏の正統断絶)
6	藤原頼経,鎌倉に下向
1221. 5〜6	承久の乱。六波羅探題の設置
1225	北条時房,連署となる(連署の初め)
1225. 12	評定衆の設置
1226. 1	藤原頼経,将軍となる(藤原将軍の初め)
1232. 8	御成敗式目の制定
1247. 6	三浦泰村の挙兵,敗死(宝治合戦)
1249. 12	引付衆の設置
1252. 4	宗尊親王,将軍となる(皇族将軍の初め)

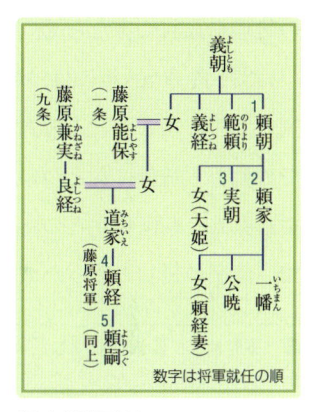

源氏略系図(2)(→p.84)

❶ 北条義時は実朝の死後,皇族を将軍にまねく交渉をしたが,上皇が拒否して交渉は不調に終わった。そこで幕府は,頼朝の遠縁に当たる摂関家出身の幼い藤原頼経を後継者に迎えた。以後2代続いた摂関家出身の将軍を,藤原将軍または摂家将軍と呼ぶ。

3. 武士の社会　101

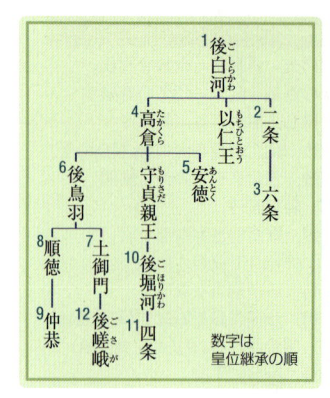

天皇家略系図

```
1後白河 ─┬─ 以仁王
          ├─ 二条 ─ 3六条
          └─ 4高倉 ─┬─ 6後鳥羽 ─┬─ 8順徳 ─ 9仲恭
                     │            └─ 7土御門 ─┬─ 12後嵯峨
                     │                         └─ 10後堀河 ─ 11四条
                     ├─ 5安徳
                     └─ 守貞親王
```
数字は皇位継承の順

都を攻めた結果，1カ月ののち，戦いは幕府の圧倒的な勝利に終わり，3上皇を配流した❶。これが承久の乱である。

乱後，幕府は皇位の継承に介入するとともに，京都には新たに六波羅探題をおいて，朝廷を監視し，京都の内外の警備，および西国の統轄に当たらせた。また，上皇方についた貴族や武士の所領3000余カ所を没収し，戦功のあった御家人らをその地の地頭に任命した❷。

これによって畿内・西国の荘園・公領にも幕府の力が広くおよぶようになった。朝廷では以後も引き続き幕府の監視下で院政がおこなわれたが，この乱によって，朝廷と幕府との二元的支配の状況は大きくかわり，幕府が優位に立って，皇位の継承や朝廷の政治にも干渉するようになった。

執権政治

承久の乱後の幕府は，3代執権北条泰時の指導のもとに発展の時期を迎えた。政子の死後，泰時は，執権を補佐する連署をおいて北条氏一族中の有力者をこれにあて，ついで有力な御家人や政務にすぐれた11名を評定衆❸に選んで，執権・連署とともに幕府の政務の処理や裁判に当たらせ，合議制にもとづいて政治をおこなった。

1232(貞永元)年には，御成敗式目(貞永式目)51カ条を制定して，広く御家人たちに示した。この式目は頼朝以来の先例や，道理と呼ばれた武士社会での慣習・道徳にもとづいて，守護や地頭の任務と権限を定め，御家人同士や御家人と荘園領主とのあいだの紛争を公平に裁く基準を明らかにしたもので，武家の最初の整った法典となった。

❶ 幕府は仲恭天皇を廃し，後鳥羽上皇を隠岐に，土御門上皇を土佐(のちに阿波)に，順徳上皇を佐渡に流した。

❷ 乱後に新しく地頭をおく際に，これまでに給与が少なかった土地では，新たに基準(新補率法)を定めて新補地頭の給与を保障した。その基準とは，(1)田畑11町ごとに1町の土地，(2)田地1段につき5升の米(加徴米)，(3)山や川からの収益の半分，をそれぞれ地頭に与えるものであった。

❸ 評定衆は重要な職として有力御家人から選ばれたが，やがて北条氏一族が多く任命されるようになった。定員はないが，ほぼ14～15名であった。

102　第4章　中世社会の成立

御成敗式目

一 諸国守護人奉行の事
　右大将家の御時定め置かるる所は、大番催促・謀叛・殺害人付たり夜討強盗・山賊・海賊等の事なり。

一 諸国地頭、年貢所当を抑留せしむる事
　右、年貢を抑留するの由、本所の訴訟有らばば、即ち結解を遂げ勘定を請くべし。……
　御下文を帯ぶると雖も知行せしめず、年序を経る所領の事
　右、当知行の後、廿ケ年を過ぐれば、大将家の例に任せて理非を論ぜず改替に能はず。

一 女人養子の事
　右、法意の如くばこれを許さずと雖も、大将家御時以来当世に至るまで、其の子無きの女人等、所領を養子に譲り与ふる事、不易の法勝計すべからず。

式目制定の趣旨──北条泰時書状

さてこの式目をつくられ候事は、なにを本説として注し載せらるるの由、人さだめて謗難を加ふる事候か。まことにさせる本文にすがりたる事候はねども、たゞどうりのおすところを記され候者也。……この式目は只かなをしれる物の世間におほく候ごとく、……武家の人へのはかひのためばかりに候。これによりて京都の御沙汰、律令のおきて、聊もあらたまるべきにあらず候也。……

❶源頼朝。❷年貢に同じ。❸荘園領主。❹決算。❺監査を受ける。❻相当期間の年数。❼事実上の支配。❽幕府が出す本領安堵・新恩給与の下文。❾律令に従って。❿数えきれない。⓫一二三二（貞永元）年九月十一日付で、泰時が六波羅探題たる弟の重時にあてた書簡。漢籍などで典拠となった文章。⓬根拠。⓭朝廷の人びと。⓮本説として。⓯本文。

幕府の勢力範囲を対象とする式目と並んで，朝廷の支配下にはなお律令の系統を引く**公家法**が，また荘園領主のもとでは**本所法**が，まだそれぞれの効力をもっていた。しかし，幕府勢力の発展につれて公平な裁判を重視する武家法の影響は広がっていき，公家法や本所法のおよぶ土地にも武家法が影響を与えるようになり，その効力をもつ範囲が拡大していった❶。

合議制の採用や式目の制定，京都の文化を積極的に取り入れるなどして，執権政治の隆盛をもたらした泰時の政策は，孫の執権**北条時頼**に受け継がれた。時頼は1247（宝治元）年に，三浦泰村一族を滅ぼして（宝治合戦），北条氏の地位を不動のものとすると，朝廷には政治の刷新と制度の改革を求めた。これを受けて**後嵯峨**上皇の院政下で**評定衆**がおかれ，幕府は朝廷の内部に深く影響力をもつようになった。また時頼は，評定衆の会議である評定のもとに新たに**引付**をおいて**引付衆**を任命し，御家人たちの所領に関する訴訟を専

---

❶　その後，必要に応じて発布された個別の法令は式目追加と呼ばれ，のちの室町幕府の法令も，建武年間以後の式目追加という意味で建武以来追加と呼ばれた。これは御成敗式目が室町幕府のもとでも基本法典としての生命をもっていたことを示している。

3．武士の社会　103

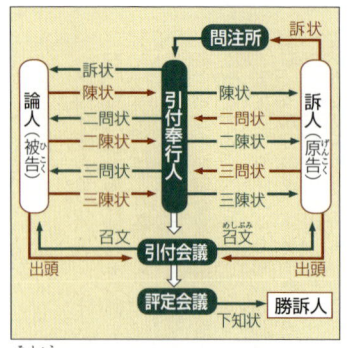

訴訟制度の仕組み 訴人から幕府に訴えがあると、問注所で訴状が受理され引付に回されたのち、訴えられた論人に対して陳状の提出が命じられ、以後、三問三答のやりとりがある。その後、引付会議で対決がおこなわれ、審理が尽くされて評定会議で判決が出され、将軍の下知状が勝訴したものに与えられる。

門に担当させ、敏速で公正な裁判の確立につとめた❶。

やがて幕府は藤原将軍にかわる皇族(親王)将軍として、後嵯峨上皇の皇子宗尊親王を将軍として迎えると(皇族将軍の初め)、皇族将軍は以後4代続いたが、いずれも実権はなく名目だけの将軍にすぎなかった。さらに大陸の文化を積極的に受け入れ、禅宗の本格的寺院である建長寺を造営し、鎌倉を武家の都として整えていった。こうして執権政治は時頼のもとでさらに強化されたが、同時に北条氏独裁の性格を強めていった。

武士の生活

この頃までの武士は開発領主の系譜を引き、先祖以来の地に住み着いて、所領を拡大してきた。彼らは、河川の近くの微高地を選んで館❷をかまえ、周囲には堀・溝や塀をめぐらして住んでいた。館の周辺部には、年貢や公事のかからない直営地❸を設け、下人や所領内の農民を使って耕作させた。そして荒野の開発を進めていき、みずからは地頭など現地の管理者として、農民から年貢を徴収して国衙や荘園領主におさめ、定められた収入として加徴米などを得ていた。

開発領主の館 『一遍上人絵伝』などの絵巻物にみえる武士の館や、考古学の発掘調査をもとに復元したもの。館は塀にかこまれ、周辺に門田などの直営地もあり、左手に氏寺もみえる。

彼らは一族の子弟・女子た

---

❶ 引付は当初、一番・二番・三番の3つに編成され、それぞれ評定衆の中から頭人が選ばれ、そのもとに数名の引付衆が加わって判決原案を作成し、原案は評定にかけて決定された。
❷ 武芸の練習の場や防御設備などを設けた一種の城であると同時に、農業経営の中核としての機能をもっていた。その建物は掘立柱の主屋や郎従の詰める侍からなる簡素なものであった。
❸ 佃・門田・正作・用作などと呼ばれた。

ちに所領をわけ与える**分割相続**❶を原則としていたが、それぞれは一族の血縁的統制のもとに、宗家(本家)を首長と仰ぎ、活動を広げていった。この宗家と分家との集団は、一門・一家と称され、宗家の首長を**惣領**(**家督**ともいう)、他を庶子と呼んだ。戦時には、一門は団結して戦い、惣領が指揮官となった。平時でも、先祖の祭や一門の氏神の祭祀は惣領の権利であり、義務でもあった。

こうした体制を**惣領制**と呼ぶが、鎌倉幕府の政治・軍事体制はこの惣領制にもとづいており、幕府への軍事勤務(軍役)も、荘園領主・国衙への年貢や公事の納入と同じく惣領が責任者となって一門の庶子たちにこれを割り当て、一括して奉仕した。庶子も御家人ではあったが、幕府とは惣領を通じて結ばれていた。

武士の土地支配

武士の生活は簡素で、みずからの地位を守るためにも武芸を身につけることが重視され、つねに流鏑馬・笠懸・犬追物や巻狩などの訓練をおこなった❷。彼らの日常生活の中から生まれた「武家のならい」とか「兵の道」「弓馬の道」などと呼ばれる道徳は、武勇を重んじ、主人に対する献身や、一門・一家の誉れを尊ぶ精神、恥を知る態度などを特徴としており、後世の武士道の起源となった。

みずからの支配権を拡大しようとする武士たちは、荘園・公領の領主や、近隣の武士とのあいだで年貢の徴収や境界の問題をめぐって紛争をおこすことが多かった。とくに承久の乱後には、畿内・西国地方にも多

笠懸(『男衾三郎絵巻』、部分) 板を的にして騎射を競いあうもので、初め笠を的にしたことからこの名が出た。(東京国立博物館蔵)

❶ 当時の家族制度では、女性の地位は比較的高く、相続の際も男性と同じく財産の分配にあずかり、女性が御家人や地頭になる例もみられ、結婚形態は嫁入婚が一般的となった。
❷ 武士の質素な生活ぶりを示す説話は多い。頼朝が家来の筑後権守俊兼の華美な衣装をみて、刀を抜いてその袖を切りとってぜいたくをいましめた話や、執権北条時頼が一族の大仏宣時を迎えて味噌を肴に酒を飲んだ話などは有名である。

> **地名から中世を探る**
>
> 地名の中には，中世から現在まで伝えられてきたものも多い。まず本荘(庄)・新荘(庄)をはじめ，「何々荘(庄)」，各地にある地頭方・領家方などの地名は，荘園制のなごりである。武士たちの館は御館・御屋敷・殿屋敷などと呼ばれ，まわりに堀や土塁をめぐらしたので，堀ノ内・土居などともいわれた。付近には，その地域や武士の家がまつり信仰している寺社があり，家の墓地もあるのがふつうであった。また館の周辺には，門田・前田・佃などと呼ばれる主人の直接経営する地味のよい田畑が広がっていた。これらの地名は今でも各地に残っている。
>
> また弥永・千富・宗清・太郎丸などの，縁起のよさそうな人名らしい地名が，今でも小字や家名として残っている場合がある。これは名や名田のなごりで，当時の村や耕地のあり方を教えてくれるよい材料である。「三日市」「五日市」などといえば月に三度の市が立つ日からおこった地名である(→p.110)。さらに，東国各地には鎌倉街道と呼ばれる旧道が数多く残っている。このように地名は歴史を知る宝庫である。地名から多くのことを読みとろう。

くの地頭が任命され，東国出身の武士が各地に新たな所領をもつようになって，現地の支配権をめぐる紛争はますます拡大した。幕府が，公正な裁判制度の確立に努力したのは，こうした状況に対応するためであった。

伯耆国東郷荘の下地中分図 13世紀半ば荘園領主と地頭とのあいだで下地中分が成立したのにもとづいて作成された絵図。田地・山林・牧野などを，それぞれ地頭分・領家分に二分している。分割線の左右には幕府の執権・連署が認定した花押がすえられている。(東京大学史料編纂所蔵)

地頭の支配権拡大の動きに直面した荘園・公領の領主たちも，幕府に訴えて地頭の年貢未納などの動きをおさえようとした。しかし，現地に根をおろした地頭の行動を阻止することはしだいにできなくなり，紛争解決のために領主たちは，やむを得ず地頭に荘園の管理いっさいを任せて，一定の年貢納入だけを請け負わせる**地頭請所**の契約を結んだり，さらには現地の土地の相当部分を地頭にわけ与え，相互の支配権を認めあう**下地**

中分の取決めをおこなったりすることもあった。

　幕府もまた，当事者間の取決めによる解決(和与)を勧めたので，荘園などの現地の支配権はしだいに地頭の手に移っていった。

4　蒙古襲来と幕府の衰退

《蒙古襲来》　鎌倉幕府のもとでも，日宋間の正式な国交は開かれなかった。しかし平氏政権の積極的な海外通交後，引き続いての私的貿易や僧侶・商人の往来など，通交はさかんにおこなわれ，日本列島は宋を中心とする東アジア通商圏の中に組み入れられていった。

　この間13世紀初め，モンゴル(蒙古)高原にチンギス＝ハン(成吉思汗)(Chinggis Khan 1167?～1227)が現われ，モンゴル諸民族を統合して中央アジアから南ロシアまでを征服した。ついでその後継者はヨーロッパ遠征をおこない，また金を滅ぼして広大なユーラシア大陸の東西にまたがる大帝国を建設した。チンギス＝ハンの孫フビライ(忽必烈)＝ハン(Khubilai Khan 位:1260～94)は，中国を支配するため都を大都(北京)に移し，国号を元(1271～1368)と定めると，高麗を全面的に服属させ，日本に対してたびたび朝貢を強要してきた。

　しかし，時頼のあとを継承して幕府の執権となった北条時宗(1251～84)がこれを拒否したので，元は高麗の軍勢もあわせた約3万の兵で，1274(文永11)年，対馬・壱岐を攻め，大挙して九州北部の博多湾に上陸した。幕府は，九州地方に所領をもつ御家人を動員して，これを迎え撃ったが，元軍の集団戦やすぐれた兵器に対し，一騎打ち戦を主とする日本軍は苦戦におちいった。しかし元軍も損害が大きく，内部の対立などもあって退いた(文永の役)。

　その後，幕府は再度の襲来に備えて，博多湾岸など九州北部の要

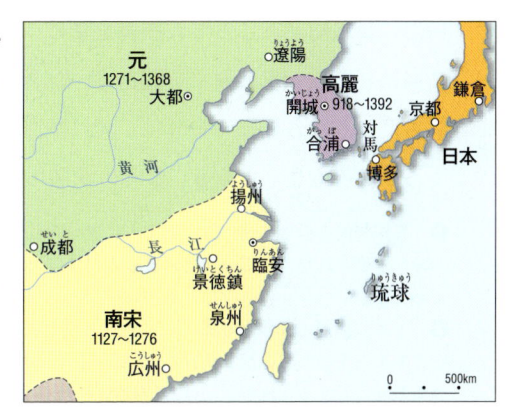

13世紀の東アジア

4. 蒙古襲来と幕府の衰退　107

元軍との陸戦の図(『蒙古襲来絵巻』，部分）　文永の役における陸戦の一場面。日本の騎馬武者は，当時29歳の肥後の竹崎季長である。元軍は「てつはう」と呼ばれる火薬を利用した武器を使用して，日本軍を悩ませた。(宮内庁三の丸尚蔵館蔵)

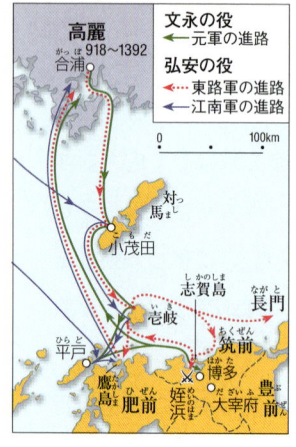

石築地跡(元寇防塁)

蒙古襲来関係要図

地を御家人に警備させる**異国警固番役**を強化するとともに，博多湾沿いに石造の防塁(石築地)を構築させた❶。そこに南宋を滅ぼした元が，ふたたび日本の征服をめざし，1281(弘安4)年，約14万の大軍をもって九州北部にせまった。ところが博多湾岸への上陸をはばまれているあいだに暴風雨がおこって大損害を受け，ふたたび敗退した(**弘安の役**)。この2回にわたる元軍の襲来を**蒙古襲来**(元寇)という。

再度にわたる襲来の失敗は，元に征服された高麗や南宋の人びとの抵抗によるところもあったが❷，幕府の統制のもとに，おもに九州地方の武士がよ

❶　異国警固番役は九州地方の御家人に課せられ，文永の役の前から始まったが，文永の役後，大幅に整備された。防塁の構築は御家人だけではなく，九州地方の所領所有者たちにも割り当てられた。

❷　とくに高麗は30年余りモンゴル軍に抵抗したのちに服属したものの，以後も三別抄の乱などさまざまな形で抵抗を続けた。フビライは日本との交渉や日本の攻撃に高麗を利用したが，高麗の元に対する抵抗の継続は，日本遠征の障害となった。また旧南宋の勢力や大越(ベトナム)の人びとにも元への抵抗の動きがおこり，3度目の侵攻を断念させる要因ともなった。

108　第4章　中世社会の成立

く戦ったことが大きな理由であった。

蒙古襲来後の政治

元はその後も日本征服を計画していたので、幕府も警戒態勢をゆるめず、九州地方の御家人を引き続き異国警固番役に動員した。また御家人以外に、全国の荘園・公領の武士をも動員する権利を朝廷から獲得するとともに、蒙古襲来を機会に西国一帯に幕府勢力を強めていった。とくに九州の博多には北条氏一門を**鎮西探題**として送り、九州地方の政務や裁判の判決、御家人の指揮に当たらせた。

幕府の支配権が全国的に強化されていく中で、北条氏の権力はさらに拡大し、なかでも家督をつぐ**得宗**❶の勢力が強大となった。それとともに得宗の家臣である御内人と本来の御家人との対立が激しくなり、時宗の子の北条貞時（1271〜1311）の代になって、1285（弘安 8 ）年に御内人の中心人物（内管領という）の平頼綱が有力御家人の安達泰盛（1231〜85）を滅ぼすと（**霜月騒動**）、貞時はやがてその頼綱を滅ぼし、幕府の全権を握った。

こうして得宗の絶大な威勢のもとで、御内人や北条氏一門が幕政を主導するようになった。全国の守護の半分以上は北条氏一門が占めて、各地の地頭の職もまた多くは北条氏の手に帰した。これを**得宗専制政治**と呼ぶ。

琉球とアイヌの動き

モンゴルの動きが東アジアに大きな影響を与える中、日本列島の南の**琉球**では、各地の**按司**がグスクを拠点として勢力を広げていき、やがて**中山・北山・南山**の三つの勢力に統合されていった。琉球では、12世紀頃からそれまでの「**貝塚文化**」（→p.130）を経て農耕生活が始まり、グスクが形成されてきていた。グスクは当初は集落や聖地からなっていたが、その指導者である按司の成長とともに、しだいに立派な石垣による城がつくられるようになっていた。（→p.15注❷）

一方、北の蝦夷ヶ島では、古代には「**続縄文文化**」を経て、擦文文化やオホーツク文化が広がっていたが❷、それを経て13世紀には**アイヌ**の文化が生ま
（→p.15注❷）

---

❶ 北条氏の嫡流の当主のことで、得宗の名は義時が徳宗と号したことに由来するといわれる。

❷ 「続縄文文化」は、縄文文化に続く稲作のない文化である。続く擦文文化は独特の文様の土器をもつ文化で、東北北部から北海道・サハリンに分布し、オホーツク海沿岸に分布するそれとは異なるオホーツク文化と並存していた。

4．蒙古襲来と幕府の衰退　**109**

れるようになり，津軽の十三湊を根拠地として得宗の支配下にあった安藤（安東）氏との交易をおこなっていた。そのアイヌの人びとのうちサハリンに住んでいた人びとは，モンゴルと交戦しており，モンゴルの影響は広く日本列島におよんでいった。

社会の変動

蒙古襲来の前後から，農業の発展が広くみられ，畿内や西日本一帯では麦を裏作とする二毛作が普及していった。肥料には山野の草や木が使われ，鉄製の農具や牛馬を利用した農耕も広がっていった❶。荏胡麻（灯油の原料）などが栽培され，絹布や麻布などが織られた。また鍛冶・鋳物師・紺屋などの手工業者は，農村内に住んで商品をつくり，各地を歩いて仕事をした。

荘園・公領の中心地や交通の要地，寺社の門前などには，生産された物資を売買する定期市が開かれ，月に三度の市（三斎市）も珍しくなくなった。地方の市では，地元の特産品や米などが売買され，中央から織物や工芸品などを運んでくる行商人も現われた。

京都・奈良・鎌倉などには高級品を扱う手工業者や商人が集まり，定期市のほかに常設の小売店（見世棚）も出現した。京都や奈良の商工業者たちは，

備前国福岡の市（『一遍上人絵伝』，部分） 1278（弘安元）年，備前の福岡の市で布教する一遍（左端の僧）を武士が襲おうとしている図。市日には，道路を挟んで建てられた仮小屋に，所狭しと品物が並べられている。活発な商品の販売がおこなわれていたことがわかる。（清浄光寺蔵，神奈川県）

❶ この時期には多収穫米である大唐米も輸入され，肥料には草を刈って田に敷き込む刈敷や，草木を焼いて灰にしたもの（草木灰）を利用した。

110 第4章 中世社会の成立

紀伊国阿氐河荘民の訴状❶

阿テ河ノ上村百姓ラツ、シテ言上

一、ヲンサイモクノコト、アルイワチトウ❷ノキヤウシヤウ❸、アルイワ❹チフトウ❺ノ人フ❻ヲ、チトウノカタエセメツカワレ候ヘハ、ヲヒマ❼候ワス候、ソノ❽コリ、ワツカニモレノコリテ候人フヲ、サイモクヤマヘイタシ❼エ、イテタテ候ヘハ、テウモウノアトノムキマケト候テ❽、ヰ子マキ❾候ヘハ、ヲレラ❿カコノムキマカヌモノナラハ❿、メコトモヲヰコメ、ミミヲキリ、ハナヲソキ、カミヲキリテ、アマニナシテ、ナワホタシヲウチテ、サエナマン❹ト候ウテ、せめせンカウ⓬せラレ候アイタ、ヲンサイモクヲ遅⓭サセラレ候イヨ〈ヲンナワリ⓮候イヌ。

一二七五（建治元）年十月二十八日のもの。❶訴え出た文書。❷地頭。❸京都に上る人夫役。❹余暇。❺地頭におさめる材木を山から引き出すこと。❻荘園領主へおさめる残りの人夫数。❼逃亡した百姓の耕地。❽縄やひもで縛ってかり出されて使役される人夫役。❾費用。❿お前たち。⓫責めつかんする。⓬遅れる。⓭写真は、百姓らがみずからの手で書いた訴状の一部（高野山金剛峯寺蔵）

（高野山文書、原文のまま）

すでに平安時代の後期頃から、大寺社や天皇家に属して販売や製造についての特権を認められていたが、やがて同業者の団体である**座**を結成するようになった。座の構成員のうち、大寺社に属したものは**神人**、天皇家に属したものは**供御人**と呼ばれた。

遠隔地を結ぶ商業取引も盛

借上（『山王霊験記絵巻』、部分）　13世紀前半、京都から鎌倉へ訴訟にくだった女性が病気で金に困り、借上から金を借りているところ。縁側には長くつないだ銭がおかれている。（和泉市久保惣記念美術館蔵、大阪府）

んで、陸上交通の要地には**宿**が設けられ、各地の**湊**には、商品の中継と委託販売や運送を業とする**問**（**問丸**）が発達した。売買の手段としては、米などの現物にかわって貨幣が多く用いられるようになり、荘園の一部では年貢の**銭納**もおこってきたが、それにはもっぱら中国から輸入される**宋銭**が利用された。さらに遠隔地間の取引には、金銭の輸送を手形で代用する**為替**が使われ、金融機関としては高利貸業者の**借上**も多く現われた。

また、荘園領主や地頭の圧迫・非法に対する農民の動きが活発となり、団結して**訴訟**をおこしたり、集団で逃亡したりする例も多くなった。年貢を農民が定額で請け負うこともおこなわれた。

4.　蒙古襲来と幕府の衰退　111

幕府の衰退

生産や流通経済のめざましい発達と社会の大きな変動の中で、幕府は多くの困難に直面していた。蒙古襲来は御家人たちに多大な犠牲を払わせたが、幕府は十分な恩賞を与えることができず、御家人たちの信頼を失う結果になった。また御家人たちの多くは、分割相続の繰り返しによって所領が細分化されたうえ、貨幣経済の発展に巻き込まれて窮乏していった。この動きにともなって、女性の地位も低下の傾向をみせ始めた。女性に与えられる財産が少なくなり、また本人一代限りでその死後は惣領に返す約束つきの相続(一期分)が多くなった。

幕府は窮乏する御家人を救う対策をとり、1297(永仁5)年には**永仁の徳政令**を発布し、御家人の所領の質入れや売買を禁止して、それまでに質入れ・売却した御家人領を無償で取り戻させ、御家人が関係する金銭の訴訟を受けつけないなどの対策をとった。しかし効果は一時的であった。

中小御家人の多くが没落していく一方で、経済情勢の転換をうまくつかんで勢力を拡大する武士も生まれた。とくに畿内やその周辺では、荘園領主に

> **永仁の徳政令**
> 一 質券売買地❶の事
> 右、所領をもって或は質券に入れ流し、或は売買せしむるの条、御家人等侘傺❷の基なり。以前沽却❸の分に至りては、本主領掌❹せしむべし。但し、或は御下文・下知状❺を成し給ひ、或は知行廿箇年を過ぐるは、公私の領を論ぜず、今更相違有るべからず。次に非御家人・凡下の輩❻の質券買得地の事。年紀❻を過ぐると雖も、売主知行せしむべし。
> 永仁五年七月二十二日
> （東寺百合文書）原漢文
> ❶質入れや、売買した土地。❷困窮する。❸今後。❹本主領有して支配すること。❺幕府が土地の譲渡・売却を認めた公文書。❻一般庶民。具体的には借上。❻取得時効二十年。

悪党の活動

13世紀末、東大寺領の播磨国の大部荘では、年貢未進のため解任された前の荘官が、武装した数百人の悪党、数千人の人夫を率いて深夜、荘内におし入り、年貢米から牛馬・銭など荘民の財産をことごとく奪いとってしまう事件がおこった。ちょうどこの頃から、播磨国をはじめ畿内・西国の悪党の行動が目にあまるものとなった。悪党はやがて大きな勢力となって、城をかまえては石つぶてを打ち、山から材木を転がしては敵を倒し、さらに荘園へと討ち入り、ものを奪いとるようになったという。大部荘の事件もその一つにすぎないが、この悪党の一味には楠木正成の一族か、あるいはその父かとも推定される河内の楠入道という人物も加わっていた。のちの元弘の変(→p.120)で、北条氏の大軍を悩ませた正成の戦法は、悪党の戦法とたいへんよく似ている。

対抗する地頭や非御家人の新興武士たちが，武力に訴えて年貢の納入を拒否し，荘園領主に抵抗するようになった。これらの武士は当時悪党と呼ばれ，その動きはやがて各地に広がっていった。

このような動揺をしずめるために，北条氏得宗の専制政治は強化されたが，それはますます御家人の不満をつのらせる結果となった。こうして幕府の支配は危機を深めていった。

5 鎌倉文化

鎌倉文化 鎌倉時代は，公家が文化の担い手となって伝統文化を受け継ぎながらも，一方では武士や庶民に支持された新しい文化が生み出され，しだいに成長していった時代である。その文化は，公家や武士などの家や集団に継承されていった。

新しい文化を生み出した背景の一つは，地方出身の武士の素朴で質実な気風が文学や美術の中に影響を与えるようになったことである。もう一つは日宋間を往来した僧侶・商人に加えて，モンゴルの中国侵入で亡命してきた僧侶らによって，南宋や元の文化がもたらされたことである。

鎌倉仏教 仏教では，それまでの祈禱や学問中心のものから，内面的な深まりをもちつつ，庶民など広い階層を対象とする新しいものへの変化が始まった。(→p.65)

その最初に登場したのが法然である。天台の教学を学んだ法然は，源平争乱の頃，もっぱら阿弥陀仏の誓いを信じ，念仏(南無阿弥陀仏)をとなえれば，死後は平等に極楽浄土に往生できるという専修念仏の教えを説いて，のちに浄土宗の開祖と仰がれた。その教えは摂関家の九条兼実をはじめとする公家のほか，武士や庶民にまで広まったが，一方で旧仏教側からの非難が高まり，法然は土佐に流され，弟子たちも迫害を受けることになった。

親鸞もこの時，法然の弟子の一人として越後に流されたが，のちに関東の常陸に移って師の教えを一歩進めた。煩悩の深い人間(悪人)こそが，阿弥陀仏の救いの対象であるという悪人正機を説いたが，その教えは農民や地方

武士のあいだに広がり，やがて浄土真宗（一向宗）と呼ばれる教団が形成されていった。

同じ浄土教の流れの中から，やや遅れて出たのが一遍(1239〜89)である。一遍は，善人・悪人や信心の有無を問うことなく，すべての人が救われるという念仏の教えを説き，念仏札を配り，踊念仏によって多くの民衆に教えを広めながら各地を布教して歩いた。その教えは時宗と呼ばれ，地方の武士や庶民に受け入れられた。

ほぼ同じ頃，古くからの法華信仰をもとに，新しい救いの道を開いたのが日蓮(1222〜82)である。初め天台宗を学び，やがて法華経を釈迦の正しい教えとして選んで，題目（南無妙法蓮華経）をとなえることで救われると説いた。鎌倉を中心に，他宗を激しく攻撃しながら国難の到来を予言するなどして布教を進めたため，幕府の迫害を受けたが，日蓮宗（法華宗）は関東の武士層や商工業者を中心に広まっていった。

関東を中心に武士のあいだに大きな勢力をもつようになったのは，禅宗である。坐禅によってみずからを鍛練し，釈迦の境地に近づくことを主張する禅宗は，12世紀末頃，宋に渡った天台の僧栄西(1141〜1215)によって日本に伝えられ

悪人正機──『歎異抄』[1]

「善人[2]なをもて往生をとぐ，いはんや悪人[3]をや。しかるを，世のひとつねにいはく，『悪人なを往生す，いかにいはんや善人をや』と。この条，一旦そのいはれあるににたれども，本願他力の意趣にそむけり。そのゆへは，自力作善[4]の人は，ひとへに他力をたのむこゝろかけたるあひだ，弥陀の本願にあらず。……煩悩具足[5]のわれらは，いづれの行にても生死をはなるゝことあるべからざるを哀たまひて，願をおこしたまふ本意，悪人成仏のためなれば，他力をたのみたてまつる悪人，もとも往生の正因[6]なり。よりて善人だにこそ往生すれ，まして悪人は」と仰さふらひき。

❶親鸞の死後，弟子の唯円が親鸞の教えの乱れるのを嘆いて，正しい親鸞の教えを書き記した書物。❷難行苦行にたえ，仏教的善を何一つなし得ない人。❸あらゆる苦悩を身につけ，仏教の中の第十八願を本願とする阿弥陀の約束。❻もっとも正しい条件。悪人＝凡夫＝人間のこと。❺あらゆる悩みや不幸を身につけていること。❹阿弥陀仏の四十八願の中の第十八願を本願とする阿弥陀の約束。

踊念仏（『一遍上人絵伝』，部分） 一遍は全国を遊行したため遊行上人と呼ばれ，一遍に従った人びとは時衆といわれた。写真は，京都の市屋道場で一遍が弟子たちと鉦を打ち，床を踏みながら踊っているところ。（東京国立博物館蔵）

114　第4章　中世社会の成立

た。栄西は密教の祈禱にもすぐれ，公家や幕府有力者の帰依を受けて，のちに臨済宗の開祖と仰がれた。栄西の死後，幕府は南宋から来日した蘭溪道隆(1213～78)・無学祖元(1226～86)ら多くの禅僧をまねいて，臨済宗を重んじ鎌倉に建長寺・円覚寺などの大寺をつぎつぎと建立していった。それは，禅宗のきびしい修行が武士の気風にあっていたためであり，海外の新しい文化を吸収し，仏教政策の中心にすえる目的もあった。

禅宗の中で，ただひたすら坐禅に徹せよと説き，曹洞宗を広めたのが道元(1200～53)である。栄西の弟子に学んだ道元は，南宋に渡ってさらに禅を学び，坐禅そのものを重視する教えを説いて，越前に永平寺を開いた。その弟子たちは旧来の信仰も取り入れて北陸地方に布教を進めたので，曹洞宗は広く地方に広がっていった❶。

こうした鎌倉時代に広がった新仏教に共通する特色は，天台・真言をはじめ旧仏教の腐敗を批判し，ただ選びとられた一つの道(念仏・題目・禅)によってのみ救いにあずかることができると説き，広く武士や庶民にもその門戸を開いたところにあって，教団の形をとって後世に継承されていった。

このような新仏教に刺激され，旧仏教側も新たな動きをみせた。鎌倉時代の初め頃，法相宗の貞慶(解脱)(1155～1213)や華厳宗の明恵(高弁)(1173～1232)は，戒律を尊重して南都仏教の復興に力を注いだ。やや遅れて律宗の叡尊(思円)(1201～90)と忍性(良観)(1217～1303)らは，戒律を重んじるとともに，貧しい人びとや病人の救済・治療などの社会事業にも力を尽くし❷，鎌倉幕府に受け入れられ，多くの人びとに影響を与えた。

宗派	開祖	主要著書	中心寺院
浄土宗	法然	選択本願念仏集	知恩院(京都)
浄土真宗	親鸞	教行信証	本願寺(京都)
時宗	一遍	(一遍上人語録)一遍は死の直前，著書・経典を焼き捨てた	清浄光寺(神奈川)
臨済宗	栄西	興禅護国論	建仁寺(京都)
曹洞宗	道元	正法眼蔵	永平寺(福井)
日蓮宗(法華宗)	日蓮	立正安国論	久遠寺(山梨)

新仏教の宗派一覧

---

❶ 臨済・曹洞という名は，中国におけるその派の開祖から名づけられた。臨済宗は坐禅の中で師から与えられる問題を一つひとつ解決して(公案問答)，悟りに達することを主眼とするが，曹洞宗はひたすら坐禅すること(只管打坐)によって悟りの境地を体得しようとした点に特徴がある。

❷ 忍性は奈良に病人の救済施設北山十八間戸を建て，施療や慈善に尽くした。

なお，旧仏教各宗のもとでは古くからの山岳宗教と結びついた修験道（→p.66）が広くおこなわれた。また神仏習合（→p.57）の考えが広がるとともに，鎌倉時代末期になると，鎌倉仏教の影響を受けた独自の神道理論が，伊勢外宮の神官度会家行❶（生没年不詳）によって形成され，**伊勢神道**（度会神道）と呼ばれた。

《中世文学のおこり》

文学の世界でも，新しい動きが始まった。武士の家に生まれた西行（1118～90）は，出家して平安時代末期の動乱する諸国を遍歴しつつ，すがすがしい秀歌をよんで歌集『山家集』を残した。また，歌人としても知られた鴨長明（1155?～1216）は，『方丈記』を著して人間も社会も転変してすべてはむなしいと説いた。承久の乱（→p.102）の直前に，『愚管抄』で歴史を貫く原理を探り，道理による歴史の解釈を試みた慈円❷（1155～1225）も含め，彼らの作品には，当時の浄土への往生を願う仏教思想が表われている。

後鳥羽上皇の命で『**新古今和歌集**』が編纂された影響は大きかった。編者の藤原定家（1162～1241）・藤原家隆（1158～1237）らが示した歌風は，平安時代の伝統に学んで，技巧的な表現をこらしながらも，観念的な美の境地を生み出した。こうした作風は後鳥羽上皇を中心とする貴族たちのあいだに広く受け入れられて，多くのすぐれた和歌がよまれ，定家らは和歌の家を形成した。なお，上皇のように歌をよむことは政治とも深く関わっていたから，そ

おもな著作物

【和歌集】
- 山家集（西行）
- 新古今和歌集（後鳥羽上皇）
- 拾遺愚草（藤原定家）
- 金槐和歌集（源実朝）

【説話集】
- 十訓抄
- 宇治拾遺物語
- 古今著聞集（橘成季）
- 沙石集（無住）

【日記】
- 十六夜日記（阿仏尼）

【随筆】
- 方丈記（鴨長明）
- 徒然草（兼好法師）

【紀行】
- 東関紀行
- 海道記

【軍記】
- 保元物語
- 平治物語
- 平家物語（信濃前司行長？）
- 源平盛衰記

【歴史】
- 水鏡（中山忠親？）
- 愚管抄（慈円）
- 吾妻鏡
- 元亨釈書（虎関師錬）

【注釈書】
- 万葉集註釈（仙覚）

【その他】
- 禁秘抄（順徳天皇）
- 釈日本紀（卜部兼方）
- 類聚神祇本源（度会家行）
- 歎異抄（唯円）

---

❶ 度会家行は『類聚神祇本源』を著し，従来の本地垂迹説（→p.73）と反対の立場に立ち，神を主として仏を従とする神本仏迹説をとなえた。

❷ 慈円は，幕府開創期に頼朝と親しかった摂政・関白九条兼実の弟で，天台座主の要職にもあり，承久の乱を前にして後鳥羽上皇を中心とした討幕計画をいさめるねらいもあって『愚管抄』を著した。

の影響を受けて将軍源実朝も歌に励み，万葉調の歌をよんで，『金槐和歌集』を残した。このように，作歌に励む武士も少なくなかった。

この時代の文学の中で，もっとも特色があるのは，戦いを題材に実在の武士の活躍ぶりをいきいきと描き出した軍記物語が著されたことである。なかでも平氏の興亡を主題とした『平家物語』は最高の傑作で，琵琶法師によって平曲として語られたことにより，文字を読めない人びとにも広く親しまれた。

琵琶法師（『慕帰絵詞』，部分）（本願寺蔵，京都府）

説話文学では，承久の乱後に『古今著聞集』など多くの作品が生まれ，その系譜を引く兼好法師の『徒然草』は，著者の広い見聞と鋭い観察眼による随筆の名作で，鎌倉文化の特色がよく言い表わされている。

学問では，公家のあいだで，過ぎ去ったよき時代への懐古と尊重から，朝廷の儀式・先例を研究する有職故実の学や古典の研究がさかんになった。その一方で，執権政治のもとでの合議制や成文の法典などをつくり出すようになった鎌倉武士たちも，内外の文化や学問への関心をもつようになり，幕府の歴史を編年体で記した史書『吾妻鏡』も編まれた。北条氏一門の金沢実時とその子孫は，鎌倉の外港として栄えた六浦の金沢に金沢文庫を設け，和漢の書物を集めて学問に励んだ。

この時代の末期には，宋の朱熹が打ちたてた儒学の一つである宋学（朱子学）が伝えられ，その大義名分論の与えた影響は大きく，後醍醐天皇を中心とする討幕運動の理論的なよりどころともなった。

《芸術の新傾向》 芸術の諸分野でも新しい傾向がおこっていた。そのきっかけとなったのは，源平の争乱によって焼失した奈良の諸寺の復興である。重源はその資金を広く寄付に仰いで各地をまわる勧進上人となって，宋人陳和卿の協力を得て東大寺再建にあたった。その時に採用されたのが大仏様の建築様式で，大陸的な雄大さ，豪放な力強さを特色とし，東大寺南大門が代表的遺構である。

5．鎌倉文化　117

東大寺南大門(左)**と円覚寺舎利殿**(右) 平安時代末期の建築が装飾的・工芸的な美しさに傾いたのに対し、全体としての構造的な美しさに主眼をおき、豪放で力強い表現により、自由奔放な手法を用いたのが大仏様の特徴で、南大門がその代表である(高さ26m、奈良県)。これに対し、細かな木材を用いて小さいながら整然とした精巧な美しさを表わすのが禅宗様の特徴である。急傾斜の屋根で高くそびえる舎利殿は、なだらかな水平的な感じの和様と対照的である。なお、この建物は室町時代のもので、他の場所にあったものを移建したという説が有力である。(高さ10m、神奈川県)

　つづいて、**禅宗様**(唐様)が伝えられた。これは細かな部材を組み合わせて、整然とした美しさを表わすのが特色で、円覚寺舎利殿などの禅寺の建築に用いられた。一方、大陸伝来の新様式の構築法を、平安時代以来の日本的なやわらかな美しさをもつ和様に取り入れた**折衷様**もさかんになった。

　彫刻の分野では奈良の諸寺の復興とともに、奈良仏師の**運慶**・**湛慶**父子や**快慶**らが、仏像や肖像彫刻をつくり出した。奈良時代の彫刻の伝統を受け継ぎつつ、新しい時代の精神を生かした力強い写実性や、豊かな人間味の表れが、彼らの作風の特色である。鎌倉時代中期になると、大陸から新しい技術が伝えられて鎌倉の大仏がつくられたが、これは幕府の援助を得て、**勧進上人**が人びとの寄付を受けてなったものである。

　絵画では、平安時代末期に始まった絵巻物が全盛期を迎えた。物語絵のみならず、この時代には武士の活躍を描いた『**蒙古襲来絵巻**』などの合戦絵が制作され、また『**春日権現験記**』などの寺社の縁起や『**一遍上人絵伝**』などの高僧の伝記などが、民衆に教えを広めるために制作された。

　個人の肖像を描く写実的な**似絵**には、**藤原隆信**・**信実**父子の名手が出た。似絵は肖像彫刻の発達と並んで、この時代に個性に対する関心が高まってきたことをよく示している。禅宗の僧侶が師僧の肖像画(**頂相**)❶を崇拝する風

❶ 頂相彫刻とともに、次の室町時代に全盛期を迎えた。

おもな建築・美術作品

【建築】
東大寺南大門〈大仏様〉(p.118)
円覚寺舎利殿〈禅宗様〉(p.118)
観心寺金堂〈折衷様〉
石山寺多宝塔〈和様〉
三十三間堂
〔蓮華王院本堂〕〈和様〉

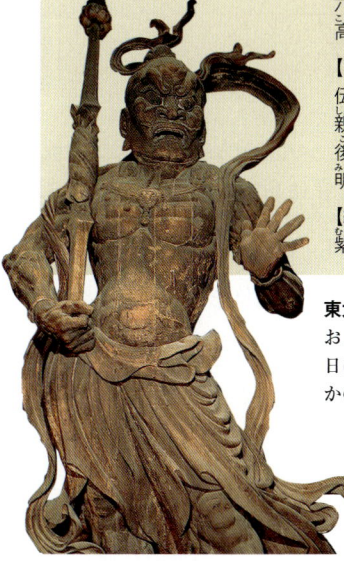

【彫刻】
東大寺僧形八幡神像(快慶)(口絵⑯)
南大門金剛力士像(運慶・快慶ら)(p.119)
重源上人像
興福寺無著・世親像(運慶ら)
天灯鬼・龍灯鬼像(康弁ら)
明月院上杉重房像
六波羅蜜寺空也上人像(康勝)(p.74)
高徳院阿弥陀如来像〔鎌倉大仏〕

【肖像画】
伝源頼朝像・平重盛像
親鸞聖人像(鏡御影)
後鳥羽上皇像(藤原信実)
明恵上人樹上坐禅図(成忍)

【絵巻】
紫式部日記絵巻(口絵⑮)

北野天神縁起絵巻(口絵⑭)
蒙古襲来絵巻(p.108)
一遍上人絵伝(円伊)(p.110, 114)
法然上人絵伝
春日権現験記(高階隆兼)(p.138)
平治物語絵巻
石山寺縁起絵巻(p.139)
男衾三郎絵巻(p.105)
西行物語絵巻
鑑真和上東征絵伝
後三年合戦絵巻(p.84)
地獄草紙
病草紙
餓鬼草紙

【書蹟】
鷹巣帖(尊円入道親王)

東大寺南門金剛力士像(阿形) 東大寺南大門の左右に立つ約8.5mにおよぶ木造の仁王像。阿形と吽形がある。運慶・快慶らの仏師が短時日に製作したもので、そのみなぎる力強さは勃興する武士の力を示すかのようである。(高さ8.39m、奈良県)

習も鎌倉時代の中頃に中国から伝わって始まった。

書道では、**法性寺流**の優美な書に加えて、宋・元の書風が伝えられると、平安時代以来の和様をもとにして、**伏見天皇**(位1287〜98)の皇子**尊円入道親王**(1298〜1356)が、宋の書風を取り入れて**青蓮院流**を創始した。

工芸では、武士の成長とともに武具の製作がおおいにさかんになり、刀剣では備前の**長光**(生没年不詳)(→口絵⑰)、京都の**藤四郎吉光**(生没年不詳)、鎌倉の**正宗**(生没年不詳)らが現われ、名作を残した。

また、宋・元の強い影響を受けながら、尾張の**瀬戸焼**❶や常滑焼、備前の備前焼など、各地で陶器の生産が発展をとげた。それらの陶器は日本列島に広く流通し、そのため京都・鎌倉をはじめとして、備後の尾道など各地の**湊**や**宿**といった町の遺跡の地下から発掘されている。こうした町には、**有徳人**と呼ばれる富裕な人びとが成長していた。

---

❶ 道元とともに入宋した加藤景正が釉を用いる中国の製法を伝え、瀬戸の陶器(瀬戸もの)をつくり始めたという。この伝承は今では事実の裏づけがないとされているが、瀬戸焼の多くに宋や元の製品の強い影響が認められることは確かである。

5. 鎌倉文化

第5章

武家社会の成長

1 室町幕府の成立

《鎌倉幕府の滅亡》

　後嵯峨法皇が亡くなると、天皇家は後深草上皇(院政1287〜90)の流れをくむ持明院統と亀山天皇(位1259〜74)の流れをくむ大覚寺統にわかれて、皇位の継承や院政をおこなう権利、天皇家領荘園の相続などをめぐって争い、ともに鎌倉幕府に働きかけて有利な地位を得ようとしていた。そこで幕府はたびたび調停をおこない、その結果、両統が交代で皇位につく方式(両統迭立)がとられるようになった。

　このような中で大覚寺統から即位した後醍醐天皇(位1318〜39)は、まもなく親政を開始し、皇位の安定をはかるために、積極的に天皇の権限強化を推し進めた。一方、当時の幕府では執権北条高時(1303〜33)のもとで内管領長崎高資(?〜1333)が権勢をふるい、得宗専制政治(→p.109)に対する御家人の反発が高まっていた。両統迭立を支持する幕府に不満をいだいていた天皇は、この情勢をみて討幕の計画を進めたが、1324(正中元)年、幕府側にもれて失敗した(正中の変)。さらに1331(元弘元)年にも挙兵を企てて失敗したために(元弘の変)、持明院統の光厳天皇(位1331〜33)が幕府に推されて即位し、後醍醐天皇

天皇家略系図

120　第5章　武家社会の成長

は翌年隠岐に流された。

　しかし、後醍醐天皇の皇子護良親王や楠木正成らは、悪党などの反幕勢力を結集して蜂起し、幕府軍と粘り強く戦った。やがて天皇が隠岐を脱出すると、天皇の呼びかけに応じて討幕に立ちあがるものがしだいに増え、幕府軍の指揮官として畿内に派遣された有力御家人足利高氏（のち尊氏）も幕府に背いて六波羅探題を攻め落とした。関東で挙兵した新田義貞もまもなく鎌倉を攻めて得宗の北条高時以下を滅ぼし、1333（元弘3）年、鎌倉幕府は滅亡した。

《建武の新政》

　後醍醐天皇はただちに京都に帰り、光厳天皇を廃して新しい政治を始めた。翌1334（建武元）年、年号を建武と改めたので、天皇のこの政治を**建武の新政**という❶。天皇は、幕府も院政も摂政・関白も否定して、天皇への権限集中をはかり、すべての土地所有権の確認は天皇の綸旨を必要とするという趣旨の法令を打ち出した❷。しかし現実には天皇の力だけではおさめきれず、中央には**記録所**や幕府の**引付**を受け継いだ**雑訴決断所**などを設置し、諸国には国司と守護を併置した。また東北・関東地方には、それぞれ陸奥将軍府・鎌倉将軍府をおいて、皇子を派遣したが、それらの実体はむしろ鎌倉小幕府というにふさわしいほど旧幕府系の武士を重用したものであった。

　天皇中心の新政策は、それまで武士の社会につくられていた慣習を無視していたため❸、多くの武士の不満と抵抗を引きおこした。また、にわかづくりの政治機構と内部の複雑な人間的対立は、

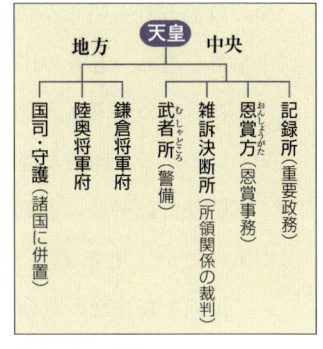

建武政府の職制

❶　建武という年号は、中国の光武帝が漢王朝を復興した時の年号を採用したものである。その他、天皇は、その権威を示すために大内裏（皇居）の造営を計画し、その造営費調達のために銅銭・紙幣を発行しようとした。
❷　後醍醐天皇は、天皇政治の最盛期といわれた醍醐・村上天皇の親政（→p.69）を理想とした。「後醍醐」というおくり名も醍醐天皇を理想化して、みずから定めた。
❸　御成敗式目（→p.102）第8条の「現在の持ち主が、その土地の事実的支配を20カ年以上継続している場合、その土地の所有権は変更できない」という、武士の社会では不変の法とされたものが、無視される結果となる場合があった。

1. 室町幕府の成立　**121**

> 二条河原落書❶
> 此比都ニハヤル物。夜討、強盗、謀綸旨。召人、
> 早馬❷、虚騒動。生頚、還俗、自由出家❸。俄大名、
> 迷者、安堵、恩賞、虚軍❹。本領ハナル、訴訟人、
> 文書入タル細葛。追従、讒人、禅律僧❺。下克上ス
> ル成出者。器用ノ堪否沙汰モナク、モル、人ナキ
> 決断所。キツケヌ冠上ノキヌ。持モナラヌ笏持テ、
> 内裏マジハリ珍シヤ。……誰ヲ師匠トナケレドモ、
> 遍ハヤル小笠懸。事新シキ風情ナリ。京鎌倉ヲコ
> キマゼテ❼、一座ソロハヌエセ連歌。在々所々ノ歌
> 連歌❽。点者ニナラヌ人ゾナキ。
> 　　　　　　　　　　　　　　　　（建武年間記）
> ❶一三三四（建武元）年、後醍醐天皇の御所がある二条富小路に近い鴨川の河原に掲げられた落書といわれている。建武新政権下の混乱ぶりを風刺したもの。❷囚人や急使の早馬。❸僧俗が俗人の許可を得ない自由出家。❹戦いもしないのに、戦火をふるい、当時好ましくない行為とされた。❺後醍醐天皇の側近に禅僧や律僧をとともに、政務に介入したため。❻能力の有無も考えず、判定するもの。❼京の公家風と鎌倉の武家風がまじりあって。❽優劣を

政務の停滞や社会の混乱をまねいて、人びとの信頼を急速に失っていった。このような形勢をみて、ひそかに幕府の再建をめざしていた足利尊氏は、1335（建武2）年、北条高時の子時行が反乱をおこして鎌倉を占領した中先代の乱を機に、その討伐のため関東にくだり、新政権に反旗をひるがえした。

南北朝の動乱

1336（建武3）年、京都を制圧した足利尊氏は、持明院統の光明天皇(位1336〜48)を立て、幕府を開く目的のもとに当面の政治方針を明らかにした建武式目❶を発表した。これに対し後醍醐天皇は京都を逃れ、吉野の山中にこもって、正統の皇位にあることを主張した。ここに吉野の南朝（大覚寺統）と京都の北朝（持明院統）が対立して、以後約60年にわたる全国的な南北朝の動乱が始まった。

　南朝側では動乱の初期に楠木正成・新田義貞が戦死するなど形勢は不利であったが、北畠親房(1293〜1354)らが中心となり、東北・関東・九州などに拠点を築いて抗戦を続けた。北朝側では1338（暦応元）年に尊氏が征夷大将軍に任ぜられ、弟の足利直義(1306〜52)と政務を分担して政治をとった。しかし鎌倉幕府以来の法秩序を重んじる直義を支持する勢力と、尊氏の執事高師直(?〜1351)を中心とする、武力による所領拡大を願う新興勢力との対立がやがて激しくなり、ここに相続問題もからんで、ついに1350（観応元）年に両派は武力対決に突入した（観応の擾乱）。抗争は足利直義が敗死したあとも続き、尊氏派（幕府）、旧直義

---

❶　幕府の所在地をどこにするかという第1項と、当面の基本政策17カ条をもつ第2項からなり、足利尊氏の諮問にこたえる形式をとっている。

122　第5章　武家社会の成長

派,南朝勢力の三者が,10年余りもそれぞれ離合集散を繰り返した。

　このように動乱が長引いて全国化した背景には,すでに鎌倉時代後期頃から始まっていた惣領制の解体があった。この頃,武家社会では本家と分家が独立し,それぞれの家の中では嫡子が全部の所領を相続して,庶子は嫡子に従属する**単独相続**が一般的になった。こうした変化は各地の武士団の内部に分裂と対立を引きおこし,一方が北朝につけば反対派は南朝につくという形で,動乱を拡大させることになった。その中で,それまで血縁的結合を主としていた地方武士団も,**地縁的結合**を重視するものへと変質していった。

《《 守護大名と国人一揆 》》　動乱の中で地方武士の力が増大してくると,これらの武士を各国ごとに統轄する守護が,軍事上,大きな役割を担うようになった。

　幕府は地方武士を動員するために,守護の権限を大幅に拡大した❶。とくに**半済令**は,軍費調達のために守護に一国内の荘園や公領の年貢の半分を徴発する権限を認めたもの❷で,その効果は大きかった。守護はこれらの権限を利用して国内の荘園や公領を侵略し,これを武士たちにわけ与えて,彼らを統制下に繰り入れていった。荘園や公領の領主が年貢徴収を守護に請け負わせる**守護請**もさかんにおこなわれた❸。守護は,基本的には幕府から任命されるものであったが,守護の中には国衙の機能をも吸収して,一国全体におよぶ地域的支配権を確立するものもおり,

半済令
一　寺社本所領の事
　沙汰……次に近江・美濃・尾張三ケ国の本所領半分の事,兵粮料所❷として,当年一作,軍勢に預け置くべきの由,守護人等に相触れ❶おはんぬ。半分に於ては,宜しく本所に分かち渡すべし。
（『建武以来追加』,原漢文）
❶九月二十七日に改元して,文和元年。❷兵粮米徴収に指定された所領。❸通知する。

❶　鎌倉幕府の守護の職権であった大犯三カ条(→p.98)に加え,田地をめぐる紛争の際,自分の所有権を主張して稲を一方的に刈りとる実力行使(刈田狼藉)を取り締まる権限や,幕府の裁判の判決を強制執行する権限(使節遵行)などが新しく守護に与えられた。
❷　1352(文和元)年にはじめて発布された半済令は,1年限りのもので,動乱の激しかった近江・美濃・尾張の3国に限定されていたが,やがて全国的に,また永続的におこなわれるようになり,しかも年貢だけでなく,土地を分割するようになった。
❸　鎌倉時代後期以降の荘園や公領では,代官を任命し,毎年一定の年貢の納入を請け負わせる方式(代官請)が一般化した。地頭請や守護請もその一つであるが,代官にはこの他,禅僧や商人,金融業者が任命されることもあった。

1. 室町幕府の成立　**123**

守護大名の分布（ほぼ15世紀初頭を中心に）**と戦乱**　戦乱については，応仁の乱以前の主要なもの。

　動乱が終息すると，しだいに任国も世襲されるようになった。鎌倉幕府体制下の守護と区別して，この時代の守護を**守護大名**と呼ぶこともある。
　しかし地頭などの領主で当時**国人**と呼ばれた地方在住の武士には，なお自立の気質が強く，守護が彼らを家臣化していくには多くの困難があった。守護の力が弱い地域では，しばしば国人たちは自主的に相互間の紛争を解決したり，力をつけてきた農民を支配したりするために契約を結び，地域的な一揆を結成した。これを**国人一揆**という❶。このような国人たちは，一致団結することで自立的な地域権力をつくり上げ，守護の上からの支配にもしばしば抵抗した。

室町幕府

　南北朝の動乱も，尊氏の孫**足利義満**（1358～1408）が3代将軍になる頃にはしだいにおさまり❷，幕府はようやく安定の時を迎えた。

---

❶　中世の人びとは，協力して一つの目的を実現しようとする際に，神仏に誓約して一致団結した状態（一味同心）をつくり出した。このようにして結ばれた集団を一揆といい，この時代には国人一揆のほか土一揆など種々の一揆が結ばれた。国人一揆には，参加者の守るべき規約（一揆契状）を作成し，みな平等であること，決定は多数決でおこなうことなどを定めていたものが少なくない。また，その署名には，参加者の平等性を示すために，傘連判と呼ばれる独特の方法が用いられることもあった。

❷　九州では，後醍醐天皇の皇子征西大将軍懐良親王をいただく菊池氏を中心とした南朝側の勢力が強く，動乱が長く続いた。しかし，義満が派遣した九州探題今川了俊（貞世）の手によってしだいに平定されていった。

124　第5章　武家社会の成長

義満は1392(明徳3)年，南朝側と交渉して**南北朝の合体**を実現し❶，内乱に終止符を打つことに成功した。また義満は，全国の商工業の中心で政権の所在地でもあった京都の市政権❷や，諸国に課する段銭の徴収権など，それまで朝廷が保持していた権限を幕府の管轄下におき，全国的な統一政権としての幕府を確立した。義満は1378(永和4)年，京都の室町に壮麗な邸宅(室町殿・花の御所)をつくり，ここで政治をおこなったので，この幕府を**室町幕府**と呼ぶようになった。

　義満は，動乱の中で強大となった守護の統制をはかり，土岐氏・山名氏・大内氏などの外様の有力守護を攻め滅ぼして，その勢力の削減につとめた❸。また義満は将軍を辞して太政大臣にのぼり，出家して京都の北山につくった山荘(北山殿)に移ったのちも，幕府や朝廷に対し実権をふるい続けた❹。

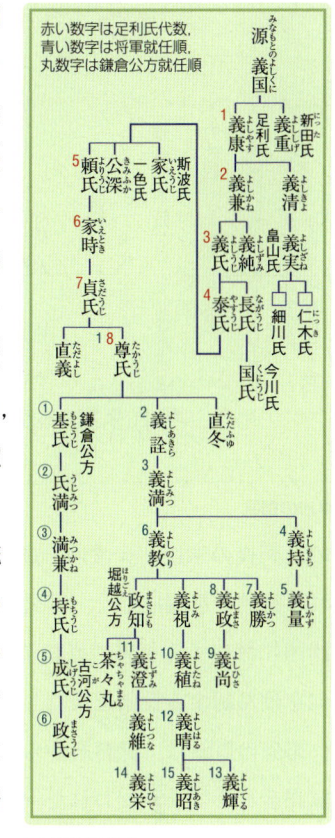

足利氏略系図

　幕府の機構も，この時代にはほぼ整った。**管領**は将軍を補佐する中心的な職で，侍所・政所などの中央諸機関を統轄するとともに，諸国の守護に対する将軍の命令を伝達した。管領には足利氏一門の細川・斯波・畠山の3氏(**三管領**)が交代で任命された。京都内外の警備や刑事裁判をつかさどる

❶　南朝の後亀山天皇が義満の説得に応じて入京し，天皇は北朝の後小松天皇一人となった。
❷　京都の警察権・民事裁判権，土倉・酒屋などに対する商業課税権などが，朝廷から幕府の手に移った。
❸　義満は1390(明徳元)年，美濃・尾張・伊勢の守護を兼ねる土岐氏を討伐し(土岐康行の乱)，翌1391(明徳2)年には西国11カ国の守護を兼ね，六分の一衆(日本60余カ国の6分の1をもつ一族の意)と呼ばれた山名氏一族の内紛に介入して，山名氏清らを滅ぼした(明徳の乱)。さらに1399(応永6)年にも有力守護大内義弘を討伐したが(応永の乱)，これらはいずれも義満の挑発によって引きおこされた事件である。
❹　義満の妻は天皇の准母(名目上の母)となった。また義満の死後，朝廷は義満に天皇の名目上の父として太上法皇の称号をおくろうとしたが，4代将軍義持はこれを辞退した。

1．室町幕府の成立　125

室町幕府の機構

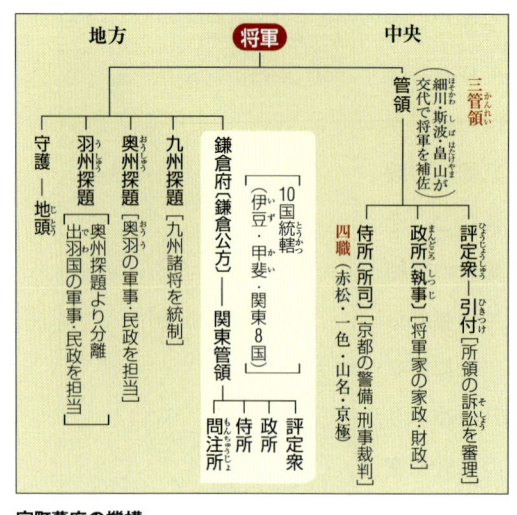

```
                        ┌─ 将軍 ─┐
            地方                          中央
                                    ┌ 管領
                                    │ （細川・斯波・畠山が
                                    │  交代で将軍を補佐）
                                    │        三管領
   ┌─守護─地頭
   ├─羽州探題
   │   └出羽国の軍事・民政を担当
   │   （奥州探題より分離）
   ├─奥州探題
   │   └奥羽の軍事・民政を担当
   ├─九州探題
   │   └九州諸将を統括
   └─鎌倉府（鎌倉公方）──関東管領
        │10国統轄
        │（伊豆・甲斐・関東8国）
        ├─評定衆
        ├─政所（執事）［将軍家の家政・財政］
        ├─侍所（所司）［京都の警備・刑事裁判］
        │   四職（赤松・一色・山名・京極）
        ├─引付［所領の訴訟を審理］
        └─問注所
```

侍所の長官（所司）も，赤松・一色・山名・京極の4氏（四職）から任命されるのが慣例であった。これらの有力守護は在京して重要政務を決定し，幕政の運営に当たった。また一般の守護も領国は**守護代**に統治させ，自身は在京して幕府に出仕するのが原則であった。

　幕府は，将軍権力を支える軍事力の育成につとめ，古くからの足利氏の家臣，守護の一族，有力な地方武士などを集めて**奉公衆**と呼ばれる直轄軍を編成した。奉公衆はふだん京都で将軍の護衛に当たるとともに，諸国に散在する将軍の直轄領である**御料所**の管理をゆだねられ，守護の動向をけん制する役割を果たした。

　幕府の財政は，御料所からの収入，守護の分担金，地頭・御家人に対する賦課金などでまかなわれた。その他，京都で高利貸を営む土倉や酒屋に**土倉役**・**酒屋役**を課し，交通の要所に関所を設けて**関銭**・**津料**を徴収した。また，幕府の保護下で広く金融活動をおこなっていた京都五山の僧侶にも課税した。さらに日明貿易による利益や，のちには**分一銭**なども幕府の財源となった。また内裏の造営など国家的行事の際には，守護を通して全国的に**段銭**や**棟別銭**を賦課することもあった。

　幕府の地方機関としては，**鎌倉府**（関東府）や九州探題などがあった。足利尊氏は鎌倉幕府の基盤であった関東をとくに重視し，その子足利基氏を**鎌倉公方**（関東公方）として鎌倉府を開かせ，東国の支配を任せた❶。以後，鎌倉公方は基氏の子孫が受け継ぎ，鎌倉公方を補佐する**関東管領**は上杉氏が世襲した。鎌倉府の組織は幕府とほぼ同じで，権限も大きかったため，やが

---

❶　鎌倉府は，関東8カ国と伊豆・甲斐を，のちには陸奥・出羽の2カ国も支配した。また鎌倉府管内の守護は，鎌倉に邸宅をもち，鎌倉府に出仕した。

て京都の幕府としばしば衝突するようになった。

東アジアとの交易

室町幕府がその権力を確立していく14世紀後半から15世紀にかけて、東アジア世界の情勢は大きくかわりつつあった。

南北朝の動乱の頃、対馬・壱岐・肥前松浦地方の住民を中心とする海賊集団が、朝鮮半島や中国大陸の沿岸を襲い、**倭寇**と呼ばれて恐れられていた。倭寇は朝鮮半島沿岸の人びとを捕虜にしたり、米や大豆などの食料を奪うなどした。倭寇に悩まされた高麗は日本に使者を送って倭寇の禁止を求めたが、日本が内乱のさなかであったため成功しなかった。

中国では、1368年朱元璋（太祖洪武帝）が元の支配を排して、漢民族の王朝である**明**を建国した。明は中国を中心とする伝統的な国際秩序の回復をめざして、近隣の諸国に通交を求めた。蒙古襲来ののちも元と日本とのあいだに正式な外交関係はなく、私的な商船の往来があるにすぎなかったが❶、明の呼びかけを知った**足利義満**は、1401（応永8）年、明に使者❷を派遣して国交を開いた。

明を中心とする国際秩序の中でおこなわれた**日明貿易**は、国王が明の皇帝へ朝貢し、その返礼として品物を受けとるという形式をとらなければならなか

15世紀頃の東アジア

---

❶ 足利尊氏・直義兄弟は夢窓疎石の勧めで、後醍醐天皇の冥福を祈るため天龍寺を建立しようとし、その造営費調達のために1342（康永元）年天龍寺船を元に派遣した。これは、鎌倉幕府が1325（正中2）年建長寺修造の資金を得ようと元に派遣した建長寺船の先例にならったものである。また、1976（昭和51）年に韓国新安沖で発見された沈没船（新安沈船）は、14世紀前半に元から日本に向かう途中で遭難した貿易船と推定されている。

❷ この第1回遣明船の正使は義満の側近の僧の祖阿、副使は博多商人の肥富であった。

1. 室町幕府の成立　**127**

った(朝貢貿易)❶。また遣明船は,明から交付された勘合と呼ばれる証票を持参することを義務づけられた。これにより,日明貿易を勘合貿易ともいう。

日明貿易は,4代将軍足利義持が朝貢形式に反対して一時中断し,6代将軍足利義教の時に再開された。朝貢形式の貿易は,滞在費・運搬費などすべて明側が負担したから,日本側の利益は大きく,とくに大量にもたらされた銅銭は,日本の貨幣流通に大きな影響を与えた❷。

15世紀後半,幕府の衰退とともに,貿易の実権はしだいに堺商人と結んだ細川氏や博多商人と結んだ大内氏の手に移った。細川氏と大内氏は激しく争って,1523(大永3)年には寧波で衝突を引きおこした(寧波の乱)。そしてこの争いに勝った大内氏が貿易を独占したが,16世紀半ばに大内氏の滅亡とともに勘合貿易も断絶した。これとともに,ふたたび倭寇の活動が活発となり❸,豊臣秀吉が海賊取締令を出してこれを禁止するまで続いた。

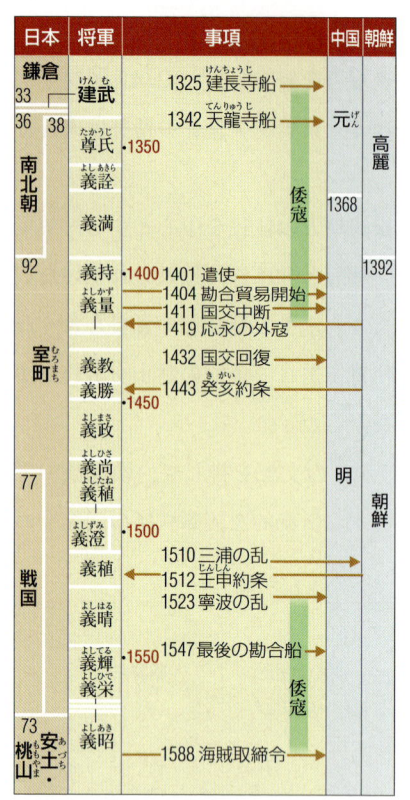

日本	将軍	事項	中国	朝鮮
鎌倉33	建武	1325 建長寺船	元	高麗
36 38 南北朝	尊氏	1342 天龍寺船		
		•1350		
	義詮			1368
	義満		倭寇	
92	義持	•1400 1401 遣使		1392
室町	義量	1404 勘合貿易開始		
		1411 国交中断		
		1419 応永の外寇		
	義教	1432 国交回復		
	義勝	1443 癸亥約条		
		•1450	明	朝鮮
77	義政			
	義尚 義稙			
	義澄	•1500		
戦国	義稙	1510 三浦の乱		
		1512 壬申約条		
	義晴	1523 寧波の乱		
		•1550		
	義輝 義栄	1547 最後の勘合船	倭寇	
	義昭	1588 海賊取締令		
73 桃山 安土・				

中世後期の日明・日朝関係略年表

---

❶ 国交を開くに当たり,義満は使者に国書をもたせて明に派遣し,明の皇帝から「日本国王源道義」(道義は義満の法号)あての返書と明の暦を与えられた。明は,倭寇対策として国王以外には貿易を認めない方針(海禁政策)をとったため,明との貿易には,明の皇帝から「国王」の称号を得ることが不可欠であった。以後,将軍から明の皇帝に送る公式文書には「日本国王臣源」と署名した。また,暦を受けとることは,服属を認める象徴的行為であった。

❷ 日本からの輸出品は刀剣・槍・鎧などの武器・武具類,扇・屏風などの工芸品,銅・硫黄などの鉱産物であり,輸入品は銅銭のほか生糸・高級織物・陶磁器・書籍・書画などで,これらは唐物と呼ばれて珍重された。

❸ 14世紀に活動した前期倭寇に対し,この時期の倭寇を後期倭寇という。後期倭寇には,中国人などの密貿易者も多かった(→p.127)。彼らは,日本の銀と中国の生糸との交易をおこなうとともに,海賊として広い地域にわたって活動した。

128 第5章 武家社会の成長

倭寇の図(『倭寇図巻』,部分)　『倭寇図巻』は明朝末期の作品で,後期倭寇の様子を描いたものである。後期の倭寇の大部分は中国人であるが,この図巻では右が倭寇で左が明軍であり,倭寇はすべて日本人らしく描かれている。(東京大学史料編纂所蔵)

　朝鮮半島では,1392年,倭寇を撃退して名声を上げた武将の**李成桂**(イソンゲ)(1335~1408)が高麗を倒し,**朝鮮**(1392~1910)を建てた。朝鮮もまた通交と倭寇の禁止とを日本に求め,足利義満もこれに応じたので,両国のあいだに国交が開かれた。**日朝貿易**は,明との貿易と違って,幕府だけでなく初めから守護・国人・商人なども参加してさかんにおこなわれたので,朝鮮側は対馬の**宗氏**を通して通交についての制度を定め,貿易を統制した。日朝貿易は**応永の外寇❶**により一時中断したが,16世紀まで活発におこなわれた❷。

　朝鮮からのおもな輸入品は織物類で,とくに**木綿**は大量に輸入され,衣料など人びとの生活様式に大きな影響を与えた❸。しかし,この日朝貿易も,1510(永正7)年に**三浦の乱**❹がおこってから,しだいに衰えていった。

琉球と蝦夷ヶ島

　琉球では,北山・中山・南山の3地方勢力(三山)が成立して争っていたが,1429(永享元)年,中

---

❶　倭寇の禁止や日朝貿易に積極的であった対馬の宗貞茂が死去し,倭寇の活動が活発になったため,1419(応永26)年,朝鮮軍は倭寇の本拠地と考えていた対馬を襲撃した。

❷　朝鮮は,日朝貿易のため富山浦(釜山)・乃而浦(薺浦)・塩浦(蔚山)の3港(三浦)を開き,これらの3港と首都の漢城(漢陽)に日本の使節の接待と貿易のための倭館をおいた。

❸　日本からの輸出品は,銅・硫黄などの鉱産物や工芸品のほか,琉球貿易で手に入れた蘇木(染料)・香木(香料)などであった。また輸入品の中には大蔵経もみられた。

❹　三浦に住む日本人には種々の特権が与えられていたが,この特権がしだいに縮小されていったので,これを不満とした日本人が暴動をおこし,鎮圧された。

1. 室町幕府の成立　**129**

首里城 14〜15世紀から1879(明治12)年の琉球処分(→p.273)まで,琉球王国の王宮として栄えた。独自の琉球文化を基調としながら,中国や日本の建築様式も取り入れるなど,豊かな国際性がうかがわれる。1945(昭和20)年の沖縄戦で焼失したが,1992(平成4)年に復元された。(沖縄県)

山王の**尚巴志**(1372〜1439)が三山を統一し,**琉球王国**をつくり上げた。琉球は明や日本などと国交を結ぶとともに,海外貿易をさかんにおこなった。琉球船は,南方のジャワ島・スマトラ島・インドシナ半島などにまでその行動範囲を広げ,明の海禁政策のもと,東アジア諸国間の中継貿易に活躍したので,王国の都首里の外港である那覇は重要な国際港となり,琉球王国は繁栄した。

一方,すでに14世紀には畿内と津軽の**十三湊**とを結ぶ日本海交易がさかんにおこなわれ,サケ・コンブなど北海の産物が京都にもたらされた。やがて人びとは本州から,**蝦夷ヶ島**と呼ばれた北海道の南部に進出し,各地の海岸に港や館(**道南十二館**)❶を中心にした居住地をつくった。彼らは**和人**といわれ,津軽の豪族安藤(安東)氏(→p.110)の支配下に属して勢力を拡大した。

古くから北海道に住み,漁労・狩猟や交易を生業としていた**アイヌ**は,和人と交易をおこなった。和人の進出はしだいにアイヌを圧迫し,たえかねたアイヌは1457(長禄元)年,大首長**コシャマイン**(?〜1457)を中心に蜂起し,一時は和人居住地のほとんどを攻め落としたが,まもなく上之国の領主蠣崎(武田)

道南十二館と周辺要図 道南十二館のうち茂別館と蠣崎氏の花沢館以外は,コシャマインによって攻め落とされた。

---

❶ その一つ,函館市にある志苔館の付近からは,14世紀末から15世紀初め頃に埋められた合計約37万枚の中国銭が出土しており,この地域の経済的繁栄を物語っている。

130　第5章　武家社会の成長

氏によって制圧された❶。それ以後，蠣崎氏は道南地域の和人居住地の支配者に成長し，江戸時代には松前氏と名乗る大名となった。
(→p.182)

2 幕府の衰退と庶民の台頭

《惣村の形成》 鎌倉時代後期，近畿地方やその周辺部では，支配単位である荘園や郷（公領）の内部にいくつかの村が自然発生的に生まれ，南北朝の動乱の中でしだいに各地に広がっていった。農民たちがみずからつくり出したこの自立的・自治的な村を惣または惣村という。

惣村は，古くからの有力農民であった名主層に加え，新しく成長してきた小農民も構成員とし，村の神社の祭礼❷や農業の共同作業，戦乱に対する自衛などを通して，しだいに村民の結合を強くしていった。このような惣村を構成する村民を惣百姓ともいった。

惣村は寄合という村民の会議の決定に従って，おとな（長・乙名）・沙汰人などと呼ばれる村の指導者によって運営された。また，村民はみずからが

惣　掟

定　合（三）

一 今堀地下掟の事
　延徳元年己酉十一月四日

一 薪・すみは，惣のをたくべし。
一 惣より屋敷請候て，村人にて無物置くべからず候事。
一 他所之人を地下に請人候わで，置くべからず候事。
一 惣の地と私の地と，さいめ相論は，金にてすますべし。
一 惣森にて青木は葉かきたる物は，村人は村を落すべし。村人にて無物は地下にてはらうべし。
一 惣森にて，村人の他所之人つれて候て，木をきらせ候はゞ，村人をはらうべし。
一 家売たる人の方より，百文には三文ずつ，壱貫文には卅文ずつ，惣へ出すべき者なり。この旨を背く村人は，座をぬくべきなり。
一 家売たる代は，かくしたる人をば，罰状をすべし。
一 堀より東をば，屋敷にすべからず者なり。
　　　　　　　　　　　（今堀日吉神社文書）

❶全部で二十カ条ある。❷現在の滋賀県東近江市今堀町。❸村の運営のため自治的に定めた村の法。❹寄合で決定したことを意味する。❺際目。境界のこと。❻身元保証人。❼際目。境界のこと。❽惣を借りる。❾惣として所有する森。入会地であった。❿村人としての身分を奪う。⓫十禅師現社（日吉神社）の宮座の構成員から除名する。⓬起請文。今後違反しないことを誓わせた。

❶ 蠣崎氏の祖武田信広がコシャマインの戦いののちに築城した勝山館跡（北海道檜山郡上ノ国町）からは，武家屋敷跡や職人の工房跡，和人・アイヌの墓地などの遺構のほか，日本・中国産の陶磁器やアイヌの骨角器など，多数の遺物が出土している。

❷ 神社の祭礼をおこなったのが，宮座と呼ばれる農民たちの祭祀集団で，惣村の結合の中心となった。

守るべき規約である惣掟（村法・村掟）を定めたり，村内の秩序を維持するために村民自身が警察権を行使すること（地下検断・自検断）もあった。惣村は，農業生産に必要な山や野原などの共同利用地（入会地）を確保するとともに，灌漑用水の管理もおこなうようになった❶。また，領主へおさめる年貢などを惣村がひとまとめにして請け負う地下請（村請・百姓請）も，しだいに広がっていった。

強い連帯意識で結ばれた惣村の農民は，不法を働く代官・荘官の免職や，水害・干害の際の年貢の減免を求めて一揆を結び，荘園領主のもとに大挙しておしかけたり（強訴），全員が耕作を放棄して他領や山林に逃げ込んだり（逃散）する実力行使をしばしばおこなった❷。

また惣村の有力者の中には，守護などと主従関係を結んで武士化するものが多く現われた❸ため，荘園領主や地頭などの領主支配はしだいに困難になっていった。

幕府の動揺と土一揆

義満のあとを継いだ将軍足利義持（1386～1428）の時代は，将軍と有力守護の勢力均衡が保たれ，比較的安定していた❹。しかし，6代将軍足利義教は，将軍権力の強化をねらって専制的な政治をおこなった。1438（永享10）年，義教は関東へ討伐軍を送り，翌年，幕府に反抗的な鎌倉公方足利持氏（1398～1439）を討ち滅ぼした（永享の乱）❺。義教はその後も有力守護を弾圧したため，1441（嘉吉元）年，有力守護の一人赤松満祐（1373～1441）が

---

❶ このような村の運営に必要な費用をまかなうために，惣村が村民に対して独自の税（村役）を課すこともあった。

❷ このような共同行動をとる場合，惣村が支配単位である荘園や郷を中心にまとまった，より大きな強い結合体である惣荘・惣郷が結成されることが多かった。ときには荘園・郷の枠をこえて，領主を異にする惣村どうしが連合することもあった。

❸ このように，農民として荘園領主や地頭に年貢などをおさめながら，守護などと主従関係を結んで侍身分を獲得したものを地侍という。

❹ 1416（応永23）年，前関東管領上杉禅秀が，鎌倉府の内紛に乗じて反乱をおこしたが，幕府に鎮圧された（上杉禅秀の乱）。

❺ 鎌倉公方持氏と関東管領上杉憲実の対立を契機に，足利義教は上杉氏を支援して持氏を討伐した。乱後の1440（永享12）年，結城氏朝が足利持氏の遺子を擁して挙兵したが鎮圧された（結城合戦）。その後，足利持氏の子成氏が鎌倉公方となったが，成氏も上杉氏と対立し，1454（享徳3）年に成氏が上杉憲忠を謀殺したことを発端として享徳の乱がおこった。これ以後，関東は戦国の世に突入した（→p.148）。

義教を殺害した(嘉吉の変)。同年、赤松氏は幕府軍に討伐されたが、これ以降、将軍の権威は大きくゆらいでいった。

この頃、近畿地方を中心にひんぱんに発生するようになったのが**土一揆**(徳政一揆)❶である。土一揆は、惣村の結合をもとにした農民勢力が、一部の都市民や困窮した武士とともに、徳政を求めて蜂起したもので、1428(正長元)年の**正長の徳政一揆**は、京都の土倉・酒屋などを襲って、質物や売買・貸借証文を奪い、中央の政界に衝撃を与えた。この頃の社会には、都市・農村を問わず、土倉などの高利貸資本が深く浸透していたため、この一揆はたちまち近畿地方やその周辺に広がり、各地で実力による債務破棄・売却地の取戻し(私徳政)が展開された。

1441(嘉吉元)年に数万人の土一揆が京都を占拠した**嘉吉の徳政一揆**❷では、

正長の徳政一揆

正長元年九月 日、一天下の土民蜂起す。徳政と号し、酒屋、土倉、寺院等を破却せしめ、雑物等恣にこれを取り、借銭等悉これを破る。管領これを成敗す。凡そ亡国の基、これに過ぐべからず。日本開白以来、土民蜂起是れ初めなり。(『大乗院日記目録』、原漢文)

❶ ここでは畠山満家を指す。
❷ 開闢、すなわち始まり。

柳生の徳政碑文

奈良市柳生街道の峠口に、地蔵尊を彫った巨石があるが、その地蔵の右下の部分に、「正長元年ヨリサキ者、カンへ四カンカウニヲヰメアルヘカラス」という27文字が刻まれている。これは当時春日社領の大柳生・坂原・小柳生・邑地の神戸四カ郷の郷民が、正長の徳政一揆の成果を記したものである。文意は、「正長元(1428)年より以前に関しては、神戸四カ郷には負債がいっさいない」というもので、それまでの負債が正長元年ですべて破棄されたことを示している。ここにある「負目」とは、農村の内外の土倉などからの借銭とともに、滞納した年貢に利子がつけられ負債とみなされていたものも含まれる。各地の惣村を基盤とした徳政一揆の蜂起が、大きな広がりを示したのはこのためである。

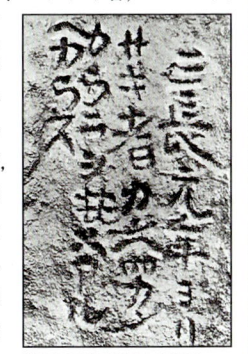

郷民の徳政宣言の碑文

---

❶ ほとんどの土一揆は徳政を要求して蜂起したので、これを徳政一揆ともいう。1429(永享元)年の播磨の土一揆は、守護赤松氏の家臣を国外へ追放するという政治的要求を掲げていた。

❷ 正長の徳政一揆は6代将軍義教の、嘉吉の徳政一揆は7代将軍義勝の代始めにおきた(代始めの徳政)。中世には、支配者の交代によって、所有関係や貸借関係など、社会のさまざまな関係が改められるという社会観念が存在した。将軍の交代の時に「天下一同の徳政」を要求して土一揆が蜂起した背景には、この社会観念が大きく作用していた。

2. 幕府の衰退と庶民の台頭　**133**

幕府はついに土一揆の要求を入れて徳政令を発布した。この後も土一揆はしばしば徳政のスローガンを掲げて各地で蜂起し，幕府も徳政令を乱発するようになった❶。

《応仁の乱と国一揆》　嘉吉の変後，将軍権力の弱体化にともなって有力守護家や将軍家にあいついで内紛がおこった。まず畠山・斯波の両管領家に家督争いがおこり，ついで将軍家でも8代将軍足利義政の弟義視と，子の足利義尚を推す義政の妻日野富子のあいだに家督争いがおこった❷。そして当時，幕府の実権を握ろうとして争っていた細川勝元と山名持豊(宗全)が，これらの家督争いに介入したために対立が激化し，1467(応仁元)年，ついに戦国時代の幕開けとなる応仁の乱が始まった。

守護大名はそれぞれ細川方(東軍)と山名方(西軍)の両軍❸にわかれて戦い，主戦場となった京都は戦火に焼かれて荒廃した。応仁の乱は，1477(文明9)

	西軍	東軍
将軍家	義視	義政
		義尚
畠山家	持国	持富
	義就	政長
斯波家	義廉	義敏
幕府実力者	山名持豊	細川勝元
有力大名	大内・一色　土岐・六角	赤松・京極　武田

応仁の乱の対立関係(1468年頃)

足軽(『真如堂縁起』，部分)　足軽は徒歩で軍役に服す雑兵のことで，軽装で機動力に富み，応仁の乱の頃さかんに活躍した。図は彼らが真如堂で略奪しているところである。(真正極楽寺蔵，京都府)

❶　幕府の徳政令の中には，債権額・債務額の10分の1ないしは5分の1の手数料(分一銭)を幕府に納入することを条件に，債権の保護または債務の破棄を認めた分一徳政令も多かった。

❷　単独相続(→p.123)が始まり，嫡子の立場が庶子に比べて絶対的優位となったため，その地位をめぐる争いが多くなった。とくにこの頃になると，大名などの家督決定が，父親の意志だけでなく，将軍や家臣の意向に大きく影響されるようになり，家督争いはますます複雑化した。

❸　1467(応仁元)年5月，東軍は将軍邸を占拠して，いったん義政・義尚・義視を手中にしたが，翌68(応仁2)年11月，義視が西軍に走り，東西二つの幕府が成立した。

年，戦いに疲れた両軍のあいだに和議が結ばれて終戦を迎え，守護大名の多くも領国にくだったが，争乱はその後も地域的争いとして続けられ，全国に広がっていった。この争乱により，有力守護が在京して幕政に参加する幕府の体制は崩壊し，同時に荘園制の解体も進んだ。

守護大名が京都で戦いを繰り返していた頃，守護大名の領国では，在国して戦った守護代や有力国人が力をのばし，領国支配の実権はしだいに彼らに移っていった。また近畿地方やその周辺の国人たちの中には，争乱から地域の秩序を守るために，国一揆❶を結成するものもあった。1485(文明17)年，南山城地方で両派にわかれて争っていた畠山氏の軍を国外に退去させた山城の国一揆は，山城の住民の支持を得て，8年間にわたり一揆の自治的支配を実現した。このように，下のものの力が上のものの勢力をしのいでいく現象がこの時代の特徴であり，これを下剋上といった。

1488(長享2)年におこった加賀の一向一揆もその現れであった。この一揆は，本願寺の蓮如(兼寿)(1415〜99)の布教によって近畿・東海・北陸に広まった浄土真宗本願寺派の勢力を背景とし，

山城の国一揆

(文明十七年十二月十一日) 今日山城国人集会す。今度両陣❶の時宜を申し定めんがための故と云々。しかるべきか。但し又下極上❷のいたりなり。
(文明十八年二月十三日) 今日山城国人、平等院に会合す。国中の掟法なお以てこれを定むべしと云々。およそ神妙。但し興成❺せしむれば、天下のため、しかるべからざる事か。
『大乗院寺社雑事記』、原漢文

❶山城の国で戦っている畠山政長・義就の両軍。❷下剋上。❸両陣へ申し入れる条件を決定するため。❹国人衆が南山城を支配するための掟。❺勢いがさかんになる。

加賀の一向一揆

一四八八(長享二)年六月。将軍の命で富樫政親の高尾城におもむく朝倉勢。守護富樫政親の百姓等、ノウチツヨク成テ、近年ハ百姓ノ持タル国ノヤウニナリ行キ候。❺富樫泰高が、名目上の守護として立てられた。

叔和西堂語りて云く。今月❶五日越前府中に行く。それ以前越前の合力勢❷賀州に赴く。しかといえども、一揆衆二十万人、富樫城を取り回く。故を以て、同九日城を攻め落さる。皆生害して、❹富樫一家の者一人これを取り立つ❺。
『蔭涼軒日録』、原漢文
年ハ百姓ノ持タル国ノヤウニナリ行キ候。
『実悟記拾遺』

---

❶ 国一揆は、武士だけでなく、地域住民も広く組織に組み込んでいた点で、国人一揆と区別される。山城の国一揆のほか、伊賀惣国一揆や近江の甲賀郡中惣などが知られており、ときには住民の要求を受けて、独自の徳政令(在地徳政令)を発布することもあった。

2．幕府の衰退と庶民の台頭　135

加賀の門徒が国人と手を結び，守護富樫政親を倒したもので，一揆が実質的に支配する本願寺領国が，以後，織田信長に制圧されるまで，1世紀にわたって続いた。

農業の発達

室町時代の農業の特色は，民衆の生活と結びついて土地の生産性を向上させる集約化・多角化が進められたことにあった。水車などによる灌漑や排水施設の整備・改善により，畿内では二毛作に加え，三毛作もおこなわれた。また，水稲の品種改良も進み，早稲・中稲・晩稲の作付けも普及した。

肥料も刈敷・草木灰などとともに下肥が広く使われるようになって，地味の向上と収穫の安定化が進んだ。また手工業の原料として，苧（からむし）・桑・楮・漆・藍・茶などの栽培もさかんになり，年貢の銭納の普及と農村加工業の発達により，これらが商品として流通するようになった。このような生産性の向上は農民を豊かにし，物資の需要を高め，農村にも商品経済が深く浸透していった。

商工業の発達

この時期には，農民の需要にも支えられて地方の産業がさかんになり，各地の特色を生かしてさまざまな特産品が生産されるようになった❶。

製塩のための塩田も，ほとんど人の手を加えない自然浜（揚浜）のほか，堤でかこった砂浜に潮の干満を利用して海水を導入する古式入浜（のちの入浜塩田）もつくられるようになった。

特産品の売却や，年貢の銭納に必要な貨幣獲得のため，地方の市場もその数と市日の回数を増していき，月に3回開く三度の市から，応仁の乱後は6回開く六斎市が一般化した❷。また，連雀商人や振売と呼ばれた行商人の数も増加していった。これらの行商人には，京都の大原女・桂女をはじ

---

❶ 地方特産品としては，加賀・丹後などの絹織物，美濃の美濃紙，播磨の杉原紙，美濃・尾張の陶器，備前の刀，能登・筑前の釜，河内の鍋などが有名であった。とくに刀剣は国内向けのほか，日明貿易の重要輸出品としても大量に生産された。また京都では高級絹織物が生産され，酒造業も京都のほか，河内・大和・摂津などが名酒の生産を競った。

❷ 荘官や農民たちは，これらの市で農産物を売却して，貨幣を入手した。これにより，それまで年貢として領主におさめられていた農産物の多くが商人の手に渡り，商品として流通するようになった。

京都の商店街(『洛中洛外図屏風』，部分) 室町時代末期の京都の立売通あたりを描いたもの。板屋根の家の中では弓が商品として並べられ，家の前に店棚がみえる。川の右手前には振売の行商人の姿もみえる。(米沢市蔵，山形県)

室町時代の商人(左:『石山寺縁起絵巻』，右:『福富草紙』より) 商人には，心太売りや饅頭売り・豆腐売りなどもある。

め女性の活躍がめだった❶。京都などの大都市では**見世棚**(店棚)をかまえた常設の小売店が一般化し，京都の米場・淀の魚市などのように，特定の商品だけを扱う市場も生まれた。

連雀商人(行商人)　桂女

　手工業者や商人の座もその種類や数が著しく増えた。中には大寺社や天皇家から与えられた神人・供御人の称号を根拠に，関銭の免除や広範囲の独占的販売権を認められて，全国的な活動をみせた座もあった❷。しかし15世紀以降になると，座に加わらない新興商人が出現し，また地方には本所をもたない，新しい性格の座(仲間)も増えていった。

　貨幣は，従来の宋銭とともに，新たに流入した永楽通宝などの**明銭**が使用されたが，需要の増大とともに粗悪な私鋳銭も流通するようになり，取引にあたって悪銭をきらい，良質の銭(精銭)を選ぶ**撰銭**がおこなわれて，円滑

❶　大原女は炭や薪を売る商人，桂女は鵜飼集団の女性で鮎売りの商人として早くから活躍した。その他，魚売り・扇売り・布売り・豆腐売りなどには女性が多く，また女性の金融業への進出も著しかった。
❷　蔵人所を本所とした灯炉供御人(鋳物師)は，朝廷の権威によって関銭を免除され，全国的な商売を展開した。また大山崎の油神人(油座)は，石清水八幡宮を本所とし，畿内・美濃・尾張・阿波など10カ国近い油の販売と，その原料の荏胡麻購入の独占権をもっていた。京都では北野社の麹座神人，祇園社の綿座神人などが有名であった。

2．幕府の衰退と庶民の台頭　137

火事で残った土蔵（『春日権現験記』，部分）　土倉は，酒屋と並んで鎌倉時代の末から高利貸をおこなったり，荘園領主の代官となって年貢を請け負ったりして，大きな富を得るようになった。その土倉も火事の災難にしばしばあったが，すぐに再建された。（宮内庁三の丸尚蔵館蔵）

明銭と私鋳銭　室町時代には永楽通宝①・洪武通宝②・宣徳通宝などの明銭が用いられた。永楽通宝などの明銭が輸入されると，粗悪な私鋳銭（びた銭）③④がつくられるようになった。（日本銀行貨幣博物館蔵）

な流通が阻害された。そのため幕府・戦国大名などは悪銭と精銭の混入比率を決めたり，一定の悪銭の流通を禁止するかわりに，それ以外の銭の流通を強制する**撰銭令**をしばしば発布した❶。

　貨幣経済の発達は金融業者の活動をうながした。当時，**酒屋**などの富裕な商工業者は，**土倉**と呼ばれた高利貸業を兼ねるものが多く，幕府は，これらの土倉・酒屋を保護・統制するとともに，営業税を徴収した。

　地方産業がさかんになると遠隔地取引も活発になり，遠隔地商人のあいだでは為替手形の一種である**割符**の利用もさかんにおこなわれた。海・川・陸の交通路が発達し❷，**廻船**の往来もひんぱんになった❸。京都・奈良などの大都市や，兵庫・大津などの交通の要地には**問屋**が成立し，多量の物資が運ばれる京都への輸送路では，**馬借**・**車借**と呼ばれる運送業者も活躍した。

---

❶　精銭の減少にともない，16世紀後半になると，西日本では米や銀も貨幣として使用されるようになった。
❷　交通・運輸の増加に注目した幕府・寺社・公家などが，水陸交通の要地につぎつぎと関所を設け，関銭・津料を徴収し，交通の大きな障害となった。
❸　「兵庫北関入船納帳」（→p.153）やその他の史料によると，1445（文安2）年の1年間に瀬戸内海の各港から，さまざまな荷を積んで兵庫湊に出入りした船の総数は，2700隻以上におよんだ。

138　第5章　武家社会の成長

関所を通る馬借(『石山寺縁起絵巻』,部分) 大津は京都に近く,古くからここを通る年貢や商品の量は多かった。図の下方には,荘園の年貢を京都方面の領主のもとに運搬する馬借が,大津の関所を通過するところが描かれている。(石山寺蔵,滋賀県)

3 室町文化

室町文化　室町時代には,まず南北朝の動乱期を背景とした**南北朝文化**が生まれ,ついで足利義満の時代に**北山文化**が,足利義政の時代に**東山文化**が形成された。

　この時代の文化の特徴は,幕府が京都におかれたことや東アジアとの活発な交流にともなって,武家文化と公家文化,大陸文化と伝統文化の融合が進み,また当時成長しつつあった惣村や都市の民衆とも交流して,広い基盤をもつ文化が生み出されたことである。

鹿苑寺金閣(上)**と慈照寺銀閣**(左)　京都北山にある義満の北山殿は,彼の死後,鹿苑寺となったが,建物の多くは失われた。金閣は当時のものが第二次世界大戦後まで残っていたが,1950(昭和25)年に焼失し,55年に再建された。伝統的な寝殿造風の様式がまだ色濃く残っている。一方,京都東山に義政が営んだ慈照寺の銀閣は,書院造風を基調とした新しい住宅建築の様式となっている。(京都府)

3. 室町文化　139

中央文化と地方文化の融合も進み，それが洗練され，調和していく中から，しだいに日本固有の文化ともいうべきものが形成されていった。今日，日本の伝統文化の代表とされる能・狂言・茶の湯・生花などの多くは，この時代に中央・地方を問わず，武家・公家・庶民の別なく愛好され，洗練されながら，その基盤を確立していったのである。

南北朝文化

南北朝時代には，時代の転換期に高まった緊張感を背景に，歴史書や軍記物語などがつくられた。歴史書には，源平争乱以後の歴史を公家の立場から記した『増鏡』，伊勢神道の理論を背景に南朝の立場から皇位継承の道理を説いた北畠親房の『神皇正統記』，足利氏の政権獲得までの過程を武家の立場から記した『梅松論』などがあり，軍記物語では，南北朝の動乱の全体を描いた大作の『太平記』がつくられた。『太平記』は広く普及し，後世まで語り継がれた。

また，「二条河原落書」(→p.122)にみられるように，武家・公家を問わず広く連歌が流行し，能楽も多くの人びとを集めて上演された。茶寄合も各地でおこなわれ，茶の異同を飲みわけて，かけ物を争う勝負ごとの闘茶が流行した。これらの流行を導いたのは，動乱の中で成長してきた新興武士たちであり，彼らの新しもの好きの気質は，派手・ぜいたくを意味する「バサラ」の名で呼ばれた❶。

北山文化

3代将軍足利義満は京都の北山に壮麗な山荘(北山殿)をつくったが，そこに建てられた金閣の建築様式が，伝統的な寝殿造風と禅宗寺院の禅宗様を折衷したものであり，時代の特徴をよく表わしているので，この時代の文化を北山文化と呼んでいる。

鎌倉時代，武家社会の上層に広まった臨済宗は，夢窓疎石(1275〜1351)が将軍足利尊氏の厚い帰依を受けて以来，幕府の保護のもとでおおいに栄えた。南宋の官

おもな著作物
（*印は南北朝時代のもの）

【文学】
*増鏡
*梅松論
*神皇正統記(北畠親房)
*太平記
　難太平記(今川了俊)
　義経記
*曽我物語

【学問・思想】
*建武年中行事
　　(後醍醐天皇)
*職原抄(北畠親房)
　公事根源(一条兼良)
　樵談治要(一条兼良)
　花鳥余情(一条兼良)

---

❶ 有力守護の一人で，バサラ大名として知られる佐々木導誉(高氏)は，その代表格であり，連歌・能・茶の湯・生花などの諸芸能に奇才を発揮した。

おもな建築・美術作品

【建築】
鹿苑寺金閣(p.139)
永保寺開山堂〈禅宗様〉
興福寺五重塔〈和様〉
慈照寺東求堂同仁斎〈書院造〉
　　　　　　　　　　(p.143)
慈照寺銀閣(p.139)

【庭園】
西芳寺庭園
天龍寺庭園
鹿苑寺・慈照寺庭園
龍安寺庭園
大徳寺大仙院庭園(p.143)

【絵画】
寒山図(可翁)

妙心寺退蔵院瓢鮎図
　(如拙)(p.141)
四季山水図巻〔山水長巻〕(雪舟)
秋冬山水図(雪舟)(p.144)
天橋立図(雪舟)(口絵⑲)
周茂叔愛蓮図(狩野正信)
大仙院花鳥図(伝狩野元信)(p.144)
寒山拾得図(伝周文)

瓢鮎図(部分,如拙筆) この水墨画の構図は,一人の人間が「ひょうたん」で鮎(日本でいう鯰のこと)をおさえようとする禅の公案(→p.115 注❶)の一つを図示したものである。(妙心寺退蔵院蔵,京都府)

　寺の制にならった**五山・十刹**の制❶も義満の時代にほぼ完成した。五山の禅僧には中国からの渡来僧や中国帰りの留学僧が多く,彼らは禅だけでなく,禅の精神を具体化した**水墨画**❷や建築・庭園様式などを広く伝えた。彼らのあいだでは,宋学の研究や漢詩文の創作も盛んであり,義満の頃に絶海中津・義堂周信らが出て,最盛期を迎えた(**五山文学**)。彼らは,幕府の政治・外交顧問❸として活躍したり,禅の経典・漢詩文集などを出版(五山版)するなど,中国文化の普及にも大きな役割を果たした。

❶　南禅寺を五山の上におき,京都五山は天龍・相国・建仁・東福・万寿の5寺,鎌倉五山は建長・円覚・寿福・浄智・浄妙の5寺であった。十刹は五山につぐ官寺をいい,さらに十刹についで諸山があった。幕府は僧録をおいて官寺を管理し,住職などを任命した。
❷　水墨画は墨の濃淡で自然や人物を象徴的に表現するもので,五山僧の明兆・如拙・周文らによって日本の水墨画の基礎が築かれた。
❸　外交文書の作成に当たったほか,みずからも外交使節として明や朝鮮に渡った。

3. 室町文化　141

能も北山文化を代表する芸能であった。古く神事芸能として出発した猿楽や田楽は、いろいろな芸能を含んでいたが、その中からしだいに歌舞・演劇の形をとる能が発達していった。この頃、寺社の保護を受けて能を演じる専門集団(座)が現われ、能は各地でさかんに興行されるようになった。なかでも興福寺を本所とした観世・宝生・金春・金剛座の四座を大和猿楽四座といい、観世座に出た観阿弥・世阿弥父子は、将軍義満の保護を受け、洗練された芸の美を追求して、芸術性の高い猿楽能を完成した。観阿弥・世阿弥父子は、能の脚本である謡曲を数多く著すとともに、世阿弥は、能の真髄を述べた『風姿花伝』(花伝書)などの理論書も残した。

観世能図(『洛中洛外図屏風』、部分) 自然の松をそのまま背景にし、本物の橋のような橋掛りをかけるなど、初期の能舞台の様子をよく描いている。場所は、京都の鴨の河原と思われる。(国立歴史民俗博物館蔵)

観阿弥 1333〜84
世阿弥 1363?〜1443?

東山文化

北山文化で開花した室町時代の文化は、その芸術性が生活文化の中に取り込まれ、新しい独自の文化として根づいていった。

足利義政は、応仁の乱後、京都の東山に山荘をつくり、そこに義満にならって銀閣を建てた。この時期の文化は、東山山荘に象徴されるところから東山文化と呼ばれる。この文化は、禅の精神にもとづく簡素さと、伝統文化の幽玄・侘を精神的な基調としていた。銀閣の下層および東求堂同仁斎にみられる書院造❶は、近代の和風住宅の原型となった。書院造の住宅や禅宗

❶ 書院造は寝殿造を母体とし、押板・棚・付書院などの施設と住宅を襖障子などで間仕切りして数室にわけ、畳を敷き、天井を張り、明障子を用いるなどの特徴がみられる。

様の寺院には，禅の精神で統一された庭園がつくられた❶。その代表的なものが，岩石と砂利を組み合わせて象徴的な自然をつくり出した**枯山水**で，龍安寺・大徳寺大仙院などの庭園が有名である。

新しい住宅様式の成立は，座敷の装飾をさかんにし，掛軸・襖絵などの絵画，床の間を飾る生花・工芸品をいっそう発展させた。

水墨画では，遣明船で明に渡り，作画技術を学んだ**雪舟**（1420～1506?）が，帰国後，禅画の制約を乗りこえた日本的な水墨画様式を創造した。大和絵では，応仁の乱後，**土佐光信**（?～1522）が出て**土佐派**の基礎を固め，また**狩野正信**（1434?～1530）・**元信**（1476～1559）父子は，水墨画に伝統的な大和絵の手法を取り入れ，新しく**狩野派**をおこした。

彫刻では，能の隆盛につれて能面の制作が発達し，工芸では金工の**後藤祐乗**（1440～1512）が秀作を残したほか，蒔絵の技術も進んだ。

日本の伝統文化を代表する茶道（茶の湯）・花道（生花）の基礎も，この時代につくられた。茶の湯では，**村田珠光**（1423～1502）が出て，茶と禅の精神の統一を主張し，茶室で心の静けさを求める**侘茶**（→p.168）を創出した❷。生花も，座敷の床の間を飾る立花様式が定まり，床の間を飾る花そのものを鑑賞する形がつくられていっ

慈照寺東求堂同仁斎 東求堂の一隅に，義政の書斎であった同仁斎と呼ばれる4畳半の部屋がある。3尺の棚と1間の付書院（つくり付けの机）がついている。（京都府）

大徳寺大仙院庭園 枯山水の代表的な庭園の一つ。峡谷を発した水が，大河となって流れていく全景を象徴的に示したものといわれる。16世紀初めの作庭とされる。（京都府）

---

❶ 将軍義政のまわりには，花道・茶道などの芸能にひいでた，**同朋衆**と呼ばれた人びとが多く集められ，東山文化の創造に貢献した。作庭では河原者（山水河原者）と呼ばれた賤民身分の人びとが活躍し，東山山荘の庭をつくった**善阿弥**は，その代表である。

❷ 侘茶の方式は，村田珠光ののち堺の**武野紹鷗**を経て**千利休**（→p.168）によって完成された。

3．室町文化　143

おもな著作物　(*印は南北朝時代のもの)

【能】
風姿花伝〔花伝書〕(世阿弥元清)
申楽談儀(観世元能)

【御伽草子】
酒呑童子／文正草子
物くさ太郎／一寸法師
浦島太郎／十二類絵巻

【連歌ほか】
*菟玖波集(二条良基)
*応安新式(二条良基)
水無瀬三吟百韻(宗祇ら)
新撰菟玖波集(宗祇)
犬筑波集(宗鑑)
閑吟集

【その他】
庭訓往来
節用集(p.146)
正平版論語

秋冬山水図(雪舟筆)　秋・冬の2幅からなる山水画で，図は冬景。(1幅，縦46.4cm，横29.4cm，東京国立博物館蔵)

大徳寺大仙院花鳥図(伝狩野元信筆)　大徳寺大仙院の方丈(檀那の間)の襖に描かれたもので，現在は掛幅に改装されている。水墨を基調としながら，前景の花鳥にのみ着色することで鮮やかな色彩効果をあげている。(縦174.5cm，大仙院蔵，京都府)

た❶。

　一方，政治・経済面で力を失った公家は，おもに伝統的な文化の担い手となって有職故実の学問や古典の研究❷に力を入れ，一条兼良(1402～81)らは多くの研究書や注釈書を残した。また神道思想による『日本書紀』などの研究も進み，

---

❶ 立花の名手として京都六角堂にいた池坊専慶が知られ，16世紀の中頃には池坊専応，末頃には池坊専好が出て立花を大成した。

❷ 古典では『古今和歌集』が早くから和歌の聖典として重んじられ，その解釈なども秘事口伝の風潮のもとで神聖化され，特定の人だけに伝授された。これを古今伝授といい，東常縁によって整えられ，宗祇によってまとめられていった。

吉田兼俱は反本地垂迹説(神本仏迹説)にもとづき、神道を中心に儒学・仏教を統合しようとする唯一神道を完成した。

庶民文芸の流行

室町時代には、民衆の地位の向上により、武家や公家だけでなく、民衆が参加し楽しむ文化も生まれた。

当時、茶や連歌の寄合は民衆のあいだでも多くもよおされていたが、能も上流社会に愛好されたもののほか、より素朴で娯楽性の強い能が各地の祭礼などでさかんに演じられた。能のあいだに演じられるようになった風刺性の強い喜劇である狂言は、その題材を民衆の生活などに求め、せりふも日常の会話が用いられたので、とくに民衆にもてはやされた。

庶民に愛好された芸能としては、この他に幸若舞・古浄瑠璃・小歌などがあり、小歌の歌集として『閑吟集』が編集された。また、民衆に好まれた物語に御伽草子があった。御伽草子は絵の余白に当時の話し言葉で書かれている形式のものが多く、読物としてだけでなく絵をみて楽しむことができた。

連歌は和歌を上の句と下の句にわけ、一座の人びとがつぎつぎに句を継いでいく共同作品である。南北朝時代に出た二条良基は『菟玖波集』を撰し、連歌の規則書として『応安新式』を制定したが、『菟玖波集』が勅撰集と同格とみなされてからは、和歌と対等の地位を築いた。さらに応仁の頃に宗祇が出て正風連歌を確立し、『新撰菟玖波集』を撰して、弟子たちと『水無瀬三吟百韻』をよんだ。これに対し、宗鑑はより自由な気風をもつ俳諧連歌をつくり出し、『犬筑波集』を編集した。連歌は、これを職業とする連歌師が各地を遍歴し、普及につとめたので、地方でも大名・武士・民衆のあいだに広く流行した。

今日なお各地でおこな

風流踊り(『洛中洛外図屏風』、部分) 扮装や歌に工夫をこらした人びとが、踊りながら大路を練り歩いた。この時代は、祇園会や神社の祭礼などで盛んであった。(米沢市蔵、山形県)

3. 室町文化　145

われている盆踊りも，この時代からさかんになった。祭礼や正月・盆などに，都市や農村で種々の意匠をこらした飾り物がつくられ，華やかな姿をした人びとが踊る風流がおこなわれていたが，この風流と念仏踊りが結びついて，しだいに盆踊りとして定着した。これらの民衆芸能は，多くの人びとが共同でおこない，楽しむことが一つの特色であった。

《文化の地方普及》 応仁の乱により京都が荒廃すると，京都の公家たちが地方の戦国大名を頼り，続々と地方へくだった。地方の武士たちも中央の文化への強い憧れから，積極的にこれを迎えた。とくに日明貿易で繁栄していた大内氏の城下町山口には，文化人が多く集まり，儒学や和歌などの古典の講義がおこなわれ，書籍の出版もなされた。肥後の菊池氏や薩摩の島津氏も桂庵玄樹❶をまねいて儒学の講義を聞き，また万里集九のように中部・関東地方などの各地をめぐり，地方の人びとと交流してすぐれた漢詩文を残した禅僧もいた。

関東では，15世紀中頃，関東管領上杉憲実が足利学校を再興した。ここでは全国から集まった禅僧・武士に対して高度な教育がほどこされ，多数の書籍の収集もおこなわれた。

この頃すでに地方の武士の子弟を寺院に預けて教育を受けさせる習慣ができており，『庭訓往来』や『御成敗式目』などが教科書として用いられていた。都市の有力な商工業者たちも，読み・書き・計算を必要とし，奈良の商人の中には『節用集』という辞書を刊行するものもあった。さらに村落の指導者層のあいだにも村の運営のため，読み・書き・計算の必要が増して，農村にもしだいに文字の世界が浸透していった。

節用集 15世紀につくられた国語辞典で，16世紀には奈良の饅頭屋によって刊本も出版された。（国立国会図書館蔵）

《新仏教の発展》 天台・真言などの旧仏教は，朝廷・幕府

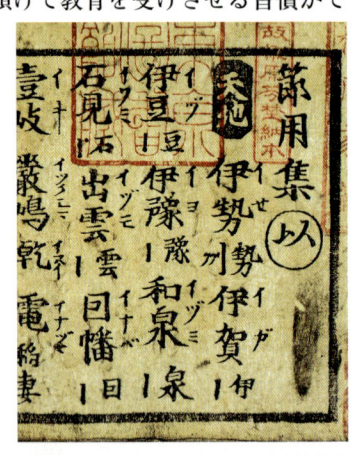

❶ 玄樹は薩摩で朱熹の『大学章句』を刊行するなど活躍し，のちの薩南学派のもとを開いた。

の没落や荘園の崩壊によって，しだいに勢力が衰えていった。これに対し鎌倉仏教の各宗派は，武士・農民・商工業者などの信仰を得て，都市や農村に広まっていった。

　禅宗の五山派は，その保護者であった幕府の衰退とともに衰えた。これに対し，より自由な活動を求めて地方布教を志した禅宗諸派（林下）❶は，地方武士・民衆の支持を受けて各地に広がった。

　初め東国を基盤にして発展した日蓮宗（法華宗）は，やがて京都へ進出した。とくに6代将軍足利義教の頃に出た日親の布教は戦闘的であり，他宗と激しい論戦をおこなったため，しばしば迫害を受けた。京都で財力を蓄えた商工業者には日蓮宗の信者が多く，彼らは1532（天文元）年，**法華一揆**を結んで，一向一揆と対決し，町政を自治的に運営した。しかし1536（天文5）年，法華一揆は延暦寺と衝突し，焼打ちを受けて，一時京都を追われた。この戦いを**天文法華の乱**という。

　浄土真宗（一向宗）は，農民のほか，各地を移動して生活を営む商人や交通・手工業者などにも受け入れられて広まっていった。とくに応仁の乱の頃，本願寺の蓮如は，阿弥陀仏の救いを信じれば，だれでも極楽往生ができることを平易な文章（御文）で説き，講を組織して惣村に広めていった❷。蓮如を中心とする精力的な布教活動によって本願寺の勢力は，近畿・東海・北陸地方に広まり，各地域ごとに強く結束し，強大なものとなった。そのため，農村の支配を強めつつあった大名権力と門徒集団が衝突し，各地で一向一揆がおこった。その代表的なものが加賀の一向一揆である。

4　戦国大名の登場

戦国大名　応仁の乱に始まった戦国の争乱の中から，それぞれの地域に根をおろした実力のある支配者が台頭してきた。16世紀

---

❶　林下の禅の布教の中心となったのは，曹洞系では永平寺・総持寺，臨済系では大徳寺・妙心寺などであり，僧としては大徳寺の一休宗純が有名である。
❷　村落の道場には本願寺の下付した本尊の絵像などがおかれ，そこで講によって結ばれた信者（門徒）の寄合がもたれ，信仰が深められていった。

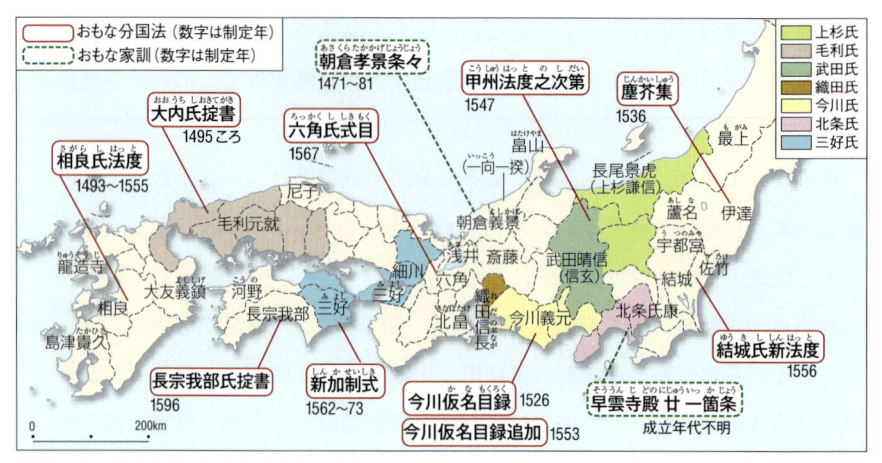

戦国大名の勢力範囲とおもな分国法・家訓(16世紀半ば頃)

地図中の記載:
- おもな分国法（数字は制定年）
- おもな家訓（数字は制定年）
- 上杉氏／毛利氏／武田氏／織田氏／今川氏／北条氏／三好氏
- 朝倉孝景条々 1471〜81
- 甲州法度之次第 1547
- 塵芥集 1536
- 大内氏掟書 1495ごろ
- 六角氏式目 1567
- 相良氏法度 1493〜1555
- 長宗我部氏掟書 1596
- 新加制式 1562〜73
- 今川仮名目録 1526
- 今川仮名目録追加 1553
- 結城氏新法度 1556
- 早雲寺殿廿一箇条 成立年代不明
- 長尾景虎（上杉謙信）／畠山／一向一揆／最上／蘆名／伊達／宇都宮／佐竹／結城／朝倉義景／浅井／斎藤／武田晴信（信玄）／北条氏康／細川／三好／北畠／織田信長／今川義元／毛利元就／尼子／大友義鎮／龍造寺／相良／河野／長宗我部／島津貴久

　前半，近畿地方ではなお室町幕府における主導権をめぐって，細川氏を中心とする内部の権力争いが続いていたが❶，他の地方では，みずからの力で領国(分国)をつくり上げ，独自の支配をおこなう地方権力が誕生した。これが**戦国大名**である。

　関東では，享徳の乱を機に，鎌倉公方が足利持氏の子成氏の古河公方と将軍義政の兄弟政知の堀越公方とに分裂し，関東管領上杉氏も山内・扇谷の両上杉家にわかれて争っていた。この混乱に乗じて15世紀末，京都からくだってきた**北条早雲**(伊勢宗瑞)は堀越公方を滅ぼして伊豆を奪い，ついで相模に進出して小田原を本拠とし，子の北条氏綱・孫の氏康の時には，北条氏は関東の大半を支配する大名となった❷。

　中部地方では，16世紀半ばに越後の守護上杉氏の守護代であった長尾氏に景虎が出て，関東管領上杉氏を継いで**上杉謙信**と名乗り，甲斐から信濃に領国を拡張した**武田信玄**(晴信)と，しばしば北信濃の川中島などで戦った。中国地方では，守護大名として権勢を誇った大内氏が，16世紀半ばに重臣の

---

❶ 1493(明応2)年に管領細川氏が将軍を廃する事件がおこり(明応の政変)，これを機に細川氏が幕府の実権を握ったが，その後の権力争いの中で，実権は細川氏からその家臣三好長慶に移り，さらに長慶の家臣松永久秀へと移った。

❷ 堀越公方足利政知の死後，茶々丸が公方を継いだが，北条早雲は1493(明応2)年伊豆を奪い，茶々丸は1498(明応7)年に自害した。なお，鎌倉幕府の北条氏と区別するために，戦国大名の北条氏を後北条氏と呼ぶことがある。

148　第5章　武家社会の成長

陶晴賢に国を奪われ，さらに安芸の国人から
おこった毛利元就がこれにかわり，山陰地方
の尼子氏と激しい戦闘を繰り返した。
　九州では，薩摩を中心に九州南部を広く支
配していた島津氏と，豊後を中心に九州北部
に勢力をのばした大友氏がとくに優勢であり，
四国では，土佐を統一した長宗我部氏が四
国北半へも進出しつつあった。東北地方は比
較的小規模な国人がひしめきあう地域であったが，やがてその中から伊達氏
が有力大名に成長していった。

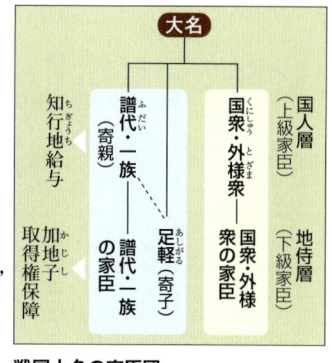

　戦国大名の中には，守護代や国人から身をおこしたものが少なくない。戦
国時代には守護職のような古い権威だけでは通用しなくなり，戦国大名とし
て権力を維持していくためには，激しい戦乱で領主支配が危機にさらされた
家臣や，生活をおびやかされた領国民の支持が必要であった。戦国大名には，
新しい軍事指導者・領国支配者としての実力が求められたのである❶。

　戦国大名は，新しく服属させた国人たちとともに，各地で成長の著しかっ
た地侍を家臣に組み入れていった。そして，これらの国人や地侍らの収入
額を，銭に換算した貫高という基準で統一的に把握し，その地位・収入を保
障するかわりに，彼らに貫高にみあった一定の軍役を負担させた。これを貫
高制といい，これによって戦国大名の軍事制度の基礎が確立した。大名は家
臣団に組み入れた多数の地侍を有力家臣に預ける形で組織化し（寄親・寄子
制），これにより鉄砲や長槍などの新しい武器を使った集団戦も可能になっ
た。

戦国大名の分国支配

　戦国大名は，家臣団統制や領国支配のための政
策をつぎつぎと打ち出した。中には領国支配の
基本法である分国法（家法）を制定するものもあったが，これらの法典には，
幕府法・守護法を継承した法とともに，国人一揆の規約を吸収した法などが

---

❶　今川氏・武田氏など，守護出身の戦国大名も，この頃には幕府の権威に頼ることなく，実
力で領国を支配していた。

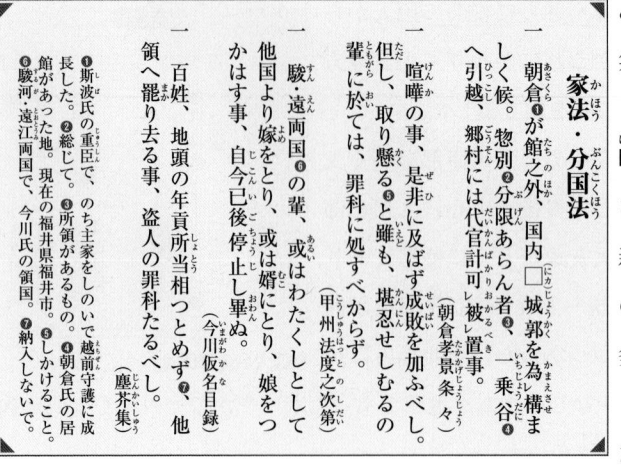

みられ，中世法の集大成的な性格をもっていた。また**喧嘩両成敗法❶**など，戦国大名の新しい権力としての性格を示す法も多くみられた。

> **家法・分国法**
>
> 一 朝倉が館之外、国内□城郭を為し構へ候。惣別分限あらん者は、一乗谷へ引越、郷村には代官計可被置事。（朝倉孝景条々）
>
> 一 喧嘩の事、是非に及ばず成敗を加ふべし。但し、取り懸ると雖も、堪忍せしむるの輩に於ては、罪科に処すべからず。（甲州法度之次第）
>
> 一 駿・遠両国❻の輩、或はわたくしとして他国より嫁をとり、或は婿にとり、娘をかはす事、自今已後停止し畢ぬ。（今川仮名目録）
>
> 一 百姓、地頭の年貢所当相つとめず❼、他領へ罷り去る事、盗人の罪科たるべし。（塵芥集）
>
> ❶斯波氏の重臣ないしのち主家をしのいで越前守護に成長した。❷総じて。❸所領があるもの。❹朝倉氏の居館があった地。現在の福井県福井市。❺しかけること。❻駿河・遠江両国で、今川氏の領国。❼納入しないで。

戦国大名は，新たに征服した土地などで**検地❷**をしばしばおこなった。この検地によって農民の耕作する土地面積と年貢量などが**検地帳**に登録され，大名の農民に対する直接支配の方向が強化された❸。

戦国大名には，武器など大量の物資の生産や調達が必要とされた❹。そのため大名は有力な商工業者を取り立てて，領国内の商工業者を統制させた。このように商工業者の力を結集した大名は，大きな城や**城下町**の建設，鉱山の開発❺，大河川の治水❻・灌漑などの事業をおこなった。

また戦国大名は，城下町を中心に**領国**を一つのまとまりをもった経済圏とするため，領国内の宿駅や伝馬の交通制度を整え，関所の廃止や市場の

❶ 喧嘩両成敗法の目的は，家臣相互の紛争を自分たちの実力による私闘（喧嘩）で解決することを禁止し，すべての紛争を大名による裁判にゆだねさせることで，領国の平和を実現することにあった。

❷ 戦国大名の検地は，家臣である領主にその支配地の面積・収入額などを自己申告させるものと，農民にその耕作地の面積・収入額を自己申告させるものとがあった。このような申告方式による検地を指出検地という。

❸ 検地によって把握された年貢量は銭に換算され，貫高制の基礎となった。貫高は，農民が領主におさめる年貢額の基準になったほか，大名が家臣に軍役を課したり，村に夫役などを負担させたりする際の基準にもなった。

❹ 朝鮮や明からの輸入品であった木綿は，兵衣や鉄砲の火縄などに使用されて需要が高まり，三河などの各地に木綿栽培が急速に普及して，庶民の衣生活を大きくかえた。

❺ 戦国大名による鉱山開発は，精錬技術・採掘技術の革新をもたらし，とくに金・銀の生産を飛躍的に高めた。甲斐・駿河・伊豆の金山，石見（→p.162）・但馬の銀山などが有名である。

❻ 武田信玄は治水事業に力を注ぎ，甲斐の釜無川と御勅使川の合流点付近に信玄堤と呼ばれる堤防を築いた。

開設など商業取引の円滑化にも努力した。城下には，家臣のおもなものが集められ，商工業者も集住して，しだいに領国の政治・経済・文化の中心としての城下町❶が形成されていった。

都市の発展と町衆

戦国時代には，領国経済の振興をめざす戦国大名の政策もあって，農村の市場や町が飛躍的に増加した。また大寺社だけでなく，地方の中小寺院の門前町❷も繁栄した。とくに浄土真宗の勢力の強い地域では，その寺院や道場を中心に寺内町❸が各地に建設され，そこに門徒の商工業者が集住した。

これらの市場や町は，自由な商業取引を原則とし，販売座席(市座)や市場税などを設けない楽市として存在するものが多かった。戦国大名は楽市令を出してこれらの楽市を保護したり，商品流通をさかんにするために，みずから楽市を新設したりした。

戦乱の中でも遠隔地商業はあいかわらず活発であり，港町❹や宿場町が繁栄した。これらの都市の中には，富裕な商工業

山科寺内町要図(『日本都市史研究』より)

自由都市堺について ——ガスパル=ヴィレラ書簡

堺の町は甚だ広大にして，大なる商人多数あり，此の町はベニス市の如く執政官に依りて治める。(一五六一(永禄四)年書簡)

日本全国，当堺の町より安全なる所なく，他の諸国において動乱あるも，此の町にはかつてなく，敗者も勝者も，此の町に来住すれば皆平和に生活し，諸人相和し，他人に害を加ふる者なし。……町は甚だ堅固にして，西方は海を以て，又他の側は深き堀を以てかこまれ，常に水充満せり。(一五六二(永禄五)年書簡『耶蘇会士日本通信』)

---

❶ この頃栄えた城下町としては，北条氏の小田原，今川氏の府中(静岡市)，上杉氏の春日山(上越市)，大内氏の山口，大友氏の豊後府内(大分市)，島津氏の鹿児島などがある。
❷ 門前町としては，伊勢神宮の宇治・山田(伊勢市)，信濃の善光寺の長野などがとくに有名である。
❸ 寺内町としては，摂津の石山(大坂)，加賀の金沢，河内の富田林，大和の今井などがある。これらの寺内町は楽市でもあったが，やがて戦国大名などに掌握され，しだいに特権を奪われていった。
❹ 港町としては堺と博多のほか，坊津・尾道・小浜・敦賀・大津・桑名・大湊・品川などがある。

4．戦国大名の登場　151

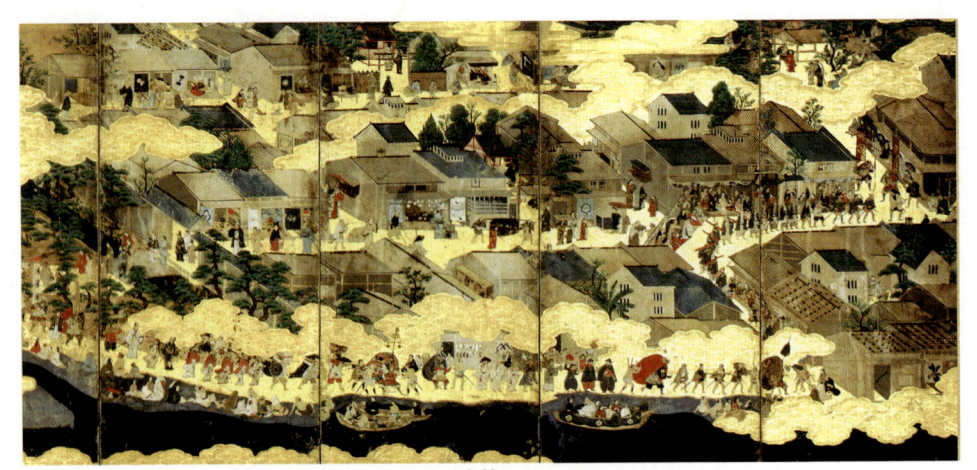

住吉の祭(『住吉祭礼図屏風』, 部分) 建ち並ぶ白壁2層の土倉が富と資本の町である堺を表わし, 町を画する堀がつくられている。図は住吉祭の仮装行列の様子。(堺市博物館蔵)

　者たちが自治組織をつくって市政を運営し, 平和で自由な都市をつくり上げるものもあった。日明貿易の根拠地として栄えた堺や博多, さらに摂津の平野, 伊勢の桑名や大湊などが代表的であり, とくに堺は36人の会合衆, 博多は12人の年行司と呼ばれる豪商の合議によって市政が運営され, 自治都市の性格を備えていた。

　一方, 京都のような古い政治都市にも, 富裕な商工業者である町衆を中心とした都市民の自治的団体である町が生まれた。惣村と同じように, 町はそれぞれ独自の町法を定め, 住民の生活や営業活動を守った❶。さらに, 町が集まって町組❷という組織がつくられ, 町や町組は町衆の中から選ばれた月行事の手によって自治的に運営された。応仁の乱で焼かれた京都は, これらの町衆によって復興され, 祇園祭も町を母体とした町衆たちの祭として再興された。

❶ 惣村と町をあわせて村町共同体, またそれらを基礎とする支配の仕組みを村町制と呼ぶこともある。
❷ 京都ではさらに複数の町組が集まって, 上京・下京という巨大な都市組織(惣町)を形成していた。

歴史へのアプローチ

歴史の解釈
中世の商品流通

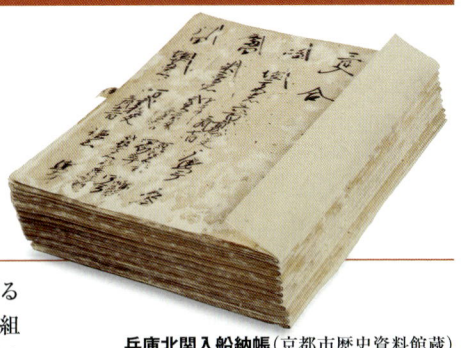

兵庫北関入船納帳(京都市歴史資料館蔵)

資料から読み解ける情報で何がわかるだろうか。今までの学習で得た知識と組み合わせて，歴史の流れにどう位置づけられるのか考えてみよう。以下では一例として，「兵庫北関入船納帳」(→p.138 注❸)や『一遍上人絵伝』などの資料をもとに，中世の商品流通について考えてみたい。

●「兵庫北関入船納帳」は何のためにつくられたのだろうか

島①	塩二百五十石②	六百弐拾文③	三月七日
左衛門三郎④	道念	(3月3日条)	

中世における商品流通の実態を伝えてくれる資料に「兵庫北関入船納帳」がある。この資料は，瀬戸内海を航行する船舶が入港を義務づけられていた兵庫湊(かつての大輪田泊〈→p.92〉)に置かれていた海上関所が，1445(文安2)年に大坂湾に入る船を毎日チェックし，一隻ごとに①船籍地，②積荷品目と数量，③関銭(通行税)額と納入月日，④船頭・船主名，⑤荷受先である兵庫の問(問丸)名を記録した帳面である。

記載総数は年間1960隻にのぼり，その96％に当たる1876隻は，この記載例のように記録されている。3月3日に入港した船は，積荷の塩250石に対して620文の関銭が課され，3月7日に問(問丸)の道念が支払ったことがわかる。

この帳面は何のためにつくられたのか考えてみよう。

中世の関所は，軍事的機能をもった古代の関所や，治安・警察的機能をもった近世の関所とは異なり，関銭の徴収という経済的機能をもっていた(→p.126,138)。そのため，中世には陸上・海上を問わず多数の関所が設けられ，それらは荘園と同じように朝廷や幕府・寺社・貴族などの収入源になっていた。兵庫湊にも南北2つの海上関が置かれ，南関は興福寺，北関は東大寺が管轄していた。この帳面は，兵庫湊の北関を運営していた東大寺

総記載隻数
年貢運搬 84隻 4％
商品流通 1876隻 96％
1960隻

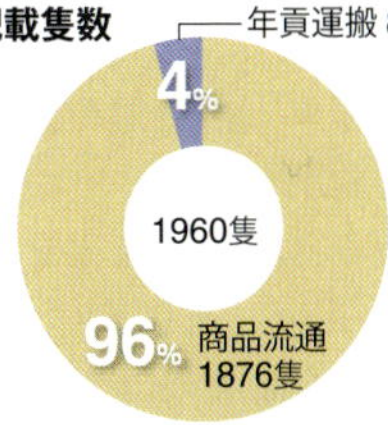

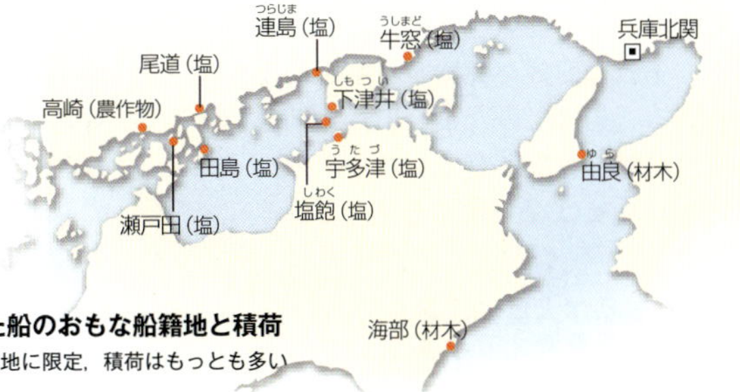

1445(文安2)年に兵庫北関を通関した船のおもな船籍地と積荷
(地図範囲内で全輸送量が5000石以上の船籍地に限定。積荷はもっとも多いものを表示。藤田裕嗣氏原図より)

連島(塩)　牛窓(塩)　兵庫北関
尾道(塩)　下津井(塩)
高崎(農作物)
田島(塩)　宇多津(塩)
瀬戸田(塩)　塩飽(塩)　由良(材木)
海部(材木)

歴史の解釈　**153**

が，関銭収入を記録するために作成したものと考えられる。

■ 記載内容からわかることは何だろうか

この帳面に記載されているのは，中国・四国地方から畿内方面に向けて物資を運搬してきた船である。積荷は，塩10万石，材木3.7万石，米2.4万石をはじめ，麦・豆などの雑穀や，鰯・鯛・海老などの海産物，さらに鉄や胡麻，阿波の藍，備前焼の壺・すり鉢など，中国・四国地方の特産物を多数含んでいる。こうした特産物を描いた『一遍上人絵伝』の備前国福岡市の場面をみてみよう。そこには備前焼が描かれており，また日本各地の遺跡から多数出土している事実からも，広く流通していたことが裏づけられる。

備前国福岡市の場面に描かれた備前焼
（『一遍上人絵伝』，部分）

以上の物資運搬船の記載に対して，年貢運搬船の場合は記載方法が少し異なる。

尼崎①	米百六十七石②	八幡松原年貢③
太郎二郎④	（12月15日条）	

この場合は，間（問）丸名（⑤）がなく，また関銭額・納入月日のかわりに積荷が年貢であると記載されている（③）ことから，年貢は関銭を免除されていたことがわかる。先ほどみたように，大部分の物資は関銭を免除されていないので，それらは年貢ではなく商品と考えられそうである。

■ 商品が大量に流通していた背景を考えてみよう

「兵庫北関入船納帳」の記載方法の違いから，西国より畿内に運ばれた物資のほとんどは商品だったと推定できる。中世後期にこのような大量の商品が発生した理由を考えてみよう。

注目されるのは年貢の銭納化とのかかわりである（→p.111）。中世後期でも年貢を現物でおさめていた荘園があったことが「兵庫北関入船納帳」からうかがえるが，多くの荘園では，13世紀後半頃，現物納から銭納への転換がおきている。大量の商品は年貢の銭納化にともない，それまで年貢として領主におさめられていた物資が換金・商品化されたために発生したと考えられる。

なぜ，13世紀後半に年貢の銭納化が進んだのか考えてみよう。

京都の禅寺である大徳寺に，1230（寛喜2）年に20貫文で売却された京都郊外の田地が，1277（建治3）年に50貫文で転売されたという古文書が残っている。実に2.5倍の値上がりだが，この価格上昇は田地だけでなく，絹をはじめとする，あらゆる商品におよんでいた。

この価格上昇は，銭の価値の下落，すなわち中国からの宋銭の流入で銭の流通量が増加したために引きおこされた可能性が高い（→p.111）。同じような現象は東アジア全域でおきており，日本では年貢の銭納化や価格上昇となって表われたと考えられる。このことは，中世の日本も東アジアの一部であったことを物語る一例といえよう。

以上の事例を参考に，図書館や博物館などでさまざまな資料にふれ，一つひとつの資料を深く読み込んで，歴史を考察してみよう。たとえば，先に掲げた『一遍上人絵伝』には，備前焼のほかにも多くの商品が描かれている（→p.110）。そこから中世の商品流通についてどのようなことがわかるか，考えてみよう。

第III部 近世

　ヨーロッパにおいて，15世紀から始まった大航海時代の主役はスペイン・ポルトガルであったが，ルネサンス・宗教改革という胎動を経た16世紀後半から，イギリス・フランス両国が中心になって近代国家の建設に向かっていった。両国は16～17世紀に絶対王政の全盛期を迎え，海外に向けて植民地獲得の争いを展開するようになり，イギリスは植民地から得た富を資本に産業革命を進めた。この間，哲学・文学・科学の発達によって合理的精神がつちかわれ，やがて支配体制をかえようとする市民革命を導いて，国民国家を形成させた。

　一方，アジアでは中国の明が17世紀中頃に崩壊し，清が中国を統一して，18世紀半ばの乾隆帝の時代には最大の領域を誇るに至った。そして，豊かな財力で文化の充実をはかったが，近代化への活力には乏しく，19世紀にはアヘン戦争をはじめとしてしだいに欧米勢力に圧倒されるようになっていった。このような事情は，ムガル帝国の支配下にあったインドでもみられた。

　日本は大航海時代の波の中，鉄砲の受容によって織田・豊臣・徳川氏による戦国の世の統一が促進され，キリスト教は幕藩体制の確立過程で禁圧され，「鎖国」となる一因となった。鎖国とはいえ，朝鮮や琉球王国・アイヌ民族との交渉はもち続けた。幕藩体制は，検地・刀狩を通して兵農分離された安定した封建支配体制であった。しかも武士を支配身分とする身分階層の序列が固定していたことから，260年余り封建体制が続いた。その間，人口の80％をこえる農民の生産力は上昇し，元禄期以降には庶民の文化や学問は全国的に着実に発展した。18世紀半ばからは，地主・小作の関係が展開したことで封建体制は動揺を始め，農民一揆や都市の打ちこわしも発生した。対外的にも鎖国をゆるがすロシアの接近のほか，19世紀後半には欧米の資本主義の圧力がせまる中で開国することになった。幕府は危機に対応する政治能力に欠け，天皇・朝廷の権威が浮上することになった。

時代	安土・桃山	江戸				
文化	（桃山）	（江戸初期）	（元禄）		（宝暦・天明）	（化政）
政治	（織豊政権）	（武断政治）	（文治政治）		（幕政改革）	
主要事項	室町幕府滅亡／秀吉，全国統一／文禄・慶長の役／江戸幕府成立	鎖国／三十年戦争／英，ピューリタン革命／仏，ルイ十四世即位／露，ピョートル一世即位	英，名誉革命／享保の改革／正徳の政治	清，乾隆帝即位	田沼時代／アメリカ独立宣言／フランス革命／寛政の改革／ラクスマン根室に来航	ナポレオン皇帝即位／異国船打払令／天保の改革／アヘン戦争／太平天国の乱／ペリー来航／日米修好通商条約／米，南北戦争
	大航海時代／絶対王政／植民地争奪				産業革命／自由主義	
世界	明／朝鮮／ムガル帝国／オスマン帝国		清			

第6章

幕藩体制の確立

1 織豊政権

ヨーロッパ人の東アジア進出

日本の戦国時代に当たる15世紀後半から16世紀にかけて、ルネサンスと宗教改革を経て近代社会へ移行しつつあったヨーロッパ諸国は、イスラーム世界に対抗するために、キリスト教の布教、海外貿易の拡大などをめざして世界に進出した❶。この結果、世界の諸地域がヨーロッパを中心に広く交流する大航海時代と呼ばれる時代に入った。

その先頭に立ったのが、イベリア半島の王国スペイン（イスパニア）とポルトガルであった。アメリカ大陸に植民地を広げたスペインは、16世紀半ばには太平洋を横断して東アジアに進出し、フィリピン諸島を占領してマニラを

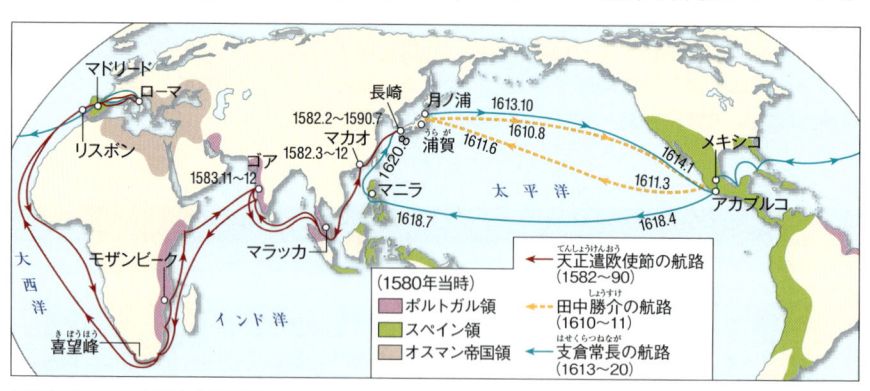

16世紀末の世界と日本人の往来

❶ 1492年、イタリア人コロンブスはスペイン女王イサベルの援助によって大西洋を横断して西インド諸島に達し、1498年にはポルトガル人ヴァスコ＝ダ＝ガマがアフリカ大陸南端をまわってインド西海岸のカリカットに到着した。またポルトガル人マゼランは16世紀初め、スペインの船隊を率い、アメリカ大陸南端をまわって太平洋に出てフィリピン諸島に到着し、その一隊はさらに西進を続けて世界周航を成し遂げた。

156　第6章　幕藩体制の確立

拠点とした。ポルトガルは，インド西海岸のゴアを根拠地にして東へ進出し，中国のマカオに拠点を築いた。

当時の東アジア地域では，なお明が海禁政策をとって私貿易を禁止していたが，環シナ海の中国・日本・朝鮮・琉球・アンナン(ベトナム)などの人びとが，国の枠をこえて広く中継貿易をおこなっていた。ヨーロッパ人は世界貿易の一環として，この中継貿易に参入してきたのである。

南蛮貿易とキリスト教

1543(天文12)年にポルトガル人を乗せた中国人倭寇の船が，九州南方の種子島に漂着した❶。これが日本にきた最初のヨーロッパ人である。島主の種子島時堯は，彼らのもっていた鉄砲を買い求め，家臣にその使用法と製造法を学ばせた。これ以後，ポルトガル人は毎年のように九州の諸港に来航し，日本との貿易をおこなった。またスペイン人も，1584(天正12)年肥前の平戸に来航し，日本との貿易を開始した。当時の日本では，ポルトガル人やスペイン人を南蛮人と呼んだので，この貿易を南蛮貿易という。

南蛮人は，中国の生糸や鉄砲・火薬などをもたらし，16世紀中頃から飛躍的に生産が増大した日本の銀などと交易した❷。鉄砲は戦国大名のあいだに新鋭武器として急速に普及し，足軽鉄砲隊の登場は従来の騎馬戦を中心とする戦法をかえ，防御施設としての城の構造も変化させた。

南蛮貿易は，キリスト教宣教師の布教活動と一体化しておこなわれてい

鉄砲 ┃ 戦国時代は技術革新の時代であった。その生産技術を代表するのが鉄砲の大量生産である。鉄砲は，伝えられるとすぐ，和泉の堺，紀伊の根来・雑賀，近江の国友などで大量生産された。わずか7年後には畿内で鉄砲を使用した戦闘がおこなわれ，十数年後には，全国的に大量の鉄砲が普及していた。
　この大量生産を可能にしたのは，当時の製鉄技術や鍛造・鋳造技術の水準の高さであった。さらに鉄砲に必要な火薬製造の技術は，のちに平和な時代になると花火をつくり出した。

種子島銃(長さ99.8cm，種子島時邦氏蔵，鹿児島県)

---

❶ 1542(天文11)年とする説もある。
❷ 平戸・長崎・豊後府内(大分市)などがおもな貿易港であり，京都・堺・博多などの商人も貿易に多く参加した。

1. 織豊政権　157

南蛮人の渡来(左)**と南蛮寺**(右)(『南蛮屏風』，部分)　キリスト教宣教師たちは，布教のためには日本の習慣や生活様式に従うことが重要であると考え，日本語や日本文化を熱心に研究した。教会堂(南蛮寺)も従来の仏教寺院を改造したものが多く，また新たにつくられた教会堂も，日本の建築様式を重視して木造・瓦葺でつくられた。(神戸市立博物館蔵)

た。1549(天文18)年，日本布教を志したイエズス会(耶蘇会)❶の宣教師フランシスコ＝ザビエル（Francisco de Xavier 1506?〜52）が鹿児島に到着し，大内義隆(1507〜51)・大友義鎮(宗麟)(1530〜87)らの大名の保護を受けて布教を開始した。

その後，宣教師はあいついで来日し，南蛮寺(教会堂)やコレジオ(宣教師の養成学校)・セミナリオ(神学校)などをつくって布教につとめた❷。ポルトガル船は，布教を認めた大名領に入港したため，大名は貿易をのぞんで宣教師の布教活動を保護し，中には洗礼を受ける大名もあった。彼らをキリシタン大名と呼ぶが，そのうち，大友義鎮・有馬晴信(1567?〜1612)・大村純忠(1533〜87)の3大名は，イエズス会宣教師ヴァリニャーニ（Valignani 1539〜1606）の勧めにより，1582(天正10)年，少年使節をローマ教皇のもとに派遣した(天正遣欧使節)❸。

織田信長の統一事業

戦国大名の中で全国統一の野望を最初にいだき，実行に移したのは尾張の織田信長(1534〜82)であった。信長は1560(永禄3)年に今川義元(1519〜60)を尾張の桶狭間の戦いで破り，1567(永禄

---

❶　当時，ヨーロッパでは宗教改革によるプロテスタント(新教)の動きが活発であったが，カトリック(旧教)側も勢力の挽回をはかって，アジアでの布教に力を入れる修道会も多かった。その一つがイエズス会である。当時日本では，キリスト教をキリシタン(吉利支丹・切支丹)宗・天主教・耶蘇教などと呼んだ。

❷　ザビエルのあと，ポルトガル人宣教師ガスパル＝ヴィレラやルイス＝フロイスらが布教につとめ，キリスト教は急速に広まった。信者の数は1582(天正10)年頃には，肥前・肥後・壱岐などで11万5000人，豊後で1万人，畿内などで2万5000人に達したといわれる。

❸　伊東マンショ・千々石ミゲル・中浦ジュリアン・原マルチノの4少年が派遣され，ゴア・リスボンを経てローマに到着し，教皇グレゴリウス13世にあい，1590(天正18)年に帰国した。

10)年に美濃の斎藤氏を滅ぼして岐阜城に移ると,「天下布武」の印判を使用して天下を武力によって統一する意志を明らかにした。翌年信長は,畿内を追われていた**足利義昭**を立てて入京し,義昭を将軍職につけて,全国統一の第一歩を踏み出した。

　1570(元亀元)年,信長は姉川の戦いで近江の浅井氏と越前の朝倉氏を破り,翌年には比叡山延暦寺の焼打ちをおこなって,強大な宗教的権威を屈伏させた。1573(天正元)年には,将軍権力の回復をめざして信長に敵対した義昭を京都から追放して室町幕府を滅ぼし,1575(天正3)年の三河の**長篠合戦**では,鉄砲を大量に用いた戦法で,騎馬隊を中心とする強敵武田勝頼の軍に大勝し,翌年近江に壮大な**安土城**を築き始めた。

　しかし,信長の最大の敵は石山(大坂)の本願寺を頂点にし,全国各地の浄土真宗寺院や寺内町を拠点にして信長の支配に反抗した一向一揆であった。信長は,1574(天正2)年に伊勢長島の一向一揆を滅ぼしたのに続いて,翌年には越前の一向一揆を平定し,1580(天正8)年,ついに石山本願寺を屈伏させた❶。

　信長は,家臣団の城下町への集住を徹底させるなどして,機動的で強大な

信長「天下布武」の印判
(東京大学史料編纂所蔵)

鉄砲隊の活躍(『長篠合戦図屛風』,部分)
長篠合戦において,織田・徳川の連合軍は,鉄砲隊の威力で図の右から攻撃する武田の騎馬部隊を破った。(徳川美術館蔵,東京都)

---

❶ 本願寺の顕如(光佐)は,1570(元亀元)年に諸国の門徒に信長と戦うことを呼びかけて挙兵し,11年におよぶ石山戦争を展開したが,この年ついに屈伏して,石山を退去した。

> **楽市令**
>
> 定　安土山下町中❶
>
> 一　当所中楽市として仰せ付けらるるの上は、諸座・諸役・諸公事等、ことごとく免許の事❷。
> 一　普請免除の事。
> 一　分国中徳政これを行うといえども、当所中免除の事❸。
>
> 一五七七(天正5)年六月、織田信長が安土城下町に出した楽市令で、十三条よりなる。❶この城下町住民のいっさいの税は免除となる。❷楽座(無座)で、城下町を楽市にすることにしたので、住民のいっさいの税は免除となる。❸徳政令が出されても、この城下町の町人の債権は破棄されない。
>
> (近江八幡市共有文書、原漢文)

軍事力をつくり上げ、すぐれた軍事的手腕でつぎつぎと戦国大名を倒しただけでなく、伝統的な政治や宗教の秩序・権威を克服することにも積極的であった。また経済面では、戦国大名がおこなっていた指出検地や関所の撤廃を征服地に広く実施したほか、自治的都市として繁栄を誇った堺を武力で屈伏させて直轄領とするなどして、畿内の高い経済力を自分のものとし、また安土城下町に楽市令を出して、商工業者に自由な営業活動を認めるなど、都市や商工業を重視する政策を強く打ち出していった。

このようにして信長は京都をおさえ、近畿・東海・北陸地方を支配下に入れて、統一事業を完成しつつあったが、独裁的な政治手法はさまざまな不満も生み、1582(天正10)年、毛利氏征討の途中、滞在した京都の本能寺で、配下の明智光秀に背かれて敗死した(**本能寺の変**)。

豊臣秀吉の全国統一

信長のあとを継いで、全国統一を完成したのは豊臣(羽柴)秀吉である。尾張の地侍の家に生まれた秀吉は、信長に仕えてしだいに才能を発揮し、信長の有力家臣に出世した。秀吉は1582(天正10)年、山城の山崎の合戦で信長を倒した明智光秀を討ち、翌年には信長の重臣であった柴田勝家を賤ヶ岳の戦いに破って、信長の後継者の地位を確立した。同年秀吉は、水陸交通にめぐまれた石山の本願寺の跡に壮大な**大坂城**を築き始め、1584(天正12)年には、尾張の小牧・長久手の戦いで織田信雄(信長の次男)・徳川家康軍と戦ったが、和睦に終わった。

これを機に秀吉は、軍事力だけでなく、伝統的権威も利用しながら全国統一をめざすようになった。秀吉は1585(天正13)年、朝廷から関白に任じられ、長宗我部元親をくだして四国を平定すると、翌年には太政大臣に任じられ、豊臣の姓を与えられた。関白になった秀吉は、天皇から日本全国の支配権をゆだねられたと称して、全国の戦国大名に停戦を命じ、その領国の確定を秀

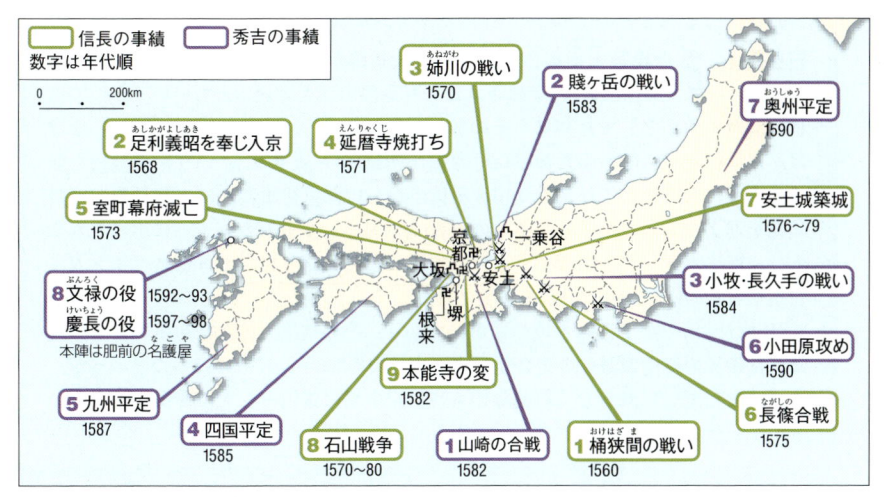

信長・秀吉の事績

　吉の裁定に任せることを強制した❶。そしてこれに違反したことを理由に、1587（天正15）年には九州の島津義久を征討して降伏させ、1590（天正18）年には小田原の北条氏政を滅ぼし（小田原攻め）、また伊達政宗ら東北地方の諸大名をも服属させて、全国統一を完成した。

　1588（天正16）年には、京都に新築した聚楽第に後陽成天皇を迎えて歓待し、その機会に、諸大名に天皇と秀吉への忠誠を誓わせるなど、秀吉は天皇の権威をたくみに利用しながら新しい統一国家をつくり上げていった。

　豊臣政権の経済的な基盤はばく大な蔵入地（直轄領）にあり、佐渡・石見大森・但馬生野などの主要な鉱山も直轄にして、天正大判などの貨幣を鋳造した。さらに京都・大坂・堺・伏見・長崎などの重要都市も直轄にして豪商を統制下におき、政治・軍事などにその経済力を活用した❷。

　しかし、豊臣政権も織田政権と同様、秀吉の独裁が著しく、中央政府の組織の整備が十分おこなわれなかった。腹心の家

天正大判　1588（天正16）年に鋳造されたもの。表面に打たれた桐印が菱形にかこまれているので、菱大判ともいう。（日本銀行貨幣博物館蔵）

---

❶　この政策を惣無事令と呼ぶこともある。
❷　秀吉は堺の千利休・小西隆佐（行長の父）、博多の島井宗室・神屋宗湛らの商人の力を利用した。

1.　織豊政権　161

> **石見銀山**　島根県大田市にある石見銀山遺跡が2007年にユネスコの世界遺産（文化遺産）に登録された。石見銀山は大森銀山ともいい，かつては世界有数の銀山として海外にもその名が知られていた。石見銀山繁栄のきっかけは，16世紀前半に博多商人神屋(谷)寿禎が朝鮮から「灰吹法」という精錬技術を伝えたことにあった。これにより16世紀後半から17世紀初頭にかけて石見銀山は最盛期を迎え，その銀を求めて多くの南蛮人が日本に来航した。とくにポルトガル人は，南米ポトシ銀山の銀を背景に東アジア貿易に乗り出してきたスペイン人に対抗するためにも，日本の銀を必要とした。
>
> 　「灰吹法」はやがて日本各地の銀山に広がり，その結果，17世紀初頭の日本の産銀量は世界の総産銀量の3分の1に当たる年間約200トンにものぼったというが，その後はしだいに減少し，石見銀山も17世紀中頃に銀山としての使命を終えることになった。

臣を五奉行として政務を分掌させ，有力大名を五大老として重要政務を合議させる制度❶ができたのは，秀吉の晩年のことであった。

《**検地と刀狩**》　豊臣政権が打ち出した中心政策は，検地と刀狩であった。秀吉は新しく獲得した領地につぎつぎと検地を施行したが，これら一連の検地を太閤検地という❷。太閤検地は，土地の面積表示を新しい基準のもとに定めた町・段・畝・歩❸に統一するとともに，それまでまちまちであった枡の容量も京枡に統一し，村ごとに田畑・屋敷地の面積・等級を調査してその石高(村高)を定めた❹。この結果，全国の生産力が米の量で換算された石高制が確立した。また太閤検地は，荘園制のもとで一つの土地に何人もの権利が重なりあっていた状態を整理し，検地帳には実際に耕作している農民の田畑と屋敷地を登録した(一地一作人)。この結果，農民は自分の田畑の所有権を法的に認められることになったが，それと同時

---

❶　五奉行は浅野長政・増田長盛・石田三成・前田玄以・長束正家。大老は初め徳川家康・前田利家・毛利輝元・小早川隆景・宇喜多秀家・上杉景勝で，小早川隆景の死後に五大老と呼ばれた。

❷　太閤とは，前に関白であった人の尊称である。

❸　これ以前には6尺5寸(約197cm)四方を1歩とし，360歩を1段としたのに対し，太閤検地では6尺3寸(約191cm)四方を1歩とし，300歩を1段とした。

❹　その決定の方法は，田畑に上・中・下・下々などの等級をつけ，たとえば上田1段は1石5斗，中田は1石3斗というように，その生産力を米で表わした。この1段当たりの生産力を石盛または斗代といい，石盛に面積を乗じて得られた量を石高という。また太閤検地では，検地と並行して村の境界を画定する村切(→p.187)もおこなわれた。

に，自分の持ち分の石高に応じた年貢などの負担を義務づけられることにもなった❶。

秀吉は全国統一を終えた1591（天正19）年，天皇におさめるためと称して，全国の大名に対し，その領国の検地帳（御前帳）と国絵図の提出を命じた。これにより，すべての大名の石高が正式に定まり，大名は支配する領国の石高にみあった軍役を奉仕する体制ができあがった。

刀狩は，農民から武器を没収して農民の身分を明確にする目的でおこなわれた。荘園制下の農民は刀などの武器をもつものが多く，土一揆や一向一揆などでは，これらの武器が威力を発揮した。そこで秀吉は一揆を防止し，農民を農業に専念させるため，1588（天正16）年刀狩令を出し，農民の武器を没収した❷。

太閤検地

一、仰せ出され候趣、国人❶并百姓共ニ合点❷行候様ニ、能々申し聞すべく候。自然、相届かざる輩之在るに於ては、城主にて候ハヽ、其もの城へ追入れ、各相談じ、一人も残し置かず、なでぎり❸ニ申し付くべく候。百姓以下ニ至るまで、相届かざるニ付ては、一郷も二郷も悉くなでぎり仕るべく候。六十余州堅く仰せ付けられ、出羽・奥州迄そさうニハさせらる間敷候。たとへ亡所❹ニ成候ても苦しからず候間、其意を得ふべく候。山のおく、海ろかいの
きも候迄、念を入るべき事専一に候。……（中略）粗略の意。
（天正十八年）八月十二日（秀吉朱印）
浅野弾正少弼とのへ

❶在地性の強い土着領主。
❷検地担当の武将たちが連携してすることを指す。
❸納得。
❹もしも。
❺納得しないこと。
❻撫斬り。
❼日本全国のこと。全国に六十六カ国二島あった。
❽片端から切り捨てること。
❾耕作者のいない土地。
（浅野家文書）

刀狩令

一、諸国百姓、刀、脇指❶、弓、やり、てつはう❷、其外武具のたぐひ所持候事、堅く御停止候。其子細は、入らざる道具❸をあひたくはへ、年貢・所当を難渋せしめ、一揆を企て、給人❹に対しても非儀の動をなすやから、勿論御成敗あるべし。然れば其所の田畠不作仕り、知行ついえになり候の間、其国主、給人、代官として、右武具、悉取りあつめ、進上致すべき事。
一、右取をかるべき刀、脇指、ついえにさせらるべき儀にあらず候の間、今度大仏❻御建立の釘、かすかひに仰せ付けらるべし。然れば、今生❼の儀は申すに及ばず、来世までも百姓たすかる儀に候事。
一、百姓は農具さへもち、耕作専に仕り候ヘハ❽、子々孫々まで長久に候。百姓御あはれミをもって、此の如く仰せ出され候。誠に国土安全万民快楽の基也。右道具急度取り集め、進上有るべく候也。
天正十六年七月八日（秀吉朱印）
（小早川家文書）

❶短い刀のこと。
❷鉄砲。
❸農耕に不要な武器。
❹大名から土地を給与されている家臣。
❺まだ。
❻秀吉が建立させていた京都方広寺の大仏。
❼現世。
❽耕作に専念すること。

❶ 年貢の納入額は，領主に石高の3分の2を納入する二公一民が一般的であった。
❷ これにより中世の惣村がもっていた武力は大きく削られたが，惣村で生み出された自治的な村の運営方式は太閤検地後も続き，年貢などを村高にもとづいて村の責任で一括納入する村請も，江戸時代の村へと受け継がれていった（→p.188）。

1. 織豊政権　163

ついで1591(天正19)年、秀吉は人掃令を出して、武家奉公人(兵)が町人・百姓になることや、百姓が商人・職人になることなどを禁じ、翌年には関白豊臣秀次が朝鮮出兵の人員確保のために前年の人掃令を再令し、武家奉公人・町人・百姓の職業別にそれぞれの戸数・人数を調査・確定する全国的な戸口調査をおこなった。その結果、諸身分が確定することになったので、人掃令のことを身分統制令ともいう。こうして、検地・刀狩・人掃令などの政策によって、兵・町人・百姓の職業にもとづく身分が定められ、いわゆる兵農分離が完成した。

秀吉の対外政策と朝鮮侵略

秀吉は、初めキリスト教の布教を認めていたが、1587(天正15)年、九州平定におもむき、キリシタン大名の大村純忠が長崎をイエズス会の教会に寄付していることを知って、まず大名らのキリスト教入信を許可制にし、その直後バテレン(宣教師)追放令を出して宣教師の国外追放を命じた❶。だが秀吉は一方で、1588(天正16)年に海賊取締令を出して倭寇などの海賊行為を禁止し、海上支配を強化するとともに、京都・堺・長崎・博多の豪商らに南方との貿易を奨励したので、貿易活動と一体化して布教がおこなわれていたキリスト教の取締りは不徹底に終わった❷。

16世紀後半の東アジアの国際関係は、中国を中心とする伝統的な国際秩序が明の国力の衰退により変化しつつあった。全国

バテレン❶追放令❷

一 日本ハ神国たる処、きりしたん国より邪法を授け候儀、太以て然るべからず候事。
一 其国郡の者を近付け門徒になし、神社仏閣を打破るの由、前代未聞に候。……
一 伴天連❸、其知恵の法を以て、心ざし次第に檀那を持ち候と思召され候へハ、右の如く日域の仏法を相破る事曲事に候条、伴天連の儀、日本の地ニハおかせられ間敷候間、今日より廿❹日の間ニ用意仕り帰国すべく候。
一 黒船❺の儀ハ商売の事に候間、各別に候の条、年月を経、諸事売買いたすべき事。
  天正十五年六月十九日
            (松浦文書)

❶バテレンはポルトガル語のパードレ(神父)の音訳で、外国人宣教師のこと。❷豊臣秀吉が出した追放令の写しで五条よりなる。❸信者。❹日本。❺ポルトガル・スペイン船。

❶ この時、キリスト教をすてなかった播磨国明石城主高山右近は、領地を取り上げられた。しかし一般人の信仰は、「その者の心次第」として禁じなかった。
❷ 1596(慶長元)年、土佐に漂着したスペイン船サン=フェリペ号の乗組員が、スペインが領土拡張に宣教師を利用していると証言したことから(サン=フェリペ号事件)、秀吉は宣教師・信者26名を捕えて長崎で処刑した(26聖人殉教)。その背景には、日本への布教のため進出したスペイン系のフランシスコ会とイエズス会との対立があった。

を統一した秀吉は，この情勢の中で，日本を東アジアの中心とする新しい国際秩序をつくることを志し，ゴアのポルトガル政庁，マニラのスペイン政庁，高山国(台湾)などに服属と入貢を求めた。

1587(天正15)年，秀吉は対馬の宗氏を通して，朝鮮に対し入貢と明へ出兵するための先導を求めた。朝鮮がこれを拒否すると，秀吉は肥前の名護屋に本陣を築き，1592(文禄元)年，15万余りの大軍を朝鮮に派兵した(**文禄の役**)。釜山に上陸した日本軍は，鉄砲の威力などによってまもなく漢城(ソウル)・平壌(ピョンヤン)を占領したが，李舜臣の率いる朝鮮水軍の活躍や朝鮮義兵の抵抗，明の援軍などにより，しだいに戦局は不利になった。そのため現地の日本軍は休戦し，秀吉に明との講和を求めたが，秀吉が強硬な姿勢を取り続けたため交渉は決裂した❶。

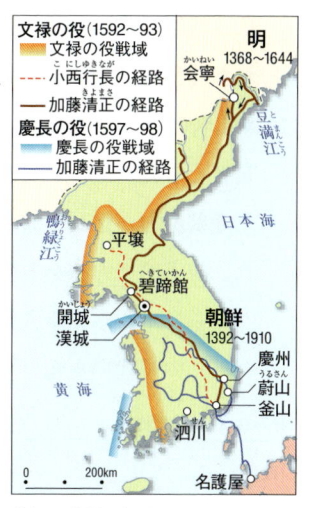

1597(慶長2)年，秀吉はふたたび朝鮮に14万余りの兵を送ったが(**慶長の役**)，日本軍は最初から苦戦を強いられ，翌年秀吉が病死すると撤兵した。前後7年におよぶ日本軍の**朝鮮侵略**は，朝鮮の人びとを戦火に巻き込み，多くの被害を与えた❷。また国内的には，ぼう大な戦費と兵力を無駄に費やす結果となり，豊臣政権を衰退させる原因となった。

文禄・慶長の役要図

2 桃山文化

桃山文化 信長・秀吉の時期をその居城の地名にちなんで**安土・桃山時代**とも呼び，この文化を**桃山文化**という❸。この時代に

---

❶ 1593(文禄2)年から始まった和平交渉では，和平の実現を急ぐ現地の武将たちの判断で，明皇女と天皇の結婚，朝鮮王子の人質，朝鮮南部の割譲などを求めた秀吉の要求は明側に伝えられなかった。1596年の明使来日時にそのことを知った秀吉は激怒し，交渉は決裂した。
❷ 両度の朝鮮侵略は，朝鮮では壬辰・丁酉倭乱と呼ばれた。
❸ 秀吉は，晩年に伏見城を築いてそこに住んだが，のちその城跡に桃が植えられたので，この地を桃山と呼ぶようになった。

2. 桃山文化　**165**

は，戦国の争乱をおさめ，富と権力を集中した統一政権のもとで，その開かれた時代感覚が新鮮味あふれる豪華・壮大な文化を生み出した。ここには，新しく支配者となった大名や，戦争・貿易などで大きな富を得た豪商の気質とその経済力とが反映されている。また，これまで多くの文化を担ってきた寺院勢力が信長や秀吉によって弱められたため，文化の面でも仏教色が薄れ，現実的で力感ある絵画や彫刻などが多く制作された。

　さらにポルトガル人の来航を機に，西欧文化との接触が始まったことにより，この時代の文化は多彩なものとなった。

おもな建築・美術作品

【建築】
妙喜庵茶室(待庵)(p.168)
大徳寺唐門 ｝(伝聚楽第遺構)
西本願寺飛雲閣(口絵⑳)
都久夫須麻神社本殿(伏見城遺構)(p.167)
西本願寺書院(鴻の間)
醍醐寺三宝院表書院・庭園
姫路城(白鷺城)(p.166)
松本城天守閣
二条城二の丸御殿

【絵画】
洛中洛外図屏風(狩野永徳)(p.137)
唐獅子図屏風(狩野永徳)(p.167)

松鷹図(狩野山楽)
牡丹図(狩野山楽)
檜図屏風(狩野永徳)
智積院襖絵(楓図)
　　(伝長谷川等伯)(p.167)
松林図屏風(長谷川等伯)
山水図屏風(海北友松)
職人尽図屏風(狩野吉信)
花下遊楽図屏風(狩野長信)
高台観楓図屏風(狩野秀頼)
南蛮屏風(p.158, 169)

【工芸】
高台寺蒔絵

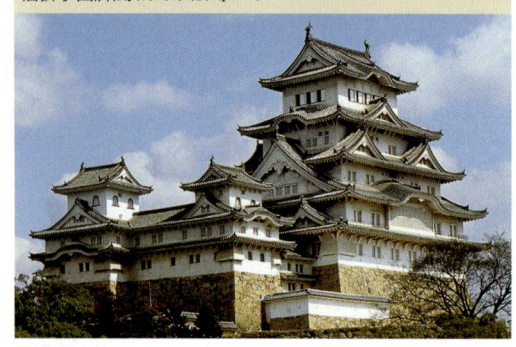

《**桃山美術**》　桃山文化を象徴するのが**城郭建築**である。この時代の城郭は平地につくられ，重層の天守閣をもつ本丸をはじめ，石垣で築かれ，土塁や濠でかこまれた複数の郭をもつようになった❶。安土城や大坂城・伏見城などは，全国統一の勢威を示す雄大・華麗なもので，城の内部には**書院造**(→p.142)を取り入れた居館が設けられた。内部の襖・壁・屏風には，金箔地に青・緑を彩色する**濃絵**の豪華な**障壁画**が描かれ，欄間には透し彫の彫刻がほどこされた。また都市や庶民の生活・風俗などを題材に風俗画もさかんに描かれた。

姫路城(白鷺城)　関ヶ原の戦い(→p.170)ののち城主となった池田輝政が大工事をおこし，1609(慶長14)年に竣工した。総面積56万8000坪(約1.875km²)の平山城で，連立式天守閣がみごとである(本丸・西の丸は現存)。(兵庫県)

❶　中世の城は戦時の防塞としての役割を果たす山城が多かったが，この時代の城は領国支配の利便をも考慮して，山城から小高い丘の上に築く平山城や平地につくる平城となり，軍事施設としての機能と城主の居館・政庁としての機能とをあわせもつものとなった。

166　第6章　幕藩体制の確立

『唐獅子図屏風』(部分, 狩野永徳筆) 六曲一双。金色の雲間を堂々とのしあるく雌雄の唐獅子を力強く豪快な筆致で描く。明治期まで毛利家に伝えられていた。(縦224cm, 横453cm, 宮内庁三の丸尚蔵館蔵)

智積院襖絵(楓図, 伝長谷川等伯筆) 二曲一双。楓の間の「楓図」, 桜の間の「桜図」, 草花の間の「松に草花図」など, 6室にわたる華麗な金碧障壁画の一つ。智積院は, 秀吉の建てた祥雲寺跡地に家康が建てさせた寺。(各面:縦172.5cm, 横139.5cm, 智積院蔵, 京都府)

　障壁画の中心となった狩野派では, **狩野永徳**(→p.143)が室町時代にさかんになった水墨画(→p.141)と日本古来の大和絵(→p.75)とを融合させて, 豊かな色彩と力強い線描, 雄大な構図をもつ新しい装飾画を大成し, その門人**狩野山楽**(1559〜1635)とともに多くの障壁画を描いた。**海北友松**(1533〜1615)や**長谷川等伯**(1539〜1610)らは, 濃彩の装飾的作品とともに, 水墨画にもすぐれた作品を残した。

　彫刻では仏像彫刻が衰えて, **欄間彫刻**がさかんになり, 蒔絵をほどこした家具調度品や建物の飾り金具などにも装飾性の強い作品がつくられた。また, 朝鮮侵略の際に朝鮮から**活字印刷術**が伝えられて, 数種類の書籍が出版された❶。

都久夫須麻神社本殿 入母屋造・檜皮葺の建物で, 伏見城内の殿舎を移建したものである。屋根の唐破風, 豪華な透し彫をほどこした扉など, 桃山時代の華やかな趣きをよく示している。(滋賀県)

❶　慶長年間, 後陽成天皇の勅命で, 木製の活字により数種の書物が出版された(慶長勅版)。

2. 桃山文化

町衆の生活

京都・大坂・堺・博多などの都市で活動する富裕な町衆も、この時代の文化の担い手となった。堺の千利休は、茶の湯の儀礼を定め、茶道を確立した。利休の完成した侘茶は簡素・閑寂を精神とし、華やかな桃山文化の中に、異なった一面を生み出した。茶の湯は豊臣秀吉や諸大名の保護を受けておおいに流行し❶、茶室・茶器・庭園にすぐれたものがつくられ、花道や香道も発達した。

庶民の娯楽としては、室町時代からの能に加え、17世紀初めに出雲阿国が京都でかぶき踊りを始めて人びとにもてはやされ（阿国歌舞伎）、やがてこれをもとに女歌舞伎が生まれた❷。また、琉球から渡来した三味線を伴奏に、操り人形を動かす人形浄瑠璃も流行した。堺の商人の高三隆達（1527～1611）が小歌に節づけをした隆達節も民衆に人気があり、盆踊りも各地でさかんにおこなわれた。

衣服は小袖が一般に用いられた。男性は袴を着けることが多く、簡単な礼服として肩衣・袴（裃）を用いたが、女性は小袖の着流しがふつうになり、男女ともに結髪するようになった。食事も朝夕2回が3回になり、公家や武士は日常の食事に米を用いたが、庶民の多くは雑穀を常食としていた。住

阿国歌舞伎（『国女歌舞伎絵詞』、部分）　中央の鉦をたたいているのが阿国。（京都大学附属図書館蔵）

妙喜庵茶室（待庵）　臨済宗の禅院妙喜庵の茶室で、秀吉の命を受けた利休の趣向によるという。2畳敷の狭い空間の構成的工夫に、彼の茶の精神が読みとれる。（京都府）

---

❶ 秀吉は1587（天正15）年、京都北野で茶会（北野大茶湯）を開き、千利休・今井宗久・津田宗及らの茶人を中心に、貧富・身分の別なく民衆を参加させた。また大名たちもさかんに茶会をもよおし、武将の中からも織田有楽斎（信長の弟、長益）・小堀遠州・古田織部らの茶人が出た。

❷ 「かぶき」とは「傾く」という語から生まれた言葉で、異様な姿で歩きまわるものを、当時「かぶき者」といった。女歌舞伎はのち江戸幕府によって禁止され、ついで少年が演じる若衆歌舞伎がさかんになったが、これも禁じられ、17世紀半ばからは成人男性だけの野郎歌舞伎になった（→p.213注❷）。

168　第6章　幕藩体制の確立

居は，農村では萱葺屋根の平屋がふつうであったが，京都などの都市では二階建ての住居も建てられ，瓦屋根も多くなった。

《南蛮文化》 南蛮貿易がさかんになり，宣教師の布教が活発になるにつれて，庶民の中にも南蛮風の衣服を身につけるものが出てきた。宣教師たちは，天文学・医学・地理学など実用的な学問を伝えたほか，油絵や銅版画の技法をもたらし，日本人の手によって西洋画の影響を受けた『南蛮屏風』も描かれた。また金属製の活字による活字印刷術も宣教師ヴァリニャーニによって伝えられ，印刷機も輸入されて，ローマ字によるキリスト教文学・宗教書の翻訳，日本語辞書・日本古典の出版などもおこなわれた(**キリシタン版・天草版**)❶。この文化は江戸幕府の鎖国政策のために短命に終わったが，今日なお衣服や食物の名には，その影響が残っているものがある❷。

『南蛮屏風』(部分) 六曲一双。南蛮人がカピタン(船長)を中心に南蛮寺に向かう場面を描いたもの。黒人従者を多数引き連れている。また寺の中には黒衣の南蛮人バテレンと日本人同宿の姿もみえる。(縦163.5cm，横362.5cm，南蛮文化館蔵，大阪府)

天草版『平家物語』

3 幕藩体制の成立

《江戸幕府の成立》 織田信長と同盟し，東海地方に勢力をふるった徳川家康は，豊臣政権下の1590(天正18)年，北条氏滅

---

❶ 天草版『平家物語』や天草版『伊曽保物語』，『日葡辞書』などが刊行された。
❷ 今もポルトガル語系外来語として残っている語には，カステラ・カッパ・カルタ・コンペイトウ・シャボン・パン・ラシャ・ジュバンなどがある。

亡後の関東に移され，約250万石の領地を支配する大名となった。五大老の筆頭の地位にあった家康は，秀吉の死後に地位を高めた。

五奉行の一人で豊臣政権を存続させようとする石田三成と家康との対立が表面化し，1600（慶長5）年，三成は五大老の一人毛利輝元を盟主にして兵をあげた（西軍）。対するのは家康と彼に従う福島正則・黒田長政らの諸大名（東軍）で，両者は関ヶ原で激突した（**関ヶ原の戦い**）。

天下分け目といわれる戦いに勝利した家康は，西軍の諸大名を処分し❶，1603（慶長8）年，全大名に対する指揮権の正統性を得るため**征夷大将軍**の宣下を受け，江戸に幕府を開いた。**江戸時代**の幕開けである。家康は国内統治者として佐渡をはじめ全国の主要な鉱山を直轄にし，アンナン（ベトナム）・ルソン・カンボジアに修好を求める外交文書を国の代表者として送った。また全国の諸大名に江戸城と市街地造成の普請を，また国単位に国絵図と**郷帳**❷の作成を命じて，全国の支配者であることを明示した。

しかし，摂津・河内・和泉60万石の一大名になったとはいえ**豊臣秀頼**がいぜん大坂城におり，名目的に父秀吉以来の地位を継承していた。1605（慶長10）年，家康は将軍職が徳川氏の世襲であることを諸大名に示すため，みずから将軍職を辞して子の**徳川秀忠**に将軍宣下を受けさせた。家康は駿府に移ったが，**大御所**（前将軍）として実権は握り続け，豊臣氏が建立した京都方広寺の鐘銘を口実に，1614〜

徳川氏略系図

数字は将軍就任の順，
―― は養子関係，
---→ は養子の行先

1 家康
2 秀忠 — 義直（尾張）
       — 頼宣（紀伊）— 光貞 — 吉宗（三代略）— 慶福
       — 頼房（水戸）— 光圀（六代略）— 斉昭 — 慶喜
3 家光 — 保科正之
       — 和子
4 家綱
  綱重 — 綱豊
5 綱吉
6 家宣
7 家継
8 吉宗 — 宗尹（一橋）
       — 宗武（田安）— 松平定信
       — 宗孝
9 家重 — 重好（清水）
10 家治
11 家斉（治済 — 家斉）
12 家慶
13 家定
14 家茂
15 慶喜

---

❶ 石田三成・小西行長らは京都で処刑され，西軍諸大名93家・506万石が改易（領地没収）された。毛利輝元は120万石を37万石に，上杉景勝は120万石を30万石に減封（領地削減）された。
❷ 国絵図と，一村ごとの石高を郡単位で記載しこれを一国単位にまとめた帳簿である郷帳の作成は，慶長年間のあと，正保・元禄・天保年間にも実施された。

170　第6章　幕藩体制の確立

15(慶長19〜元和元)年，**大坂の役**(大坂冬の陣・夏の陣)で豊臣方に戦いをしかけ，攻め滅ぼしました。

《《 幕藩体制 》》 幕府は大坂の役直後の1615(元和元)年に，大名の居城を一つに限り(**一国一城令**)，さらに**武家諸法度❶**を制定して大名をきびしく統制した。家康の死後，2代将軍徳川秀忠は，1617(元和3)年に大名❷・公家・寺社に領知の確認文書を発給し，全国の土地領有者としての地位を明示した。また1619(元和5)年，福島正則を武家諸法度違反で改易するなど，法度を遵守させるとともに，長く功績のあった外様大名をも処分できる将軍の力量を示した。秀忠は1623(元和9)年には，将軍職を**徳川家光**にゆずり，大御所として幕府権力の基礎固めをおこなった。
1604〜51

1632(寛永9)年，秀忠の死後，3代将軍徳川家光も肥後の外様大名加藤氏を処分し，九州も将軍権力が広くおよぶ地とした。さらに1634(寛永11)年，将軍の代がわりに当たり，30万余りの軍勢を率いて上洛した。これは，統一した**軍役**を全大名に賦課し，軍事指揮権を示したものである。大名は**石高**に応じて一定数の兵馬を常備し，戦時には将軍の命令で出陣し，平時には江戸城などの修築や河川の工事などの**普請役**を負担した。

武家諸法度(元和令)❶
❶一 文武弓馬ノ道，専ラ相嗜ムベキ事。
一 諸国ノ居城修補ヲ為スト雖モ，必ズ言上スベシ。況ンヤ新儀ノ構営堅ク停止令ム事。……
(『御触書寛保集成』)
❶一六一五(元和元)年に制定された。全十三条。

武家諸法度(寛永令)❶
一 大名小名❷，在❸江戸交替，相定ル所也。毎歳夏四月中参勤致スベシ。従者ノ員数近来甚ダ多シ，且ハ国郡ノ費，且ハ人民ノ労也。向後❹其ノ相応ヲ以テ，之ヲ減少スベシ。
一 五百石以上ノ船❺停止ノ事。
(『御触書寛保集成』)
❶一六三五(寛永十二)年に制定された。全十九条。❷大名の領地，国元。❸参勤。❹以後。❺米五〇〇石(約七五トン)を積むことができる船。

---

❶ 家康が南禅寺金地院の崇伝に起草させ，将軍秀忠の名で発布した。建武式目(→p.122)や分国法(→p.149)などをもとに作成されており，家光以降も将軍代がわりに繰り返し発布され，少しずつ修正された。

❷ 将軍と主従関係を結んだ1万石以上の武士を大名といい，大名は将軍との親疎関係で**親藩・譜代・外様**にわけられる。親藩は三家(尾張・紀伊・水戸の3藩)など徳川氏一門の大名，譜代は初めから徳川氏の家臣であった大名，外様は関ヶ原の戦い前後に徳川氏に従った大名をいう。これらの大名の配置に当たっては，親藩・譜代を要所に，有力な外様はなるべく遠隔地に配置した。

3．幕藩体制の成立　171

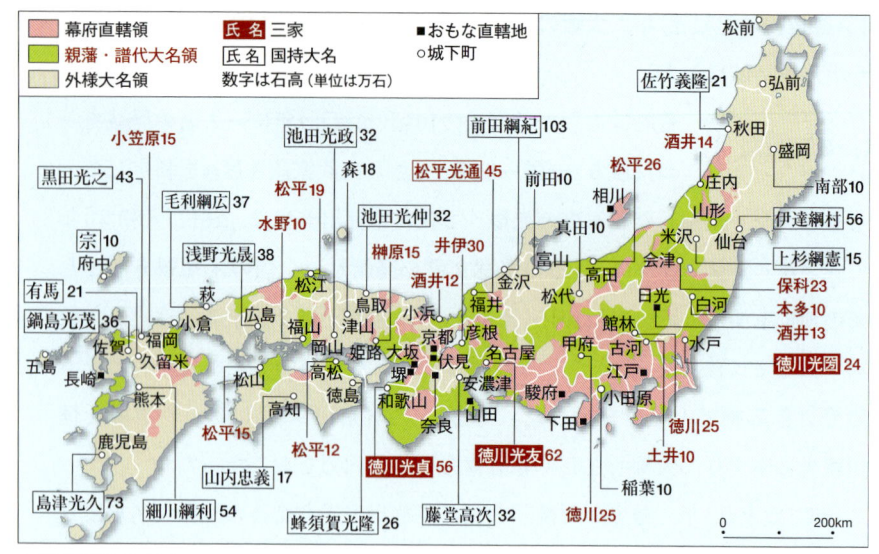

大名の配置（1664年頃）

　徳川家光は1635（寛永12）年，新たな武家諸法度（寛永令）を発布し，諸大名に法度の遵守を厳命した。その中で，大名には国元と江戸とを1年交代で往復する**参勤交代**❶を義務づけ，大名の妻子は江戸に住むことを強制された。こうして，3代将軍徳川家光の頃までに，将軍と諸大名との主従関係は確立した。強力な領主権をもつ将軍と大名（**幕府**と**藩**）が，土地と人民を統治する支配体制を**幕藩体制**という。

幕府と藩の機構

　幕府の財政収入は，400万石（17世紀末）にもおよぶ**直轄領**（**幕領**）から上がる年貢のほか，佐渡・伊豆・但馬生野・石見大森など主要鉱山からの収入であった。また，江戸・京都・大坂・長崎・堺などの重要都市を直轄にして，商工業や貿易を統制し，貨幣の鋳造権も握った。幕府の軍事力は，将軍直属の家臣団である**旗本**・**御家人**❷のほか，諸大名の負担する軍役で構成され，圧倒的な力を保持していた。

---

❶ 規定では在府（江戸）1年・在国1年であるが，関東の大名は半年交代であった。参勤交代によって交通が発達し，江戸は大都市として発展したが，大名にとっては，江戸に屋敷をかまえて妻子をおき，多くの家臣をつれての往来自体も，多額の出費をともなう重い役務であった。

❷ 両者とも将軍直属の家臣（直参）で，1万石未満のものである。将軍に謁見（お目見え）を許されるものが旗本，許されないものが御家人である。1722（享保7）年の調査では，旗本5205人・御家人1万7399人であった。彼らは江戸に住み，石高や才能に応じた役職につき，軍役を負担した。

幕府の職制は，徳川家康・秀忠時代に側近たちが担ってきたのを改め，3代将軍家光の頃までに整備された。初め**年寄**と呼ばれて幕政の中枢にあった重臣が，**老中**と呼ばれ政務を統轄するようになった。臨時の最高職である**大老**は将軍代がわ

江戸幕府の職制

```
将軍
├─ 大老 ── 高家
│         側衆
├─ 老中 ── 大目付 ── 大番頭
│         町奉行（江戸）
│         遠国奉行（美濃・飛驒など）
│         勘定奉行 ── 郡代
│                    代官
│                    勘定組頭
│                    金・銀・銭座
│         勘定吟味役
│         関東郡代（一七二三年まで勘定奉行支配）
│         作事奉行・普請奉行など
├─ 側用人
│         道中奉行（大目付・勘定奉行兼務）
│         宗門改（大目付・作事奉行兼務）
│         町奉行（京都・大坂・駿府）
│         城代（駿府二条は一六九九年、定番に代わる）
│         奉行（伏見・長崎・奈良・山田・日光・堺・下田・浦賀・新潟・佐渡・箱館）【遠国奉行】
├─ 若年寄 ── 書院番頭 ── 書院番組頭
│            小姓組番頭 ── 小姓組組頭
│            目付
│            甲府勤番支配
├─ 奏者番
├─ 寺社奉行
├─ 京都所司代
└─ 大坂城代
```

りなど，重要事項の決定のみ合議に加わった。また老中を補佐し旗本を監督する**若年寄**，大名を監察する**大目付**，旗本・御家人を監察する**目付**のほかに，**寺社奉行**・**町奉行**・**勘定奉行**の**三奉行❶**がおかれ，それぞれの職掌も固まった。役職には原則として数名の譜代大名・旗本らがつき，**月番交代**で政務を扱った。簡略な訴訟はその役職で専決したが，役職をまたがる事項などは**評定所**で老中・三奉行が合議して裁決した。

地方組織では，**京都所司代**が重要で，朝廷の統制や西国大名の監視などをおこなった。重要都市の京都・大坂・駿府には**城代**と**町奉行**が，伏見・長崎・佐渡・日光などには奉行がおかれた（いわゆる**遠国奉行**）。また幕府直轄領（幕領）では，関東・飛驒・美濃などには**郡代**が，その他には**代官**が派遣され，勘定奉行が統轄した。

大名の領地とその支配機構を総称して**藩**と呼ぶ。大名は，初期には領内の有力武士に領地を与え，その領民支配を認める**地方知行制**をとる場合もあったが，しだいに**領内一円支配**を進めて❷，有力武士も家臣団に編制して

---

❶ 寺社行政を将軍側近として個人で担ってきた金地院の崇伝（→p.171❶）が死んだことは，寺社奉行の職務を機構化するきっかけになった。寺社奉行は将軍直属で譜代大名から任命され，町奉行・勘定奉行は老中支配下で旗本から任命されるようになった。
❷ 1615（元和元）年の一国一城令は，大名と対抗するような領内の支城を拠点にした有力武士を弱体化させる効果もあった。

3. 幕藩体制の成立　173

城下町に集住させ、家老や奉行などの役職につけて藩政を分担させた。17世紀半ばになると、多くの藩では地方知行制はみられなくなり、郡奉行や代官などが支配する藩の直轄領（蔵入地）からの年貢を蔵米として支給する**俸禄制度**❶がとられるようになった。こうして大名の領地・領民を支配する力は強化され、藩の職制も整備されて藩権力は確立していった。

天皇と朝廷

徳川家康は1611（慶長16）年、後水尾天皇（位1611～29）を擁立した際、天皇の譲位・即位まで武家の意向に従わせるほどの権力の強さを示した。さらに1613（慶長18）年、**公家衆法度**❷を出したのに続いて1615（元和元）年、**禁中並公家諸法度**を制定して、朝廷運営の基準を明示した。幕府は京都所司代らに朝廷を監視させた（→p.210）ほか、摂家（関白・三公）に朝廷統制の主導権をもたせ、**武家伝奏**❸を通じて操作した。

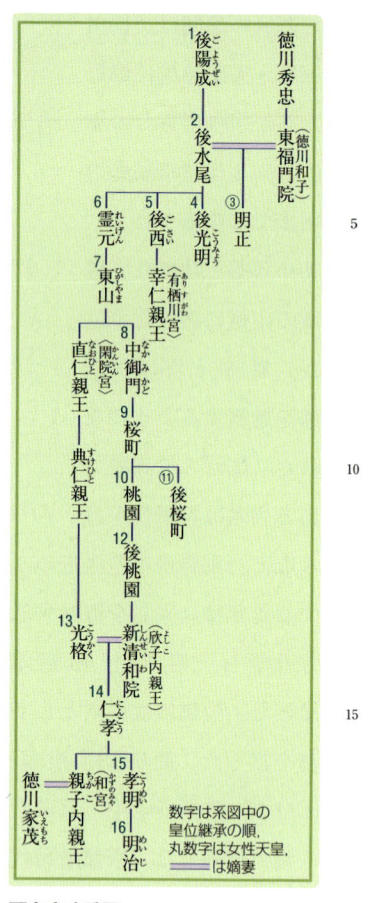

徳川秀忠―(徳川和子)東福門院
1 後陽成
2 後水尾
3 明正
4 後光明
5
6 霊元
後西―(有栖川宮)幸仁親王
7 東山
直仁親王―(閑院宮)
8 中御門
9 桜町
典仁親王
10 桃園
⑪ 後桜町
12 後桃園
13 光格―新清和院(欣子内親王)
14 仁孝
15 孝明―(和宮)親子内親王
徳川家茂
16 明治

数字は系図中の皇位継承の順、丸数字は女性天皇、═══は嫡妻

天皇家略系図

　幕府は天皇・朝廷がみずから権力をふるったり、他大名に利用されることのないよう、天皇や公家の生活・行動を規制する体制をとった❹。また1620

---

❶ 藩財源の中心は年貢米で、そのうち半分近くが藩士（陪臣）の俸禄に支出された。藩士の中にはごくまれに１万石以上のものもいたが、大部分は数百石ないし数十石の知行しかもたない蔵米取であった。下級の足軽などは何人扶持や、給金何両という形で俸禄を与えられた。１人扶持は、１人の食料として１日当たり米５合を給与されるものであった。

❷ 公家衆法度では、公家の務め（義務）として、家業（家職）と宮中を昼夜警衛する禁裏小番とを命じた。白川・吉田家などは神祇道、土御門家は陰陽道、飛鳥井家は蹴鞠を家業とした。

❸ 武家伝奏には公家から２人選ばれ、幕府から役料を受けた。彼らは朝廷と幕府とをつなぐ窓口になって、京都所司代と連絡をとりながら、朝廷に幕府側の指示を与えた。

❹ 禁裏御料（天皇領）・公家領・門跡領は必要最小限度にとどめられた。天皇の行幸は慶安年間（1648～52年）を最後に幕末まで原則として認められず、公家が京都から醍醐や吉野へ花見に出ることなども武家伝奏を通して届け出なければできなかった。

（元和6）年には，徳川秀忠の娘和子(東福門院)を後水尾天皇に入内させたのを機に，朝廷に残されていた権能(官位制度・改元・改暦)も，幕府の承諾を必要とすることにして，幕府による全国支配に役立てた。

1629(寛永6)年，体調を崩していた後水尾天皇は，紫衣事件❶をきっかけに，幕府の同意を求めずに突然譲位した。幕府はつぎの天皇が，秀忠の孫である明正天皇❷となることもあり譲位を追認したが，その際，幕府は摂家と武家伝奏に厳重な朝廷統制を命じた。こうして家康以来推し進めてきた朝廷統制の基本的な枠組みが確認され，幕末まで維持された。

禁教と寺社

幕府は，初めキリスト教を黙認していた。しかし，キリスト教の布教がスペイン・ポルトガルの侵略をまねく恐れを強く感じ，また信徒が信仰のために団結することも考えられたので，1612(慶長17)年，直轄領に禁教令を出し，翌年これを全国におよぼして信者に改宗を強制した。こののち幕府や諸藩は，宣教師やキリスト教信者に対して処刑や国外追放など激しい迫害を加えた❸。多くの信者は改宗したが，一部の信者は迫害に屈せず，殉教するものやひそかに信仰を維持した潜伏(隠れ)キリシタンもいた。

禁中並公家諸法度❶

一 天子諸芸能の事，第一御学問也。……
一 武家の官位は，公家当官の外為るべき事。
一 関白・伝奏并に奉行・職事等申し渡す儀，堂上地下の輩相背くにおいては流罪たるべき事。
一 紫衣の寺❷，住持職，先規希有の事也。近年猥りに勅許の事，且は臈次を乱し，且は官寺を汚し，甚だ然るべからず。……

（『大日本史料』）

❶全十七条。第一条では，天子(天皇)に和歌と有職故実を修めるように命じた。二条では，親王と三公(三大臣)の座位は三公が上座であるとした。❷朝廷から高徳の僧侶に賜った紫色の僧衣を紫衣といい，紫衣の寺とは，僧侶が受戒後，修行の功徳を積んだ年数で決まる寺格。席次。

---

❶ 紫衣の寺の住持に関する許可規定が禁中並公家諸法度に定められていたが，遵守されなかったこともあって，幕府は1627(寛永4)年，届け出なく後水尾天皇が紫衣着用を勅許したことを問題にし，これに抗議した大徳寺の沢庵らを処罰した。幕府の法度が天皇の勅許に優先することを明示したものといえる。

❷ 奈良時代の称徳天皇(→p.51)以来，859年ぶりの女性天皇である。その後の女性天皇は，桃園天皇急死後，姉の後桜町天皇が1762〜70(宝暦12〜明和7)年に在位した例がある。

❸ 1614(慶長19)年には，高山右近ら300人余りをマニラとマカオに追放した。右近は家族とともにマニラに到着し，スペインのマニラ総督の歓迎を受けたが，まもなく病死した。また，1622(元和8)年には長崎で宣教師・信徒ら55名を処刑した(元和の大殉教)。

3．幕藩体制の成立　175

原城を攻める幕府軍（寛永十五年肥前島原陣之図）　島原の乱は，予想外の大乱となり，海上からはオランダ船も原城を砲撃した。図の上辺に二隻のオランダ船が描かれている。（慶応義塾図書館蔵）

　1637（寛永14）年には，**島原の乱**(1637～38)がおこった。この乱は，飢饉の中で島原城主松倉氏と天草領主寺沢氏とが領民に苛酷な年貢を課し，キリスト教徒を弾圧したことに抵抗した土豪や百姓の一揆である。島原半島と天草島は，かつてキリシタン大名の有馬晴信(→p.158)と小西行長(1558～1600)の領地で，一揆勢の中には有馬・小西氏の牢人やキリスト教徒が多かった。益田(天草四郎)時貞(1623?～38)を首領にして原城跡に立てこもった3万人余りの一揆勢に対して，幕府は九州の諸大名ら約12万人の兵力を動員し，翌1638(寛永15)年，ようやくこの一揆を鎮圧した。

　幕府は島原の乱後，キリスト教徒を根絶するため，とくに信者の多い九州北部などで島原の乱以前から実施されていた絵踏を強化し，また寺院が檀家であることを証明する**寺請制度**を設けて**宗門改**めを実施し，仏教への転宗を強制するなどキリスト教に対してきびしい監視を続けていった。

　幕府の禁じたキリスト教や**日蓮宗不受不施派**❶を信仰させないために，武士も神職もだれもが檀那寺の檀家になって（寺檀制度），寺請証明を受けた。しかし，仏教以外の宗教がすべて禁圧されたわけではなく，神道・修験

---

❶　法華を信じないものの施しを受けず，また施しをせずとする日蓮宗の一派で，幕府権力よりも宗教が優越するという信仰をもっていた。

道・陰陽道❶なども仏教に準じて幕府によって容認されていた。

仏教諸宗の本山となる門跡寺院に皇子や宮家・摂家の子弟が入寺したことから、幕府は門跡を朝廷の一員とみなして統制した。また、**寺院法度**を出し、宗派ごとに本山・本寺の地位を保障して末寺を組織させ（**本末制度**）❷、1665（寛文5）年には宗派をこえて仏教寺院の僧侶全体を共通に統制するために**諸宗寺院法度**を出した。さらに同年、神社・神職に対しても**諸社禰宜神主法度**を制定し、公家の吉田家を本所として統制させた。

修験道は、天台系（本山派）は聖護院門跡が、真言系（当山派）は醍醐寺三宝院門跡が本山として末端の修験者を支配した。また陰陽道は、公家の土御門家が全国の陰陽師を配下においた。

江戸時代初期の外交

1600（慶長5）年、オランダ船リーフデ号が豊後に漂着した。当時、ヨーロッパでは16世紀後半にスペインから独立したオランダと毛織物工業の発達したイギリスとが台頭し、両国は東インド会社を設立してアジアへの進出をはかっていた。徳川家康は、リーフデ号の航海士ヤン=ヨーステン（耶揚子）（Jan Joosten 1556?～1623）と水先案内人のイギリス人ウィリアム=アダムズ（三浦按針）（William Adams 1564～1620）とを江戸にまねいて外交・貿易の顧問とした。その後、オランダは1609（慶長14）年に、イギリスは1613（慶長18）年に幕府から貿易の許可を受け❸、肥前の平戸に商館を開いた。また、家康は朝鮮や琉球王国を介して明との国交回復を交渉したが、明からは拒否された。

家康はスペインとの貿易にも積極的で、スペイン領のメキシコ（ノヴィスパン）との通商を求め、京都の商人田中勝介を派遣した❹。また1613（慶長18）年、仙台藩主伊達政宗（生没年不詳）は家臣の支倉常長（1571～1622）をスペインに派遣してメキシコと

---

❶ 人びとは檀那寺の僧侶では満たされない祈禱や占いを、修験者（山伏）や陰陽師に依存した。

❷ 中世から続く仏教諸宗派のほかに、新たに17世紀半ばに、明僧隠元隆琦が禅宗の一派である黄檗宗を伝え、受容された。

❸ オランダ人・イギリス人は、南蛮人に対して紅毛人と呼ばれた。宗教もカトリック（旧教）ではなくプロテスタント（新教）であった。

❹ スペインとの通交は、1596（慶長元）年のサン=フェリペ号事件（→p.164注❷）以来絶えていたが、1609（慶長14）年、たまたまルソンの前総督ドン=ロドリゴが上総に漂着し、翌1610（慶長15）年家康が船を与えて彼らをスペイン領メキシコに送ったのを機に復活した。この時同行した田中勝介らは、最初にアメリカ大陸に渡った日本人とされている（→p.156地図）。

3. 幕藩体制の成立　**177**

おもな朱印船渡航地と日本町

直接貿易を開こうとしたが、通商貿易を結ぶ目的は果たせなかった（**慶長遣欧使節**）。

当時、ポルトガル商人は、マカオを根拠地に中国産の**生糸**（白糸）を長崎に運んで巨利を得ていたが、幕府は1604（慶長9）年、**糸割符制度**を設けて、糸割符仲間と呼ばれる特定の商人らに輸入生糸を一括購入させ❶、ポルトガル商人らの利益独占を排除した。

日本人の海外進出も豊臣政権期に引き続いて盛んで、ルソン・トンキン・アンナン・カンボジア・タイなどに渡航する商人たちの船も多かった。幕府は彼らに海外渡航を許可する**朱印状**を与え、朱印状をたずさえた貿易船を**朱印船**❷といった。朱印船貿易がさかんになると、海外に移住する日本人も増え、南方の各地に自治制をしいた**日本町**がつくられた。渡航した日本人の中には**山田長政**❸のようにアユタヤ朝の王室に重く用いられたものもいる。

鎖国政策

活発な海外貿易も幕藩体制が固まるにつれて、日本人の海外渡航や貿易に制限が加えられるようになった。その理由

---

❶ 京都・堺・長崎の特定の商人らに糸割符仲間をつくらせ、この仲間が毎年春に輸入生糸の価格を決定し、その価格で輸入生糸を一括購入して、これを仲間構成員に分配した制度である。のちに江戸・大坂の商人が加わり、五カ所商人と呼ばれた。

❷ 朱印船を出した大名には、島津家久・有馬晴信らがおり、商人には長崎の末次平蔵、摂津の末吉孫左衛門、京都の角倉了以・茶屋四郎次郎らがいる。輸入品は、生糸・絹織物・砂糖・鹿皮・鮫皮などアジア産のものがおもで、ヨーロッパ産のものではラシャなどの織物がある。日本からは銀・銅・鉄などを輸出したが、当時の日本の銀輸出額は世界の銀産出額の3分の1におよんだ。

❸ 駿府出身の山田長政は、アユタヤ朝（タイ）の首都アユタヤにあった日本町の長で、のちリゴール（六昆）の太守（長官）となったが、政争で毒殺された。

178　第6章　幕藩体制の確立

の第1は，キリスト教の禁教政策にある。
（→p.175）

　理由の第2は，幕府が貿易の利益を独占するために，貿易に関係している西国の大名が富強になることを恐れて，貿易を幕府の統制下におこうとした。そのため，1616（元和2）年には中国船を除く外国船の寄港地を**平戸**と**長崎**に制限し，1624（寛永元）年にはスペイン船の来航を禁じた❶。ついで1633（寛永10）年には，**奉書船**❷以外の日本船の海外渡航を禁止し，1635（寛永12）年には，日本人の海外渡航と在外日本人の帰国を禁止し，九州各地に寄港していた中国船を長崎に限った❸。

　島原の乱を鎮圧後，幕府は1639（寛永16）年にポルトガル船の来航を禁止し，
（→p.176）
1641（寛永18）年には平戸のオランダ商館を長崎の**出島**に移し，オランダ人と日本人との自由な交流も禁じて，長崎奉行がきびしく監視することになった。こうしていわゆる**鎖国**❹の状態となり，以後，日本は200年余りのあいだ，オランダ商館・中国の民間商船や朝鮮国・琉球王国・アイヌ民族以外との交渉を閉ざすことになった。幕府が対外関係を統制できたのは，当時の日本の経済が海外との結びつきがなくとも成り立ったためである。

　こうして，鎖国によって幕府は貿易を独占することになり，産業や文化に与える海外からの影響は制限さ

寛永十六年禁令❶

一　日本国御制禁成され候吉利支丹宗門の儀，其趣を存知ながら，かれうた渡海の儀，之を停止せられ訖。此上若し差渡るニおゐてハ，其船を破却し，幷乗来る者速に斬罪に処せらるべきの旨，仰せ出さるる者也。
（『御当家令条』）

❶全三条。
❷大老・老中が連署して長崎において命じた制札。

寛永十二年禁令❶

一　異国江日本の船遣すの儀，堅く停止の事。
一　日本人異国江遣し申す間敷候。若忍び候て乗渡る者之有るに於ては，其者は死罪，其の舟幷船主共ニとめ置，言上仕るべき事。
（『教令類纂』）

❶全十七条。

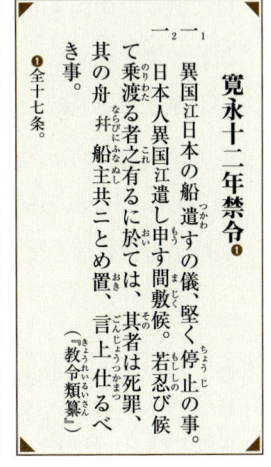

❶　この間，イギリスもオランダとの競争に敗れ，1623（元和9）年商館を閉鎖して引き揚げた。
❷　朱印状のほかに，老中奉書という許可状を受けた海外渡航船をいう。
❸　幕府は中国との正式な国交回復を断念し，中国船との私貿易を長崎でおこなうことにした。
❹　ドイツ人医師ケンペルはその著書『日本誌』で，日本は長崎を通してオランダとのみ交渉をもち，閉ざされた状態であることを指摘した。1801（享和元）年『日本誌』を和訳した元オランダ通詞志筑忠雄は，これを「鎖国論」と題した。鎖国という語は，以後，今日まで用いられることになった。

れ，国内ではキリスト教の禁圧が徹底し，幕府の統制力がいっそう強化された。

《長崎貿易》鎖国により，日本に来航する貿易船はオランダ船と中国船だけになり，貿易港は長崎1港に限られた。オランダはバタヴィア（ジャカルタ）においた東インド会社の支店として長崎の出島に商館をおき，貿易の利益のみを求めた❶。幕府は長崎を窓口としてヨーロッパの文物を輸入し，オランダ船の来航のたびにオランダ商館長が提出する**オランダ風説書**❷によって，海外の事情を知ることができた。

中国では漢民族の建てた明が17世紀半ばに滅び，中国東北部からおこった満州民族の清が成立したが，明清交替の動乱

対外関係の推移	
1600	リーフデ号，豊後に漂着
1604	糸割符制度を創設
1609	オランダ人に通商許可
1612	幕府，直轄領に禁教令
1613	イギリス人に通商許可（平戸商館）。全国に禁教令
1614	宣教師・高山右近らを海外に追放
1616	中国船を除く外国船の来航を平戸・長崎に制限
1622	長崎で宣教師・信徒らを処刑（元和の大殉教）
1623	イギリス，平戸商館を閉鎖して退去
1624	スペイン船の来航を禁止
1631	奉書船制度始まる
1633	奉書船以外の海外渡航禁止
1634	海外との往来や通商を制限
1635	日本人の海外渡航および帰国を全面禁止
1636	ポルトガル人の子孫を追放
1637	島原の乱（～38）
1639	ポルトガル船の来航を禁止
1641	オランダ商館を出島に移す

清 1616(1636)～1912

がおさまると長崎での貿易額は年々増加した❸。幕府は輸入の増加による銀の流出をおさえるため，1685（貞享2）年オランダ船・清船からの輸入額を制限し❹，1688（元禄元）年には清船の来航を年間70隻に限った。また翌年，長崎の町に雑居していた清国人の居住地を限定するため，**唐人屋敷**を設けた。

---

❶ オランダ船は，中国産の生糸や絹織物・毛織物・綿織物などの織物類と，薬品・砂糖・書籍などをもたらした。1660年代にヨーロッパで金の価値が上昇すると，銀にかわって小判が輸出されるようになった。
❷ 1633（寛永10）年からオランダ人の江戸参府が制度として定期的におこなわれ，それ以後，あわせて167回の参府のうちおよそ150回くらいまでは，毎年1回の江戸参府であった。
❸ 輸入品は，中国産の生糸・絹織物・書籍のほか，ヨーロッパからの綿織物・毛織物，東南アジア産の砂糖・蘇木・香木・獣皮・獣角などであった。日本からの輸出品は，銀・銅・海産物などがおもであった。
❹ 糸割符制度は，1655（明暦元）年に一時廃されて競争入札による相対自由貿易となっていたが，1685（貞享2）年に復活し，年間貿易額を銀換算でオランダ船は3000貫，清船は6000貫に制限した。

長崎港之図(円山応挙筆) 江戸時代長崎港の様子。図の上が稲佐山、下の扇形の出島にはオランダ国旗が描かれている。左上のオランダ船は多数の小舟に曳航されている。(長崎歴史文化博物館蔵)

朝鮮と琉球・蝦夷地

徳川家康は朝鮮との講和を実現し、1609(慶長14)年、対馬藩主宗氏は朝鮮とのあいだに己酉約条を結んだ。この条約は近世日本と朝鮮との関係の基本となり、釜山に倭館が設置され、宗氏は朝鮮外交上の特権的な地位を認められた❶。朝鮮からは前後12回の使節が来日し、4回目からは通信使と呼ばれた❷。来日の名目は新将軍就任の慶賀が過半をこえた。

琉球王国は、1609(慶長14)年、薩摩の島津家久の軍に征服され、薩摩藩の支配下に入った。薩摩藩は、琉球にも検地・刀狩をおこなって兵農分離を推し進めて農村支配を確立したうえ、通商交易権も掌握した。さらに、琉球王国の尚氏を石高8万9000石余りの王位につかせ、独立した王国として中国との朝貢貿易を継続させた❸。朝貢のための琉球使節は、福建の港か

---

❶ 宗氏の特権とは対朝鮮貿易を独占することである。その貿易利潤を、宗氏は家臣に分与することで主従関係を結んだ。対馬は耕地にめぐまれなかったので、貿易利潤が知行のかわりになった。

❷ 1回の朝鮮使節の人数は約300〜500人であった。初期の3回は、文禄・慶長の役の朝鮮人捕虜の返還を目的とした使節(回答兼刷還使)で、1回目は1240人、2回目は321人、3回目は146人の捕虜が返還された。4回目以降の通信使とは信を通じる修好を目的とした使節の意味である。

❸ 薩摩藩は琉球産の黒砂糖を上納させたほか、琉球王国と明(のちに清)との朝貢貿易によって得た中国の産物も送らせた。

3. 幕藩体制の成立　181

琉球使節の江戸上り(琉球中山王両使者登城行列図, 部分) 行進中の奏楽は, 図に描かれている両班・銅鑼・銅角・喇叭・鼓など, 管楽器と打楽器で編成されていた。珍しい音色だったに違いない。(国立公文書館蔵)

ら陸路北京に向かった。また琉球は, 国王の代がわりごとにその就任を感謝する謝恩使を, 将軍の代がわりごとにそれを奉祝する慶賀使を幕府に派遣した❶。このように琉球は, 幕府と中国との二重の外交体制を保つことになった。

蝦夷ヶ島の和人地(道南部)に勢力をもっていた蠣崎氏は, 近世になると松前氏と改称して, 1604(慶長9)年, 徳川家康からアイヌとの交易独占権を保障され, 藩制をしいた。和人地以外の広大な蝦夷地の河川流域などに居住するアイヌ集団との交易対象地域は, **商場**あるいは**場所**と呼ばれ❷, そこでの交易収入が家臣に与えられた。アイヌ集団は1669(寛文9)年, シャクシャインを中心に松前藩と対立して戦闘をおこなったが, 松前藩は津軽藩の協力を得て勝利した。この**シャクシャインの戦い**でアイヌは全面的に松前藩に服従させられ, さらに18世紀前半頃までには, 多くの商場が和人商人の請負となった(**場所請負制度**)❸。

和人の進出(1669年頃)

---

❶ 使節の行列には, 異国風の服装・髪型をはじめ, 旗・楽器などを用いさせ, あたかも「異国人」としての琉球人が将軍に入貢するようにみせた。
❷ 松前氏と家臣団との主従関係は, このアイヌとの交易権を知行として与えることで結ばれており, この制度を商場知行制と呼ぶ。
❸ アイヌたちの多くは, この段階ではもはや自立した交易の相手ではなく, 漁場などで和人商人に使われる立場にかわっていた。和人は, アイヌを交易でごまかしたり, 酷使することがあった。

182 第6章 幕藩体制の確立

アイヌの参賀の礼（『蝦夷国風図絵』，部分）　左手の一段高いところに，藩主の松前矩広が着座している。右にみえるアイヌに対して矩広は，五位以上の武家の式服大紋を着て，正式な応待をしている。（函館市中央図書館蔵，北海道）

こうして幕府は四つの窓口（長崎・対馬・薩摩・松前）を通して異国・異民族との交流をもった。明清交替を契機に，東アジアにおいては，伝統的な中国を中心にした冊封体制と日本を中心にした四つの窓口を通した外交秩序とが共存する状態となった。

日本からみた外交秩序

《寛永期の文化》

江戸時代初期の文化は，桃山文化を受け継いだが，幕藩体制が安定するにつれて，寛永期（1624～43年）前後に新しい傾向を示し始めた。

学問では，室町時代に五山の禅僧が学んでいた朱子学を中心に，儒学がさかんになった。朱子学は君臣・父子の別をわきまえ，上下の秩序を重んじる学問であったため，幕府や藩に受け入れられた。京都相国寺の禅僧であった**藤原惺窩**（1561～1619）は，還俗して朱子学などの啓蒙につとめた。門人の**林羅山**（道春）（1583～1657）は家康に用いられ，羅山の子孫（林家）は代々儒者として幕府に仕えて，学問と教育を担った。

建築では家康をまつる日光東照宮をはじめ霊廟建築が流行し，神社建築には**権現造**が広く用いられた❶。これらの建築には，桃山文化の影響を受けた豪華な装飾彫刻がほどこされた。また書院造に草庵風の茶室を取り入

❶　また，長崎の崇福寺や宇治の万福寺などの黄檗宗の禅寺には，中国の様式が伝えられた。

3. 幕藩体制の成立　**183**

桂離宮 後陽成天皇の弟八条宮智仁親王（桂宮）の別邸であった。写真右が池に面した古書院で，その左に中書院とさらに新御殿が斜めにならぶ。いずれも茶室を取り入れた数寄屋造の建物である。（京都府）

れた**数寄屋造**が工夫され，京都の**桂離宮**の書院はその代表である。
　絵画では狩野派から**狩野探幽**(1602～74)が出て，幕府の御用絵師となったが，その子孫は様式の踏襲にとどまった。また京都では俵屋宗達が現われ，土佐派の画法をもとに，装飾画に新様式を生み出し，元禄期の琳派の先駆となった。(→p.216)
京都の上層町衆であった**本阿弥光悦**(1558～1637)は，多才な文化人として知られ，書や蒔絵ですぐれた作品を生み出し，陶芸でも楽焼の茶碗に秀作を残した。
　文禄・慶長の役(→p.165)の際に，諸大名がつれ帰った朝鮮人陶工の手で登窯や絵

『**彦根屏風**』 六曲一隻。寛永期を代表する風俗画。左方の室内では，三味線・双六・恋文をめぐる男女を描く。右方は戸外で立ち話をする男女で，その衣装や髪型はこの時代の流行を示す。筆者は不明。国宝。(縦94cm，横271cm，彦根城博物館蔵，滋賀県)

おもな建築・美術作品

【建築】
桂離宮〈数寄屋造〉(p.184)
日光東照宮〈権現造〉・陽明門(口絵21)
修学院離宮〈数寄屋造〉
清水寺本堂
延暦寺根本中堂
崇福寺大雄宝殿
万福寺大雄宝殿

【絵画】
風神雷神図屏風(俵屋宗達)(口絵22)
大徳寺方丈襖絵(狩野探幽)
夕顔棚納涼図屏風(久隅守景)
彦根屏風(p.184)

【工芸】
舟橋蒔絵硯箱(本阿弥光悦)
色絵花鳥文深鉢(酒井田柿右衛門)(p.185)

色絵花鳥文深鉢（酒井田柿右衛門様式）一度焼いた白磁の上に、赤・青・緑などの顔料で絵柄を描き、ふたたび焼き上げる上絵付の技法を用いている。赤が基調色となるので、赤絵と呼ばれる。（口径30.3cm、高21.4cm、東京国立博物館蔵）

付の技術が伝えられ、九州・中国地方の各地で陶磁器生産が始められた。有田焼（鍋島氏）・薩摩焼（島津氏）・萩焼（毛利氏）・平戸焼（松浦氏）・高取焼（黒田氏）などが有名である。とくに有田では磁器がつくられ、酒井田柿右衛門（生没年不詳）は上絵付の技法で赤絵❶を完成させた。

文芸面では、教訓・道徳を主とした仮名草子が現われ、また連歌から俳諧が独立して、京都の松永貞徳（1571〜1653）の貞門俳諧が流行するなど、新たな民衆文化の基盤がつくられた。

4　幕藩社会の構造

身分と社会　幕藩体制において、武士は、政治や軍事、さらには学問・知識を独占し、苗字・帯刀のほかさまざまな特権をもつ支配身分である。武士は将軍を頂点に、大名・旗本・御家人などいくつもの階層から構成され、主人への忠誠や上下の別をきびしく強制された。天皇家や公家、上層の僧侶・神職らも武士と並ぶ支配身分であった。武士の家で、女性は家事への専念を強いられた。これらの武士は主人の家を中心に結集し、村や町、あるいは仲間・組合などのさまざまな集団によって構成される社会を、身分と法の秩序にもとづいて支配した。

一方、社会の大半を占める被支配身分は、農業を中心に林業・漁業など小規模な経営（小経営）に従事する百姓、多様な種類の手工業に従事する職人、商業や金融、さらには流通・運輸を担う商人を中心とする都市の家持町人の

❶　赤を主調に多くの絵具を用い、さまざまの色彩をほどこす上絵付の一種をいう。

4．幕藩社会の構造　**185**

三つをおもなものとした。以上のような社会の秩序を「士農工商」と呼ぶこともある。

　近世の村や都市社会の周縁部分には，一般の僧侶や神職をはじめ修験者・陰陽師などの宗教者，儒者・医者などの知識人，人形遣い・役者・講釈師などの芸能者，日用と呼ばれる肉体労働者など，小さな身分集団が多様に存在した。そうした中で，下位の身分とされたのが，かわた（長吏）や非人などである。かわたは城下町のすぐ近くに集められ（かわた町村），百姓とは別の村や集落をつくり，農業や，皮革の製造・わら細工などの手工業に従事した。中には，遠隔地と皮革を取引する問屋を経営するものもいた。しかし，幕府や大名の支配のもとで，死牛馬の処理や行刑役などを強いられ，「えた」などの蔑称で呼ばれた。

　非人は，村や町から排除され集団化をとげた乞食を指す。しかし，飢饉・貧困や刑罰により新たに非人となるものも多く，村や町の番人をつとめたり，芸能・掃除・物乞いなどにたずさわった。かわた・非人は，居住地や衣服・髪型などの点で他の身分と区別され，賤視の対象とされた。

　これらの諸身分は，武士の家，百姓の村，町人の町，職人の仲間など，団体や集団ごとに組織された。そして一人ひとりの個人は家に所属し，家や家が所属する集団を通じて，それぞれの身分に位置づけられた。武士や一部の有力な百姓・町人の家では，戸主の権限が強く，家督や財産・家業は，長子を通して子孫に相続されることが基本とされ，戸主以外の家族は軽んじら

衣食にみる身分の差
（『老農夜話』，部分）
左から貴人・侍・農夫・商人・僧・職人の食膳を描いている。それぞれの身分に属する人の前におかれた膳の大きさ，高さ，食器の数や，服装・髪型の違いなどを対比してみよう。（東京大学史料編纂所蔵）

れた。またこうした家では，女性は家督から排除された❶。

《村と百姓》 近世の社会を構成した最大の要素は**村**と**百姓**であった。中世の長い歴史を経て，村は百姓の家屋敷から構成される集落を中心に，田畑の耕地や野・山・浜を含む広い領域をもつ小社会(共同体)として成熟した。そこには，百姓の小経営と暮らしを支える自治的な組織が生み出され，農業生産のうえに成り立つ幕藩体制にとって，もっとも重要な基盤となった。豊臣政権の兵農分離政策と検地によって，村ははじめて全国規模で直接把握された(→p.162)。そして惣村が**村切**などで分割されたり(→p.162注❸)，中世末以来急速に進んだ**新田開発**によって新しい村が生まれ，17世紀末には全国で6万3000余りもの村を数えるに至った❷。

村は農業を主とする農村が大半であるが，漁村や山村(山里)，また在郷町❸などのような小都市もみられた。村高・家数の大小や地域差も大きく，村は一つひとつ個性的であったが，つぎのような点でほぼ共通する特徴をもった。

村は，**名主**(庄屋・肝煎)や**組頭・百姓代**からなる村役人(**村方三役**)を中心とする本百姓(→p.188)によって運営され，入会地の利用，用水や山野の管理，道の整備，治安や防災などの仕事を共同で自主的に担った❹。これらの経費は村入用と呼ばれ，村民が共同で負担しあった。村の運営は**村法**(村掟)にもとづいておこなわれ，これに背くと村八分などの制裁が加えられたりした。幕府や諸大名・旗本などは，このような村

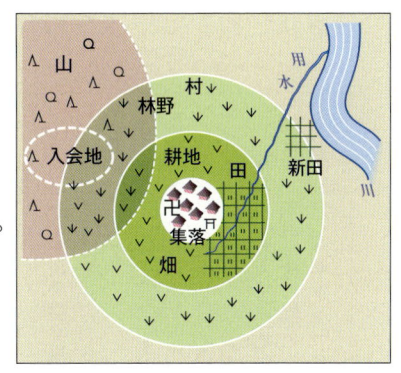

村の構造 村は百姓の家屋敷からなる集落を中心に，田畑の耕地，入会地を含む林野の3部分からなる。家屋と耕地は高請地で，年貢が賦課される。

---

❶ 男性が生まれなかったり，生まれても無能とされた場合には，婿養子を迎えて家の存続がはかられたり，女性の相続もみられた。

❷ 17世紀末の総石高は約2500万石で，1村平均は約400石となる。

❸ 城下町の周辺や街道沿いなどの村で，定期市などを中心に都市化したものを，在郷町と呼ぶ。

❹ 田植え・稲刈り・脱穀・屋根葺などに際して，村民は結・もやいなどと呼ばれる共同作業を集中的におこなって，労働や暮らしを支えあった。

4．幕藩社会の構造　187

の自治に依存して,はじめて年貢・諸役を割りあて収納し,また村民を掌握することができた❶。このような仕組みを村請制と呼ぶ。また村民は数戸ずつ五人組に編成され,年貢の納入や犯罪の防止に連帯責任を負わされた。

村内には,いくつかの階層があった。農村では,石高が決定され,検地帳に登録された高請地としての田・畑や家屋敷をもち,年貢・諸役をつとめ,村政に参加する本百姓（石高持の戸主で男性）❷が村の正規の構成員であった。村内には田・畑をもたず,地主のもとで小作を営んだり,日用(日雇)仕事に従事する水呑(無高)や,有力な本百姓と主従制のような隷属関係のもとにあった名子・被官・譜代なども存在した。また,本家と分家のような血縁による序列や,漁村における網元と網子のように経営をめぐる階層区分もあった。村には寺院や神社(鎮守)がつくられ,僧侶や神職をまねいて,村の人びとの相互の結びつきや信仰を支える場となった❸。

本百姓の負担は,田・畑・家屋敷の高請地を基準にかけられる年貢(本途物成)が中心で,石高の40～50％を米穀や貨幣で領主におさめることが標準とされた(四公六民・五公五民)❹。年貢のほか,山野河海の利用や農業以外

田畑永代売買の禁止令

身上能き百姓は田地を買取り,弥宜く成り,身体成らざる者は田畠を沽却せしめ,猶々身上成るべからざるの間,向後田畠売買停止たるべき事。
（『御触書寛保集成』）

一六四二(寛永十九)年の農村法令

一 祭礼・仏事など結構に仕るまじき事。
一 男女衣類の事,これ以前より御法度の如く,庄屋は絹紬・布・木綿を着すべし。わき百姓は布・もめんたるべし。右のほかは,えり・帯などにも仕るまじき事。
一 嫁とりなどに乗物無用の事。
一 似合わざる家作,自今以後仕るまじき事。
一 御料・私領共に,本田畑にたばこ作らざるように申しつくべき事。
一 荷鞍に毛氈をかけ,乗り申すまじき事。
一 来春より在々所々において,地頭・代官,木苗を植え置き,林を仕立て候様申しつくべき事。
（「御当家令条」）

❶ 一つの村に複数の領主や知行主の支配が同時に存在する場合(相給という)も同様である。
❷ 百姓の家で未亡人(後家)になると,女性が戸主に準ずることもあった。
❸ 村には百姓以外に,僧侶や神職などの宗教者,さらに職人や商人などが若干含まれる場合も多い。
❹ 年貢率(免と呼ぶ)はその年の収穫に応じて決める検見法と,一定期間は同じ率を続ける定免法とがあった。

の副業などにかかる**小物成**，一国単位でかけられる河川の土木工事での夫役労働などの**国役**，街道近辺の村々では公用交通に人足や馬を指し出す伝馬役（→p.206）などが課せられた。これらは大多数を占める零細な百姓にとって重い負担となった。

　幕府は百姓の小経営をできるだけ安定させ，一方で貨幣経済にあまり巻き込まれないようにし，年貢・諸役の徴収を確実にしようとした。このため，1643(寛永20)年に**田畑永代売買の禁止令**（→p.188史料），1673(延宝元)年には分割相続による田畑の細分化を防ぐために**分地制限令**を出した。また，たばこ・木綿・菜種などの商品作物を自由に栽培することを禁じたりした（**田畑勝手作りの禁**）。そして，1641〜42(寛永18〜19)年の大飢饉のあと村々へ出された法令にみられるように，日常の労働や暮らしにまで細ごまと指示を加えている❶。

　一部の有力な百姓は，村で武士と似た暮らしを営んだが，多くの百姓は，衣服は麻(布)や木綿の筒袖がふつうで，日常の主食は麦・粟・稗などの雑穀が中心で米はまれであり，住居は萱やわら葺の粗末な家屋であるなど，衣食住のすべてにわたって貧しい生活を強いられた。

町と町人

　近世になると，中世とは比較にならないほど多数の都市がつくられた。その中心は**城下町**である。それまで在地領主として農村部に居住していた武士が，豊臣政権の兵農分離政策（→p.164）によって城下町への移住を強制され，また商人や手工業者(諸職人)の多くも，城下町での営業の自由や，屋敷地にかけられる年貢である地子を免除される特権を得て，定着した。

　城下町は，将軍や大名の屋敷が含まれる**城郭**を核とし，**武家地・寺社地・町人地・かわた町村**など，身分ごとに居住する地域がはっきりと区分された❷。このうち，城郭と武家地は城下町の面積の大半を占め，政治・軍事の諸施設や家臣団・足軽らの屋敷がおかれた。また寺社地には，有力な寺院や神社をはじめ多くの寺院が集められ，領内での宗教統制の中心としての役割を担わ

---

❶　このような法令としては，1649(慶安2)年に幕府が出したとされる「慶安の触書」が有名であるが，その存在には疑問も出されている。

❷　三都(→p.209)など一部の城下町には，公認の遊郭が設けられた。

4．幕藩社会の構造　189

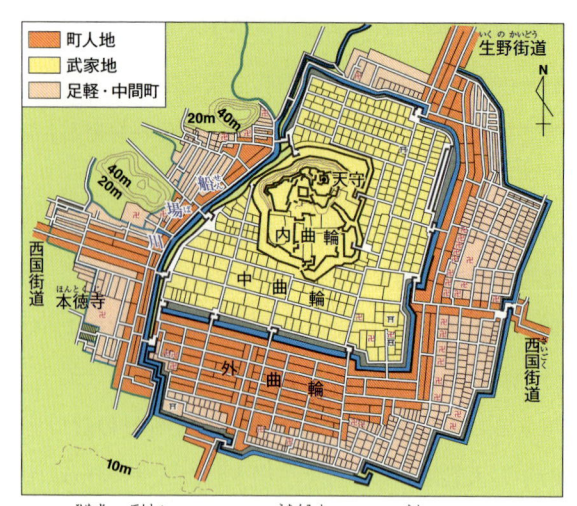

城下町姫路 天守を中心とする内曲輪の城郭を中曲輪の武家地が取りかこむ。外曲輪の南側に町人地が広がり、そのまわりや東側には足軽・中間町や寺町がみえる。

　町人地は町方とも呼ばれ、商人・手工業者などが居住し、経営や生産をおこなう場であり、面積は小さいが、領地を全国と結ぶ流通や経済の中枢として重要な位置を占めた。町人地には、町という小社会（共同体）が多数存在した。町には村と類似の自治組織があり、商人や手工業者である住民の営業や生産・暮らしを支えた。町内に町屋敷をもつ家持の住民は、町人❶と呼ばれる。町は町人の代表である名主（庄屋）・月行事などを中心に、町法（町掟）にもとづいて運営された。町には田・畑がなく、町人は百姓に比べると重い年貢負担を免れたが、城下町の上下水道や道・橋の整備、城郭や堀の清掃、防火・防災・治安など、都市機能を支えるための役割を、町人足と呼ばれる夫役（町人足役）でつとめ、あるいはかわりに貨幣で支払った。

　町にはこの他、宅地の一部や全体を借り自分で家屋を建てて住む地借、また家屋の全部や、多くは長屋の一部を借りて暮らす借家・店借、また商家に住み込む奉公人など、多様な階層の人びとが居住した。地借や借家・店借は、地主の町人に地代や店賃を支払うほかに多くの負担はないが、町の運営には参加できなかった。都市には城下町のほかに、港町・門前町・宿場町・鉱山町などがあるが、どの場合も社会の基礎には町が存在した。

　こうした多様な職業に従事し、異なる利害関係をもつ商人・諸職人は、それぞれの職種ごとに仲間・組合・講と呼ばれる集団をつくり、町人地の社会は複雑な構造をもった。これを支配するために、幕府や藩は町奉行をおく

---

❶ 多くの町で、家持の町人は住民の少数を占めるにすぎなかった。また村や百姓との対比で、町人地に居住する人びと全体を町人と呼ぶことも多い。

など城下町支配に力を入れ、また町人地全体をまとめるために、有力な町人から問屋・町年寄などを選んで、町奉行による行政を手伝わせた。

《農業》 近世の農業は、一組の夫婦を中心とする小規模な家族が、狭い耕地に細やかな労働を集中的に投下し、面積当たりの収穫量を高くするという、零細ではあるが高度な技術を駆使する小経営をおこなう点に特徴がある。幕府や大名は、こうした高い生産力をもつ小経営とこれを支える村を、社会の富を生み出す基礎とした。このために、検地などにより小経営の実態や耕地の増加を調べた。

17世紀初めから幕府や大名は大規模な治水・灌漑工事を各地で始め、用水の体系を整備した❶。また商人の資力も利用して、海浜の浅瀬・湖沼・荒蕪地などを耕地として開発させ（新田開発）❷、そこに新たに百姓を移住させて村をつくらせた。その結果、全国の耕地は2倍近くに拡大し、年貢米の増収をもたらした。

農業に用いられる道具（農具）は、人が用いる鋤・鍬・鎌などをはじめ、牛・馬など畜力による耕起用の犂など、耕耘・除草・収穫などに応じて多様に発達した。こうした農具には鉄が用いられ、これを生産・修理する城下町の職人（鍛冶職）が村々をまわ

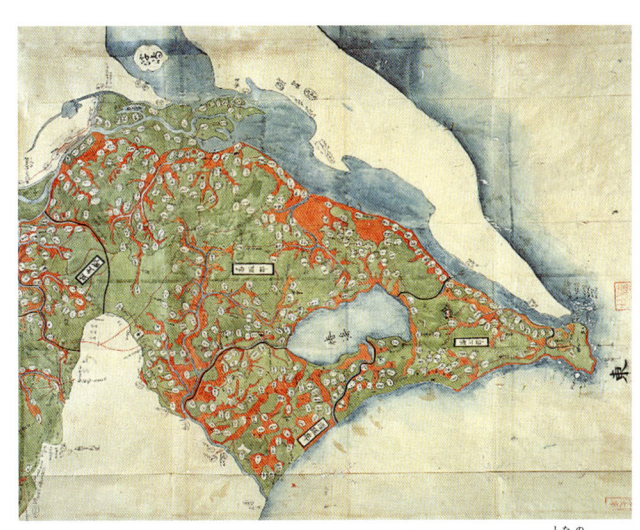

国絵図に描かれた椿海 下総の国絵図に「椿海」という湖がみえ、信濃にある諏訪湖の3倍の面積があったと考えられる。江戸町人が請負人になり、幕府も資金援助をして干拓を進めた結果、1673（延宝元）年に工事は完了し、18カ村の新田村落が生まれた。（国立公文書館蔵）

❶ 芦ノ湖を水源とする箱根用水や、利根川から分水する見沼代用水などが知られる。
❷ 有力な都市商人が資金を投下して開発する町人請負新田が、17世紀末から各地にみられた。干潟を干拓した新田開発の例としては、備前児島湾や有明海、また湖沼干拓では下総椿海のものが有名である。

4. 幕藩社会の構造　**191**

った。

　肥料は刈敷と厩肥が基本であった。刈敷は，村内や近くの入会地から共同で得られる草である。作物は，多くを年貢にあてる米がもっとも主要なものであったが，小麦や粟・稗・蕎麦など自給用の雑穀，麻・木綿など衣料の原料，近くの城下町向けの野菜・果物，江戸・上方など遠隔地に向けた蜜柑・茶などの商品作物，養蚕のための桑など，地域の条件にもとづいて多様に生産された。

　村は，水路・溜池などの用水や入会地の維持・管理，田植えや収穫時の共同労働(結)など，百姓の農業経営になくてはならない役割を果たした。

《林業・漁業》　国土の大半が山でおおわれる日本では，村や城下町の多くが山と深い関わりをもった。まず山は，建築や土木工事に不可欠な材木を豊富にもたらした。なかでも良質な大木を多く抱える山地は，幕府や大名の直轄支配とされ，伐り出された材木は，城郭や武家屋敷の建築に用いられ，民間にも大量に払い下げられた。また尾張藩や秋田藩などでは，藩が直轄する山林から伐り出された材木が商品化し，木曽檜や秋田杉として有名になった。材木産地の山を抱える村には，杣と呼ばれる専業の職人や，材木の運送などにたずさわる労働者(日用)が，百姓として多数居住した。

木曽の大木伐り出し(木曽山材木伐出之図)　木曽の山中で，檜などの大木を伐り倒す様子。杣が根元に伐り込みを入れ，多くの日用たちが力をあわせて引き倒している。

　山の一部は，村の共有地，あるいはいくつかの村々が共同で利用する入会地とされた。村の共有地や入会地では，肥料となる刈敷や，牛馬の餌である秣が採取され，また百姓の衣食住を支えるさまざまな草木が採集された。また山は，化石燃料が普及する以前の，ほ

ほ唯一の燃料エネルギー源である薪や炭の供給源であった。これらの薪や炭は，近隣の城下町などで大量に販売された。

　近世の漁業は，主要な動物性蛋白源として，また肥料(魚肥)に用いるために魚介類を獲得することをめざして，多様に発達した。海・河川・湖沼で，さまざまな漁法や漁具・漁船を用いておこなわれ，網漁を中心とする漁法の改良と，沿岸部の漁場の開発が進んだ。中世末以来の網漁の技術は，摂津・和泉・紀伊などの上方漁民によって全国に広まった。こうして得られた漁獲物は自給用に消費されるほか，鮮魚のまま近くの都市で売られ，あるいは塩や日干しによる保存措置が講じられ，なかでも干し鮑や鰹節などは全国規模で流通した。海辺の漁村では，城下町の魚問屋と取引する網元などの有力者を中心とする漁民たちが，漁場を占有した。こうした漁業や流通には，城下町や三都の魚問屋の資金が大きな役割を果たした。

手工業・鉱山業

　近世は，職人の時代でもあった。職人は，生産のための道具や仕事場を自分で所有し，弟子を抱える，小規模ではあるが独立した手工業者である。近世の手工業は，農業と同じように，細やかな労働を集中して，多様に分化した道具を駆使する高度な技術をともなって発達した。

　近世の初めに職人とされたのは，幕府や大名に把握され，城郭や武家屋敷，寺社などの建築，都市の建設，鉱山の経営，武器の生産などを担う大工・木挽や鉄砲鍛冶などに限られていた。これらの職人は町や村に住んで，幕府や大名に無償で技術労働を奉仕し(国役と呼ぶ)，百姓や町人の役負担を免除された。

　17世紀の中頃になると，民間のさまざまな需要に応じて，多様な手工業生産が都市を中心に急速に発達した。これらの生産に従事する職人たちは，業種ごとに仲間や組合をつくり，都市部では17世紀末頃までに借家人などとして定着した。

　一方，村々にも大工などの職人がいた。その他，零細な家内手工業が早くからみられた。その代表は麻・木綿などの製糸や織物・紙漉・酒造などである。戦国時代末期に綿作が朝鮮から日本に伝わると，木綿は従来の麻とと

4. 幕藩社会の構造　**193**

もに庶民の代表的衣料としてまたたくまに普及した。木綿の生産は，村々の女性労働による伝統的な地機(いざり機)を用いたものが中心であった。また紙漉による和紙の生産も，楮をおもな原料とし，流漉の技術とともに，全国の村々で広まった。和紙は大量に生産され，行政や経営，また情報の伝達や記録の手段として必需品となり，学問・文化の発達にも大きく貢献した。こうした村々の手工業は，百姓が農業の合間におこなう仕事(農間渡世)として把握された。

　鉱山業では，中世の終わりから近世の初めに，海外から新しい精錬や排水の技術が伝えられ，また製鉄技術が刷新された。そして各地では競って金銀銅の鉱山の開発がめざされ，鉱山町❶が各地で生まれた。なかでも銀は，世界でも有数の産出量に達し，東アジアの主要な貿易品となった。

　17世紀後半になると金銀の産出量は急減し，かわって銅の産出量が増加した。銅は，拡大する貨幣の需要に応じるとともに，長崎貿易における最大の輸出品となった。鉄は，砂鉄の採集による**たたら精錬**が，中国地方や東北地方を中心におこなわれた。そこでつくられた玉鋼は商品として全国に普及し，多様な道具に加工された。

　鉱山で使われた鉄製のたがね・のみ・槌などの道具や，掘削・測量・排水

天秤たたらの図
両側のふいごで中央の炉に空気を送り込み，高熱を発生させて精錬し，純度の高い玉鋼を生産した。(東京大学工学・情報理工学図書館工4号図書室A蔵)

❶ おもな鉱山としては，石見銀山・生野銀山・院内銀山など，また佐渡相川の金・銀山，足尾銅山・別子銅山・阿仁銅山なども知られている。

などの技術は，治水や溜池・用水路の開削技術に転用された。その結果，河川敷や海岸部の大規模な耕地化が可能となり，農業・手工業生産の発展に大きく貢献した。

《商業》

商人は本来，自分の資金で仕入れた商品を，みずから買い手に売る小経営をいう。こうした小経営の商人は，中世以来近世を通じて広く存在した。近世の初期に平和が実現し，交通や流通が安全におこなわれるようになると，まず豊富な資金や船・馬など商品の輸送手段，蔵などの貯蔵施設を所有する**豪商**が活躍した❶。彼らは，堺・京都・博多・長崎・敦賀などを根拠地とし，朱印船貿易や（→p.178），まだ交通体系が整備されない時期に，地域間の大きな価格差を利用して巨大な富を得た。しかし，鎖国（→p.179）により海外との交易が制限され，一方で国内において陸上・水上交通が整備されていくと，これらの豪商は急速に衰えた。

　17世紀後半になると，全国の商品流通は三都や城下町などの都市を根拠地とする**問屋**が支配するようになった。問屋は，生産地の**仲買**から商品を受託し，これを都市の仲買商人に手数料（口銭）をとって卸売りした。生産地の仲買は，仕入れた商品を遠隔地の問屋に販売を委託し，また都市部の仲買は，都市内の問屋や市場で仕入れた商品を，武家や**小売商人**などに売り，利益を得た。また小売は，市場の仲買などから購入した商品を消費者に売る商人で，常設の店舗，路上の店，もち歩いて販売する零細な**振売**など，さまざまな形で商売を営んだ。問屋や仲買は，都市や生産地で業種ごとに**仲間・組合**と呼ばれる同業者団体をつくり，独自の法（**仲間掟**）を定めて，営業権を独占しようとした。

---

❶　これを初期豪商と呼ぶこともある。京都の角倉了以や茶屋四郎次郎，摂津平野の末吉孫左衛門，堺の今井宗薫らが有名である。

歴史の説明
朝鮮通信使

歴史の説明に当たっては，一方の見方から説明するだけでなく，別の見方から説明することも重要である。一つの歴史事象について，さまざまな資料から多角的に考察を深め，それらを総合的に理解することによって，新しい歴史像が構築できる。ここでは一例として，朝鮮通信使を取りあげ，日本側と朝鮮側の双方から説明を試みてみたい。

■ 朝鮮通信使派遣の背景

江戸時代に朝鮮から前後12回の使節が来日した。1回目から3回目の使節は「回答兼刷還使」と呼ばれ，4回目から12回目は「通信使」（信を通じる修好の使節）と呼ばれた（→ p.181）。回答兼刷還使というのは，日本が先に出した国書に対して朝鮮国王が回答するという名目であり，刷還使とは，豊臣政権による文禄・慶長の役（→ p.165）で日本へ連行されたままの朝鮮人捕虜の返還を目的にしていた。

文禄・慶長の役は，朝鮮では壬辰・丁酉倭乱と呼ぶ。朝鮮の人びとは戦火に巻き込まれ，多くの被害をこうむった。以後，朝鮮半島南部の防備を固めるとともに，日本の再侵略を警戒し，回答兼刷還使を遣わして新たな徳川政権がふたたび侵略するかどうかの性格を確かめる使命も担わせた。

回答兼刷還使から修好をめざす通信使に変更された事情を，日本と朝鮮の両国の国内や国際情勢から説明し，新しい通信使の歴史像を構築してみよう。

■ 日本側から説明してみよう

最初の3回の回答兼刷還使は，朝鮮との交易をのぞむ宗氏の老臣柳川氏が作成した偽の国書を先に送り日本を低位にみせ，朝鮮がこれに回答したものであったことが発覚した（1635年）。以後，幕府は対馬府中（厳原）の以酊庵に京都五山の禅僧を輪番で滞在させ，外交文書を直

年代		総人員	使命	備考　*は朝鮮人捕虜の帰国人数
西暦	日本・朝鮮	(大坂留)		
1607	慶長12・宣祖40	467	修好／回答兼刷還	国交回復　*1240人
1617	元和3・光海君9	428(78)	大坂平定祝賀／回答兼刷還	伏見行礼　*321人
1624	寛永元・仁祖2	300	家光襲職祝賀／回答兼刷還	*146人
1636	寛永13・仁祖14	475	泰平祝賀	以降「通信使」と称す／日本国大君号制定／日光山遊覧　*2人
1643	寛永20・仁祖21	462	家綱誕生祝賀／日光山致祭	東照社致祭　*14人
1655	明暦元・孝宗6	488(103)	家綱襲職祝賀／日光山致祭	東照宮拝礼および大猷院致祭
1682	天和2・粛宗8	475(112)	綱吉襲職祝賀	
1711	正徳元・粛宗37	500(129)	家宣襲職祝賀	新井白石の改革
1719	享保4・粛宗45	475(109)	吉宗襲職祝賀	
1748	寛延元・英祖24	475(83)	家重襲職祝賀	
1764	明和元・英祖40	472(106)	家治襲職祝賀	
1811	文化8・純祖11	336	家斉襲職祝賀	対馬聘礼

朝鮮使節関係略年表

通信使（『朝鮮通信使行列絵巻』，部分）（長崎県立対馬歴史民俗資料館蔵）

に管理させて，外交権の掌握をはかった。

　徳川家光政権は，膨大な経費（57万両）と労働力（450万人）で完成した日光東照社（宮）に，将軍・諸大名や勅使が参詣するだけでなく，海外からの使節による参詣も望んだ。琉球使節を参詣させたり，オランダ商館長からオランダ灯籠などを奉納させたほか，1636（寛永13）年，4回目の朝鮮使節を参詣させた。これら異国からの使節の行列をみた人びとは何を考えたであろう。

　江戸にとどまらず徳川家康をまつる日光にまで朝鮮使節を派遣させた幕府の外交政策を読みとり，それにもとづいて江戸幕府の意図を説明してみよう。

朝鮮側から説明してみよう

　日本へ連れ去られた捕虜を祖国に連れ戻したいという朝鮮王朝の願いはかなえられた。回を重ねる中で使節は，江戸幕府や沿道諸大名と庶民の鄭重なもてなしを受け，日本がふたたび朝鮮に進攻するのではないかという対日警戒感を緩和することができたのかどうか，考えてみよう。

東アジアの動向も視野に入れて総合的に説明してみよう

　1616年，女真族のヌルハチが後金を建国し，以後明軍と戦争になった。朝鮮王朝は明に朝貢することで明の冊封を受けてきており，文禄・慶長の役では明の援軍を得て日本を撃退できたことから，後金（清）軍と戦ったが敗れた。朝鮮半島北方の軍備を固めながらも，ついには1636年，12万の清軍に進撃されて敗北し，臣従の礼をとった。こうした朝鮮と北の中国との関係の変化に応じ，それまで警戒してきた南の日本との関係をどのように変化させたのか，考えてみよう。

　以上の事例を参考に，一つの歴史事象をさまざまな角度から考察し，さらにその結果を根拠となる資料にもとづいて説明してみよう。

17世紀前半の東アジア（上）**と関係年表**（下）

1607	回答兼刷還使，帰国時に銃500挺を購入
1616	女真族ヌルハチ，後金を建国
1617	回答兼刷還使に銃・剣の購入を命ず
1627	女真族，朝鮮へ侵入（丁卯胡乱）
1636	後金，国名を清とす。再び朝鮮へ侵入（丙子胡乱）
1637	朝鮮国王，清に降伏。属国となる

歴史の説明　**197**

第7章

幕藩体制の展開

1 幕政の安定

《平和と秩序の確立》

1651(慶安4)年4月に3代将軍徳川家光が死去し，子の徳川家綱が8月に11歳で4代将軍になった。1662(寛文2)年，清が明を完全に滅亡させて❶，半世紀近い動乱の続いた中国において，新しい秩序が生まれた。その結果，東アジア全体に平和が訪れ，日本国内でも島原の乱を最後に戦乱は終止した。

すでに幕府機構は整備され，会津藩主で叔父の保科正之や譜代大名も幼少の将軍家綱を支え，社会秩序が安定しつつあった。平和が続く中で重要な政治課題となったのは，戦乱を待望する牢人や，秩序におさまらない「かぶき者」の対策であった。まず1651(慶安4)年7月に兵学者由井(比)正雪の乱(慶安の変)がおこると，幕府は大名の末期養子の禁止を緩和し❷，牢人の増加を防ぐ一方，江戸に住む牢人とともにかぶき者の取締りを強化した。

明暦の大火(1657〈明暦3〉年)による江戸城と市街への甚大な被害からの復興を果たした1663(寛文3)年，成人した家綱は代がわりの武家諸法度を発布し，あわせて殉死の禁止を命じ，主人の死後は殉死することなく，跡継ぎの新しい主人に奉公することを義務づけた❸。翌年には，すべての大名にいっせいに領知宛行状を発給して将軍の権威を確認し，また幕領のいっせ

---

❶ 1662年，台湾を拠点にして清に抗した鄭成功(国姓爺)が死去し，明の亡命政権桂王も滅亡したことで，清朝は安定した王朝となった。

❷ 跡継ぎのいない大名が死にのぞんで(末期)，急に相続人(養子)を願い出る末期養子は，ほとんど認められなかった(末期養子の禁止)が，この時から，50歳未満の大名に認められた。

❸ 将軍と大名，大名と家臣の関係において，主人の家は代々主人であり続け，従者は主人個人ではなく主家に奉公する主従の関係を明示した。この結果，下剋上はあり得なくなった。

明暦の大火(『江戸火事図巻』，部分)　覆面をして長い棹の先につけた扇で火勢をあおぎ返そうとしている消防隊(武士)や，車のついた長持が描かれている。車長持に家財を入れて逃げようとしたため，道路をふさぎ，災害を大きくしたので，その後，車長持は禁止された。(東京都江戸東京博物館蔵)

い検地をおこなって幕府の財政収入の安定もはかった。

　一方，諸藩においても，安定した平和が続いたことで軍役動員の負担が軽減したうえに，寛永の飢饉が転機となって，藩政の安定と領内経済の発展がはかられるようになった。諸大名は有能な家臣を補佐役にして領内の支配機構を整備し，藩主の権力を強化した。また治水工事・新田開発によって農業生産を高めて財政の安定をはかったが，参勤交代・手伝普請などの支出から，必ずしも藩財政にゆとりは生じなかった。いくつかの藩では藩主が，儒者を顧問にして藩政の刷新をはかった。池田光政(岡山)・保科正之(会津)・徳川光圀(水戸)・前田綱紀(加賀)らはその例である❶。

《《 元禄時代 》》　政治の安定と経済の発展とを背景に，17世紀後半には5代将軍徳川綱吉の政権が成立し，いわゆる元禄時代が出現した。綱吉の政治は，大老の堀田正俊が補佐しておこなわれたが，正俊が暗殺されたのちは側用人の柳沢吉保がこれにかわった。

　1683(天和3)年に綱吉の代がわりの武家諸法度が出され，第1条の「文武

---

❶　池田光政は郷校(郷学)閑谷学校を設けたほか，熊沢蕃山をまねいて重く用い，蕃山は花畠教場を設けた。保科正之(将軍家光の弟)は山崎闇斎に朱子学を学んで，多くの書物を著した。また徳川光圀は江戸に彰考館を設け，『大日本史』の編纂を開始し，明から亡命した朱舜水を学事に当たらせた。前田綱紀は朱子学者木下順庵をまねいて学問の振興をはかった。

1．幕政の安定　**199**

武家諸法度（天和令）

一、文武忠孝を励し、礼儀を正すべき事。
養子は同姓相応の者を撰び、若之無きにおゐては、由緒を正し、存生の内言上致すべし。五拾以上十七以下の輩末期❷に及び養子致すと雖も、吟味の上之を立つべし。縦実子と雖も筋目違たる儀、之を立つべからざる事。
附、殉死❸の儀、弥制禁せしむる事。
天和三年七月廿五日
（『御触書寛保集成』）

❶生きているうち。❷臨終の際。❸主人の死に際して、家臣も自殺して死後も主人に奉仕すること。

弓馬の道」が「文武忠孝を励し、礼儀を正すべき事」に改められた。これは武士に、主君に対する忠と父祖に対する孝、それに礼儀による秩序をまず第一に要求したものであった。このいわゆる文治主義の考えは、儒教に裏づけられたもので、綱吉は木下順庵（1621〜98）に学び、湯島聖堂を建てるとともに林鳳岡（信篤）（1644〜1732）を大学頭に任じて、儒教を重視した❶。また礼儀によって秩序を維持するうえからも、これまでの天皇・朝廷に対する政策を改めて、霊元天皇（位1663〜87）の悲願であった大嘗会の再興など朝廷儀式のうちいくつかを復興させたり、禁裏御料も増やし、朝幕協調した関係を築いた❷。

綱吉は仏教にも帰依し、1685（貞享2）年から20年余りにわたり生類憐みの令を出して、生類すべての殺生を禁じた。この法によって庶民は迷惑をこうむったが、とくに犬を大切に扱ったことから、野犬が横行する殺伐とした状態は消えた。また、神道の影響から服忌令❸を出し、死や血を忌みきらう風潮をつくり出した。こうして、戦国時代以来の武力によって相手を殺傷することで上昇をはかる価値観はかぶき者ともども完全に否定された。武力にかわって重視されたのが、身分格式であり、儀礼の知識であり、役人としての事務能力であった。

---

❶ 綱吉は、林羅山が江戸上野忍ヶ岡に設けた孔子廟と私塾を湯島に移し、学問所として整備して林家（→p.183）に主宰させた。その学問所が聖堂学問所である。

❷ 1687（貞享4）年に大嘗会が221年ぶりに、1694（元禄7）年に賀茂葵祭が192年ぶりに再興された。これ以後も朝廷儀式は徐々に再興されていった。この時期は、勅使の幕府下向の儀式もいっそう重視されたが、1701（元禄14）年、江戸城中で赤穂藩主浅野長矩が朝廷関係の儀礼を管掌する旗本で高家の吉良義央を傷つけ浅野は切腹、翌年浅野家の遺臣たちが吉良を討った赤穂事件がおきた。

❸ 1684（貞享元）年、近親者に死者があった時に、喪に服したり忌引をする日数を定めた服忌令と呼ばれる法令が出され、江戸時代を通して社会に影響を与えた。その結果、死んだ牛馬を片づけるかわた（長吏）などの仕事は、社会的に不可欠な役割を果たしながら、穢れ観をともなってみられるようになり、「えた」とも呼ばれ、差別意識が強化された（→p.186）。

生類憐みの令と服忌令

殺生を禁じ，生あるものを放つ，仏教の放生の思想にもとづく生類憐みの令は，綱吉政権による慈愛の政治という一面をもっている。しかし大部分の人びとにとって，行き過ぎた動物愛護の命令は迷惑なもので，とくに犬の飼育料を負担させられた関東の農民や江戸の町人の迷惑は大きかった。綱吉が死去すると生類憐みの令は廃止され，人びとはほっとしたが，この結果，犬を食すことはなくなり，現在に至る。

綱吉政権が終わっても命じられ続けたのが，服忌令である。服忌の考え方は「大宝令」(→p.41)の制定以来，朝廷や神社に存在してきた。1505(永正2)年，歌人・学者として名高い公卿三条西実隆は，屋敷の下女が病気で助かる見込みがないとみるや，寒風はなはだしい夜半に，鴨河原に下女をすてさせた。家屋敷に死の穢れが生じるのを恐れたためである。綱吉政権以降，服忌令は吉宗政権(→p.218)でも改正され，江戸時代を通して社会に浸透していった。現在も，忌引の制度や喪中はがきにその習慣は残っている。

綱吉の時代は，幕府財政も転換期を迎えた。比較的豊かだった鉱山収入は佐渡金山などの金銀の産出量が減少し，財政は収入減となった。そのうえ前代の明暦の大火後の江戸城と市街の再建費用，引き続く元禄期の寺社造営費用は大きな支出増となり，幕府財政の破綻をまねいた。

そこで勘定吟味役(のちに勘定奉行)の荻原重秀(1658〜1713)は，収入増の方策として貨幣の改鋳を上申し，綱吉はこれを採用した。改鋳で幕府は金の含有率を減らし，質の劣った小判の発行を増加して多大な増収を上げたが，貨幣価値の下落は物価の騰貴を引きおこし，人びとの生活を圧迫した。さらに1707(宝永4)年には富士山が大噴火し，駿河・相模などの国々に降砂による大被害をもたらした❶。

正徳の政治

綱吉の死後，6代将軍徳川家宣(1662〜1712)は生類憐みの令を廃止し，柳沢吉保を退けて儒学の師で朱子学者の新井白石(1657〜1725)と側用人の間部詮房(1666〜1720)を信任して，政治の刷新(正徳の政治)をはかろうとした。しかし家宣は在職わずか3年余りで死去し，その後を継いだ7代将軍徳川家継(1709〜16)はまだ3歳の将軍で，引き続き幕府政治は新井白石らに依存することになった。

短命・幼児の将軍が続く中，白石は将軍個人の人格よりも将軍職の地位と

---

❶ 幕府は噴火被災地を復興するため，全国に「諸国高役(国役)金」を高100石について2両の割合で徴収することを命じた。その結果，約49万両の国役金が幕府に上納された。

1. 幕政の安定　**201**

その権威を高めるために，将軍家継と2歳の皇女との婚約をまとめたり，閑院宮家❶を創設して，天皇家との結びつきを強めた。また一目で序列が明瞭になるよう衣服の制度を整えて，家格や身分の秩序を重視した。

朝鮮の通信使が家宣の将軍就任の慶賀を目的に派遣された際，これまでの使節待遇が丁重にすぎたとして簡素にし，さらに朝鮮から日本宛の国書にそれまで「日本国大君殿下」と記されていたのを「日本国王」と改めさせ❷，一国を代表する権力者としての将軍の地位を明確にした。

白石は，財政問題では金の含有率を下げた元禄小判を改め，以前の慶長小判と同率の正徳小判を鋳造させて，物価の騰貴をおさえようとした。しかし，再度の貨幣交換はかえって社会に混乱を引きおこした。また長崎貿易では，多くの金銀が流出したので，これを防ぐために1715(正徳5)年，海舶互市新例(長崎新令・正徳新令)を発して貿易額を制限した❸。

2　経済の発展

農業生産の進展

17世紀後半以降の1世紀のあいだに，小規模な経営を基礎とする農業や手工業を中心に，その生産力は著しく発展し，三都を中心に全国を結ぶ交通網が整えられ，これらを基盤として，近世の社会や経済・文化は成熟をとげた。

農業技術についてみると，鉄製の農具である深耕用の備中鍬，脱穀用の千歯扱が工夫され，選別用の唐箕や千石簁，灌漑用の踏車などが考案されて，村々に広く普及した。しかし牛や馬，大型の農具などを用いる大規模な農業は発達しなかった。肥料では，耕地の開発が進み刈敷が不足する中で，都市周辺部では下肥が，また綿などの商品作物生産が発達したところでは，

---
❶ 当時，宮家(親王家)は伏見・桂・有栖川の三家しかなかったので，多くの皇子・皇女は出家して門跡寺院に入寺した。そこで幕府は，費用を献じて特例として閑院宮家を創設した。
❷ 「大君」が「国王」より低い意味をもつことをきらったもので，8代将軍徳川吉宗以降は祖法尊重の方針から，もとの「大君」を記させた。
❸ 白石は，江戸時代の初めから日本の保有する金の4分の1，銀の4分の3が貿易で海外に流出したと推計し，清船は年間30隻，銀高にして6000貫，オランダ船は2隻，銀高3000貫に制限した。

農作業と農具 備中鍬は田の荒おこし用，千石簁は穀粒の選別具。揚水機は中国伝来の龍骨車から小型の踏車に，また脱穀は扱箸から千歯扱にかわった。左上図は『老農夜話』などに描かれた脱穀・調製の様子。

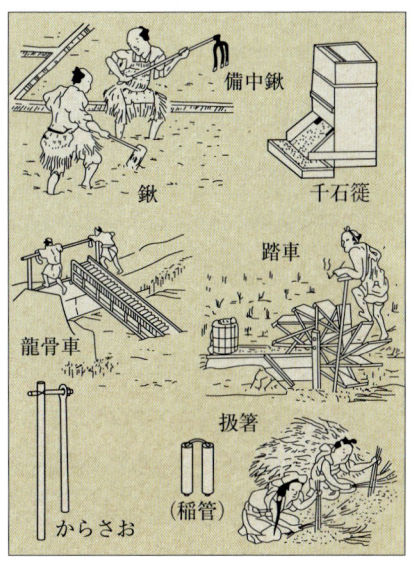

遠隔地からの干鰯・〆粕・油粕・糠などが，金肥として普及した。

農業技術を教える書籍も普及した。すでに17世紀前半に，新しい栽培技術や農業知識を説く農書『清良記』が記され，17世紀末には日本における最初の体系的農書として宮崎安貞の『農業全書』が著された。また19世紀に入ると，大蔵永常（1768〜1860?）の『農具便利論』『広益国産考』が刊行されるなど，地域の実情に応じて農書が多数つくられ，広く読まれた。

新田開発や技術の革新により石高は大幅に増加し，田畑面積は江戸時代初めの164万町歩から，18世紀初めには297万町歩へと激増し（1町歩は約1ha），幕府や大名の年貢収入も大きく増えた。

幕府や大名は，年貢米を都市で販売し貨幣収入を得ることにつとめ，また商品作物生産を奨励して税収入の増大をはかった。17世紀末に全国市場が確立し，三都や城下町などの都市が発達すると，都市の住民を中心に武士以外でも消費需要が多様化し，これに応じて商品生産が各地で活発化した。こうした商品の取引は，城下町や在郷町の問屋や市場を通じておこなわれ，村々はしだいに遠隔地との商品流通に巻き込まれるようになった。

村々では，地主たちが余剰米を商品として販売し，一般の百姓たちも桑・麻・綿・油菜・楮・野菜・たばこ・茶・果物などを商品作物として生産し，

2．経済の発展　203

> **山里の歴史と古文書**　信州南部に清内路という美しい集落がある(長野県下伊那郡阿智村)。ここは中央アルプス東側の山間部で、緑豊かな森林資源にめぐまれる山里である。村の中央を走る道路(旧伊那街道)は、伊那谷から木曽の中山道を結ぶ重要な交通ルートであり、かつて幕府の関所がおかれた。この村には、近世から現代にかけて数多くの古文書が残されており、大学や地域の研究者によって調査や研究が進められている。これらの古文書には、かつてこの山里を生きた人びとが、山と関わりながら、伐材や炭焼、木材加工などを軸に働き暮らしたこと、材木やたばこ・木櫛の生産や運送を通じて江戸や名古屋、さらには上方など遠隔地との関係をもったこと、祭や花火・芝居を楽しみながら個性的な文化を育んだこと、などが明らかになる情報がたくさん含まれている。かけがえのない古文書一点一点を大切に未来へ伝え、失われた過去や、今につながる地域の歴史から学びながら、山里の現在と将来を考えることは、今を生きる私たちに課された大きな責任なのである。

貨幣を得る機会が増大した。また、出羽村山(最上)地方の紅花、駿河・山城宇治の茶、備後の藺草、阿波の藍玉、薩摩(琉球)の黒砂糖、越前の奉書紙、甲斐の葡萄、紀伊の蜜柑など、それぞれの風土に適した特産物が、大名などの奨励のもとで全国各地に生まれた。

諸産業の発達

農業以外の諸産業も著しく発達した。林業では、17世紀末に飛騨や紀伊の材木商人の中から、陸奥・出羽や蝦夷地で山林の伐採を請け負うものが出て、木材を江戸や京都で販売し巨額の利益を上げた。こうした動きは各地で強まり、三都をはじめ材木を扱う有力商人が多く生まれた。また、熊野や伊豆・下総などでは高級な炭がつくられ、幕府や大名への貢納品や、三都や城下町向けの商品として販売された。木工道具の進歩や漆塗り技術の普及によって、木製の器や日用品❶も多く

おもな特産物

【織物】
絹	西陣織・桐生絹・伊勢崎絹・足利絹・丹後縮緬・上田紬
木綿	小倉織・久留米絣・有松絞(尾張)、尾張木綿、河内木綿
麻	奈良晒・越後縮・近江麻(蚊帳など)・薩摩上布

【陶磁器】
有田焼(伊万里焼)・京焼(清水焼)・九谷焼・瀬戸焼・備前焼

【漆器】
南部塗・会津塗・輪島塗・春慶塗(飛騨)

【製紙】
日用紙……美濃・土佐・駿河・石見・伊予
高級紙……越前の鳥ノ子紙・奉書紙、美濃紙・播磨の杉原紙

【醸造】
酒……伏見・灘・伊丹・池田(摂津)
醬油……湯浅(紀伊)・龍野(播磨)・銚子・野田

❶ 木地師と呼ばれる木工職人が全国各地の山里に分布し、木製品の生産にたずさわった。

つくられた。

　漁業は漁法の改良と，沿岸部の漁場の開発が進んだ。鰯や鰊は干鰯・〆粕などに加工され，綿作などの商品作物生産に欠かせない肥料として上方をはじめ各地に出荷された。この他，瀬戸内海の鯛や土佐の鰹などの釣漁，網や銛を駆使する紀伊・土佐・肥前・長門などの捕鯨などがみられた。17世紀末以降，銅にかわる中国（清）向けの主要な輸出品として俵物（干し鮑・いりこ・ふかひれなど）や昆布がさかんに用いられるようになると，その獲得をめざして，蝦夷地や陸奥で漁業がさかんになった。

鰹漁（『三重県水産図解』鰹釣り之図）　志摩国の鰹釣りの様子。薩摩・土佐・伊豆では，鰹節が全国向けの特産品となった。（三重県蔵）

　製塩業では高度な土木技術を要する入浜塩田が発達し，瀬戸内海の沿岸部をはじめとして各地で塩の生産がおこなわれた。

　織物では，河内の木綿，近江の麻，奈良の晒など名産が各地に生まれた。絹や紬は農村部でも多く生産されたが，金襴・緞子などの高級品は京都西陣で高度な技術を用いる高機で独占的に織られた。しかし，18世紀中頃には，上野の桐生をはじめ，各地で高級な絹織物が生産されるようになった。

　陶磁器は，秀吉による朝鮮侵略の中で，朝鮮からつれてこられた陶工とともに伝わった技術の普及によってさかんになった。肥前有田では佐賀藩の保護のもとで17世紀前半から磁器が生産され，長崎貿易の主要な輸出品となった。その後，尾張藩の保護のもとで，尾張の瀬戸や美濃の多治見などでも生産が活発になり，各地で陶磁器が量産された。また城下町の近郊では，安価な素焼が大量に生産された。

　醸造業では，江戸時代中期以降になると，伏見や灘の銘酒が生まれ，各地に酒屋が発達した。また，西日本で早くからつくられた醬油は，その後，関東の野田や銚子をはじめ全国で大量に生産され始めて著名となり，鰹節

2. 経済の発展　205

野田の醤油の生産工程 1844(天保15)年に野田の神社に奉納された絵馬。原料(大豆・小麦・塩)を加工し、大樽に仕込んで発酵・熟成させ、できたもろみを圧縮する。醤油を樽に詰め、商標をつけておもに江戸向けの商品となる工程を描く。
(愛宕神社蔵、千葉県)

などとともに日本の食文化形成に大きな役割を果たした。

交通の整備と発達

陸上交通の整備は、豊臣政権による全国統一の過程で始まり、これを引き継いだ江戸幕府によって、江戸・大坂・京都を中心に、各地の城下町をつなぐ全国的な街道の網の目が完成した。とくに、三都を結ぶ東海道をはじめ、中山道・甲州道中・日光道中・奥州道中の**五街道**は、江戸を起点とする幹線道路として幕府の直轄下におかれ、17世紀半ばからは**道中奉行**によって管理された。また、**脇街道(脇往還)❶**と呼ばれる主要な道路が全国で整備された。これらの街道には多くの**宿駅❷**がおかれ、また**一里塚**や橋・渡船場・関所❸などの施設が整えられた。宿駅は、街道が通る城下町の中心部の町にもおかれ、それ以外の宿駅は小都市(**宿場町**)として、周辺地域の流通センターとなった。

陸上交通においては、幕府や大名・旗本などの御用通行が最優先とされ、使用される人馬(人足と馬)は、無料あるいは一般の半額程度の賃銭で徴発された。これを**伝馬役❹**と呼び、宿駅の町人・百姓や近隣の村々の百姓が負担

❶ おもな脇街道として、伊勢街道・北国街道・中国街道・長崎街道などがある。
❷ たとえば東海道には品川から大津まで53宿、大津と大坂のあいだに4宿、中山道には板橋から守山まで67宿が設けられた。
❸ おもな関所は、東海道の箱根・新居、中山道の碓氷・木曽福島、甲州道中の小仏、日光・奥州道中の栗橋などにある。関所では手形の提示を求められ、とくに関東の関所では「入鉄砲に出女」をきびしく取り締まった。
❹ 17世紀中頃から、東海道の各宿駅には100人・100疋、中山道では50人・50疋、甲州・日光・奥州道中では25人・25疋を常備させる原則となった。また、御用通行に際して、宿駅の伝馬役をおぎなうために人馬を徴発される村々を助郷と呼び、その役を助郷役という。

206 第7章 幕藩体制の展開

した。宿駅には**問屋場**がおかれ，問屋や年寄・帳付などの宿役人が，伝馬役の差配や公用の書状，荷物の継ぎ送り（**継飛脚**）❶に当たった。宿駅には大名らが利用する**本陣・脇本陣**，また旅行者のための旅籠屋などが設けられた。

近世中期になると，陸上交通は参勤交代や幕府・大名の物資だけではなく，商人の荷物がいちだんと活発に運送された。一般の庶民も寺社詣などの旅をする中で，各地の街道や宿駅が発達し，とくに飛脚による通信制度が整備されて，全国の情報❷が早く正確に伝えられるようになった。陸上交通には，駕籠や牛馬，大八車などが用いられ，馬や牛を用いて商品を長距離運送する中馬が中部日本に発達したが，遠隔地を結ぶ馬車は発達しなかった❸。

大量の物資を安価に運ぶためには，陸路よりは海や川，湖沼の水上交通が適していた。まず，17世紀の初めから内水面の河川舟運が整備された。京都の豪商**角倉了以**（1554〜1614）は賀茂川・富士川を整備し，また高瀬川などを開削して水路を開いた。大きな河川では，伐り出された木材が筏に組まれて送り出され，筏は物資の運搬にも用いられた。淀川・利根川・信濃川などの河川や琵琶湖・霞ヶ浦などの湖では，高瀬舟などの中型船や小舟を用いた舟

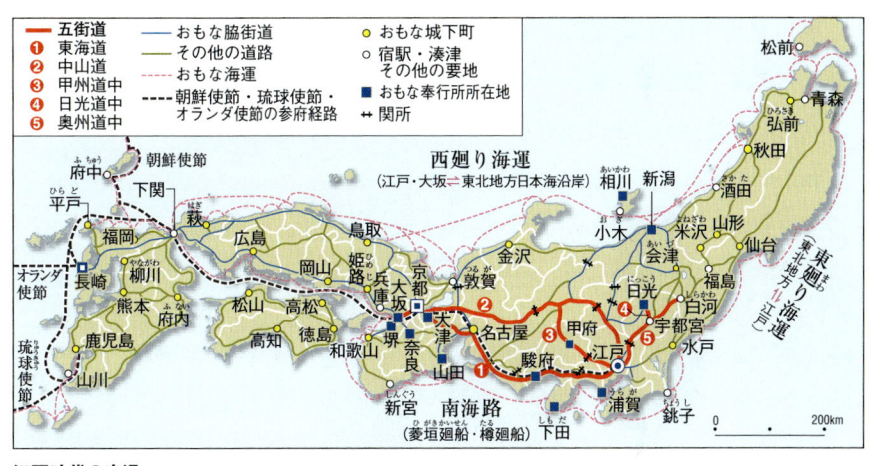

江戸時代の交通

---

❶ 継飛脚にならって諸大名の大名飛脚が生まれ，やがて町人の町飛脚が発達して，書状・金銀・小荷物を扱う飛脚問屋ができた。
❷ 幕府の法令（御触書）をはじめ，米をはじめとする商品の相場，災害や一揆などの社会状況，海外の情報などにおよぶ。
❸ 江戸などでは牛車や大八車が多数存在したが，遠距離の輸送には用いられなかった。

2. 経済の発展　**207**

運が, 物資や人を運送する手段として発展した。また河岸と呼ばれる港町が, 陸上交通と舟運とを結ぶ流通の拠点として各地につくられた。

海上では17世紀前半に, 菱垣廻船などが, 大型の帆船を用いて, 大坂から江戸へ多様な商品を運送し始めた。17世紀後半になると, 江戸の商人河村瑞賢(1618～99)が, 出羽酒田を起点とし江戸に至る東廻り海運・西廻り海運のルートを整備し, 江戸と大坂を中心とする全国規模の海上交通網を完成させた。これら海運ルートの途中には, 各地で港町が発達した。また18世紀前半になると, 大坂・江戸間では酒荷専用の樽廻船が新たに運航を始めた。樽廻船は荷役が速く, 酒以外の商品を上積み荷物として安価で運送し, 菱垣廻船とのあいだで争いを繰り返した。これらは定期的に運航され, 大坂から木綿・油・酒などの下り荷を大量に江戸へ運んだ。その後, 菱垣廻船は衰退し, 近世後期になると樽廻船が圧倒的な優位に立った。一方, 18世紀末頃から, 日本海の北前船や尾張の内海船など, 遠隔地を結ぶ廻船が各地で発達した。

貨幣と金融

全国に通用する貨幣を安定して供給することは, 幕府の重要な役割であった。同じ規格・品質の金・銀貨幣は, 徳川家康が1600(慶長5)年頃から金座・銀座で大量につくらせた慶長金銀が日本で初めとされる。金座は江戸と京都におか

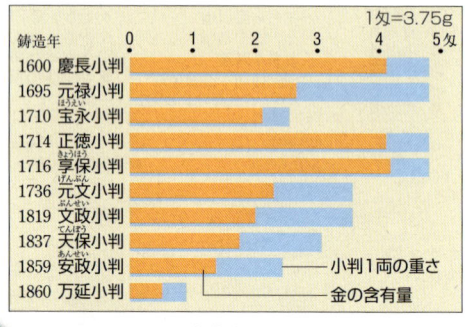

鋳造年	小判1両の重さ / 金の含有量 (1匁=3.75g)
1600 慶長小判	
1695 元禄小判	
1710 宝永小判	
1714 正徳小判	
1716 享保小判	
1736 元文小判	
1819 文政小判	
1837 天保小判	
1859 安政小判	
1860 万延小判	

金貨成分比の推移(『日本通貨変遷図鑑』より) 重量・金成分比率の減少が幕府財政の苦しさをよく示している。徳川綱吉は, 慶長小判に含まれていた金の比率(84%)を減らして, 57%の元禄小判を鋳造した。悪貨の発行は物価を騰貴させたので, 新井白石は正徳小判を慶長小判と同質量に復した。万延小判の重量が異常に少ないのは, 開港後の大量の金流出を防ぐために改鋳したからである(→p.254)。

小判 　丁銀 　寛永通宝 　一分銀 　一朱銀　豆板銀　藩札
(日本銀行貨幣博物館蔵)

208　第7章 幕藩体制の展開

れ、後藤庄三郎のもとで小判・一分金などの計数貨幣が鋳造された。また銀座はまず伏見・駿府におかれ、のちに京都・江戸に移されて、丁銀や豆板銀などの秤量貨幣を鋳造した❶。近世の初めには輸入貨幣や悪質なものを含む多用な銭貨が混用されて不安定であったが❷、寛永期に江戸と近江坂本をはじめ全国にあわせて10ヵ所前後開設した銭座で、寛永通宝を大量に鋳造し、銭貨を全国に広く供給した。こうして17世紀中頃までに、金・銀・銭の三貨❸は全国にいきわたり、商品流通の飛躍的な発展を支えた。

しかし、東日本ではおもに金貨が(金遣い)、西日本ではおもに銀貨が(銀遣い)それぞれ取引や貨幣計算の中心とされ、また三貨の交換比率は相場によってつねに変動するなど、貨幣制度は1871(明治4)年の新貨条例に至る(→p.268)まで統一されなかった。また17世紀後半から、各藩では藩札を発行し、城下町を中心とする領内で流通させた。また商人が発行する少額の私札が流布する地域もあり、三貨の不足をおぎなった。

貨幣は、三都や各城下町の両替商❹により流通が促進された。両替商は三貨間の両替や秤量を商売とした。大坂や江戸の本両替など有力な両替商は、幕府や藩の公金の出納や為替・貸付などの業務をおこない、その財政を支えた。

《《三都の発展》》農業や諸産業の発達は、各地の城下町・港町を中心に全国を結ぶ商品流通の市場を形成した。これを全国市場と呼ぶ。その要である江戸・大坂・京都の三都は、17世紀の後半に当時の世界でも有数の大規模な都市に成長した❺。

「将軍のお膝元」である江戸には、幕府の諸施設や全国の大名の屋敷(藩邸)

---

❶ 金座・銀座はその後、江戸に一本化された。
❷ われ銭・欠け銭・鉛銭・私鋳銭なども使用された。
❸ 金貨の単位は「両・分・朱」、銀貨は「貫・匁・分・厘・毛」、銭貨は「貫・文」である。銀は、初め秤量貨幣で、取引のつど目方をはかり、品位が鑑定された。換算率はのち金1両＝銭4貫文が銀60匁と定められたが、実際にはその時の相場に従った。
❹ 三井高利が三都で呉服店とともに始めた両替商や大坂の天王寺屋・平野屋・鴻池、江戸の三谷・鹿島屋などがとくに有名であった。
❺ 18世紀前半の江戸町方の人別(人口)は約50万人とされ、これに武家や寺社の人口を加えると計100万人前後に達したと推定される。また大坂は35万人、京都も40万人ほどである。

大坂の蔵屋敷（『摂津名所図会』，部分） 大坂の中之島を中心に，諸藩の蔵屋敷があった。諸藩は地元から米などの蔵物を大坂に送り，換金して貨幣収入を得ることにつとめた。（国立国会図書館蔵）

をはじめ，旗本・御家人の屋敷が集中し，その家臣や武家奉公人を含め多数の武家とその家族が居住した。また町人地には多くの町が密集し❶，さまざまな種類の商人・職人や日用（日雇）らが集まり，江戸は日本最大の消費都市となった。

　大坂は「天下の台所」といわれ，西日本や全国の物資の集散地として栄えた大商業都市であった。西日本や日本海側の諸藩を中心に蔵屋敷❷を大坂において，領内の年貢米や特産物である蔵物を蔵元・掛屋❸と呼ばれる商人を通じて販売し，貨幣の獲得につとめた。また，各地の産地から送られる商品（納屋物）も活発に取引され，大坂からは江戸をはじめ全国に出荷された。幕府は大坂城代や大坂町奉行をおいて，大坂や西日本を支配する要とした。

　京都には古代より天皇家や公家の居住地があり，市中や近隣には寺院の本寺・本山❹や大神社が数多く存在した。幕府は朝廷の権威を利用し，全国の寺社や宗教を支配するために，京都の支配を重視した。また，京都には呉服屋・両替商など大商人の本拠地が多く存在し，西陣織（→p.205）や京染・京焼などを代表とする高い技術を用いた手工業生産も発達した。幕府は京都所司代や京都町奉行をおき，朝廷・公家・寺社の統制や畿内と周辺諸国の支配に当たらせた。

❶　江戸の町数は17世紀半ばまで300ほどであったが，1713（正徳3）年に933，1745（延享2）年には1678に達し，その後は横ばいとなった。
❷　蔵屋敷は大坂のほか，江戸・長崎・大津など幕府の直轄都市におかれた。
❸　蔵屋敷において，蔵物の取引にたずさわるものを蔵元，代金などの出納に当たるものを掛屋と呼んだ。同じ商人が両者を兼ねることも多かった。
❹　仁和寺・東寺（真言宗），青蓮院・妙法院・聖護院（天台宗），東・西本願寺（浄土真宗），知恩院（浄土宗），南禅寺・相国寺・大徳寺・妙心寺（臨済宗）などがある。

210　第7章　幕藩体制の展開

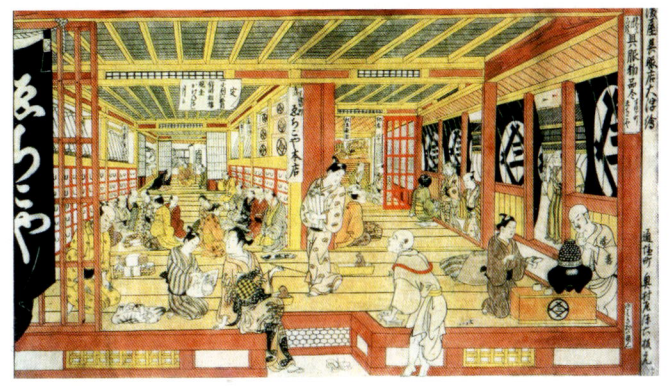

駿河町の越後屋呉服店 三井家では、1673(延宝元)年、江戸本町(東京都中央区)に越後屋呉服店を開いたが、1683(天和3)年に駿河町に移った。「現金(銀)かけねなし」というのがその商法である。(㈱三越伊勢丹蔵、東京都)

商業の展開

　全国市場が確立し、海運が活発になると、江戸の**十組問屋**や大坂の**二十四組問屋**のように、江戸・大坂間の荷物運送の安全、海損の共同保障、流通の独占をめざして、多様な職種からなる問屋仲間の連合組織がつくられた。また、問屋の活動範囲は全国におよび、なかでも近江・伊勢・京都の出身で呉服・木綿・畳表などを扱う一群の大商人たちは、両替商を兼ねて、三井家のように三都や各地の城下町などに出店をもつものも現われた。そして、都市の問屋の中には豪農と連携して農村部の商品生産や流通を主導し、産地の百姓らに資金や原料を貸与することで、農村部での個々の家内工業を**問屋制家内工業**へと組織する動きも現われた。

　18世紀前半になると、都市部では、問屋や仲買以外の商人や職人らの仲間や組合が広く公認され、商人や職人の経済活動が幕府や諸藩の力では左右できないほど、自律的で強固なものへと成長した。

堂島の米市場(『浪花名所図会』、部分) 18世紀の大坂堂島(大阪市北区)の米市場における売買の様子。元禄年間(1688〜1704年)に堂島新地に設けられた米市場は、大名の蔵米などの米取引を一手に扱った。(大阪府立中之島図書館蔵)

2. 経済の発展　211

また、生産地と三都などの問屋・仲買との売買の場である**卸売市場**が三都や城下町に発達し、都市と農村を結ぶ経済の心臓部としての役割を果たした。大坂では**堂島**の米市場、**雑喉場**の魚市場、**天満**の青物市場、江戸では**日本橋**の魚市場、**神田**の青物市場などがよく知られる❶。

3 元禄文化

元禄文化

元禄時代に東アジアの秩序と幕政が安定して経済がめざましく発展すると、前代までの公家・僧侶・武士や特権的な町人などの富裕層のみならず、一般の町人や地方の商人、また有力百姓に至るまで多彩な文化の担い手が生まれた。この時期の文化を**元禄文化**と呼ぶ。

その特色は、一つには、鎖国状態が確立したことで外国の影響が少なくなり(→p.179)、日本独自の文化が成熟したことである。二つには、平和と安定の中で、儒学のみならず天文学など科学的な分野も含めて学問が重視されたことである。三つには、文学・美術工芸・演劇などで、広範な層に受容された背景に、紙の生産や出版・印刷の技術、流通の発展があったことである。

元禄期の文学

朝幕協調の影響から、諸大名が和歌の指導を公家から受けたように、和歌は武士にもさかんになった。元禄期では、和歌以外の文学は上方の町人文芸が中心で、**井原西鶴**(1642～93)・**松尾芭蕉**(1644～94)・**近松門左衛門**(1653～1724)がその代表であった。

西鶴は大坂の町人で、初め西山宗因(1605～82)に学んで談林俳諧で注目を集め、やがて**浮世草子**と呼ばれる小説に転じ、現実の世相や風俗を背景に、人びとが愛欲や金銭に執着しながら、みずからの才覚で生き抜く姿を描き、文学に新しい世界を開いた❷。

芭蕉は伊賀の出身で、奇抜な趣向をねらう談林俳諧に対し、さび・かるみで示される幽玄閑寂の**蕉風(正風)**俳諧を確立し、自然と人間を鋭くみつ

---

❶ この他、名古屋では熱田の魚市場や枇杷島の青物市場が知られる。
❷ 作品には『好色一代男』などの好色物や、『武道伝来記』などの武家物、『日本永代蔵』『世間胸算用』などの町人物がある。

おもな文学作品
【小説】
好色一代男（井原西鶴）〈好色物〉
好色五人女（ 〃 ）〈好色物〉
武道伝来記（ 〃 ）〈武家物〉
日本永代蔵（ 〃 ）〈町人物〉
武家義理物語（ 〃 ）〈武家物〉
世間胸算用（ 〃 ）〈町人物〉
【俳文・句集】
笈の小文（松尾芭蕉）
奥の細道（ 〃 ）
猿蓑（松尾芭蕉ら）
【脚本】
曽根崎心中（近松門左衛門）〈世話物〉
冥途の飛脚（ 〃 ）〈世話物〉
心中天網島（ 〃 ）〈世話物〉
国性(姓)爺合戦（ 〃 ）〈時代物〉

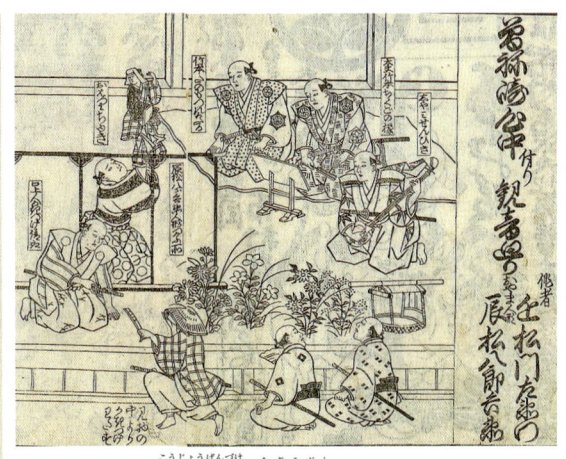

『曽根崎心中』の口上番付（『牟芸古雅志』） 辰松八郎兵衛が人形を使って演じている場面。右後方には浄瑠璃語りと三味線弾きがみえる。（国立国会図書館蔵）

　めて，『奥の細道』などの紀行文を著した。地方の農村部にも，芭蕉一行を待ち受け，支えた人びとが存在した。

　武士の出身であった近松は，現実の社会や歴史に題材を求め，義理と人情の板挟みに悩む人びとの姿を，人形浄瑠璃や歌舞伎の脚本によって描いた。近松の作品❶は人形遣い辰松八郎兵衛らが演じ，竹本義太夫（1651～1714）らによって語られて民衆の共感を呼んだ。その語りは，義太夫節という独立した音曲に成長していった。

　この頃，歌舞伎❷も民衆の演劇として発達した。能や狂言が武士の世界にとどまったのに対し，歌舞伎は江戸・上方に常設の芝居小屋がおかれ，江戸に勇壮な演技（荒事）で好評を得た初代市川団十郎（1660～1704），上方に恋愛劇（和事）を得意とする坂田藤十郎（1647～1709），女形の代表とされる芳沢あやめ（1673～1729）らの名優が出た。

《儒学の興隆》　幕藩体制の安定とともに儒学のもつ意義は増大した。社会における人びとの役割（職分）を説き，上下の身分秩序を重んじ，「忠孝・礼儀」を尊ぶ考え方がのぞまれたからである。とくに朱

❶ 作品には『曽根崎心中』など当時の世相に題材をとった世話物，明朝末期の遺臣鄭成功をモデルに明再興を筋立てとする『国性(姓)爺合戦』など歴史的事柄を扱った時代物などがある。
❷ 江戸時代初期に風俗取締りのうえから女歌舞伎，ついで若衆歌舞伎が禁止され，野郎歌舞伎だけがおこなわれた。

3. 元禄文化

子学の思想は大義名分論(→p.117)を基礎に，封建社会を維持するための**教学**として幕府や藩に重んじられた。

戦国時代に土佐で開かれたとされ，谷時中 1598?～1649 に受け継がれた南学(海南学派)も朱子学の一派で，その系統から山崎闇斎 1618～82・野中兼山 1615～63 らが出た。とくに闇斎は神道を儒教流に解釈して**垂加神道**を説いた❶。

朱子学に対し**中江藤樹** 1608～48 や門人の**熊沢蕃山** 1619～91 らは，明の王陽明 1472～1528 が始めた**陽明学**を学んだが，知行合一の立場で現実を批判してその矛盾を改めようとするなど革新性をもっていたために，幕府から警戒された❷。

一方，外来の儒学にあきたらず，孔子・孟子の古典に直接立ち返ろうとする**古学派**が，**山鹿素行** 1622～85 ❸や**伊藤仁斎** 1627～1705 ❹らによって始められた。仁斎らの古学を受け継いだ**荻生徂徠** 1666～1728 ❺は政治・経済にも関心を示し，都市の膨張をおさえ，武士の土着が必要であると説いて，統治の具体策を説く**経世論**に道を開いた。

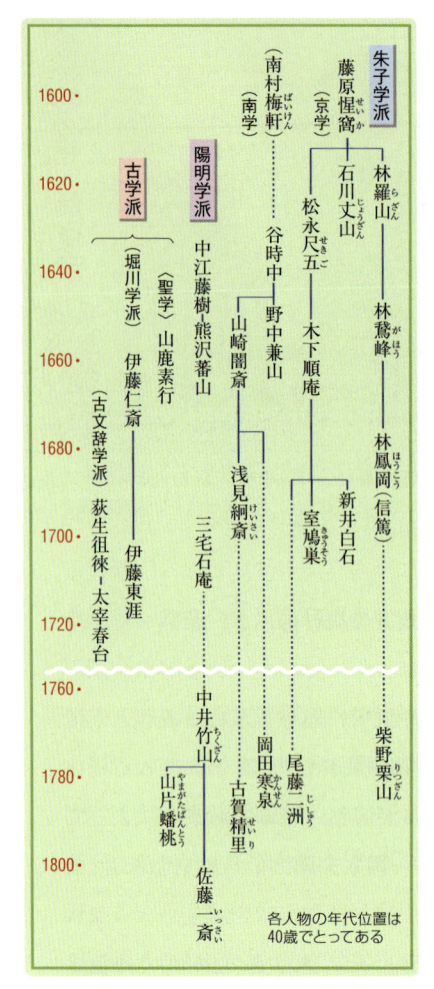

儒学者系統図

各人物の年代位置は40歳でとってある

朱子学派
　藤原惺窩(京学)
　　林羅山―林鵞峰―林鳳岡(信篤)―新井白石―室鳩巣―尾藤二洲―古賀精里
　　石川丈山
　　松永尺五―木下順庵
　(南村梅軒)(南学)
　　谷時中―野中兼山―山崎闇斎―浅見絅斎―三宅石庵―中井竹山―山片蟠桃―佐藤一斎

陽明学派
　中江藤樹―熊沢蕃山

古学派
　(聖学)山鹿素行―柴野栗山
　(堀川学派)伊藤仁斎―伊藤東涯
　(古文辞学派)荻生徂徠―太宰春台―岡田寒泉

---

❶ 垂加は闇斎の別号。これまでの伊勢神道・唯一神道や吉川惟足に始まる吉川神道などを土台にしたもので，道徳性がきわめて強い。神の道と天皇の徳が一体であることを説くことから，闇斎一門の崎門学は，尊王論の根拠ともなった。

❷ 蕃山は古代中国の道徳秩序をうのみにする儒学を批判したため，幕府により下総古河に幽閉され，そこで病死した。主著『大学或問』などで武士土着論を説いて幕政を批判した。

❸ 素行は朱子学を攻撃し，『聖教要録』を刊行して古代の聖賢に立ち戻ることを主張したため，幕府によって赤穂に流された。また明清交替により，従来の中華の明が滅びた時期に，日本を「中朝」「中華」とみなす立場で『中朝事実』を著した。

❹ 伊藤仁斎・東涯父子は京都堀川で私塾古義堂を開いた。

❺ 徂徠は江戸に私塾蘐園塾を開き，自説を講義した。

214　第7章　幕藩体制の展開

徂徠は柳沢吉保や将軍徳川吉宗に用いられ、享保の改革では政治顧問の役割を果たした。またその弟子太宰春台（1680〜1747）は、経世論を発展させ、武士も商業をおこない、専売制度によって利益を上げるべきだと主張した。

《諸学問の発達》

儒学の発達は、合理的で現実的な考え方という点で他の学問にも大きな影響を与えた。新井白石は『読史余論』を著し、朝廷や武家政権の推移を段階的に時代区分して独自の歴史の見方を展開した。

自然科学では、本草学（博物学）❶や農学・医学など実用的な学問が発達し、貝原益軒（1630〜1714）の『大和本草』、宮崎安貞の『農業全書』などが広く利用された。また、測量や商売取引などの必要から和算が発達し、関孝和（1640?〜1708）は筆算代数式とその計算法や円周率計算などですぐれた研究をした❷。天文・暦学で渋川春海（安井算哲）（1639〜1715（しゅんかい））は京都の土御門家に入門のうえ、暦の誤差を修正して日本独自の暦をつくった（貞享暦）。この功により、幕府は天文方❸を設け、渋川をこれに任じた。

国文学の研究もこの時代から始まった。まず、戸田茂睡（1629〜1706）は和歌に使えない言葉（制の詞）が定められてきたことの無意味さと、俗語を用いることの正当さを説いた。『万葉集』を研究した契沖（1640〜1701）は、多くの実例によって茂睡の説の正しさを説明し、和歌を道徳的に解釈しようとする従来の説を批判して『万葉代匠記』を著した。また北村季吟（1624〜1705）は『源氏物語』や『枕草子』を研究して、作者本来の意図を知ろうとした。これらの古典研究は古代精神の探究に進み、のちに国学として成長した。

おもな著作物

【儒学・歴史学・国文学】

- 大日本史（水戸家）
- 大学或問（熊沢蕃山）
- 聖教要録（山鹿素行）
- 武家事紀（〃）
- 中朝事実（〃）
- 本朝通鑑（林羅山・林鵞峰）
- 読史余論（新井白石）
- 折たく柴の記（〃）
- 古史通（〃）
- 藩翰譜（〃）
- 政談（荻生徂徠）
- 経済録（太宰春台）
- 経済録拾遺（〃）
- 万葉代匠記（契沖）
- 源氏物語湖月抄（北村季吟）

【自然科学ほか】

- 農業全書（宮崎安貞）
- 農具便利論（大蔵永常）｜
- 広益国産考（〃）｜（19世紀前半）
- 大和本草（貝原益軒）
- 庶物類纂（稲生若水ら）
- 塵劫記（吉田光由）
- 発微算法（関孝和）
- 貞享暦（渋川春海）
- 采覧異言（新井白石）
- 西洋紀聞（〃）

---

❶ 本草とは、薬のもとになる草を意味する。本草学は本来、植物・動物・鉱物の薬用効果について研究する学問であるが、しだいに博物学的性格を強めた。
❷ 和算は江戸時代前期に吉田光由が出て、和算書『塵劫記』を著して、民間にも広まった。
❸ 編暦をおこなう役職で、天文方からは優秀な人材が輩出した。

3．元禄文化　215

おもな建築・美術作品

【建築】
東大寺大仏殿
善光寺本堂

【絵画】
紅白梅図屏風(尾形光琳)(p.216)
燕子花図屏風(〃)
見返り美人図(菱川師宣)(p.216)
洛中洛外図巻(住吉具慶)

【工芸】
八橋蒔絵螺鈿硯箱(尾形光琳)(p.217)
色絵吉野山図茶壺(野々村仁清)
色絵藤花文茶壺(〃)(p.216)
色絵月梅文茶壺(〃)

色絵藤花文茶壺(野々村仁清作) 京都御室仁和寺の門前に窯を築いた野々村清右衛門は、仁和寺の仁と本名の清右衛門の清をあわせて仁清と名乗った。これは茶会用の壺で仁清の代表作。(高さ29cm, MOA美術館蔵, 静岡県)

見返り美人図(菱川師宣筆) 町絵師師宣の肉筆美人画の代表作。ふと振り返ったポーズをたくみにとらえている。(縦63cm, 東京国立博物館蔵)

『**紅白梅図屏風**』(尾形光琳筆, 部分) 二曲一双。左の白梅と右の紅梅を力強くかつ繊細に描き、そのあいだに水流を図案的に配して全体の調和を保つ、光琳の独自性が強く発揮されている。(縦156cm, 横172.5cm, MOA美術館蔵, 静岡県)

《元禄美術》

美術では、上方の有力町人を中心に、寛永期の文化を受け継いで、いちだんと洗練された作品が生み出された。
　絵画では幕府や大名に抱えられた狩野派のほかに、大和絵系統の土佐派から出た**土佐光起**(1617〜91)が朝廷に抱えられ、土佐派からわかれた**住吉如慶**(1599〜1670)・**具慶**(1631〜1705)父子は、狩野派に加えて幕府の御用絵師となって活躍した(住吉派)。京都では、**尾形光琳**(1658〜1716)が俵屋宗達の装飾的な画法を取り入れて**琳派**をおこした。また江戸

八橋蒔絵螺鈿硯箱(尾形光琳作) 京都の呉服商雁金屋に生まれ，弟乾山とともに画や漆工などにすぐれた作品を残した尾形光琳の代表作の一つ。『伊勢物語』の八橋とカキツバタの意匠を用いる。上下2段組みで上段は硯箱，下段は料紙箱。(高さ14.5cm，東京国立博物館蔵)

六義園(東京都文京区特別名勝) 柳沢吉保が1695(元禄8)年に徳川綱吉から与えられた下屋敷に，8年をかけてみずからが設計した庭園。吉保が六義園と名づけ，将軍綱吉の御成もあった。

　では，安房出身の菱川師宣が浮世絵の版画を始め，美人・役者などに画題を求めて都市の風俗を描き，安価に入手できることもあって，大きな人気を得た。
　陶器では京都の野々村仁清が上絵付法をもとに色絵を完成して京焼の祖となり，光琳はすぐれた意匠の蒔絵でも知られる。光琳の弟の尾形乾山はこの流れをくんで装飾的で高雅な作品を残した。染物では，宮崎友禅が友禅染を始め，綸子や縮緬の生地に華やかな模様を表わした。
　庭園の分野では，将軍が大名屋敷を訪れる御成の回数が増え，大名側も屋敷に趣向をこらした廻遊式庭園を設けた。小石川の水戸藩邸の後楽園は朱舜水の儒教的思想の影響がみられ，柳沢吉保の屋敷である六義園なども現存するみごとな庭園である。

3. 元禄文化　**217**

第8章 幕藩体制の動揺

1 幕政の改革

《享保の改革》

　1716(享保元)年に7代将軍徳川家継が8歳で死去し、家康以来の宗家(本家)が途絶えると、三家の紀伊藩主であった徳川吉宗が8代将軍になった。吉宗は29年間の将軍在職のあいだ、諸政策を実行して幕政の改革に取り組んだ。これを**享保の改革**と呼ぶ。

　吉宗は徳川綱吉以来の側用人による側近政治をやめ、新設の御用取次を介して将軍の意志を幕政に反映させた。政策の実行のためには旗本の大岡忠相(1677～1751)や宿駅の名主であった田中丘隅❶ら、有能な人材を多く登用し❷、また荻生徂徠や室鳩巣(1658～1734)らの儒学者を用いて、将軍みずから先頭に立って改革に取り組んだ。

　改革の中心はまず財政の再建にあった。1719(享保4)年、続発する金銀貸借についての争い(金公事)を幕府に訴えさせず、当事者間で解決させるために相

上げ米の令

御旗本に召置かれ候御家人、御代々段々相増候。其外表立候御用筋の渡方二引合候ては、畢竟年々不足の事二候。……それ二付、御代々御沙汰之無き事二候得共、万石以上の面々より八木差上げ候様二仰せ付けらるべしと思召し、御家人の内数百人、御扶持召放さるべきより外二無く候故、御恥辱を顧みられず仰せ出され候。之に依り、在江戸半年充御免成され候間、緩々休息いたし候様二仰せ出され候。
（御触書寛保集成）

❶幕領からの貢租収入、切米は春夏秋の三期に何俵というように給され、扶持米は一日玄米五合）というように給与された。
❷旗本・御家人に支給する俸禄米、切米(一人扶持は一日玄米五合)
❸米の字を分解したもの。

---

❶ 東海道川崎宿の名主で、徂徠に学び、『民間省要』という地方書を書いた。また吉宗に登用されて民政に貢献した。
❷ 旗本の人材登用に当たっては、大番頭5000石、大目付・町奉行・勘定奉行3000石などの役職による基準(役高)を定め、それ以下の禄高のものが就任する時、在職期間中のみ不足の石高(役料)をおぎなう**足高の制**を設けた。

対済し令❶を出した。また倹約令によって支出をおさえる一方，大名から石高1万石について100石を臨時に上納させる上げ米を実施し，そのかわりに参勤交代の負担をゆるめた❷。ついで，幕領の代官らの不正を徹底的に摘発する一方，検見法を改め，定免法を広く取り入れて，年貢率の引上げをはかり，年貢の増徴をめざした。また，西日本の幕領でさかんになった綿作などの商品作物の生産による富の形成に目をつけ，畑地からの年貢増収をめざした。一方，商人資本の力を借りて新田開発を進め❸，米の増産を奨励した。

これらの施策によって，幕領の石高は1割以上増加し，年貢収入も増大して幕府財政はやや立ち直りを示した。「米公方」と呼ばれた吉宗は，さらに米価の上昇によって武家の財政を安定させようと，大坂の堂島米市場を公認した。また，甘藷・さとうきび・櫨・朝鮮人参の栽培など，新しい産業を奨励し，漢訳洋書の輸入制限をゆるめるなどした❹。

こうして財政再建の見通しを立てた吉宗は，1728(享保13)年4月に65年ぶ

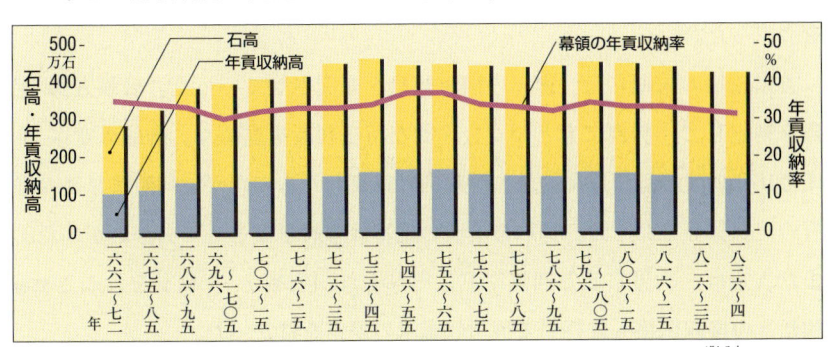

幕領の石高と年貢収納高　幕領は当初は300万石弱であったが，しだいに増加して元禄期(1688～1704年)に400万石前後となり，享保期(1716～36年)以降から幕末まで440万石程度であった。年貢収納率は，当初は高かったがしだいに低くなり，享保の改革の効果で上昇して宝暦期(1751～64年)に頂点に達し，その後，低下して寛政の改革(→p.232)で一時的にもち直すが，ふたたび下がった。

---

❶　相対済し令は，17世紀後半以降，数度出されている。1718(享保3)年に江戸町奉行所が受けつけた訴訟は約3万6000件であり，このうち90%以上が金公事であった。
❷　1722～30(享保7～15)年に9年間実施。この間，参勤交代の在府期間は半減された。上げ米は年18万7000石におよび，これは幕府の年貢収入の1割以上に相当した。
❸　幕府は江戸日本橋に新田開発についての高札を立て，有力商人の協力をうながした。著名なものに，飯沼新田・紫雲寺潟新田・武蔵野新田・見沼代用水新田があげられ，これだけでも約20万石の増加となった。
❹　青木昆陽を登用して救荒用の甘藷の普及を実現させ，青木・野呂元丈にオランダ語を習わせ，蘭学興隆の基礎を築いた(→p.225)。

1. 幕政の改革　**219**

りの日光社参(軍役)を命じ，東照権現(家康)の御定めの通りを主張して強い将軍像を誇示した。そのうえで，将軍側には「恥辱」と認識された上げ米制を廃止し，参勤交代をもとに戻した。

町火消(『火消千組之図大絵馬』) いろは47組のうち，「へ・ら・ひ」組は音が悪いので，「百・千・万」組と改めた。(成田山霊光館蔵，千葉県)

　改革の第2の柱は江戸の都市政策で，町奉行大岡忠相によって進められた。明暦の大火以後も繰り返し大火に見舞われた江戸に，広小路・火除地などの防火施設を設け，定火消を中心としてきた消火制度を強化するために，町方独自の**町火消❶**を組織させた。また，評定所に目安箱を設けて庶民の意見を聞き，それによって貧民を対象とする医療施設として**小石川養生所**をつくった。

　吉宗政権の末期には，種々の国家制度を充実させていった。**公事方御定書**を制定して，判例にもとづく合理的な司法判断を進めた。御触書寛保集成は1615(元和元)年以降の触れを類別に編纂したものだが，同時に以後の幕府の記録保存を命じた。御触書集成の編纂は幕府事業として引き継がれた。また吉宗は，次男宗武と四男宗尹にそれぞれ田安家・一橋家をおこさせ❷，朝廷との協調関係も維持して徳川将軍家の安定をはかった。

社会の変容

　享保の改革の後，18世紀後半は幕藩体制にとって大きな曲がり角となった。

　村々では一部の有力な百姓が，名主・庄屋などの村役人をつとめて**地主手作❸**をおこなった。また，手持ちの資金を困窮した百姓に利貸して村の内外で質にとった田畑を集めて**地主**に成長し，その田畑を小作人に貸して小作料を取り立てた。彼らは村々において商品作物生産や流通・金融の中心と

---

❶ 江戸町方の町々を「いろは」47組(のちに48組)に編成した。町人足役(→p.190)による組織的な消防制度を始めたが，すぐに鳶人足による消防組織にかわった。
❷ 9代将軍徳川家重の次男重好に始まる清水家とあわせて，**三卿**と呼ばれる。
❸ 零細農民を年季奉公人などとして使役しておこなう地主経営をいう。

なり、地域社会を運営する担い手となった。こうした有力百姓を**豪農**(→p.211)と呼ぶ。一方、田畑を失った小百姓は小作人となるか、年季奉公や日用稼ぎに従事し、江戸や近隣の都市部に流出するなど、いっそう貨幣経済に巻き込まれていった。こうして村々では、自給自足的な社会のあり方が大きくかわり、村役人を兼ねる豪農と、小百姓や小作人らとのあいだの対立が深まった。そして村役人の不正を追及し、村の民主的で公正な運営を求める小百姓らの運動(**村方騒動**)が各地で頻発した。

日本橋「朝之景」(東海道五十三次、歌川広重筆) 大名の行列が日本橋を渡る。左手は高札場、図の右奥にある魚河岸(日本橋魚市場)から仕入れた鮮魚を運ぶ棒手振の肴売りがみえる。(東京国立博物館蔵)

都市では、社会の基礎である**町**がその性格を大きくかえた。とくに三都や城下町の町人地中心部では、町内の家持町人が減少し、住民の多くは地借や店借・商家奉公人らによって占められることが多かった。そして町内の**裏長屋**❶(→p.190)や城下町の場末には、出稼ぎなどで農村部から流入してきた人びとや、棒手振・日用稼ぎをはじめ雑業に従事する貧しい民衆が多数居住した。これらの都市民衆は、零

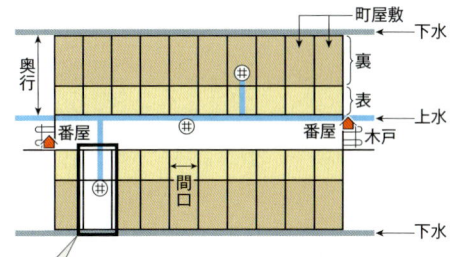

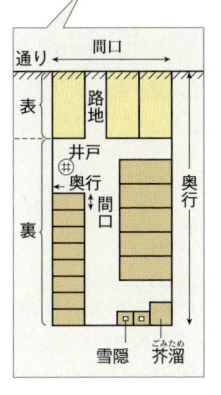

町と町屋敷の模式図 上図は、長さ1町(60間〈約108m〉)ほどの通りを、奥行20間の家並みが両側から挟む町を示す。この町は、計20カ所の町屋敷で構成され、左図は町屋敷の内部構造を示す。通りに面する表店はおもに商売の場で、路地を裏に入ると、井戸や雪隠(便所)とともに長屋が並ぶ。ここは裏店と呼ばれる居住空間である。裏店は、間口9尺、奥行2間(3坪〈9.72㎡〉)という零細なものも多い。

❶ 裏店と呼ばれ、「**九尺二間**」(2.7m×3.6m、狭い間口と奥行の借家のこと)といわれるように、狭くて劣悪な住居が大半であった。

1. 幕政の改革　221

細な棟割長屋に住み，わずかな貨幣収入で暮らしを支え，物価の上昇や飢饉・災害の時には，たちまち生活を破壊された。

一揆と打ちこわし

百姓は村請制のもとで年貢や諸役など重い負担のもとにおかれたが，幕府や藩の支配が原因で百姓の暮らしや生産活動が大きくそこなわれた時には，村を単位に領主に対し広い範囲で結集し，要求を掲げてしばしば直接行動をおこした。これを**百姓一揆**❶と呼ぶ。

17世紀後半からは，村々の代表者が百姓全体の要求をまとめて領主に直訴する一揆(**代表越訴型一揆**)❷が増え，17世紀末になると，広い地域にわたる大規模な**惣百姓一揆**❸も各地でみられるようになった。一揆に参加した百姓らは，年貢の増徴や新税の停止，専売制の撤廃などを要求し，藩の政策に協力する商人や村役人の家を打ちこわすなどの実力行動にも出た。

幕府や諸藩は一揆の要求を一部認めることもあったが，多くは武力で鎮圧し，一揆の指導者を厳罰に処した。しかし，きびしい弾圧にも関わらず，百

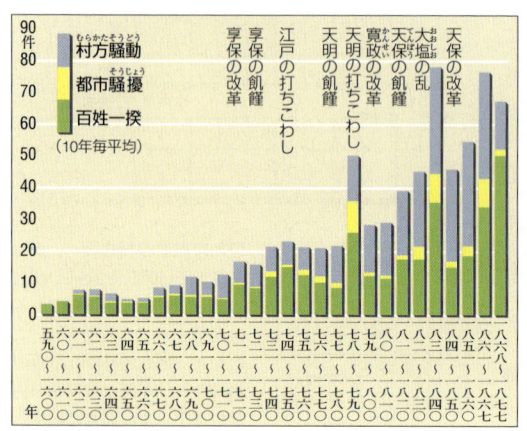

百姓一揆の推移(『百姓一揆総合年表』より)

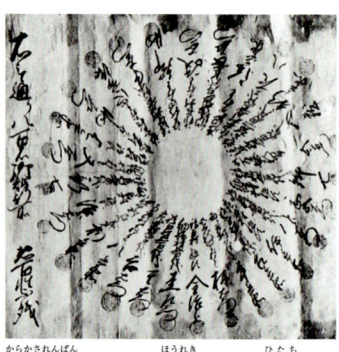

傘連判状 1754(宝暦4)年，常陸国の旗本知行地で，11カ村の村役人たちが連名・連判して代官の罷免を要求した書状。(島田氏蔵，茨城県)

---

❶ 17世紀の初めには，江戸幕府の支配に抵抗する土豪(兵農分離の際に，村にとどまった有力な旧侍層)をまじえた武力蜂起や村ぐるみでの逃散など，まだ中世の一揆のなごりがみられた。百姓一揆は，明治初期のものを含めて，これまで3700件ほどが確認されている。

❷ 下総の佐倉惣五郎，上野の礒部茂左衛門のように，一揆の代表者が義民として伝説化することが多かった。

❸ 藩領全域におよぶ場合は全藩一揆と呼ぶ。たとえば1686(貞享3)年の信濃松本藩の嘉助騒動，1738(元文3)年の陸奥磐城平藩の元文一揆があげられる。

222 第8章 幕藩体制の動揺

姓一揆は増加し続け，凶作や飢饉の時には，各地で同時に多発した。そして，1732(享保17)年には，天候不順の西日本一帯でいなごやうんかが大量に発生し，稲を食い尽くして大凶作となり，全国におよぶ飢饉となった(**享保の飢饉**)。このため民衆の暮らしは大きな打撃を受け，江戸では翌1733(享保18)年に，有力な米問屋が米価急騰の原因をつくったとして**打ちこわし**にあった。

1782(天明2)年の冷害から始まった飢饉は，翌年の浅間山の大噴火を経て数年におよぶ大飢饉となり，東北地方を中心に多数の餓死者を出した(**天明の飢饉**)❶。このため全国で数多くの百姓一揆がおこり，江戸や大坂をはじめ各地の都市では激しい打ちこわしが発生した。

天明の飢饉(『天明飢饉之図』，部分) 1782～87(天明2～7)年，長雨と浅間山噴火・冷害などによって，全国的に大飢饉となった。(福島県会津美里町教育委員会蔵)

田沼時代

将軍徳川吉宗のあと，9代将軍徳川家重を経て10代将軍徳川家治の時代になると，1772(安永元)年に側用人から老中となった**田沼意次**(1719～88)が十数年間にわたり実権を握った。この時代を**田沼時代**という。意次はふたたびゆきづまり出した幕府財政を再建するために，年貢増徴だけに頼らず民間の経済活動を活発にし，そこで得られた富の一部を財源に取り込もうとした。そのために，都市や農村の商人・職人の仲間を**株仲間**として広く公認し❷，運上や冥加など営業税の増収をめざした。また，はじめて定量の計数銀貨を鋳造させ❸，金を中心とする貨幣制度への一本化を試みた。

さらに意次は，江戸や大坂の商人の力を借りて印旛

南鐐二朱銀の表(左)**と裏面**(右) 8片をもって小判1両に引き換えると明示してある。(日本銀行貨幣博物館蔵)

---
❶ 被害はとくに陸奥の諸藩でひどく，津軽藩などでは餓死者が十数万人にも達し，絶滅する村も多かった。
❷ この一環として幕府の専売のもとに，銅座・真鍮座・朝鮮人参座などが設けられた。
❸ 1772(安永元)年から大量に鋳造された**南鐐二朱銀**がその代表である。南鐐とは上質な銀のことであるが，金2朱として通用した。

1．幕政の改革　**223**

長崎貿易(『蘭館絵巻』, 部分) 長崎の役人とオランダ商館員とが, 商品を計算する様子がみえる。(長崎歴史文化博物館蔵)

沼・手賀沼の大規模な干拓工事❶を始めるなど, **新田開発**を積極的に試みた。また仙台藩の医師**工藤平助**(1734〜1800)の意見(『赤蝦夷風説考』)を取り入れ, **最上徳内**(1755〜1836)らを蝦夷地に派遣して, その開発やロシア人との交易の可能性を調査させた❷。意次の政策は, 商人の力を利用しながら, 幕府財政を思い切って改善しようとするものであり, これに刺激を受けて, 民間の学問・文化・芸術が多様な発展をとげた。一方で, 幕府役人のあいだで賄賂や縁故による人事が横行するなど, 武士本来の士風を退廃させたとする批判が強まった。

この時期朝廷では, 復古派の公家たちと**竹内式部**(1712〜67)が, 摂家によって処分される**宝暦事件**(1758年)がおこった。また, **後桃園天皇**(位1770〜79)の急死(1779年)後, 閑院宮家から迎えられた**光格天皇**(位1779〜1817)が即位した。

天明の飢饉が始まり, 百姓一揆や打ちこわしが全国で頻発する中, 1784(天明4)年に意次の子で若年寄の**田沼意知**(1749〜84)が江戸城内で刺殺されると❸, 意次の勢力は急速に衰え, 1786(天明6)年, 将軍徳川家治が死去するとすぐに老中を罷免されて, 多くの政策も中止となった。

2 宝暦・天明期の文化

《 洋学の始まり 》

18世紀になると, 学問・思想の分野では, 幕藩体制の動揺という現実を直視してこれを批判し, 古い体制か

---

❶ 工事はほぼ完成に近づいたが, 利根川の大洪水で挫折した。
❷ 長崎貿易(→p.180)の政策も転換し, 銅や俵物を輸出して貨幣鋳造のための金銀の輸入をはかった。
❸ 意知を刺殺したのは旗本の佐野政言で, 彼は民衆から「世直し大明神」ともてはやされた。

ら脱しようとする動きがいくつも生まれた。鎖国のもとにおかれたことから、西洋の学術・知識の吸収や研究は困難であったが、18世紀の初めに天文学者である西川如見や新井白石❶が世界の地理・物産・民俗などを説いて、先駆けとなった。また将軍徳川吉宗は、漢訳洋書の輸入制限をゆるめ、青木昆陽・野呂元丈らにオランダ語を学ばせたこともあって、洋学はまず蘭学として発達し始めた。

　洋学をいち早く取り入れたのは、実用の学問(実学)としての医学である❷。1774(安永3)年、前野良沢や杉田玄白らが西洋医学の解剖書を訳述した『解体新書』は、その画期的な成果であった。ついで大槻玄沢や宇田川玄随❸が出て、洋学は各分野でいっそう隆盛をみせ、玄沢の門人稲村三伯は蘭日辞書である『ハルマ和解』をつくった。また平賀源内は、長崎で学んだ科学の知識をもとに物理学の研究を進めた❹。

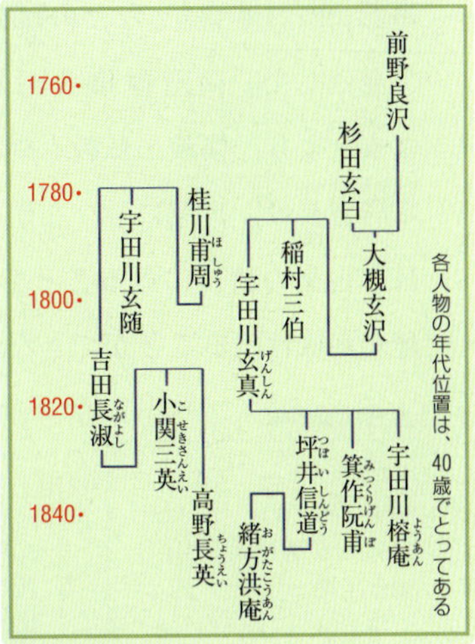

洋学者系統図

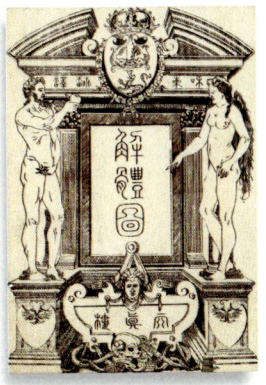

各人物の年代位置は、40歳でとってある

1760 — 前野良沢
1780 — 杉田玄白
　　　 宇田川甫周　桂川甫周　稲村三伯　大槻玄沢
1800 — 宇田川玄随
　　　 宇田川玄真
1820 — 吉田長淑　小関三英　坪井信道　箕作阮甫　宇田川榕菴
1840 — 　　　　　高野長英　緒方洪庵

『**解体新書**』　原書はドイツ人クルムスの著した『解剖図譜』をオランダ語訳した『ターヘル゠アナトミア』である。図は序図の扉絵。扉絵・解剖図は、平賀源内に絵を学んだ秋田藩士の小田野直武が写し描いた。(東京都江戸東京博物館蔵)

❶　イタリア人宣教師シドッチは、1708(宝永5)年にキリスト教布教のため屋久島に潜入して捕えられ、江戸小石川のキリシタン屋敷に幽閉されて、5年後に死んだ。白石は、その訊問で得た知識をもとに『采覧異言』と『西洋紀聞』を著した。
❷　医学では、元・明の医学を重んじる当時の流れに対し、臨床実験を重視する漢代の医術に戻ろうとする古医方が現われた。とくに山脇東洋は、18世紀中頃、刑死人の解剖をおこなわせ人体内部を直接観察して、日本最初の解剖図録『蔵志』を著した。
❸　大槻玄沢は『蘭学階梯』という蘭学の入門書を著し、江戸に芝蘭堂を開いて多くの門人を育てた。宇田川玄随は、西洋の内科書を訳して『西説内科撰要』を著した。
❹　平賀源内は高松藩の足軽の家に生まれ、長崎でオランダ人・中国人とまじわり本草学を研究した。のち江戸へ出て摩擦発電器(エレキテル)の実験をし、寒暖計や不燃性の布などをつくって人びとを驚かせた。戯曲や滑稽本も書き、博学多才の人であった。また蘭学書によって西洋画法を学び、秋田に銅山開発のためにまねかれた際に、その技法を伝えた。

2. 宝暦・天明期の文化　**225**

また，ロシアの南下をきっかけとして，世界や日本の地理や地図を学び研究することが本格的に始まった。こうして洋学は，多くの分野にわたり，実証的で科学的な研究や学問の発達を大きくうながすきっかけとなった。

《国学の発達と尊王論》

日本の古典をめぐる実証的研究は，元禄時代に契沖（→p.215）らによって始められ，18世紀に入ると『古事記』や『日本書紀』などの研究に進み，日本古来の道（古道）を説く国学として発達した。荷田春満（1669～1736）や門人の賀茂真淵（1697～1769）は日本の古代思想を追究し，洋学はもとより，儒教・仏教も外来思想として排した。伊勢商人の家に生まれた本居宣長（1730～1801）は，真淵に学びながら国学を思想的にも高めて『古事記伝』を著し，日本古来の精神に返ることを主張して，「漢意」を激しく攻撃した。古い教理から抜け出ることができなかった儒学に対し，国学では，政治や社会への批判精神が強かった。また盲目の国学者塙保己一（1746～1821）は，古典の収集・保存に心がけ，のちの国史学・国文学の基礎を築いた❶。

尊王論は儒学と結びつき，幕藩体制の中の天皇を王者として尊ぶ思想として，水戸学❷などで主張された。そして18世紀半ばに国学者の竹内式部は京都で公家たちに尊王論を説いて追放刑となり（宝暦事件）（→p.224），また兵学者の山県大弐（1725～67）は，江戸で幕政の腐敗を攻撃し尊王斥覇を説いたため，謀反を企

おもな著作物

【洋学ほか】
蔵志（山脇東洋）
華夷通商考（西川如見）
解体新書（前野良沢・杉田玄白ら）
赤蝦夷風説考（工藤平助）
三国通覧図説（林子平）
海国兵談（　　）
蘭学階梯（大槻玄沢）
西説内科撰要（宇田川玄随）
ハルマ和解（稲村三伯）
蘭学事始（杉田玄白）

【国学】
国意考（賀茂真淵）
古事記伝（本居宣長）
群書類従（塙保己一編）

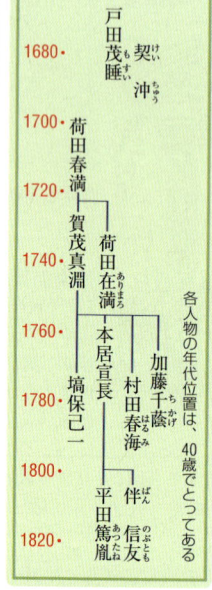

国学者系統図

年代	
1680	戸田茂睡　契沖
1700	荷田春満
1720	荷田在満　賀茂真淵
1740	
1760	加藤千蔭　本居宣長
1780	村田春海　塙保己一
1800	平田篤胤　伴信友
1820	

各人物の年代位置は，40歳でとってある

---

❶ 塙保己一は寛政期（1789～1801年）に幕府の援助を受けて和学講談所を設け，『群書類従』などの編修・刊行をおこなった。
❷ 水戸藩の『大日本史』の編纂事業を中心にしておこった学派で，朱子学を軸に国学・神道を総合し，天皇尊崇と封建的秩序の確立を説いた。前期の水戸学には，徳をもっておさめる王者は力をもって支配する覇者にまさるという，朱子学の大義名分論からの尊王斥覇の考えが主流であった（→p.244）。

226　第8章　幕藩体制の動揺

心学道話をきく子どもたち（『前訓』）
18世紀の後半，京都の心学講舎で師匠の話にきき入る子どもたち。人として生きるための道徳や礼儀をやさしく説く道話に，大勢で正座して耳を傾ける。「男子席」「女子席」が簾で区切られている。（明倫舎蔵，京都府）

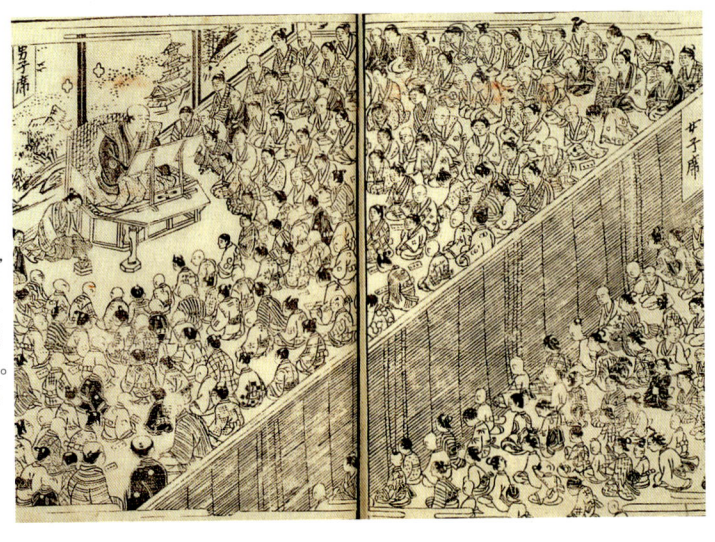

てたとして死刑に処せられた（明和事件）。しかし尊王論自体は，将軍が天皇の委任によって政権を預かるというとらえ方で，朝廷を尊ぶことによって幕府の権威を守ろうとするものが多かった❶。

《生活から生まれた思想》　18世紀の初め，京都の町人**石田梅岩**（1685〜1744）は心学をおこし，儒教道徳に仏教や神道の教えを加味して，町人を中心とする庶民の生活倫理をやさしく説いた。社会の中での町人や百姓の役割を強調し，その人間としての価値を説く心学は，弟子の**手島堵庵**（1718〜86）・**中沢道二**（1725〜1803）らによって全国に広められた。

18世紀半ばになると封建社会を根本から批判し，それを改めようとする意見が現われてきた。とくに，奥州八戸の医者**安藤昌益**（?〜1762）は『自然真営道』を著して，万人がみずから耕作して生活する自然の世を理想とし，武士が農民から搾取する社会や身分社会を鋭く批判した。

身分社会への批判

……各耕シテ子ヲ育テ，子社ニナリ，能ク耕シテ親ヲ養ヒ子ヲ育テ，一人之ヲ貪リ取ル者無ケレバ万人之ヲ為テ，貪リ取ル者モ無ク，転定❶モ人倫モ別ツコト無ク，定生ズレバ，人倫耕シ，此ノ外一点私事無シ。是レ自然ノ世ノ有様ナリ。（『自然真営道』）

❶天地の意だが，転は運回する天。定は静止する海で，海の中央に土（陸地）があるとする。転と定が一体として活動し，万物を生成すると考える。

❶　寛政期の高山彦九郎は尊王思想を説いて全国をめぐり，蒲生君平や頼山陽らもその著述を通して尊王論を説いた。実際に政務委任を受けた将軍は，1863（文久3）年の家茂が最初である。

2．宝暦・天明期の文化　227

おもな藩校(藩学)

設立地	藩校名	設立者	設立年
萩	明倫館	毛利吉元	1719
仙台	養賢堂	伊達吉村	1736
熊本	時習館	細川重賢	1755
鹿児島	造士館	島津重豪	1773
米沢	興譲館	上杉治憲	1776 (1697 藩校創建)
福岡	修猷館	黒田斉隆	1784
秋田	明徳館	佐竹義和	1789 (初め明道館)
会津	日新館	松平容頌	1799
庄内	致道館	酒井忠徳	1805
水戸	弘道館	徳川斉昭	1841 開館

おもな私塾

設立地	私塾名	設立者	設立年
岡山	花畠教場	熊沢蕃山	1641
近江小川	藤樹書院	中江藤樹	1648
京都	古義堂	伊藤仁斎	1662
江戸	蘐園塾	荻生徂徠	1709頃
大坂	懐徳堂	中井甃庵	1724
江戸	芝蘭堂	大槻玄沢	1788頃
豊後日田	咸宜園	広瀬淡窓	1817
長崎	鳴滝塾	シーボルト	1824
大坂	洗心洞	大塩平八郎	1830頃
〃	適々斎塾	緒方洪庵	1838
萩	松下村塾	吉田松陰の叔父	1842

儒学教育と学校

　これらの学問・思想における新たな動きに対して、幕府は儒学による武士の教育を強く奨励した。こうした中、寛政の改革で幕府は朱子学を正学とし、林家の家塾を幕府直営の昌平坂学問所とし、人材を整えて、幕府による支配の正統性を支える学問として、朱子学を重んじた。また18世紀後半には**古学派**や諸学**折衷**の立場をとる**折衷学派**、さらにはその中から生まれた実証的な**考証学派**がさかんになった。

　全国の藩は、藩士や子弟の教育のために**藩校**(藩学)を設立した。藩校は、初め朱子学を主とする儒学や武術を学習させるものがほとんどであったが、のちには蘭学や国学も取り入れ、年齢や学力に応じた学級制もみられた。また藩の援助を受けて、藩士や庶民の教育をめざす**郷校**(郷学)がつくられることもあった。17世紀後半、岡山藩主池田光政が閑谷村に建てた閑谷学校は、その早い例である。また郷校の一つ大坂の**懐徳堂**は、18世紀初めに大坂町人の出資を得て設立され、寛政の改革の頃には中井竹山（1730～1804）を学頭として朱子学や陽明学を町人に教え、**富永仲基**（1715～46）や**山片蟠桃**❶（1748～1821）らの異色の学者を生んだ。

　民間でも、武士・学者・町人により各地で私塾が開かれ、儒学や国学・蘭学などが講義された。すでに17

おもな著作物

自然真営道（安藤昌益）
統道真伝（〃）
柳子新論（山県大弐）
出定後語（富永仲基）
夢の代（山片蟠桃）

---

❶ 二人は合理主義の立場から、儒教・仏教など既成の教学に対して疑問の目を向けた。

世紀後半に京都につくられた伊藤仁斎の古義堂をはじめとして、蘭学では江戸の大槻玄沢の芝蘭堂、国学では本居宣長の鈴屋が有名である。

一般庶民の初等教育では、都市や村々を問わずおびただしい数の寺子屋がつくられた。寺子屋は、村役人・僧侶・神職・富裕な町人などによって運営され、師匠（教師）が、出版された教科書を用いて、読み・書き・そろばんなどの日常生活に役立つことや、幕府の法、道徳などを教えた。寺子屋の師匠には浪人の武士や女性もいた。貝原益軒の著作をもとにつくられた、女性の心得を説く『女大学』などを教科書として、女子教育も進められた。これらの庶民教育は、近世後期における民衆文化の発展に大きく寄与した。

文学と芸能

江戸時代中期の文学は、身近な政治や社会のできごとを題材とし始め、出版物や貸本屋の普及もあって、広く民衆のものとなった。

小説では、浮世草子が衰えたあと、挿し絵で読者を引きつける草双紙や、江戸の遊里を描く洒落本が流行した。また、黄表紙と呼ばれる風刺のきいた絵入りの小説もさかんに売り出された。洒落本や黄表紙は寛政の改革できびしく取り締まられ、代表的作家である山東京伝が処罰された。俳諧では京都の蕪村が絵画にそのまま描けるような句をよんだ。また柄井川柳は、俳句の形式を借りて世相や風俗を風刺する川柳を文学のジャンルとして定着さ

おもな文学作品

洒落本	仕懸文庫（山東京伝）
黄表紙	金々先生栄花夢（恋川春町） 江戸生艶気樺焼（山東京伝）
俳諧	蕪村七部集（蕪村）
脚本	仮名手本忠臣蔵（竹田出雲） 菅原伝授手習鑑（〃） 本朝廿四孝（近松半二）
川柳	誹風柳多留（柄井川柳ら撰）

耕書堂（『画本東都遊』）　蔦屋重三郎は本屋である耕書堂を経営し、恋川春町の黄表紙、山東京伝の洒落本などの作品や喜多川歌麿・東洲斎写楽の絵を刊行した。1791（寛政3）年、山東京伝の洒落本出版で財産の半分を没収された（→ p.234）。（早稲田大学図書館蔵）

2. 宝暦・天明期の文化　229

せた。

　浄瑠璃では，18世紀前半に竹田出雲（2世）が，また天明の頃に近松半二が出て，すぐれた作品を残した。
歌舞伎は，18世紀後半から江戸を中心に隆盛を誇り，寛政期（1789〜1801年）には中村・市村・森田の江戸三座が栄えた。浄瑠璃は徐々に歌舞伎に圧倒され，一中節・常磐津節・清元節など，人形操りと離れて座敷でうたわれる唄浄瑠璃（座敷浄瑠璃）へと移っていった。

> **川柳**――『誹風柳多留』
> 侍が来ては買ってく高楊枝
> 役人の子はにぎにぎを能く覚え
> 芭蕉翁ぽちゃんと云ふと立ちどまり
> 五右衛門はなまにての時一首よみ
> かみなりをまねて腹掛やっとさせ

《絵画》　17世紀末に菱川師宣によって創始された浮世絵（→p.217）は，絵本や挿絵として描かれたが，18世紀半ばに鈴木春信が一枚刷りの多色刷浮世絵版画（錦絵）として完成した。そして，版画作成技術や出版業の発達とともに，浮世絵の黄金時代に向けて幕が開かれた。寛政期に，多くの美人画を描いた喜多川歌麿や，個性豊かに役者絵・相撲絵を描いた東洲斎写楽らが，大首絵の手法を駆使してすぐれた作品をつぎつぎに生み出した。

　伝統的な絵画では，円山応挙に始まる円山派が写生を重んじ，遠近法を取り入れた立体感のある作品を描いた。また明や清の影響を受けた画風もおこり，文人画とも呼ばれて一部の知識人に好まれた。

五常「智」（鈴木春信筆）1767（明和4）年に版行された錦絵。儒教の教える五つの道（五常）を描くシリーズの一枚で，文机に向かって手習いをする少女と，指導する女性を描く。右上に「智　道しある世に生れなば，をのづから，ひとつをしらば，十もしらなん」とある。（東京国立博物館蔵）

おもな美術作品

【浮世絵】
五常
　（鈴木春信）(p.230)
当時全盛美人揃
　（喜多川歌麿）(p.231)
三代目大谷鬼次の奴江戸兵衛
　（東洲斎写楽）(p.231)

【文人画】
十便十宜図
　（池大雅・蕪村）(p.231)

【写生画】
雪松図屏風
　（円山応挙）
保津川図屏風
　（　　）

【洋風画】
不忍池図
　（司馬江漢）

230　第8章　幕藩体制の動揺

当時全盛美人揃「玉屋内花 紫」(喜多川歌麿筆) 遊廓を描くシリーズの一枚。艶やかな姿態とともに、着物や帯の模様を色彩鮮やかに描く。遊女がおかれた非人間的な現実を忘れさせるかのような美人画である。(東京国立博物館蔵)

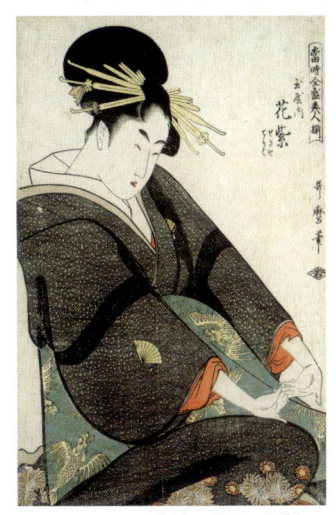

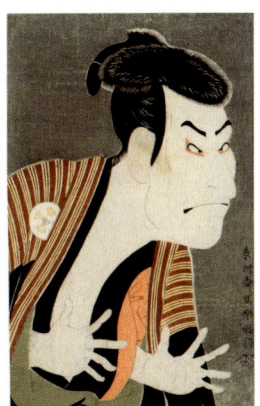

三代目大谷鬼次の奴江戸兵衛(東洲斎写楽筆) 1794(寛政6)年に上演された「恋女房染分手綱」の一こま。大首絵の手法で、金を奪おうと挑みかかる奴(武家奉公人)の形相を、役者の性格までも見抜くように描ききる。(東京国立博物館蔵)

十便十宜図(釣便図、池大雅・蕪村筆)(縦・横各17.9cm、川端康成記念会蔵、神奈川県)

18世紀後半の池大雅(1723～76)や蕪村がこの画風を大成した❶。

西洋画は、近世の初めに南蛮人がもたらしたのち途絶えていたが、蘭学の隆盛につれて油絵の具などとともに絵画の技法が長崎を通して伝えられ、18世紀後半に伝えられた西洋画では、司馬江漢(1747～1818)や亜欧堂田善(1748～1822)らが活躍した。江漢は平賀源内に学んで銅板画を創始した。(→p.225)

3 幕府の衰退と近代への道

寛政の改革　17世紀中頃にイギリス革命が(1640)、18世紀後半にはアメリカ独立革命(1775)、つづいてフランス革命(1789)がおこった。また、ロ

---

❶ 文人画とは専門の画家でない文人・学者が描いた絵のことで、中国の南画が文人・学者によって描かれることが多かったので、日本でも同じ意味に用いられた。池大雅と蕪村の合作である十便十宜図はとくに有名である。

3. 幕府の衰退と近代への道　231

シアはシベリア開発に意欲をもち始め，19世紀になるとアメリカも西部開拓を進めて太平洋に進出するなど，世界情勢は大きく近代に向けて胎動していた。このような情勢の中でロシア船やイギリス船・アメリカ船が日本近海に現われ，幕府は外交政策の変更をせまられる重要な時期を迎えた。

田沼意次が退いた翌1787（天明7）年5月，江戸・大坂など全国30余りの主要都市で打ちこわしがあいついでおこった(**天明の打ちこわし**)。なかでも江戸の打ちこわしは激しいもので，市中の米屋などが多数襲われ，幕府に強い衝撃を与えた。こうした中で，11代将軍徳川家斉の補佐として老中に就任したのが，白河藩主**松平定信**❶である。

定信は国内外の危機がせまるのを感じとって田沼時代の政策を改め，幕政の改革に着手した。飢饉で危機におちいった農村再興によって幕府財政基盤を復旧し，打ちこわしを受けた江戸の治安問題を解決し，ロシアを中心とする外国勢力に対応するための諸政策を実行していった。これら定信による改革政治を**寛政の改革**と呼ぶ。

まず荒廃した村々を復興させるために，人口減少の著しい陸奥や北関東などで百姓の他国への出稼ぎを制限し，荒れた耕地を復旧させようと，全国で公金の貸付をおこなった。また飢饉に備えて，各地に社倉・義倉をつくらせて米穀を蓄えさせた(**囲米**)。

寛政の改革のもう一つの柱は，都市政策であった。なかでも打ちこわしに見舞われた江戸では，両替商を中心とする豪商が幕府に登用され❷，その力を利用して改革が進められた。まず物価や米価の調節をはかってその引下げを命じ，ついで正業をもたないものに資金を与えて農村に帰ることを奨励した(**旧里帰農令**)。さらに治安対策として人別改めを強めるとともに石川島に人足寄場を設け，無宿人を強制的に収容し，技術を身につけ職業をもたせようと試みた。また町々に町費節約を命じ，節約分の7割を積み立てさせ(**七分積金**)，新たに設けた江戸町会所によってこれを運用させて，

---

❶ 定信は，田安宗武の子で将軍吉宗の孫に当たる。引退後，随筆『花月草紙』や自伝『宇下人言』などを著した。

❷ 勘定所御用達と呼ばれ，10名からなる。

米・金を蓄え、飢饉・災害時に困窮した貧民を救済する体制を整えた。

改革政治を進める幕府役人や幕領代官などを担う旗本・御家人たちの生活安定のために、定信は棄捐令を出して米の売却などを扱う札差に貸金を放棄させた❶。そのうえで旗本たちに武芸奨励を命じ、ついで寛政異学の禁を発した。朱子学を正学とし、1790（寛政2）年には湯島聖堂の学問所で朱子学以外（異学）の講義や研究を禁じ、学術試験をおこなって人材登用につなげた。林家当主に人材（→p.183）が得られなかったことから、儒官に柴野栗山・尾藤二洲・岡田寒泉を任じた❷。
　1736〜1807　　1747〜1813　1740〜1816

民間に対してはきびしい出版統制令を出して、政治への風刺や批判をおさえ、風俗の刷新もはかった。林子平が『三国通覧図説』や『海国兵談』で海岸防
　　　　　　　　　　　1738〜93
備を説いたことを幕政への批判とみて弾圧し、黄表紙や洒落本が風俗を乱

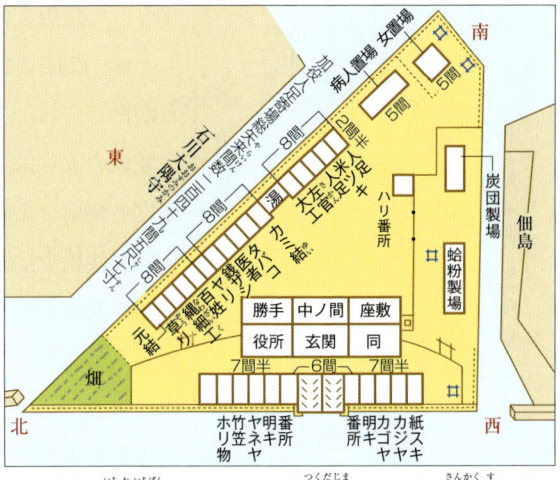

人足寄場（『一話一言』より）　石川島と佃島のあいだの三角洲に設けられ、周囲は隅田川の水でかこまれた。炭団や蛤粉（石灰）の製造所や各種の職人仕事場などが設けられている。

聖堂学問所での講義（聖堂講釈図）　湯島聖堂付属の学問所では、毎月、定期的に儒員講経（御座敷講釈）がおこなわれ、直参を中心とする武士たちが受講した。（東京大学史料編纂所蔵）

❶　旗本たちの以後の生活資金のために、貸金会所を設けて低利貸付をおこなった。
❷　この3人を「寛政の三博士」という。その後、岡田寒泉は代官に転任し、そののちに古賀精里が任ぜられた。学問所は7年後に官立に改められ、昌平坂学問所と呼ばれた。

3.　幕府の衰退と近代への道　233

すとして出版を禁じたり，その出版元を処罰した❶。農村でも芝居を禁じるなど風俗取締りが命じられた。

寛政の改革は，一時的に幕政を引き締め，幕府の権威を高めるかにみえたが，きびしい統制や倹約令は民衆の反発をまねいた。さらに朝廷問題が発生した。1789(寛政元)年，朝廷は光格天皇の実父である閑院宮典仁親王(1733～94)に，太上天皇の尊号を宣下したいと幕府に同意を求めたが，定信はこれを拒否した。武家伝奏ら公家はふたたび尊号宣下を求めたが，定信は本来武家伝奏は幕府側に立つべきとして，公家を処分した(1793〈寛政5〉年)。この一連の事件を「尊号一件」と呼ぶ。この事件の対処をめぐる将軍徳川家斉との対立もあって，定信は老中在職6年余りで退陣に追い込まれた。この事件を契機にして，幕府と朝廷の協調関係は崩れ，幕府による統制機構は幕末まで維持されるものの，天皇の権威は幕末に向かって浮上し始めた。

諸藩でも，田畑の荒廃や年貢収入の減少による財政危機は，幕府と同様であった。このため寛政期(1789～1801年)を中心に，藩主みずから指揮して綱紀を引き締め，領内での倹約や統制を強め，財政難を克服して藩権力の復興をめざす藩政改革が広くおこなわれた。そこでは，農村の復興がはかられて，特産物生産の奨励とともに藩の**専売制**が強化され，また藩校を設立して人材の登用に力が注がれた。改革に成果を上げた熊本藩の細川重賢(1720～85)，米沢藩の上杉治憲(1751～1822)，秋田藩の佐竹義和(1775～1815)らは名君とみなされた。

《鎖国の動揺》

松平定信の解決すべきもう一つの課題として，ロシアを中心とする外国からの危機への対応があった。1789

海防論

当世の俗習❶にて，異国船の入津❷は長崎に限たる事にて，別の浦江船を寄ル事ハ決して成ざる事ト思ふ。……当時❸長崎に厳重に石火矢❹の備有て，却て安房，相模の海港には備なし。此事甚不審に，細カに思へば江戸の日本橋より唐人，阿蘭陀迄境なしの水路也。然ルを此に備へずして長崎のミ備ルは何ぞや。
❶世間一般の習慣。❷入港。❸現在。❹大砲のこと。❺中国のことで，当時は清国。
（『海国兵談』）

寛政の改革への風刺

世の中に蚊ほどうるさきものはなしぶんぶといふて夜もねられず❶
白河の清きに魚のすみかねてもとの濁りの田沼こひしき❷
❶蚊のぶんぶんという羽音と，文武奨励とをかけている。❷白河藩主松平定信の清らかな政治と，田沼時代のにごった政治をかけている。

---

❶洒落本作者の山東京伝，黄表紙作者の恋川春町，出版元の蔦屋重三郎らが弾圧された。

(寛政元)年，国後島のアイヌによる蜂起がおこり，松前藩に鎮圧されたが，幕府はアイヌとロシアの連携の可能性を危惧した。このようにロシアに警戒心を抱いていたところに，1792(寛政4)年，ロシア使節ラクスマン(Laksman 1766~96?)が根室に来航し，漂流民❶を届けるとともに通商を求めた。その際，江戸湾入航を要求されたことが契機となって，幕府は江戸湾と蝦夷地の海防の強化を諸藩に命じた。

この頃，ロシア人は択捉島に上陸して現地のアイヌと交易をおこなっていた。そこで1798(寛政10)年，幕府は近藤重蔵(1771~1829)・最上徳内らに択捉島を探査させ「大日本恵登呂府」の標柱を立てさせた。その外側に異国ロシアとの境界線を引く発想であった。こうして1800(寛政12)年には幕府は八王子千人同心100人を蝦夷地に入植させたうえ，1802(享和2)年には，東蝦夷地を永久の直轄地とし，居住のアイヌを和人とした❷。

1804(文化元)年にはロシア使節レザノフ(Rezanov 1764?~1807)が，ラクスマンのもち帰った入港許可証をもって長崎に来航したが，幕府はこの正式使節に冷淡な対応をして追い返したため，ロシア船は樺太や択捉島を攻撃した。異国との銃撃戦は未曾有のことで，幕府の衝撃は大きかった。この間，幕府の対外防備は増強され，1807(文化4)年には，幕府は松前藩と蝦夷地をすべて直轄にして**松前奉行**の支配のもとにおき，東北諸藩をその警護に当たらせた❸。さらに翌1808(文化5)年には間宮林蔵(1775?~1844)に樺太とその対岸を探査させた。そののち，ロシアとの関係はゴローウニン事件❹を機に改善されたため，幕府は1821(文政4)年に蝦夷地を松前藩に還付した。

北方での対外的な緊張に加えて，さらに幕府を驚かせたのは，1808(文化

---

❶ 伊勢の船頭であった大黒屋光太夫は，嵐で漂流し，アリューシャン列島に漂着した。その地でロシア人に救われ，ロシアの首都ペテルブルクで女性皇帝エカチェリーナ2世に謁見したのち，送還された。光太夫の見聞をもとに桂川甫周は『北槎聞略』を著した。

❷ 和人同様の風俗を強制し，首長を名主に任命する，同化政策を進めた。

❸ 会津藩の場合は，藩兵を派遣して蝦夷地の海岸で銃隊訓練をしたり，台場を設けて大砲の射撃訓練をおこなってロシアの攻撃に備えた。

❹ 1811(文化8)年，国後島に上陸したロシア軍艦の艦長ゴローウニンが，日本の警備兵に捕えられて箱館・松前に監禁された。これに対してロシア側は翌年，択捉航路を開拓した淡路の商人高田屋嘉兵衛を抑留した。嘉兵衛は1813(文化10)年に送還され，その尽力でゴローウニンは釈放され，事件は解決した。

3．幕府の衰退と近代への道

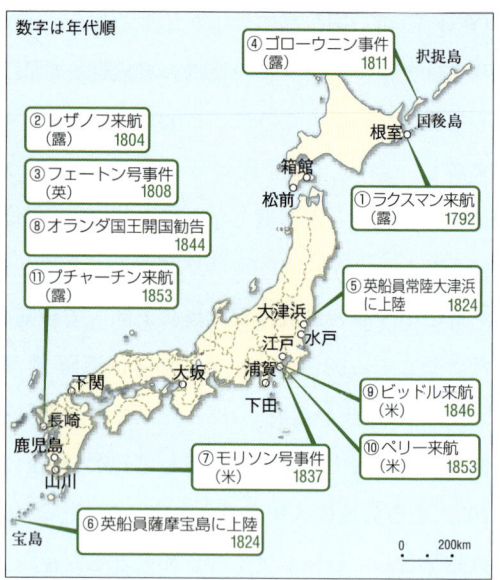

北方探査要図

凡例:
- 最上徳内 1786
- 最上徳内・近藤重蔵 1798〜99
- 伊能忠敬 1800
- 近藤重蔵 1807
- 間宮林蔵 1808
- 間宮林蔵 1808〜09
- ● 運上屋・会所

列強の接近関係図（数字は年代順）

- ① ラクスマン来航（露）1792
- ② レザノフ来航（露）1804
- ③ フェートン号事件（英）1808
- ④ ゴローウニン事件（露）1811
- ⑤ 英船員常陸大津浜に上陸 1824
- ⑥ 英船員薩摩宝島に上陸 1824
- ⑦ モリソン号事件（米）1837
- ⑧ オランダ国王開国勧告 1844
- ⑨ ビッドル来航（米）1846
- ⑩ ペリー来航（米）1853
- ⑪ プチャーチン来航（露）1853

5）年のイギリス軍艦フェートン号の長崎侵入であった。フェートン号は、当時敵国になったオランダ船のだ捕をねらって長崎に入り、商館員を捕えて人質にして、薪水・食糧を強要し、やがて退去した（**フェートン号事件**）❶。そこで、幕府は1810（文化7）年、白河・会津両藩に江戸湾の防備を命じた。

その後もイギリス船・アメリカ船が日本近海に出没したため、大名に命じて全国各地の海岸線に台場を設け大砲を備えさせた。幕府は、船員と住民との衝突などを回避するため、異国船に薪水・食糧を供給して帰国させる方針をとっていたが、1825（文政8）年、**異国船打払令**（無二念打払令）を出し、外国船を撃退するよう命じた❷。従来の四つの窓口（→p.183）で結ばれた外交秩序の外側に、新たにロシア・イギリスのような武力をともなう列強を外敵として想定した❸。

---

❶ 19世紀初め、イギリスとフランスは戦っていたが、ナポレオン1世がオランダを征服すると、イギリスはオランダがアジア各地にもっていた拠点を奪おうとした。この事件で長崎奉行の松平康英は責任をとって自刃し、長崎警護の義務をもつ佐賀藩主も処罰された。

❷ 清・朝鮮・琉球の船は対象外で、オランダ船は長崎以外の場所では打ち払うことにした。

❸ 従来対等とされた朝鮮からの使節（朝鮮通信使）を、1811（文化8）年、それまでの江戸にかえ対馬への派遣とさせた（易地聘礼）のは、経費節減とともに、対等とすることに異論が出たことも理由となった。

文化・文政時代

11代将軍徳川家斉は、松平定信が老中を辞任したのち、文化・文政期を中心に在職し、1837(天保8)年に将軍職を徳川家慶(1793～1853)にゆずったあとも、大御所として実権を握り続けた(**大御所政治**)。約50年間の家斉の治世のうち、文化年間(1804～18年)までは寛政の改革の質素倹約が受け継がれた。しかし文政年間(1818～30年)に入ると、品位の劣る貨幣を大量に流通させ、物価は上昇したが幕府財政は潤い、将軍や大奥の生活は華美になった。また商人の経済活動も活発になり、都市を中心に庶民文化の花が開くことにもなった。

> **異国船打払令**
> ……一体いきりすニ限らず、南蛮・西洋の儀は、御制禁邪教の国ニ候間、以来何れの浦方ニおゐても、異国船乗寄せ候を見受け候ハバ其処ニ有合せ候人夫を以て、有無ニ及ばず、一図❷ニ打払ひ、逃延び候ハバ、追船等差出すに及ばず、其分ニ差置き、若し押して上陸致し候ハバ、搦捕り、又は打留め候ても苦しからず候。二念無く打払ひを心掛け、図を失わざる様❹取計ひ候処、専要の事に候条、油断無く申し付けらるべく候。
> 『御触書天保集成』
> ❶海辺の村。 ❷ひたすら。 ❸迷うことなく。 ❹時機を逃さぬよう。

しかし、豪農や地主が力をつける一方で、土地を失う百姓も多く発生して、荒廃地域が生じた。江戸を取り巻く関東の農村では、無宿人や博徒らによる治安の乱れも生じたため、幕府は1805(文化2)年、**関東取締出役**❶を設けて犯罪者の取締りに当たらせた。さらに1827(文政10)年には、幕領・私領・寺社領の領主の違いをこえて、近隣の村々を組み合わせた**寄場組合**をつくらせ、協同して地域の治安や風俗の取締りに当たらせて、農村秩序の維持などをはかった。

大塩の乱

天明の飢饉後、寛政・文化・文政期は比較的天候にめぐまれ、農業生産はほぼ順調であった。しかし、天保年間の1832～33(天保3～4)年には収穫が例年より半分以下の凶作となり、全国的に米不足をまねいて、きびしい飢饉に見舞われた(**天保の飢饉**)。農村や都市には困窮した人びとが満ちあふれ、百姓一揆・打ちこわしが続発したが、幕府・諸藩はなんら適切な対策を立てることができなかった。

1836(天保7)年の飢饉はとくにきびしく、そのため、もともと米が不足し

❶ 関東の代官配下の役人の中から出役を選び出し、最初は8名で2人1組となって関八州(関東の8カ国)を巡回し、領主の区別なく無宿人や博徒の逮捕・取締りをおこなった。

ていた甲斐国郡内地方や三河国加茂郡で一揆がおこった❶。

　大坂でも飢饉の影響は大きく，餓死者があいついだ。しかし，富裕な商人らは米を買い占めて暴利を得る一方，大坂町奉行は窮民の救済策をとることもなく，米不足にもかかわらず大坂の米を大量に江戸へ回送していた。これをみた大坂町奉行所の元与力で陽明学者の**大塩平八郎**は，1837（天保8）年に，貧民救済のために門弟や民衆を動員して武装蜂起したが❷，わずか半日で鎮圧された（**大塩の乱**）。大坂という重要な直轄都市で，幕府の元役人であった武士が主導して，公然と武力で反抗したことは，幕府や諸藩に大きな衝撃を与えた。

　その波紋は全国におよび，国学者生田万が大塩門弟と称して越後柏崎で陣屋を襲撃したり（**生田万の乱**），各地に大塩に共鳴する百姓一揆がおきたりするなど，不穏な動きが続いた❸。

　国内問題（内憂）に加えて，対外問題（外患）も続いていた。1837（天保8）年，アメリカ商船のモリソン号が浦賀沖に接近し，日本人漂流民7人を送還して日米交易をはかろうとしたが，幕府は異国船打払令にもとづいてこれを撃退させた（**モリソン号事件**）。

　この事件について，翌1838（天保9）年，**渡辺崋山**は『慎機論』を，**高野長英**は『戊戌夢物語』を書いて，幕府の対外政策を批判した。しかし，翌年，幕府はこれらに対して，きびしく

大塩勢の蜂起（『出潮引汐奸賊聞集記』，部分）　大塩勢は手製の大砲を引き出し，旗をおし立て市中に火を放ちながら進撃した。
（大阪歴史博物館蔵）

---

❶　郡内騒動は約80カ村1万人，加茂一揆は約240カ村1万2000人におよぶ百姓一揆であった。ともに幕領で生じた大規模な一揆であり，幕府への影響は大きかった。
❷　大塩は隠居して，自宅に家塾洗心洞を開いて門弟を集め，陽明学を講じていた。窮民救済に当たり，みずからの蔵書を売り払って得た660両余りを貧民にわけ与え，その後に決起した。
❸　江戸も米不足で情勢は不穏になったが，幕府は救い小屋を設けて米・銭をほどこし，打ちこわしの発生を未然に防いだ。

238　第8章　幕藩体制の動揺

処罰した(**蛮社の獄**)❶。さらにアヘン戦争の情勢も幕府に伝えられた。
<small>1840～42 (→p.250)</small>

天保の改革

このような内憂外患に対応するため、幕府は、1841(天保12)年、大御所徳川家斉の死後、12代将軍徳川家慶のもとで老中**水野忠邦**を中心に幕府権力の強化をめざして**天保の改革**をおこなった。
<small>1794～1851</small>

忠邦は享保・寛政の改革にならい、まず将軍・大奥も含めた断固たる倹約令を出して、ぜいたく品や華美な衣服を禁じ、庶民の風俗もまたきびしく取り締まった❷。ついで江戸の人別改めを強化し、百姓の出稼ぎを禁じて、江戸に流入した貧民の帰郷を強制する**人返しの法**❸を発し、天保の飢饉で荒廃した農村の再建をはかろうとした。印旛沼の掘割工事による干拓にも、再度取組みがなされた。
<small>(→p.223)</small>

また物価騰貴の原因は、十組問屋などの株仲間が上方市場からの商品流通を独占しているためと判断して、**株仲間の解散**を命じた。幕府は江戸の株仲
<small>(→p.240史料)</small>
間外の商人や、江戸周辺の在郷商人らの自由な取引による物価引下げを期待したのである。しかし物価騰貴の実際の原因は、生産地から上方市場への商品の流通量が減少して生じたもので、株仲間の解散はかえって江戸への商品輸送量を乏しくすることになり、逆効果となった❹。また物価騰貴は、旗本や御家人の生活も圧迫したので、幕府は**棄捐令**も出し、あわせて札差などに

人返しの法

一、在方のもの身上相仕舞い、江戸人別に入候儀、自今以後決して相成らず。
一、近年御府内江入り込み、裏店等借請居り候者の内ニハ妻子等も之無く、一期住み同様のものも有之有るべし。左様の類ハ早々村方江呼戻し申すべき事。……
<small>（このあとに、省略した部分で職人で出稼ぎするものは期間を定め、代官・領主の許可を得て出てくるように定めている。</small>
<small>❶所帯をたたんで。</small>
<small>❷このあとに、省略した部分で職人で出稼ぎするものは期間を定め、代官・領主の許可を得て出てくるように定めている。</small>
<small>❸江戸。</small>
<small>❹町屋敷の裏にある賃貸の長屋。</small>
<small>❺一生涯住み続ける。</small>
<small>（牧民金鑑）</small>

<small>❶ 渡辺崋山(三河国田原藩家老)は国元での永蟄居、高野長英(陸奥国水沢出身の町医者)は永牢に処せられ、両人はのちに自刃した。この時、2人は尚歯会という知識人の勉強会に加わっていたが、この会の他の学者たちも別件で逮捕された。彼らは、のちに無実とされた。</small>
<small>❷ 高価な菓子・料理なども禁じたほか、江戸の211軒あった寄席を15軒に減らし、歌舞伎(三座)を浅草のはずれに移転させ、役者が町を歩く時には編笠をかぶらせた。また、人情本作家の為永春水らも処罰した。</small>
<small>❸ この強制で、無宿人や浪人らも江戸を追われ、江戸周辺の農村の治安をますます悪化させることになった。</small>
<small>❹ 生産地から上方市場に商品が届く前に、下関や瀬戸内海の他の場所で内海船(尾州廻船)などにより、商品が売買されてしまうことがあった。商品流通の基本ルートがこわされ、機能しなくなり始めていたのである。そのため10年後の1851(嘉永4)年に株仲間再興が許された。</small>

3. 幕府の衰退と近代への道 **239**

低利の貸出しを命じた。このような生活と風俗へのきびしい統制と不景気とが重なり，人びとの不満は高まっていった。

一方，幕府は，相模の海岸防備を担わせていた川越藩の財政を援助する目的から，川越・庄内・長岡3藩の封地をたがいに入れ換える❶ことを命じたが，領民の反対もあって撤回された。幕府が転封を決定しながらその命令が徹底できなかったことは，幕府に対する藩権力の自立を示す結果となった。

1843（天保14）年には，将軍家慶が67年ぶりに日光社参を実行して幕府権力の起死回生をはかろうとしたが，大出費による財政悪化と，夫役に動員された農民たちの不満をもたらすだけの結果となった。

さらに水野忠邦は，1843（天保14）年に上知令（あげち）を出し，江戸・大坂周辺のあわせて約50万石の地を直轄地にして，財政の安定や対外防備の強化をはかろうとした。他地域に代替地は用意されたが，譜代大名や旗本に反対されて上知令は実施できず，忠邦は老中を退き，印旛沼工事も中止された。改革の失敗はあらためて幕府権力の衰退を示した。

経済の変化

農業生産から米年貢を取り立てることを基礎として成り立つ幕藩体制は，とくに天保の飢饉を前後として各地でゆきづまりが顕著になった。北関東の常陸・下野両国の人口は，享保年間（1716〜36年）に比べ，19世紀半ばには約30％の減少となり，田畑が荒廃する現象もみられた。逆に生産力の高まった周防や薩摩では，人口が約60％も増加する地域もあった。

このような社会や経済構造の変化は，村と百姓に支えられた幕藩体制をおびやかす危機となるため，対応策が求められていた。二宮尊徳（金次郎）（1787〜1856）の報

株仲間の解散❶

向後，右仲間株札ハ勿論，此外共都テ問屋仲間組合抔と唱候儀は，相成らず候間其段申し渡さるべく候。

一 何品にても，素人直売買勝手次第たるべく候。且又諸家国産類の儘外惣て江戸表江相廻し候品其外惣て江戸表江相廻し候品にも，問屋ニ限らず，銘々出入のもの共引き受け，売捌の義も又勝手次第二候間，其段申し渡さるべく候。

（天保法制）

❶ 一八四一（天保十二）年，十組問屋（菱垣廻船積問屋）への申渡書。翌年すべての株仲間に適用する禁令が出された。❷ 以後。❸ 仲間に入っていない一般・在郷商人の直接取引。❹ 諸藩の国産品。

---

❶ 川越藩が豊かな庄内藩へ，庄内藩が越後長岡藩へ，越後長岡藩が川越藩へ移るもので，三方領知替えと呼ばれる。

徳仕法や大原幽学の性学のように，荒廃田を回復させて農村を復興させる試みが各地でみられたが，村々では，すでに都市商人の資金を背景に，特産物である商品作物の生産や加工・運輸が広く組織されていた。そこでは多様な商業や他の職業が広がり，また賃金で雇われる日雇労働で生計を立てる貧しい農民も増大

結城縞の生産（『尾張名所図会』） 江戸時代中期から綿織物生産が全国に広まった。図で描かれる結城縞は，高度な技術により極細の綿糸と絹糸とを交織する上級品で，19世紀前半から，尾張西部で生産がさかんになった。上図は，織屋の中で多くの女性（織女）たちが高機などで働く様子である。（国立公文書館蔵）

しており，農業の復興策だけでは幕藩体制の危機を防ぐことはできなかった。
　一方，19世紀に入ると，一部の地域では地主や問屋（商人）が家内工場を設けた。さらに農業から離れた奉公人（労働者）を集め，分業と協業による手工業生産をおこない，これを**マニュファクチュア（工場制手工業）**というが，大坂周辺や尾張の綿織物業，桐生・足利など北関東の絹織物業などで，天保期（1830〜44年）頃からおこなわれ始めた❶。
　これに対し，新しい経済活動が生み出す利益を積極的に取り込む方法として，以前から一部でみられた**藩営工業**や**藩専売制**などが各地でみられるようになり，これらが藩政改革のテーマとなった。

《《 **朝廷と雄藩の浮上** 》》 「内憂外患」の言葉に象徴される国内外の危機的状況に対し，幕府権力が弱体化して威信を発揮できなくなると，これにとってかわる上位の権威としての天皇・朝廷が求められ始め，国の形の中に位置づける発想がとられるようになった❷。
　朝廷の側からも，光格天皇のような朝廷復古を求める考え方が強く打ち出された。公家たちも財政に苦しむ中で，各種の免許状を発行して収入を得よ

---

❶ すでに江戸時代前期において，摂津の伊丹・池田・灘などの酒造業では，マニュファクチュア経営がみられた。
❷ 水戸の会沢安（正志斎）は1825（文政8）年に『新論』を著し，天皇を頂点に位置づける国体論を提示した。

うと活動し，社会にもまた朝廷の権威を求める動きが広がった。

　諸大名も，外様を中心に幕府権力からの自立の道を求め，中・下級武士の有能な人材を登用して，財政の再建と藩権力の強化をめざす藩政改革がおこなわれつつあった。鹿児島（薩摩）藩では下級武士から登用された調所広郷が1827（文政10）年から改革に着手し，三都の商人からのばく大な借財を事実上棚上げにし，また奄美三島（大島・徳之島・喜界島）特産の黒砂糖の専売を強化し，琉球王国との貿易❶を増やすなどして，藩財政を立て直した。さらに島津斉彬は鹿児島に反射炉を築造し，造船所やガラス製造所を建設した。この間，長崎の外国人商人グラヴァーらから洋式武器を購入して，軍事力の強化もはかった。

　萩（長州）藩では，村田清風が多額の借財を整理し，紙・蠟の専売制を改革した。さらに越荷方をおいて，下関に入港する北前船などの廻船を相手に，本来上方に運ばれるべき商品（越荷）を購入し，委託販売することなどで収益を上げ，財政の再建に成功した。

　佐賀（肥前）藩でも藩主鍋島直正が均田制を実施し，直轄地の小作料の納入を猶予したり，町人地主の所有地の一部を藩に返させるなどして，本百姓体制の再建をはかった。また陶磁器の専売を進めて藩財政に余裕を生み出し，反射炉を備えた大砲製造所を設けて洋式軍事工業の導入をはかるなど，藩権力を強化した。

　高知（土佐）藩でも「おこぜ組」と呼ばれる改革派が支出の緊縮をおこなって財政の再建につとめた。一方，水戸藩のように，藩主徳川斉昭の努力にもかかわらず，藩内の保守派の

佐賀藩が設置した反射炉　1850（嘉永3）年に設立された大砲製造所に引き続き，1854（安政元）年に完成された反射炉。幕府の注文を受けて大砲鋳造をおこなった。煙が出ているのが反射炉で，熱反射による高熱でとかされた金属は，大砲の鋳型に流し込まれた。（鍋島報效会蔵，佐賀県）

❶　幕府は長崎を窓口にして，清国との俵物貿易を独占していた。これに対し薩摩藩は，松前から俵物を積み出して長崎に向かう途中の船から俵物を買い上げ，これを琉球王国を通して清国に売る密貿易をおこなって利益を上げた。そこにも，幕府支配のゆるみがみられた。

反対などの抗争で改革が成功をみなかった例もある。
　　改革に成功した薩長土肥などの大藩のほか，伊達宗城の宇和島藩，松平慶永(春嶽)の福井(越前)藩などでも有能な中・下級武士を藩政の中枢に参加させ，また三都の商人や領内の地主・商人との結びつきを深めて藩権力の強化に成功した。これらの諸藩は社会の変化に即応した新しい動きをとることで，西国の雄藩として幕末の政局に強い発言力をもって登場するようになる。
　　幕府も末期には，代官江川太郎左衛門(坦庵)(→p.259)に命じて伊豆韮山に反射炉を築かせた。これら幕府や雄藩の洋式工業は，明治維新後に官営工業の模範となった。(→p.267)

4　化政文化

《化政文化》　宝暦・天明期に多様に発展し始めた文化は(→p.224)，寛政の改革により(→p.231)いったん停滞するが，19世紀に入ると息を吹き返した。11代将軍家斉による半世紀におよぶ長い治世のもと，文化・文政期を中心に，天保の改革の頃までの時期に栄えた文化を化政文化と呼ぶ。(→p.239)

　　化政文化では，江戸をはじめとする三都の繁栄を背景として，下層の民衆をも基盤とする町人文化が最盛期を迎えた。化政文化は，都市の繁栄，商人・文人の全国的な交流，出版・教育の普及，交通網の発達などによって，さまざまな情報とともに全国各地に伝えられた。また都市生活が成熟し多様化する中で，文化の内容も多種多様なものとなっていった。

《学問・思想の動き》　学問・思想の分野では，18世紀末から表面化した幕藩体制の動揺という現実を直視し，どのように克服すべきかという点から，政治や社会を批判的にみて，古い体制を改革し，そこから脱する方法を具体的に模索する動きが現われた。

　　都市や村々の実情に接する人びとの中から，封建制度の維持や改良を説く経世家の活動が活発になった。海保青陵は，商売をいやしめる武士の偏見を批判して，藩財政の再建は商品経済の発展をもたらす殖産興業によるべきであると主張し，本多利明は西洋諸国との交易や蝦夷地開発による富国策(→p.244史料)

4．化政文化　**243**

を説いた。また**佐藤信淵**(1769〜1850)は産業の国営化と貿易による重商主義をとなえた。

水戸学(→p.226)では、19世紀の前半になると、藩主徳川斉昭を中心に藤田幽谷(1774〜1826)とその子の東湖(1806〜55)、会沢安(1782〜1863)(→p.241注❷)らの学者が出て尊王攘夷論を説き、幕末の思想や運動に大きな影響を与えた(後期水戸学)。

国学では、本居宣長(→p.226)の死後、**平田篤胤**(1776〜1843)による**復古神道**がさかんになった。篤胤の死後も、弟子たちの手で、とくに中部地方や関東で武士や豪農・神職に広く浸透し、幕末期には内外の危機状況の中で、現実の政治を動かす思想として発展した❶。

また、この時期以降、全国各地の豪農・豪商の中から多くの知識人・文化人が輩出した。彼らは、自分の家や地域の歴史を実証的に研究し、また漢詩・和歌・俳諧などのサークルをつくって都市の文化人と交流したり、平田派国学の門人となって活動するなど、近世後期の文化活動において重要な役割を果たした。そのうち、下総佐原の商人で天文方に学んだ**伊能忠敬**(→p.215)(1745〜1818)は、幕府の命を受けて全国の沿岸を実測し、「**大日本沿海輿地全図**」の完成に道を開いた。

洋学では、幕府が天文方の高橋至時(1764〜1804)に西洋暦を取り入れた寛政暦をつくらせた。また天文方に**蛮書和解御用**❷を設け、至時の子高橋景保(1785〜1829)を中心に洋書の翻訳に当たらせ

貿易論

……日本は海国なれば、渡海・運送・交易は、固より国君❶の天職最第一の国務なれば、万国へ船舶を遣りて、国用の要用たる産物、及び金銀銅を抜き取て日本へ入れ、国力を厚くすべきは海国具足❷の仕方なり。『経世秘策』

❶ここでは将軍を指す。❷十分に備え、整える。

「**大日本沿海輿地全図**」(部分) 伊能忠敬は、蝦夷地から始めて17年間で全国の沿岸を測量した。忠敬の死後に、弟子たちが実測図を完成させた。現代の地図と重ねてその正確さをみたい。(国立国会図書館蔵)

---

❶ 幕末期には、信濃国伊那の松尾多勢子のような女性の運動家も生まれた。
❷ 幕末期に洋学の教育研究機関である蕃書調所(→p.259)となり、近代以降における大学の前身となった。

た。元オランダ通詞の志筑忠雄は『暦象新書』を著し、ニュートンの万有引力説やコペルニクスの地動説を紹介した。

洋学の研究は、1828（文政11）年のシーボルト事件❶や、天保年間（1830～44年）の蛮社の獄など、幕府の弾圧を受けたことにより、幕府を批判する思想や政治運動には結びつかず、西洋文明の移入を医学・兵学・地理学などの科学技術に限定する実学としての性格を強めていった❷。

おもな著作物

著作物	著者
暦象新書	志筑忠雄
舎密開宗	宇田川榕庵
大日本沿海輿地全図	伊能忠敬（p.244）
戊戌夢物語	高野長英
慎機論	渡辺崋山
稽古談	海保青陵
西域物語	本多利明
経世秘策	〃
経済要録	佐藤信淵
農政本論	〃
弘道館記述義	藤田東湖
新論	会沢安

《教育》

化政期から天保期に、学者たちにより新たな私塾が各地でつくられた。儒学者広瀬淡窓が豊後日田で開いた咸宜園や、蘭学者緒方洪庵が大坂で始めた適々斎塾（適塾）、天保期から長門萩に開設された吉田松陰の叔父が設立した松下村塾などが有名である。また蘭学研究への関心が高まる中で、オランダ商館医であったドイツ人シーボルトが、文政期に診療所と鳴滝塾を長崎郊外に開き、高野長英らの人材を育てた。これらの私塾は、全国から多くの塾生を集め、幕末から近代初めに活躍する人材を育てた。

《文学》

文化期には、滑稽さや笑いをもとに、庶民の生活をいきいきと描いた滑稽本がさかんになり、式亭三馬や十返舎一九が現われた。また、恋愛ものを扱った人情本も庶民に受け入れられたが、代表的作家である為永春水は、天保の改革で処罰された。これら絵入りの本の系統に対し、文章主体の小説で歴史や伝説を題材にした読本は、大坂の上田秋成に始まり、江戸の曲亭馬琴が勧善懲悪・因果応報を盛り込む作品❸を描いて評判を得た。

俳諧では、信濃の百姓小林一茶が村々に生きる民衆の生活をよんで、庶民の主体性を強く打ち出した。また和歌は、化政期から天保期に香川景樹らの

---

❶ 1828（文政11）年、シーボルトは帰国の際、持ち出し禁止の日本地図をもっていたために国外追放の処分を受け、地図をわたした天文方高橋景保ら関係者も処罰された。シーボルトは帰国後、『日本』などを著して、ヨーロッパにおける日本研究の第一人者となった。
❷ 幕末の開国論者佐久間象山は「東洋道徳、西洋芸術（技術）」を説いた。
❸ 馬琴の『南総里見八犬伝』は雄大な構想をもち、その底流に勧善懲悪・因果応報の思想が流れている。

おもな文学作品

滑稽本	東海道中膝栗毛	(十返舎一九)
	浮世風呂	(式亭三馬)
	浮世床	(〃)
合巻	偐紫田舎源氏	(柳亭種彦)
人情本	春色梅児誉美	(為永春水)
読本	雨月物語	(上田秋成)
	南総里見八犬伝	(曲亭馬琴)
	椿説弓張月	(〃)
俳諧	おらが春	(小林一茶)
その他	東海道四谷怪談	(鶴屋南北)
	菅江真澄遊覧記	(菅江真澄)
	北越雪譜	(鈴木牧之)

狂歌

歌よみは下手こそよけれ天地の動き出してたまるものかは（宿屋飯盛）

世わたりに春の野に出て若菜つむわが衣手の雪も恥かし（蜀山人）

桂園派が平明な歌風をおこしたがあまり浸透せず、わずかに越後の禅僧良寛(1758-1831)に独自の生活歌がみられた。一方、大田南畝(蜀山人)(1749～1823)・石川雅望(1753～1830)(宿屋飯盛)を代表的作者とする狂歌が、川柳とともにさかんにつくられ、その中には為政者を鋭く風刺したり、世相を皮肉るものもみられた。

この他、越後の鈴木牧之(1770～1842)は山東京伝・曲亭馬琴ら江戸の文化人とまじわり、『北越雪譜』を出して、雪国の自然や生活を紹介した。

美術

各地に名所が生まれ、民衆の旅が一般化する中で、錦絵の風景画が流行し、葛飾北斎(1760～1849)・歌川広重(1797～1858)らの絵は安価で広く普及した。また、幕末期にかけて、歌川国芳(1797～1861)らは世相や政治を批判する錦絵を制作した。これらの浮世絵は開国後、海外に多く紹介され、モネ(Monet 1840～1926)やゴッホ(Gogh 1853～90)らヨーロッパの印象派画家たちに大きな影響を与えた。

従来からの絵画では、円山派からわかれ、呉春(松村月溪)(1752～1811)が始めた四条派が、温雅な筆致で風景を描き、上方の豪商らに歓迎された。また文人画は、(→p.230)

おもな美術作品

【浮世絵】
富嶽三十六景(葛飾北斎)(p.246)
東海道五十三次(歌川広重)(p.221)
名所江戸百景(〃)(p.247)
朝比奈小人嶋遊(歌川国芳)(p.247)

【文人画】
鷹見泉石像(渡辺崋山)(口絵㉓)
一掃百態(〃)

【写生画】
柳鷺群禽図屛風
　(呉春(松村月溪))

【洋風画】
浅間山図屛風(亜欧堂田善)

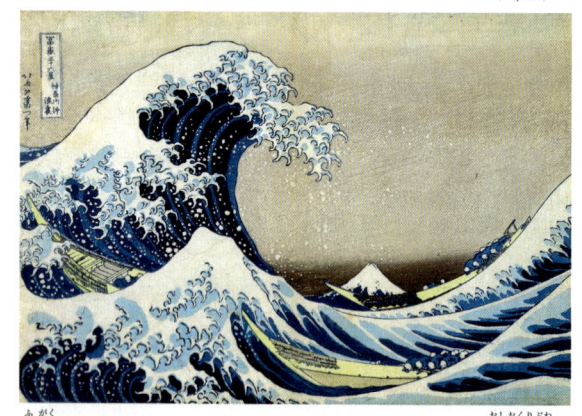

富嶽三十六景(神奈川沖浪裏、葛飾北斎筆) 江戸に鮮魚を運ぶ押送舟が大波に翻弄される。(太田記念美術館蔵、東京都)

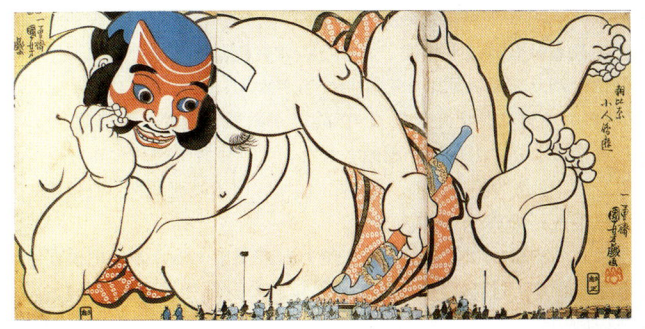

朝比奈小人嶋遊(歌川国芳筆) 鎌倉期の和田義盛3男で剛勇名高い朝夷三郎は、読本や歌舞伎で「朝比奈もの」として庶民の人気を集めた。1847(弘化4)年に浅草で巨大な張りぼての朝比奈人形が見世物に出て騒ぎとなった。朝比奈がちっぽけな大名行列を見下す様子を描く。(たばこと塩の博物館蔵,東京都)

化政期に豊後の田能村竹田(1777〜1835)、江戸の谷文晁(1763〜1840)とその門人渡辺崋山らの出現で全盛期を迎えた❶。

《民衆文化の成熟》

文化・文政期には、三都をはじめ、多くの都市で常設の芝居小屋がにぎわい、また盛場では見世物・曲芸・講談などの小屋、さらに町人地でも多数の寄席が開かれるなど、都市の民衆を中心とする芸能がさかんになった。歌舞伎芝居では、7代目市川団十郎や尾上・沢村・中村らの人気役者とともに、鶴屋南北(1755〜1829)らすぐれた狂言作者が出て人気を得た❷。これらは、錦絵や出版物、また三都の役者による地方興行などによって、全国各地に伝えられた。こうした中で、村々の若者が中心となって、歌舞伎をまねた村芝居(地芝居)が各地で取り組まれ、祭礼とともに村人の大切な娯楽の場となった。

名所江戸百景(大はしあたけの夕立、歌川広重筆) 隅田川にかかる「大はし」(新大橋)は、江戸中心部(手前)と雨にかすむ対岸深川の「御船蔵」(幕府の軍船基地で安宅と呼ばれた)あたりを結ぶ。激しい夕立にあわてて橋を渡ろうと行き交う人びとを活写する。(東京国立博物館蔵)

そして、歌舞伎の衣服・化粧・小道具・言葉遣いなどは、芝居を通じて民衆文化に大きな影響を与えた。

有力な寺社では、修繕費や経営費を得るために、境内で縁日や開帳❸・

❶ 美濃大垣藩医の娘である江馬細香のような女性の文人画家もあらわれた。
❷ 幕末には狂言作者の河竹黙阿弥が活躍し、盗賊を主人公にした白浪物などが評判を呼んだ。
❸ 開帳とは寺の秘仏などを開扉して人びとに公開すること。都市の発展とともに、江戸・京都など他所へ出張する出開帳もさかんになり、信濃の善光寺の出開帳などは有名である。

興行　庶民の娯楽の代表は歌舞伎と相撲であった。歌舞伎はそれまでの人形浄瑠璃の人気にかわり、元禄期頃から江戸でもさかんになった。1714(正徳4)年、7代将軍家継の生母に仕えた大奥女中絵島が歌舞伎役者との遊興を咎められ処罰された事件により、山村座が廃絶された。これ以後、中村・市村・森田の江戸三座が栄えた。三座の控えには、都座・桐座・河原崎座があったほか、湯島天神境内などで宮地芝居の興行があった。

相撲は近世前半には大名や旗本など武家だけが楽しむ娯楽であったが、庶民が相撲を求める欲求は強くなり、幕府は1744(延享元)年四季勧進相撲を公認した。これはおもに夏に京都、秋に大坂、冬・春には江戸で晴天10日間の大相撲を開催し、三都や城下町にいた相撲取が集まって合同の興行がおこなわれた。とくに谷風・小野川の両横綱や雷電らの強豪力士のそろった天明・寛政期は人気を博し、最初の全盛期となった。1791(寛政3)年には、初の将軍上覧相撲が江戸城吹上庭で挙行され、その後もおこなわれた将軍上覧が相撲に格式と権威を与え、相撲は娯楽の花形となった。

相撲の興行　寺社や橋の修復などの目的で、観覧料をとって興行がおこなわれた職業相撲を勧進相撲といった。元禄の末頃から許可され、のちには名目なしで幕府から公認された。(日本相撲協会蔵、東京都)

富突(富くじ)などをもよおし、多くの人びとを集めた。また湯治や物見遊山など、庶民の旅も広くおこなわれ❶、伊勢神宮・善光寺・讃岐金毘羅宮などへの寺社参詣や、聖地・霊場への巡礼がさかんにおこなわれた。また五節句や彼岸会・盂蘭盆会などの行事、日待・月待や庚申講❷などの集まりのほか、町や村々を訪れる猿廻しや万歳、盲人の瞽女や座頭などによる芸能が、人びとを楽しませた。

---

❶　三河の国学者菅江真澄は40年にわたって東北各地を旅し、その見聞を『菅江真澄遊覧記』として残した。
❷　日待は神に酒肴を供えて一晩こもり、翌朝の日の出を待つ行事である。月の出を拝する行事に月待がある。庚申講とは干支で庚申に当たる日の夜、体から抜け出した虫が天帝に人の罪を告げて命を縮めるので、当夜は眠らずにいるという信仰の仲間の集まりをいい、各地に庚申塔がつくられた。

第IV部 近代・現代

　産業革命後のヨーロッパ列強は，アジアへの進出を本格化させた。インドではイギリスが直接支配を始め，中国ではイギリス・フランスが清朝から諸種の利権を奪い，南下したロシアも領土を拡大した。イタリア・ドイツもイギリス・フランスのあとを追って植民地の獲得に乗り出し，アフリカ大陸とオスマン帝国・中国に向かった。この動きは，帝国主義と呼ばれ，ついにはバルカン半島での紛争を機にヨーロッパ全土に第一次世界大戦を引きおこすことになった。一方，18世紀後半に独立を達成したアメリカでも，産業革命が進んだ結果，北部工業地帯と南部農業地帯との対立が南北戦争を引きおこした。

　総力戦として戦われた第一次世界大戦中，各国は，兵士の大量動員と熟練労働力の確保という両立の難しい問題に直面した。戦後，社会主義思想や労働運動が隆盛する要因はここにある。ソ連を排除したヴェルサイユ・ワシントン体制は世界恐慌を契機に崩壊し，それ以降は，国家の経済発展と安全保障をいかに追求するかという点での考え方の相違から，連合国と枢軸国とのあいだに第二次世界大戦が勃発した。

　一方，日本では明治政府が，列強に範をとった近代国家化につとめ，憲法・軍隊・議会など，近代化の指標となるしくみを20年ほどでそろえるに至った。日本は，日清戦争では台湾を，日露戦争では南満州の権益を，第一次世界大戦では旧ドイツ権益を取得して帝国主義国家の一員となったが，中国における権益を守ろうとして第二次世界大戦に突入し，敗北を喫した。

　第二次世界大戦後，独立を回復した日本は，民主主義と平和主義の基本方針のもとに国際社会に寄与しようと努力してきた。1970年代の2度にわたる石油危機を境に，第二次世界大戦後の国際社会は大きく変化し始めた。高度経済成長の結果アメリカにつぐ経済力をもつに至った日本は，冷戦の終了とソ連・東欧社会主義体制の崩壊，ヨーロッパ共同体の結合強化，アジア諸国の民主化と経済発展という大きな変化の中で，経済の再編にせまられている。

	1850　1860　1870　1880　1890　1900　1910　1920　1930　1940　1950　1960　1970　1980　1990　2000
時代	江戸／明治／大正／昭和／平成
政治	〔幕末維新〕〔自由民権〕〔大陸進出〕〔政党政治〕〔軍部支配〕〔占領期〕〔安保体制〕
主要事項	太平天国の乱／ペリー来航／英・清間の天津条約／日米修好通商条約／米，南北戦争／大政奉還／ドイツ統一／廃藩置県／西南戦争／日清修好条規／清仏戦争／大日本帝国憲法／日清戦争／北清事変／露仏同盟／日露戦争／韓国併合／第一次世界大戦／シベリア出兵／ロシア革命／国際連盟成立／世界恐慌／満州事変／日中戦争／太平洋戦争／日本国憲法／朝鮮戦争／サンフランシスコ条約／国際連合加盟／日韓基本条約／日中平和友好条約／バブル経済／東日本大震災／帝国主義／第一次・第二次世界大戦／東西冷戦
世界	朝鮮／大韓帝国／（日本領）／朝鮮民主主義人民共和国・大韓民国／清／中華民国／中華人民共和国（台湾）

第9章

近代国家の成立

1　開国と幕末の動乱

《開国》　18世紀後半,イギリスで最初の**産業革命**が始まり,工業化の波はさらにヨーロッパ各国やアメリカにおよんだ。巨大な工業生産力と軍事力を備えるに至った欧米諸国は,国外市場や原料供給地を求めて,競って植民地獲得に乗り出し,とくにアジアへの進出を本格化させた。

清国が**アヘン**戦争(1840～42)でイギリスに敗れて**南京条約**(1842)を結び,香港を割譲し,開国を余儀なくされたことが日本に伝わると,1842(天保13)年,幕府は異国船打払令を緩和していわゆる**薪水給与令**を出し,漂着した外国船には燃料・食糧を与えることにした。

しかし1844(弘化元)年,オランダ国王が幕府に親書を送り開国を勧告しても,世界情勢の認識に乏しい幕府はこれを拒絶し,あくまでも鎖国体制を守ろうとした。

アメリカは,北太平洋を航海する

列強のアジア進出

自国の対清国貿易船や捕鯨船の寄港地として日本の開国を強くのぞんでいた。1846（弘化3）年，アメリカ東インド艦隊司令長官ビッドル(Biddle 1783〜1848)が浦賀に来航して通商を要求したが，幕府は拒絶した。アメリカが，1848年にメキシコからカリフォルニアを奪って領土が太平洋岸に到達すると，同国と清国との貿易はいっそうさかんになり，ますます日本の開国を必要とするようになった。

> **オランダ国王の開国勧告**
> ……謹んで古今の時勢を通考するに，天下の民八速二相親しむものにして，其勢八人力のよく防ぐ所に非ず。蒸気船を創製❶せるにより，以来各国相距ること猶近きに異ならず。斯の如く互に好を通ずる時に当り，独国を鎖して万国と相親しまざるハ，人の好みする所にあらず。貴国歴代の法に異国の人と交を結ぶことを厳禁したまふハ，欧羅巴州（ヨーロッパ）に遍く知る所なり。……是に殿下ていねいに忠告する所なり。『通航一覧続輯』
> ❶一八〇七（文化四）年アメリカ人フルトンが発明。❷将軍のこと。十二代将軍家慶。

1853（嘉永6）年4月に琉球王国の那覇に寄港したアメリカ東インド艦隊司令長官ペリー(Perry 1794〜1858)は，軍艦（「黒船」）4隻を率いて6月に浦賀沖に現われ，フィルモア(Fillmore 1800〜74)大統領の国書を提出して日本の開国を求めた。幕府は対策のないままペリーの強い態度におされ国書を正式に受けとり，回答を翌年に約してひとまず日本を去らせた。ついで7月には，ロシアの使節プチャーチン(Putyatin 1804〜83)も長崎にきて，開国と国境の画定を要求した。

ペリーは翌1854（安政元）年1月，7隻の艦隊を率いてふたたび来航し，条約の締結を強硬にせまった。幕府はその威力に屈して3月に**日米和親条約**❶を結び，(1)アメリカ船が必要とする燃料や食糧などを供給すること，(2)難破船や乗組員を救助すること，(3)下田・箱館の2港を開いて領事の駐在を認めること，(4)アメリカに一方的な最恵国待遇❷を与えることなどを取り決めた。ついで，幕府はイギリス・ロシア❸・オランダとも類似の内容の和親条約を結んで，200年以上にわたった鎖国政策から完全に転換した。

一方，1853（嘉永6）年のペリー来航後，老中首座阿部正弘(1819〜57)は，それまで

❶ この条約は，東海道の宿駅である神奈川の近くで結ばれたので神奈川条約ともいう。
❷ 他国と結んだ条約において，日本がアメリカに与えたよりも有利な条件を認めた時は，アメリカにも自動的にその条件が認められることをいう。
❸ ペリーについでロシアのプチャーチンもふたたび来航し，下田で**日露和親条約**を結んだ。この条約で，下田・箱館のほか長崎を加えた3港を開港し，国境については択捉島以南を日本領，得撫島以北をロシア領とし，樺太（サハリン）は両国人雑居の地として境界を定めないことなどが約定されている。

1. 開国と幕末の動乱　251

ペリーの横浜上陸 1854(安政元)年2月,ペリーは横浜に上陸し,会見所へ向かった。威儀を正した500人の海兵隊と水兵が左右に整列し,日本側は会見所入口で旗・のぼりをもって迎えた。図はそのありさまを描いた石版画。(横浜開港資料館蔵)

の方針をかえて朝廷への報告をおこない,諸大名や幕臣にも意見を述べさせて,挙国的に対策を立てようとした。しかし,この措置は朝廷の権威を高め,諸大名の発言力を強めるもので,幕政を転換させる契機となった。また幕府は,人材を登用する❶とともに,前水戸藩主徳川斉昭を幕政に参画させ,国防を充実する必要から江戸湾に台場(砲台)を築き,大船建造の禁を解くなどの改革をおこなった(**安政の改革**)。

《開港とその影響》 日米和親条約により1856(安政3)年に下田駐在の初代アメリカ総領事として来日した**ハリス**(Harris 1804〜78)は,通商条約の締結を強く求めた。ハリスとの交渉に当たった老中首座**堀田正睦**(1810〜64)は,条約調印の勅許を求めたが,朝廷では攘夷の空気が強く,**孝明天皇**(位1846〜66)の勅許は得られなかった。

ところが1858(安政5)年,清国がアロー戦争の結果として,イギリス・フランスと天津条約(1856〜60)を結ぶと,ハリスはイギリス・フランスの脅威を説いて通商条約の調印を強くせまった。大老**井伊直弼**(1815〜60)は勅許を得られないまま,同年6月に**日米修好通商条約**の調印を断行した。

この条約には,(1)神奈川・長崎・新潟・兵庫の開港❷と江戸・大坂の開市,(2)通商は自由貿易とすること,(3)開港場に居留地を設け,一般外国

❶ 越前藩主松平慶永・薩摩藩主島津斉彬・宇和島藩主伊達宗城らの協力を得た。
❷ 実際には神奈川は交通が頻繁な宿駅であったため,近接した横浜にかえられ,横浜開港後に下田は閉鎖された。1867(慶応3)年ようやく開港の勅許を得た兵庫も,実際には現在の神戸となった。新潟の開港は1868(明治元)年となった。

人の国内旅行を禁じることなどが定めてあった。さらに，(4)日本に滞在する自国民への領事裁判権を認め(治外法権)，(5)関税についても日本に税率の決定権がなく，相互で協定して決める協定関税(関税自主権の欠如)を定めた不平等条約であった。幕府はついで，オランダ・ロシア・イギリス・フランスとも類似の条約を結んだ(安政の五カ国条約)。

日米修好通商条約

第三条　下田，箱館港の外，次にいふ所の場所を左の期限より開くべし。
神奈川……西洋紀元千八百五十九年七月四日
長崎……同断
新潟……千八百六十年一月一日
兵庫……千八百六十三年一月一日
……神奈川港を開く後六ケ月にして下田港は鎖すべし。
此箇条の内に載たる各地は亜墨利加人に居留を許すべし。……双方の国人，品物を売買する事総て障りなく，其払方に付ては日本役人これに立会はず。……
第四条　総て国地に輸入輸出の品々，別冊の通，日本役所へ運上を納むべし。
第六条　日本人に対し，法を犯せる亜墨利加人は，亜墨利加コンシュル裁断所にて吟味の上，亜墨利加の法度を以て罰すべし。亜墨利加人へ対し法を犯したる日本人は，日本役人糺の上，日本の法度を以て罰すべし。
（『大日本古文書　幕末外国関係文書』）

全14条のうち第3条は自由貿易を規定し，第4条にみえる別冊(貿易章程)では関税自主権を欠き，第6条ではコンシュル(領事)の裁判権を認め(治外法権)，アメリカ人の犯罪については，日本側で裁判がおこなえない一方的なものであった。

貿易は1859(安政6)年から横浜(神奈川)・長崎・箱館の3港で始まった。輸出入品の取引は，居留地において外国商人と日本商人(売込商・引取商)とのあいだで，銀貨を用いておこなわれた。輸出入額は横浜が圧倒的に多く，アメリカが南北戦争中(1861～65)のこともあり，イギリスとの取引が一番多かった。

日本からは，生糸・茶・蚕卵紙・海産物などの農水産物やその加工品が多く輸出され，毛織物・綿織物などの繊維工業製品や鉄砲・艦船などの軍需品が輸入された。貿易は大幅な輸出超過となり，それに刺激されて物価

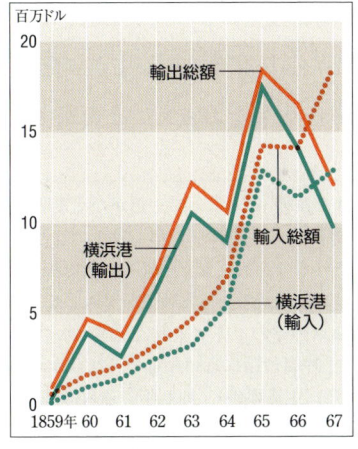

貿易の発展（『幕末貿易史の研究』より）

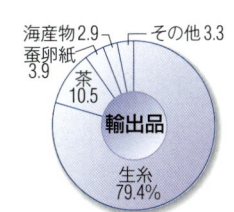

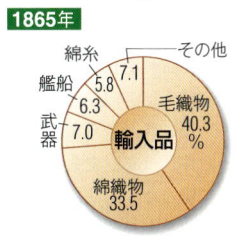

主要輸出入品の割合

輸出品 1865年
生糸 79.4%
茶 10.5
蚕卵紙 3.9
海産物 2.9
その他 3.3

輸入品
毛織物 40.3%
綿織物 33.5
武器 7.0
艦船 6.3
綿糸 5.8
その他 7.1

1．開国と幕末の動乱　253

が上昇するとともに、国内産業に大きな変化が現われた。輸出品の中心となった生糸の生産は拡大したが、一方では機械で生産された安価な綿織物の大量輸入が、農村で発達していた手紡や綿織物業を強く圧迫していった。

幕府は、物価抑制を理由に貿易の統制をはかり、1860(万延元)年、雑穀・水油❶・蠟・呉服・生糸の5品は、必ず江戸の問屋を経て輸出するように命じた(**五品江戸廻送令**)。しかし、輸出向け商品を取り扱った在郷商人や商取引の自由を主張する列国の反対で効果は上がらなかった。

また、日本と外国との金銀比価が違ったため、多量の金貨が海外に流出した❷。幕府は金貨の品質を大幅に引き下げる改鋳(**万延貨幣改鋳**)(→p.208グラフ)をおこなってこれを防いだが、貨幣の実質価値が下がったので物価上昇に拍車をかけることになり、庶民の生活は圧迫された。貿易に対する反感が高まり、激しい攘夷運動がおこる一因となった❸。

公武合体と尊攘運動

ハリスから通商条約の締結をせまられていた頃、幕府では13代将軍徳川家定(1824~58)に子がなく、**将軍継嗣問題**がおこった。越前藩主松平慶永(春嶽)・薩摩藩主島津斉彬らは、賢明な人物を求めて一橋家の慶喜(斉昭の子)(1837~1913)(→p.220)を推し(一橋派)、血統の近い幼年の紀伊藩主徳川慶福(1846~66)を推す譜代大名ら(南紀派)と対立した。1858(安政5)年、南紀派の彦根藩主井伊直弼が大老に就任し、通商条約の調印を強行するとともに、慶福を将軍の跡継ぎに決定した(14代将軍**徳川家茂**)。

条約の違勅調印は孝明天皇の怒りをまねき、一橋派の大名や尊王攘夷をとなえる志士たちから強い非難の声が上がった。これに対して井伊は強硬な態度で反対派の公家・大名をおさえ、その家臣たち多数を処罰した(**安政**

---

❶ おもに灯火用に使われた菜種油のことで、色がなく透明であったのでこう呼ばれた。

❷ 金銀の交換比率は、外国では1:15、日本では1:5と差があった。外国人は外国銀貨(洋銀)を日本にもち込んで日本の金貨を安く手に入れたため、10万両以上の金貨が流出した。

❸ 1860(万延元)年、ハリスの通訳であったオランダ人ヒュースケンが江戸で薩摩藩の浪士に殺され、さらに翌年、高輪東禅寺のイギリス仮公使館が水戸脱藩士の襲撃を受けた(東禅寺事件)。1862(文久2)年には、神奈川宿に近い生麦で、江戸から帰る途中の島津久光の行列を横切ったイギリス人が殺傷され(**生麦事件**)、同じ年の暮れには品川御殿山に建築中のイギリス公使館が高杉晋作・井上馨・伊藤博文らに襲撃されて全焼した(イギリス公使館焼打ち事件)。生麦事件はのちに薩英戦争(→p.256)をまねく原因となった。

の大獄)❶。このきびしい弾圧に憤激した水戸脱藩の志士らは，1860(万延元)年，井伊を江戸城桜田門外で暗殺した(桜田門外の変)。

桜田門外の変ののち，幕政の中心となった老中安藤信正は，朝廷(公)と幕府(武)の融和をはかる**公武合体**の政策をとり，孝明天皇の妹和宮を将軍徳川家茂の妻に迎えた。この政略結婚は尊王攘夷論者から非難され，安藤は1862(文久2)年，江戸城坂下門外で水戸脱藩士らに傷つけられて老中を退いた(坂下門外の変)。この事態の中で，朝廷と幕府の双方につながりの深い外様の薩摩藩では，独自の公武合体の立場から，藩主島津忠義の父である島津久光が1862(文久2)年，勅使を奉じて江戸にくだり，幕政改革を要求した。幕府は薩摩藩の意向を入れて，松平慶永を**政事総裁職**に，徳川慶喜を**将軍後見職**に任命し，また**京都守護職**をおいて会津藩主松平容保をこれに任命するなど，幕政を改めた❷。

桜田門外の変 1860(万延元)年3月3日，水戸浪士17名と薩摩藩士1名とが，大雪の中で登城する井伊直弼を桜田門外に襲った。直弼が駕籠の外に引き出され，首を討たれようとしている。(茨城県立図書館蔵)

島津久光が去った京都では，下級藩士の主張する**尊王攘夷論**❸を藩論とする長州藩が，急進派の公家と結んで朝廷を動かし，将軍を上洛させて攘夷の決行を幕府にせまった。幕府はやむなく，1863(文久3)年5月10日を期して攘夷を決行するよう諸藩に命じた。長州藩は，その日，下関の海峡を通過する諸外国船を砲撃し，攘夷を実行に移した。

---

❶ 徳川斉昭・徳川(一橋)慶喜・松平慶永らは隠居・謹慎を命じられ，越前藩士の橋本左内や長州藩士の吉田松陰らは捕えられて死刑となった。
❷ あわせて幕府は，西洋式軍制の採用，参勤交代制の緩和などをおこなった(文久の改革)。
❸ 尊王攘夷論は，尊王論と攘夷論とを結びつけた幕末の水戸学の思想で，藤田東湖・会沢安らがその中心であったが，通商条約の違勅調印以後は反幕論へと進んで現実的な政治革新運動となり，これを主張する一派は尊攘派と呼ばれるようになった。

1. 開国と幕末の動乱　255

長州藩を中心とする尊攘派の動きに対して,薩摩・会津の両藩は1863(文久3)年8月18日,朝廷内の公武合体派の公家とともに朝廷の実権を奪って,長州藩勢力と急進派の公家**三条実美**らを京都から追放した(**八月十八日の政変**)❶。長州藩は勢力を回復するために,翌1864(元治元)年,池田屋事件❷を契機に京都に攻めのぼったが,会津・桑名・薩摩などの諸藩の兵に敗れて退いた(**禁門の変**,または**蛤御門の変**)。

　幕府はただちに諸藩兵を動員して**長州征討**(第1次)に向かった。また,貿易のさまたげになる攘夷派に一撃を加える機会をねらっていた列国は,イギリスを中心にフランス・アメリカ・オランダ四国の連合艦隊を編成して下関の砲台を攻撃した(**四国艦隊下関砲撃事件**)。これらの動きを受けて,長州藩の上層部は藩内の尊攘派を弾圧し,幕府に対し恭順の態度をとった。このため,長州征討の幕府軍は交戦しないまま撤退した。すでに薩摩藩は1863年に,生麦事件の報復のため鹿児島湾に侵入してきたイギリス軍艦の砲火を浴びており(**薩英戦争**),攘夷の不可能なことは明らかになった。列国はさらに,1865(慶応元)年に兵庫沖まで艦隊を送って圧力をかけ,条約の勅許を勝ちとり,翌年には幕府と交渉して**改税約書**❸に調印させ,貿易上の不平等を拡大させた。

　この頃からイギリス公使パークス(Parkes 1828〜85)は,幕府の無力を見抜き,天皇を中心

四国艦隊による下関砲台の占領　砲台の砲は,長州藩がつくった青銅製の洋式砲。攘夷論では刀での戦いが主張されたが,イギリス軍の記録によれば,イギリス兵の死傷原因は銃砲弾と矢が主で,刀や槍によるものはなかった。(横浜開港資料館蔵)

---

❶　この前後に,尊王攘夷を実行しようとした公家の中山忠光と土佐藩士の吉村虎太郎が大和五条の代官所を襲い(**天誅組の変**),元福岡藩士の平野国臣らも但馬の生野代官所を襲って気勢を上げた(生野の変)。

❷　1864(元治元)年,京都守護職の指揮下にあった近藤勇ら新選組が,尊攘派を京都の旅館池田屋で殺傷した事件。

❸　通商条約締結の際に定めた関税率(平均20%の従価税)を諸外国に有利な一律5%の従量税に改め,また自由貿易をさまたげる諸制限を撤廃した。

とする**雄藩連合政権**の実現に期待するようになった。薩摩藩は，薩英戦争の経験からかえってイギリスに接近する開明政策に転じ，**西郷隆盛**(1827〜77)・**大久保利通**(1830〜78)ら下級武士の革新派が藩政を掌握した。一方，フランス公使ロッシュ(Roches 1809〜1900)は，あくまで幕府支持の立場をとり，財政的・軍事的援助を続けた。

《《 倒幕運動の展開 》》 **高杉晋作**(1839〜67)・**桂小五郎**(木戸孝允)(1833〜77)らの長州藩尊攘派も，下関で四国艦隊に惨敗し，ついに攘夷の不可能を悟った。いったんは幕府に屈伏した長州藩だが，高杉らは先に組織した**奇兵隊**❶を率いて1864(元治元)年末に長府で兵をあげて藩の主導権を保守派から奪い返し，領内の豪農や村役人と結んで，藩論を恭順から倒幕へと転換させ，イギリスに接近して大村益次郎(1824〜69)らの指導のもとに軍事力の強化につとめた。

幕府は長州藩に対して，第1次征討の始末として領地の削減などを命じたが，藩論を一変させた長州藩は容易に応じなかった。そこで幕府はふたたび**長州征討**(第2次)を宣言したが，すでに開国進取に転じていた薩摩藩は，ひそかに長州藩を支持する態度をとった。1866(慶応2)年には，土佐藩出身の**坂本龍馬**(1835〜67)・**中岡慎太郎**(1838〜67)らの仲介で薩摩藩は長州藩と軍事同盟の密約を結び(**薩長連合**，または**薩長同盟**)，反幕府の態度を固めた。このため，第2次長州征討の戦況は幕府軍に不利に展開し，幕府はまもなく大坂城中に出陣中の将軍徳川家茂の急死を理由に戦闘を中止した❷。

開国にともなう物価上昇や政局をめぐる抗争は，社会不安を増大させ，世相を険悪にした。国学の尊王思想は農村にも広まり，農民の一揆でも世直しが叫ばれ(**世直し一揆**)，長州征討の最中に大坂や江戸でおこった打ちこわしには，政治権力への不信がはっきりと示されていた。

また，大和に**天理教**，備前に**黒住教**，備中に**金光教**など❸，のちに**教派**

---

❶ 高杉晋作が藩庁に建議し，1863(文久3)年みずから中心となって，正規の藩兵(正兵)とは異なり，門閥・身分に関わらない志願による奇兵隊を組織した。長州藩では，そのあとも農商民を加えた諸隊があいついで組織され，これが倒幕運動の軍事力となった。

❷ 1866年の末に孝明天皇が急死した。天皇は攘夷派であったが，過激な倒幕を好まずに公武合体論の立場をとってきたので，天皇の急死は幕府にとって大きな痛手となった。

❸ 天理教は中山みき，黒住教は黒住宗忠，金光教は川手文治郎が創始した。

1. 開国と幕末の動乱　**257**

神道と呼ばれる民衆宗教がすでに生まれていたが、この頃急激に普及して、伊勢神宮への御蔭参りの流行とともに、時代の転換期のゆきづまった世相から救われたいという民衆の願いにこたえていた。1867(慶応3)年、東海・畿内一帯の民衆のあいだでは、熱狂的な「ええじゃないか」の集団乱舞が発生し、この「世直し」を期待した民衆運動は幕府の支配秩序を一時混乱におとしいれた。

「ええじゃないか」 1867(慶応3)年の夏から翌年にかけて、東海道筋から京都・大坂を中心とする地域で、伊勢神宮の御札などがふってきたのを契機に、多くの人びとを巻き込んだ熱狂的乱舞が流行した。(三重県立博物館蔵)

《幕府の滅亡》

徳川家茂のあと15代将軍となった徳川慶喜は、フランスの援助のもとに幕政の立て直しにつとめた。しかし1867(慶応3)年、前年に同盟を結んだ薩長両藩は、ついに武力倒幕を決意した。これに対し土佐藩はあくまで公武合体の立場をとり、藩士の後藤象二郎と坂本龍馬とが前藩主の山内豊信(容堂)を通して将軍徳川慶喜に、倒幕派の機先を制して政権の返還を勧めた❶。慶喜もこの策を受け入れ、ついに10月14日、大政奉還の上表を朝廷に提出した。

同じ10月14日には、朝廷内の岩倉具視らと結んだ薩長両藩が、討幕の密勅を手に入れていた。大政奉還の上

王政復古の大号令

徳川内府、従前御委任ノ大政返上、将軍職辞退ノ両条、今般断然聞シメサレ候。抑癸丑❷以来未曾有ノ国難、先帝❸頻年宸襟ヲ悩マセラレ候御次第、衆庶ノ知ル所ニ候。之ニ依リ、叡慮ヲ決セラレ、王政復古、国威挽回ノ御基立テサセラレ候間、自今摂関、幕府等廃絶、即今先ヅ仮ニ総裁、議定、参与ノ三職ヲ置カレ、万機行ハセラルベく、諸事神武創業ノ始ニ原ツキ、縉紳❹、武弁❺、堂上❻、地下ノ別無く、至当ノ公議ヲ竭シ、天下ト休戚❼ヲ同ジク遊バサルベキ叡念ニ付キ、各勉励、旧来驕惰ノ汚習ヲ洗ヒ、尽忠報国ノ誠ヲ以テ、奉公致スベク候事、……
(『明治天皇紀』)

❶内大臣、慶喜。 ❷一八五三、嘉永六年。 ❸孝明天皇。 ❹公家。 ❺武家。 ❻昇殿を許された五位以上の人。 ❼喜憂。 ❽六位以下の人。

---

❶ 将軍からいったん政権を朝廷に返させ、朝廷のもとに徳川主導の諸藩の連合政権を樹立するという構想であった。

表で機先を制せられた倒幕派は，12月9日，薩摩藩などの武力を背景に朝廷でクーデタを決行し，**王政復古の大号令**を発して，天皇を中心とする新政府を樹立した。これをもって，江戸幕府の260年以上にわたる歴史に終止符が打たれた。新政府は，将軍はもちろん，朝廷の摂政・関白も廃止して，天皇のもとに新たに総裁・議定・参与の三職をおき，参与に薩摩藩やその他有力諸藩を代表する藩士を入れた雄藩連合の形をとった❶。

さらに12月9日夜の三職による**小御所会議**では，徳川慶喜に内大臣の辞退と朝廷への領地の一部返上（辞官納地）を命じる処分が決定されたため，反発した慶喜は京都から大坂城に引き上げ，新政府と軍事的に対決することになった。

《《 幕末の科学技術と文化 》》

ペリー来航の前後から幕府や諸藩は欧米諸国の技術を受け入れて近代化をはかろうとした。当初の課題は砲台や反射炉の建設，大砲の製造，洋式帆船の建造など，欧米では産業革命前の段階の軍事技術の導入であり，幕府では代官江川太郎左衛門(坦庵)が中心となって取り組んだ。

開国後，幕府は江戸に**蕃書調所**❷を設けて，洋学の教授と外交文書の翻訳などに当たらせ，講武所で洋式砲術を含む武芸を教え，長崎ではオランダ

幕末の動き（月は陰暦）	
1853. 6	ペリー来航
7	プチャーチン来航
1854. 3	日米和親条約調印
1856. 7	ハリス着任
1858. 6	日米修好通商条約調印
9	安政の大獄（～59年）
1860. 1	遣米使節出発
3	桜田門外の変
閏3	五品江戸廻送令
1861.10	和宮，江戸にくだる
1862. 1	坂下門外の変
8	生麦事件
1863. 5	長州藩，外国船砲撃
7	薩英戦争
8	八月十八日の政変，天誅組の変
10	生野の変
1864. 6	池田屋事件
7	禁門の変，長州征討（～12月）
8	四国艦隊下関砲撃
1865. 4	長州再征発令
10	条約勅許
1866. 1	薩長連合
5	改税約書調印
6	長州再征（～8月）
1867. 5	兵庫開港勅許
8	「ええじゃないか」おこる
10	大政奉還，討幕の密勅
12	王政復古の大号令

---

❶ 薩摩藩からは西郷隆盛・大久保利通，土佐藩からは後藤象二郎・福岡孝弟らが任じられ，まもなく長州藩の木戸孝允・広沢真臣がこれに加わった。
❷ のちに洋書調所ついで開成所に発展して，それまで医学などの自然科学にかたよっていた洋学が，哲学・政治・経済の方面にまで広がった。開成所は明治政府のもとで開成学校となり，さらに東京大学となった。また，医学では種痘所(のちの医学所)が設けられた。

1. 開国と幕末の動乱　259

人による海軍伝習を始めた。その一環として汽船の機関を製造・修理できる工作機械を設備した造船所（長崎製鉄所）が建設され，はじめて産業革命後の機械製造技術が伝えられた。1860（万延元）年の日米修好通商条約の批准書交換に際して，勝海舟（義邦）ら海軍伝習を受けた乗組員が咸臨丸で太平洋を横断したのをはじめとして，幕府のほか薩摩・長州などの諸藩も海外に留学生を派遣した❶。軍事技術と医学の導入を目的としていた洋学学習者や留学生たちであったが，西洋文明への理解が深まるにつれ，科学・技術・政治・法制・経済など，さまざまな分野に関心を広げていった。

慶応期には，幕府がフランスの顧問団をまねき，横須賀に造船所（横須賀製鉄所）の建設を進め，新式の陸軍を訓練した。この他，開港場の横浜には外国人宣教師や新聞記者が来日し，彼らを通して欧米の文化が紹介された。その宣教師の中には，アメリカ人ヘボン（Hepburn 1815〜1911）やフルベッキ（Verbeck 1830〜98）のように英学の教授を通じて，積極的に欧米の文化を日本人に伝えるものも現われた。こうして攘夷の考えはしだいに改められ，むしろ欧米をみならって近代化を進めるべきだという声が強まっていった。

2　明治維新と富国強兵

戊辰戦争と新政府の発足

徳川慶喜を擁する旧幕府側は，1868（明治元）年1月，大坂城から京都に進撃したが，鳥羽・伏見の戦いで新政府軍に敗れ，慶喜は江戸に逃れた。新政府はただちに，慶喜を朝敵として追討する東征軍を発したが❷，江戸城は，慶喜の命を受けた勝海舟と東征軍参謀西郷隆盛の交渉により，同年4月に無血開城された。さらに東征軍は，奥羽越列藩同盟を結成した東北諸藩の抵抗を打ち破

---

❶ 洋書調所の教官西周・津田真道はオランダに留学し，福沢諭吉は幕府の使節に従ってアメリカ・ヨーロッパにおもむいた。伊藤博文・井上馨らは長州藩から，森有礼らは薩摩藩からイギリスに留学した。
❷ 官軍とも呼ばれた東征軍には，豪農・豪商がみずから組織した義勇軍を率いて参加した。とくに相楽総三らの赤報隊は幕府領での年貢半減を掲げて東山道を東進し，農民の支持を得たが，新政府はのちに相楽らを偽官軍として処刑した。

り，9月にはその中心とみられた会津若松城を攻め落とした。翌1869(明治2)年5月には，箱館の五稜郭に立てこもっていた旧幕府海軍の榎本武揚ら の軍も降伏し，国内は新政府によってほぼ統一された❶。1年半近くにわたったこれらの内戦を戊辰戦争という。

　戊辰戦争が進む中で，新政府は政治の刷新を進めた。まず1868(明治元)年1月には諸外国に対して王政復古と天皇の外交主権掌握を告げて対外関係を整え，ついで3月には五箇条の誓文を公布して，公議世論の尊重と開国和親など新政府の国策の基本を示し，天皇が公卿・諸侯・もろもろの官を率いて神々に誓約する形式をとって天皇親政を強調した。

　ついで同年閏4月には，政体書を制定して政府の組織を整えた。すなわち，国家権力を太政官と呼ぶ中央政府に集め，これにアメリカ合衆国憲法を模倣した三権分立制を取り入れ，高級官吏を4年ごとに互選で交代させるなど❷，多分に形式的とはいえ，欧米的な近代政治の体裁をとった。また政府は関東鎮圧とともに，7月に江戸を東京と改め，9月に年号を明治と改元して一世一元の制を採用し❸，翌1869(明治2)年には京都

五箇条の誓文

一　広ク会議ヲ興シ万機❶公論ニ決スベシ
一　上下心ヲ一ニシテ盛ニ経綸ヲ行フベシ
一　官武一途庶民ニ至ル迄各其志ヲ遂ゲ人心ヲシテ倦ザラシメン事ヲ要ス
一　旧来ノ陋習❷ヲ破リ天地ノ公道ニ基クベシ
一　智識ヲ世界ニ求メ大ニ皇基ヲ振起スベシ
（『明治天皇紀』）

❶国家のまつりごと。❷国家をおさめる施策。❸悪習。❹皇国の基。

五箇条の誓文の草案　初め諸侯会盟の議事規則として，参与由利公正・福岡孝弟らによって起草された。のち木戸孝允が国としての進むべき基本方針を示す条文につくり変え，五箇条の誓文となった。（宮内庁書陵部蔵）

❶　幕府の崩壊と新政府の成立を，同時代の人びとは，政治の一新という意味で御一新といい，また中国の古語を当てて維新とも呼んだ。しかし，歴史用語としては，黒船来航に始まり，廃藩置県に至る一連の激動の時代を総称して，**明治維新**と呼んでいる。

❷　実際には，太政官における立法と行政との区別は明瞭ではなく，官吏の互選も1回実施されただけで終わった。立法機関とされた議政官は当初，議定・参与からなる上局と，各府県・各藩選出の貢士からなる下局から構成され，うち下局は翌年公議所となり，さらに集議院へと再編成された。

❸　1868(明治元)年8月には，明治天皇(位1867～1912)が即位の礼をあげた。

2. 明治維新と富国強兵　**261**

から東京に首都を移した。

　一方で政府は，五箇条の誓文公布の翌日，全国の民衆に向けて五榜の掲示を掲げた。それは君臣・父子・夫婦間の儒教的道徳を説き，徒党・強訴やキリスト教を改めて厳禁するなど，旧幕府の対民衆政策をそのまま引き継いでいた。

《廃藩置県》　戊辰戦争の進行とともに，新政府は，没収した旧幕府領のうち，要地を府，その他を県としたが，諸藩では各大名が統治する体制が従来のまま存続していた。政治的統一をめざす新政府は，残された諸藩も徐々に直接統治に組み込む方針を立て，1869(明治2)年1月，木戸孝允・大久保利通らが画策して，薩摩・長州・土佐・肥前の4藩主に朝廷への版籍奉還❶を出願させると，多くの藩がこれにならった。新政府は6月に，これら以外の全藩主にも版籍奉還を命じる一方，旧大名には石高にかえて年貢収入の10分の1に当たる家禄を与え，旧領地の知藩事（地方長官）に任命して，藩政に当たらせることにした。

　こうして藩主の家禄と藩財政とは分離されたが，旧大名は実質的に温存され，徴税と軍事の両権はこれまで通り各藩に属していた。このため，新政府は限られた直轄地（府県）からの年貢徴収をきびしくおこなったので，新政府に対する一揆が各地で続発し，また，諸藩でも江戸時代とかわらない徴税に民衆の不満が高まった。

　さらに，奇兵隊をはじめとする長州藩の諸隊は，藩の軍事力再編制に反対し，ついに武力で鎮圧された。

　新政府は藩制度の全廃をついに決意し，1871(明治4)年，まず薩摩・長州・土佐の3藩から御親兵をつのって軍事力を固めたうえで，7月，一挙に廃藩置県を断行した。すべての藩は廃止されて府県となり❷，旧大名である知藩事は罷免されて東京居住を命じられ，かわって中央政府が派遣する府知事・県令が地方行政に当たることとなり，ここに国内の政治的統一が完成した。

---

❶ 版とは版図で各藩の領地，籍とは戸籍で領民を指す。したがって，版籍奉還とは，藩主が領地・領民を天皇に返還し，新政府が全国の支配権を形式上その手におさめたことをいう。

❷ 初め1使（開拓使）・3府（東京府・大阪府・京都府）・302県となったが，同年末には1使3府72県に整理し，そののちの統廃合を経て，1888(明治21)年に1道3府43県となった。

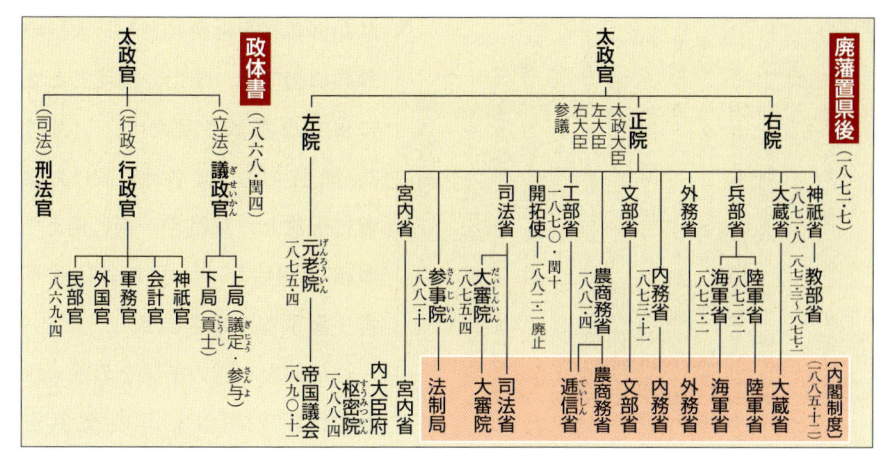

明治初期の中央官制表

　同時に，中央政府の組織の整備も進められた。版籍奉還の際に，政体書による太政官制は改められ，祭政一致・天皇親政の方針から大宝令の形式を復活して，神祇官を太政官の上位におき，太政官のもとに各省をおく組織となった。ついで廃藩置県後の官制改革では，太政官を正院・左院・右院の三院制とし❶，正院のもとに各省をおく制度へ改めた。新政府内では，三条実美や岩倉具視ら少数の公家とともに，薩長を中心に土肥を加えた4藩出身の若き実力者たちが参議や各省の卿・大輔などとなって実権を握り❷，のちに藩閥政府と呼ばれる政権の基礎がほぼ固まった。

　1871（明治4）年，廃藩置県を断行して国内統一を達成した新政府は，同年中に，岩倉具視ら多くの政府首脳を含む大規模な使節団（岩倉使節団）を米欧諸国に派遣した。西郷隆盛を中心とする留守政府は，以後1873（明治6）年まで，学制・徴兵制の実施や地租改正などの大規模な内政改革を精力的に推進した。

　軍事制度では，1871（明治4）年に廃藩に先立って政府直轄軍として編制さ

---

❶　太政官の正院は政治の最高機関で，太政大臣・左大臣・右大臣の3大臣と参議で構成された。左院は立法機関で正院の諮問にこたえ，右院は各省の長官（卿）・次官（大輔）を集めて省務を協議した。なお，神祇官を廃して神祇省に格下げし，民部省も廃止した。

❷　薩摩藩からは西郷隆盛・大久保利通・黒田清隆，長州藩からは木戸孝允・伊藤博文・井上馨・山県有朋，土佐藩からは板垣退助・後藤象二郎・佐々木高行，肥前藩からは大隈重信・大木喬任・副島種臣・江藤新平が要職についた。

2. 明治維新と富国強兵　263

> **徴兵告諭❶**
> ……然ルニ太政維新列藩版図ヲ奉還シ、辛未ノ歳ニ及ビ遠ク郡県ノ古ニ復ス。世襲坐食ノ士ハ其禄ヲ減ジ、刀剣ヲ脱スルヲ許シ、四民漸ク自由ノ権ヲ得セシメントス。是レ上下ヲ平均シ人権ヲ斉一ニスル道ニシテ、すなわち兵農合一ニスル基ナリ。是ニ於テ、士ハ従前ノ士ニ非ズ、民ハ従前ノ民ニアラズ、均シク皇国一般ノ民ニシテ国ニ報ズルノ道モ固ヨリ其別ナカルベシ。凡ソ天地ノ間一事一物トシテ税アラザルハナシ。以テ国用ニ充ツ。然ラバ則チ、人タルモノ固ヨリ心力ヲ尽シ国ニ報ゼザルベカラズ。西人之ヲ称シテ血税ト云フ。其生血ヲ以テ国ニ報ズルノ謂ナリ。……
> （『法令全書』）
>
> ❶告諭は一八七二（明治五）年十一月に出された。

れた御親兵を近衛兵とし、天皇の警護に当てた。また、廃藩とともに藩兵を解散させたが、一部は兵部省のもとで各地に設けた鎮台に配置し、反乱や一揆に備えた。翌1872（明治5）年、兵部省は陸軍省・海軍省に分離した。

近代的な軍隊の創設をめざす政府は、1872（明治5）年の徴兵告諭にもとづき、翌年1月、国民皆兵を原則とする徴兵令を公布した。これにより、士族・平民の別なく、満20歳に達した男性から選抜して3年間の兵役に服させる統一的な兵制が立てられた❶。

同じ頃、警察制度も創設された。1873（明治6）年に新設された内務省は、殖産興業や地方行政などに当たったほか、全国の警察組織を統轄した。翌1874（明治7）年には首都東京に警視庁が設置された。

四民平等

国内統一と並行して、封建的身分制度の撤廃も進められた。（→p.185）
版籍奉還によって藩主と藩士の主従関係が解消され、藩主を公家とともに華族、藩士や旧幕臣を士族とした。同時に「農工商」の百姓・町人は平民となり、苗字（名字）が許され、華・士族との結婚や、移住・職業選択の自由も認められて、いわゆる四民平等の世になった。また1871（明治4）年には、旧来のえた・非人などの称をやめて、制度のうえでは平民同様とした。（→p.186）1872（明治5）年には、華族・士族・平民という新たな族籍にもとづく統一的な戸籍編成❷がおこなわれた（壬申戸籍）。これらの身分制改革に

❶ 国民皆兵制にもとづく近代的な軍隊の創設は、長州藩出身の大村益次郎が構想し、大村の暗殺後は、長州藩の奇兵隊の指揮官であった山県有朋が引き継いで実現した。徴兵令では、戸主とその跡継ぎや官吏・学生のほか、とくに代人料270円をおさめるものには兵役免除を認めていたので、実際に兵役についたのはほとんどが農村の二男以下であった。

❷ 明治初期の人口構成は1873（明治6）年時点で、華族2829人、士族154万8568人、卒（足軽などの下級武士を一時こう呼んだ）34万3881人、平民3110万6514人（全人口の93.4％）、その他（僧侶・神職など）29万8880人、合計3330万672人であった。

264　第9章　近代国家の成立

> **形式的な解放令** 17世紀末頃から幕藩体制が変化し始めると,幕府や諸藩は,最下層の身分であるえたなどに対し,居住地・職業・服装などの生活のあらゆる面において差別を強化し,宗門帳の別帳化をはじめ「農工商」との差別を深めさせた。このため,18世紀後半頃から,これらの人びとの抵抗運動が強まり,身分を隠して居住地から抜け出したり,百姓一揆に加わったりした。幕末・維新期には,幕府や一部の藩が,みずからの勢力を補強するために,賤民身分から抜け出したいという彼らの切望を利用して,御用金の上納や軍役の徴用をはかる見返りとして一部を解放したが,幕府の崩壊により解放は中断した。
>
> 新政府は,四民平等のたてまえや外国への体裁,民間からの建議などもあって,1871(明治4)年8月,今後は,賤民の身分・職業を平民と同様に取り扱ういわゆる解放令を布告した。
>
> 政府が解放令を出したことの意義は大きかったが,それにみあう十分な施策はおこなわれなかった。そのため,結婚や就職などでの社会的差別は続いた。また,従来は彼らに許されていた特定の職種の営業独占権がなくなり,逆に兵役・教育の義務が加わったので,これらの人びとの生活はかえって苦しくなった。

よって,男女の差別はあったが,同じ義務をもつ国民が形成された。

しかし,政府は華族・士族に対して,額を減らしたが依然として**家禄**を支給し,**王政復古**の功労者には**賞典禄**を与えていた。この家禄と賞典禄をあわせて**秩禄**というが,その支出は国の総支出の約30%を占めて大きな負担となった。政府は1873(明治6)年に希望者に対して秩禄の支給をとめるかわりに一時金を支給する**秩禄奉還の法**を定め,さらに1876(明治9)年にはすべての受給者に年間支給額の5～14年分の額の**金禄公債証書**を与えて,秩禄を全廃した(**秩禄処分**)。ここに,同年の**廃刀令**とあわせて,士族はすべての特権を奪われた。

小禄の士族が受けとった公債の額はわずかであったから❶,官吏・巡査・教員などに転身できなかった多くの士族は生活に困り,公債を元手になれない商売に手を出し,失敗して没落したものも多かった(「**士族の商法**」)。このような士族に対して,政府は事業資金の貸付や,北海道開拓事業など**士族授産**の道を講じたが,成功した例は少なかった。

---

❶ 禄の少ないものほど,禄の割に多額で利率が高い公債証書を受けとったが,それでも1876(明治9)年の公債の額は,華族が1人平均6万円余りであったのに対し,士族は1人平均500円ほどであった。

《地租改正》　近代化政策を進めるうえで，財政の安定は重要な課題であった。新政府の主要な財源は，旧幕府時代のまま受け継いだ年貢で，旧各藩ごとに税額が異なり，米の作柄によって年々変動した。また，新政府は廃藩によって諸藩の債務を引き継いだので財政は苦しく，廃藩を機会に債務の一部を切り捨てる一方，財源の安定をめざして，土地制度・税制の改革をおこなう必要があった。

その第一歩として，1871(明治4)年に田畑勝手作りを許可し，翌年には田畑永代売買の禁令を解き，**地券**を発行して土地の所有権をはっきり認めた。(→p.189)地券は原則として従来の年貢負担者(地主・自作農)に交付され，年貢を受けとる知行権を内容とする封建的領有制は解体した。この地券制度をもとに，1873(明治6)年7月，**地租改正**条例を公布して**地租改正**に着手し，1881(明治14)年までにほぼ完了した。地租改正の要点は，(1)課税の基準を，不安定な収穫高から一定した地価に変更し，(2)物納を金納に改めて税率を地価の3％とし，(3)地券所有者を納税者とすることであった。

こうして地租が全国同一の基準で豊凶にかかわらず一律に貨幣で徴収され，近代的な租税の形式が整って，政府財政の基礎はいったん固まった。また，地主・自作農の土地所有権が確立し，地租金納化が始まると農村への商品経済の浸透が進んだ。一方で，地租改正は従来の年貢による収入を減らさない方針で進められたので，農民は負担の軽減を求めて各地で地租改正反対の**一揆**をおこし，1877(明治10)年には地租の税率が2.5％に引き下げられた。また，農民が共同で利用していた山林・原野などの入会地のうち，その所有権を立証できないものは官有地に編入され，これへの不満も農民一揆の一因となった。

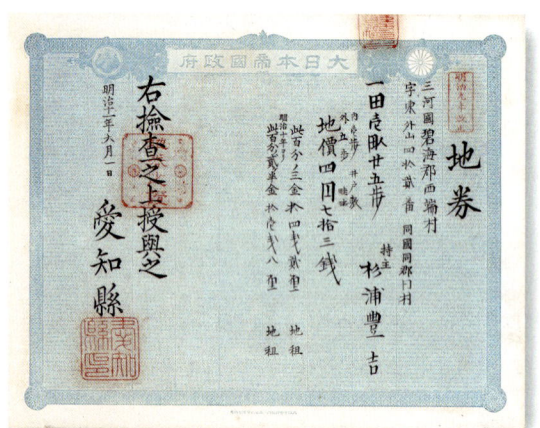

地券　土地所有者に交付したもので，土地の売買・譲渡の場合は，その事実を裏面に記し，地券の移転によって土地所有権の移転の証とした。

《殖産興業》　政府は富国強兵をめざして殖産興業に力を注いだ。まず関所や宿駅・助郷制度の撤廃、株仲間などの独占の廃止、身分にまつわる制約の除去など、封建的諸制度の撤廃につとめ、土地所有権を確定して自由な経済活動の前提を整えた。ついで、外国人教師（いわゆるお雇い外国人）の指導のもとに近代産業を政府みずから経営して、その育成をはかった。

　1870（明治3）年に設置された工部省が中心となって、1872（明治5）年に新橋・横浜間、ついで神戸・大阪・京都間にも鉄道を敷設し、開港場と大都市を結びつけた。また、旧幕府の経営していた佐渡・生野などの鉱山や長崎造船所、旧藩営の高島・三池などの炭鉱や兵庫造船所を接収し、官営事業として経営した。軍備の近代化を担う軍工廠としては東京と大阪に砲兵工廠を開き、旧幕府が設けた横須賀造船所の拡充に力を入れた。

　通信では、1871（明治4）年に前島密の建議により、飛脚にかわる官営の郵便制度が発足し❶、まもなく全国均一料金制をとった。また1869（明治2）年に東京・横浜間にはじめて架設された電信線は、5年後には長崎と北海道までのばされ、長崎・上海間の海底電線を通じて欧米と接続された。海運では、近海・沿岸の海運を国内企業に掌握させ、また有事の際に軍事輸送をおこなわせるため、土佐藩出身の岩崎弥太郎が経営する三菱（郵便汽船三菱会社）に手厚い保護を与えた。

　一方、政府は民間工業を近代化し、貿易赤字を解消しようと輸出の中心と

富岡製糸場の内部　富岡製糸場は1871（明治4）年、建設に着工し、翌年から開業した。工女の多くは各地から応募した士族の子女で、「富岡工女」の名で知られた。機械類はフランスから輸入し、煉瓦を用いた洋風建築の建物は現存している。（市立岡谷蚕糸博物館蔵、長野県）

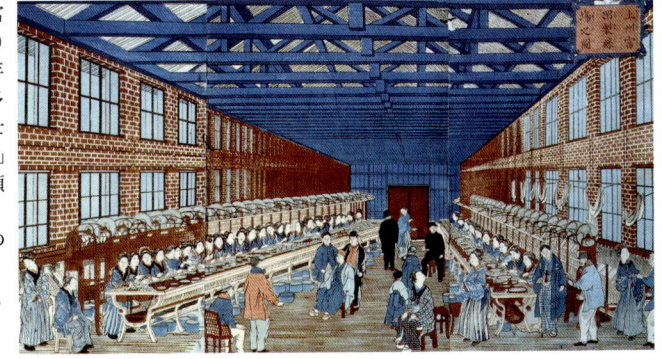

❶　日本は1877（明治10）年に万国郵便連合条約に加盟し、電話は同年に日本に輸入された。

2. 明治維新と富国強兵　**267**

なっていた生糸の生産拡大に力を入れ，1872(明治5)年，群馬県に**官営模範工場**として**富岡製糸場**を設け，フランスの先進技術の導入・普及と工女の養成をはかった。

1873(明治6)年に設立された**内務省**も**殖産興業**に大きな役割を果たし，製糸・紡績などの官営模範工場を経営したのをはじめ❶，人力車や荷車，さらには馬車などの交通の便をはかるため道路改修を奨励した。農業・牧畜については，駒場農学校や三田育種場を開設して西洋式技術の導入をはかった。

政府は北方を開発するため，1869(明治2)年，蝦夷地を北海道と改称して**開拓使**❷をおき，アメリカ式の大農場制度・畜産技術の移植をはかり，クラーク(Clark 1826～86)をまねいて1876(明治9)年に札幌農学校を開校した。また，1874(明治7)年には士族授産の意味もあって**屯田兵制度**を設けて開拓とあわせて北のロシアに対する備えとした❸。

太政官札 　民部省札　貿易銀 　新紙幣(明治通宝札)

国立銀行紙幣

明治初期の貨幣　新政府は，発足直後から太政官札などの不換紙幣を発行し，その後，1872(明治5)年にドイツで印刷した新紙幣を出した。太政官札・民部省札は，旧藩札とともに新紙幣に交換された。(日本銀行貨幣博物館蔵)

貨幣制度では，1871(明治4)年に金本位をたてまえとする**新貨条例**を定め，十進法を採用し，円・銭・厘を単位に新硬貨をつくった。しかし，実際には開港場では銀貨が，国

❶　1877(明治10)年に，内務省に事務局をおいて上野で第1回内国勧業博覧会が開かれた。
❷　開拓使は太政官直属の役所で，当初は本庁を東京におき，1871(明治4)年には札幌に移した。1882(明治15)年に開拓事業が終わったので，開拓使を廃して函館・札幌・根室の3県をおき，1886(明治19)年に3県を廃して北海道庁を設けた。
❸　開発の陰で，アイヌは伝統的な生活・風俗・習慣・信仰を失っていった。政府は1899(明治32)年に北海道旧土人保護法を制定したが，アイヌの生活や文化の破壊をくいとめるものにはならなかった。その後，1997(平成9)年に，新たにアイヌ文化振興法が制定された。

268　第9章　近代国家の成立

内では紙幣が主として用いられた。また翌1872(明治5)年には，維新直後に発行した太政官札❶などと引き換えるため，新たな政府紙幣を発行して紙幣の統一を進めたが，これは金貨や銀貨と交換できない不換紙幣であった。

　そこで政府は，商人・地主など民間の力で金貨と交換できる兌換銀行券を発行させようと，1872(明治5)年，渋沢栄一を中心に国立銀行条例❷を定め，翌年に第一国立銀行などを設立させたが，その経営は困難で，ただちに兌換制度を確立することはできなかった。

　殖産興業政策が進められる過程で，三井・岩崎(三菱)などの民間の事業家は，政府から特権を与えられて，金融・貿易・海運などの分野で独占的な利益を上げ，政商と呼ばれた。

《《 文明開化 》》　富国強兵をめざす政府は，西洋文明の摂取による近代化の推進をはかり，率先して西洋の産業技術や社会制度から学問・思想や生活様式に至るまでを取り入れようとした。これにともない，明治初期の国民生活において，文明開化と呼ばれる新しい風潮が生じて，ジャーナリズムなどを通して大都市を中心に広まり，部分的には庶民の風俗・習慣にも浸透した。

　思想界では，それまでの儒教・神道による考え方や古い習慣が時代遅れとして排斥され，かわって自由主義・個人主義などの西洋近代思想が流行し❸，天賦人権の思想❹がとなえられた。福沢諭吉の『西洋事情』『学問のすゝめ』『文明論之概略』，中村正直訳のスマイルズの『西国立志編』やミルの『自由之理』などが新思想の啓蒙書としてさかんに読まれ，国民の考え方を転換させ

---

❶　新政府は成立当初，財源に乏しく，京都の三井・小野組，大阪の鴻池などの商人から300万両の御用金を徴発し，太政官札・民部省札などの不換紙幣を発行した。

❷　アメリカの制度にならったもので，「国立」とは国法にもとづいて設立されるという意味で，国営ではない。国立銀行条例では，発行銀行券の正貨兌換を義務づけていた。

❸　明治初期には，英・米系の自由主義・功利主義が新思想として受け入れられ，ミルやスペンサーらの著書がよく読まれて，当時の近代思想の主流となった。ついで，ダーウィンの生物進化論が紹介された。フランスに留学した土佐出身の中江兆民は，ルソーの社会契約論を紹介するなど(→p.278注❷)，自由民権運動の理論的指導者として活躍した。また，ドイツからは国家主義的政治思想が導入された。

❹　万人には生まれながらに人間としての権利(自然権)が備わっているという考えで，これがのちの自由民権運動(→p.276)の指導理論の一つとなった。

> **学事奨励に関する太政官布告**
> ーー**被仰出書**❶
>
> 人々自ラ其身ヲ立テ、其産ヲ治メ、其業ヲ昌ニシテ、以テ其生ヲ遂ル所以ノモノハ、他ナシ、身ヲ修メ智ヲ開キ才芸ヲ長ズルニヨルナリ。而シテ其身ヲ修メ智ヲ開キ才芸ヲ長ズルハ学ニアラザレバ能ハズ。是レ学校ノ設アル所以ニシテ、……人能ク其才ノアル所ニ応ジ勉励シテ之ニ従事シ、而シテ後初メテ生ヲ治メ産ヲ興シ業ヲ昌ニスルヲ得ベシ。サレバ学問ハ身ヲ立ルノ財本トモイフベキ者ニシテ、人タルモノ誰力学バズシテ可ナランヤ。……自今以後、一般ノ人民 _華士族卒農工商及婦女子_ 必ズ邑ニ不学ノ戸ナク、家ニ不学ノ人ナカラシメン事ヲ期ス。人ノ父兄タルモノ宜シク此意ヲ体認シ、其愛育ノ情ヲ厚クシ、其子弟ヲ必ズ必学ニ従事セシメザルベカラザルモノナリ。高上ノ学ニ至テハ、其人ノ材能ニ任カスト雖ドモ、幼童ノ子弟ハ男女ノ別ナク小学ニ従事セシメザルモノハ、其父兄ノ越度タルベキ事……　（『法令全書』）
>
> ❶ 学制の教育理念を示した太政官布告で、学制の前文になっていた。

るうえで大きな働きをした。

　教育の面では、1871(明治4)年の**文部省**の新設に続いて、翌72(明治5)年に、フランスの学校制度にならった統一的な**学制**が公布された。政府は、国民各自が身を立て、智を開き、産をつくるための学問という**功利**主義的な教育観をとなえて、**小学校教育**の普及に力を入れ、男女に等しく学ばせる国民皆学教育の建設をめざした❶。専門教育では、1877(明治10)年に旧幕府の**開成所**・医学所を起源とする諸校を統合して**東京大学**を設立し、多くの外国人教師をまねいた。教員育成のための**師範学校**のほか、女子教育❷・産業教育についてもそれぞれ専門の学校を設けた。

　このように、教育制度の整備は主として政府の力で進められたが、**福沢諭吉**の**慶応義塾**(1868年)、**新島襄**(1843〜90)の**同志社**(1875年)などの私学も創設され、特色ある学風を発揮した。

　明治維新の変革は、宗教界にも大きな変動を引きおこした。1868(明治元)年、政府は**王政復古**による**祭政一致**の立場から、古代以来の**神仏習合**を禁じて神道を国教とする方針を打ち出した(**神仏分離令**)。そのため全国にわたって一時**廃仏毀釈**の嵐が吹き荒れたが、これは仏教界の覚醒をうながすことにもなった。政府は1870(明治3)年に**大教宣布の詔**を発し、また神社

---

❶ 学制は全国を8大学区にわけ、各大学区に大学校1、中学校32、各中学区に小学校210を設ける規定であったから、予定では全国の小学校は5万3760校となり、当時の人口で約600人に1小学校の割合であった。しかし、この計画はあまりにも画一的で、現実とかけ離れて当時の国民生活にあわなかったので、1879(明治12)年の教育令によって改められた。

❷ 1872(明治5)年に東京にはじめて女学校ができ、ついで女子師範学校が設けられた。

制度・祝祭日❶などを制定し，神道を中心に国民教化をめざした。

　キリスト教に対しては，新政府は旧幕府同様の禁教政策を継続し，長崎の浦上や五島列島の隠れキリシタンが迫害を受けた。しかし，列国の強い抗議を受け，1873（明治6）年，ようやくキリスト教禁止の高札が撤廃され，キリスト教は黙認された❷。

　これを機会に，幕末から教育や医療などの事業をおこなっていた新旧各派の宣教師は，日本人に対する布教活動を積極的に開始した。

　幕末以来，幕府の手で外国新聞の翻訳がおこなわれていたが，明治になっても，旧幕臣がこれを続けており，さらに活版印刷技術の発達に助けられて❸，東京を中心に各種の日刊新聞や雑誌がつぎつぎと創刊された。これらの新聞・雑誌では，報道のほか政治問題の評論をおこない，新しい言論活動が始まり，学術書・啓蒙書の出版もさかんになった。また，森有礼・福沢諭吉・西周・加藤弘之・西村茂樹らの洋学者が，1873（明治6）年に明六社を組織して，翌年から『明六雑誌』を発行し，演説会を開いて封建思想の排除と近代思想の普及につとめた。

　1872（明治5）年12月には，西洋諸国の例にならって暦法を改め，旧暦（太陰太陽暦）を廃して太陽暦を採用し，1日を24時間とし，のちには日曜を休日とするなど，長いあいだの行事や慣習が改められた❹。

　文明開化の風潮は，東京など都会の世相によく表われた。洋服の着用が官吏や巡査からしだいに民間に広まり，ざんぎり頭が文明開化の象徴とみられた。また，新聞のほかに以前からの錦絵もさかんに発行された。東京の銀座通りには煉瓦造の建物が並び，ガス灯・人力車・鉄道馬車などが東京の名物となり，牛鍋が流行した。

---

❶　『日本書紀』（→p.55）が伝える神武天皇即位の日（正月朔日）を太陽暦に換算して紀元節（2月11日）とし，明治天皇の誕生日である11月3日を天長節と定め，祝日とした。

❷　浦上のキリシタンは，1865（慶応元）年，大浦天主堂（→口絵㉔）の落成を機にここを訪ねたフランス人宣教師に信仰を告白して明るみに出た。しかし，新政府は神道国教化の政策をとり，浦上の信徒を捕え，各藩に配流した（浦上教徒弾圧事件）。

❸　活版印刷の発達は，1869（明治2）年に本木昌造が鉛製活字の量産技術の導入に成功してからである。

❹　旧暦による明治5年12月3日を，太陽暦による明治6年1月1日とした。

明治10年代の銀座の風景 国家的プロジェクトとして建設された2階建ての煉瓦造建物と舗道、歩道のそばに立つガス灯、街路を走る鉄道馬車・人力車などが目新しい。いきかう人びとの服装も洋服がめだつ。（マスプロ美術館蔵、愛知県）

農村の生活は変化が遅かったが、近代化の波は交通の発達や新聞の普及などで、しだいに地方にもおよんでいった。一方で、古い芸術品や芸能などが軽視されがちになり、貴重な文化遺産が失われることも少なくなかった。

明治初期の対外関係

外交問題では、幕府から引き継いだ不平等条約（→p.253）の改正が大きな課題であった。1871（明治4）年末、右大臣岩倉具視を大使とする使節団（**岩倉使節団**）がアメリカ・ヨーロッパに派遣され❶、まずアメリカと交渉したが目的を達することはできず、欧米近代国家の政治や産業の発展状況を細かく視察して帰国した。1876（明治9）年から外務卿の寺島宗則（1832〜93）が、アメリカと交渉して関税自主権回復の交渉にほぼ成功したが、イギリス・ドイツなどの反対で無効となった。

近隣諸国に対しては、まず1871（明治4）年、清国に使節を派遣して**日清修好条規**❷を結び、相互に開港して領事裁判権を認めあうことなどを定め

---

❶ 安政の諸条約は1872（明治5）年から改正交渉ができることになっており、使節団はその条約改正に関する予備交渉と、欧米の制度・文物の視察とを目的にしたものである。一行は岩倉大使、木戸孝允・大久保利通・伊藤博文・山口尚芳の各副使以下約50名におよぶ大規模なもので、他に留学生が約60名加わっていた。留学生の中には津田梅子・山川捨松ら5名の若い女性も含まれていた。

❷ 日本が外国と結んだ最初の対等条約であるが、日本はこれに不満で、1873（明治6）年ようやく批准した。

272 第9章 近代国家の成立

琉球王国は、江戸時代以来、事実上薩摩藩（島津氏）に支配されながら、名目上は清国を宗主国にするという複雑な両属関係にあった（→p.181）。政府はこれを日本領とする方針をとって、1872（明治5）年に**琉球藩**をおいて政府直属とし、琉球国王の**尚泰**を藩王とした。しかし、宗主権を主張する清国は強く抗議し、この措置を認めなかった。

岩倉使節団　1871（明治4）年11月12日に横浜を出港し、73（明治6）年に帰国した。写真はサンフランシスコで撮影したもの。写真の右から、大久保利通・伊藤博文・岩倉具視・山口尚芳・木戸孝允である。（山口県文書館蔵）

　1871年に台湾で琉球漂流民殺害事件が発生した。清国が現地住民の殺傷行為に責任を負わないとしたため、軍人や士族の強硬論におされた政府は、1874（明治7）年に台湾に出兵した（**台湾出兵・征台の役**）。これに対し清国はイギリスの調停もあって、日本の出兵を正当な行動と認め、事実上の賠償金を支払った。ついで1879（明治12）年には、日本政府は琉球藩および琉球王国の廃止と沖縄県の設置を強行した（**琉球処分**）❶。

　新政府は発足とともに朝鮮に国交樹立を求めたが、当時、鎖国政策をとっていた朝鮮は、日本の交渉態度を不満として正式の交渉には応じなかった。1873（明治6）年、留守政府首脳の西郷隆盛・板垣退助らは**征韓論**をとなえたが、帰国した大久保利通らの強い反対にあって挫折した❷。そののち1875（明

---

❶　琉球王国は沖縄県として日本領土の一部に組み込まれたが、土地制度・租税制度・地方制度などで旧制度が温存され、衆議院議員選挙が実施されたのも1912（大正元）年からであった。本土との経済的格差は大きく、県民所得も全般的に低かったので、本土への出稼ぎや海外移住で流出した人口も少なくなかった。

❷　留守政府は、西郷隆盛を朝鮮に派遣して開国をせまり、朝鮮政府が拒否した場合には武力行使をも辞さないという強硬策をいったんは決定した。しかし、岩倉使節団に参加して帰国した大久保利通・木戸孝允らは、内治の整備が優先であるとして反対した。論争は大久保らの勝利に帰し、西郷ら征韓派は下野した。

2．明治維新と富国強兵　**273**

治8）年の江華島事件❶を機に日本は朝鮮にせまって、翌1876（明治9）年、**日朝修好条規**（江華条約）を結び、朝鮮を開国させた❷。

また、幕末以来ロシアとのあいだで懸案となっていた**樺太**の帰属（サハリン）（→p.251注❸）については、日本は北海道の開拓で手いっぱいであったため、1875（明治8）年、**樺太・千島交換条約**を結んで、樺太にもっていたいっさいの権利をロシアにゆずり、そのかわりに千島全島を領有することになった。また、所属が明確でなかった**小笠原諸島**を日本の領有とし、イギリス・アメリカ両国が異議をとなえなかったので、1876（明治9）年、内務省の管轄下においた。このようにして、南北両方面にわたる日本の領土が国際的に画定された。

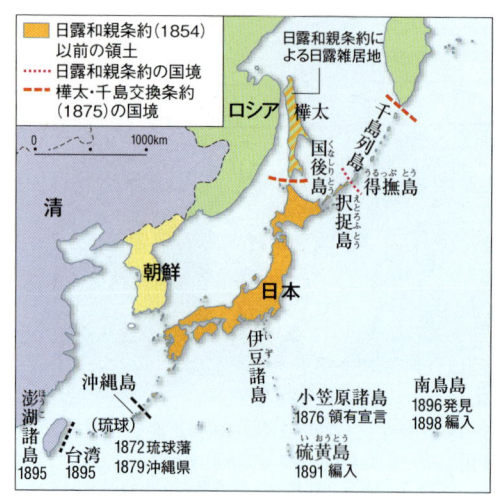

地図凡例：
- 日露和親条約（1854）以前の領土
- 日露和親条約の国境
- 樺太・千島交換条約（1875）の国境

日露和親条約による日露雑居地／樺太／ロシア／千島列島／国後島／得撫島／択捉島／清／朝鮮／日本／伊豆諸島／澎湖諸島 1895／沖縄島（琉球）／1872琉球藩 1879沖縄県／台湾 1895／小笠原諸島 1876 領有宣言／硫黄島 1891 編入／南鳥島 1896発見 1898編入

明治時代初期の日本の領土

新政府への反抗

戊辰戦争に際して政府軍に加わって戦った士族の中には、彼らの主張が新政府に反映されないことに不平をいだくものが少なくなかった。1873（明治6）年の**征韓論争**は、これらの不平士族に支えられたものであった。征韓論が否決されると**西郷隆盛・板垣退助・江藤新平・副島種臣**らの征韓派参議はいっせいに辞職し（**明治六年の政変**）❸、翌1874（明治7）年から、これら士族の不満を背景に政府批判の運動を始めた。

板垣退助・後藤象二郎らは、**愛国公党**を設立するとともに、イギリス帰りの知識人の力を借りて作成した**民撰議院設立の建白書**を左院に提出し、政府官僚の専断（**有司専制**）の弊害を批判して天下の公論にもとづく政治をおこなうための国会の設立を求めた。これは新聞に掲載されて世論に大きな影響を

---

❶ 日本の軍艦雲揚が首都漢城近くの江華島で朝鮮側を挑発して戦闘に発展した事件。
❷ 日朝修好条規は、釜山ほか2港（仁川・元山）を開かせ、日本の領事裁判権や関税免除を認めさせるなどの不平等条約であった。
❸ この政変ののちに政府を指導したのは、内務卿に就任した大久保利通であった。

274　第9章　近代国家の成立

与え、**自由民権運動**(→p.276)の口火となった。

　一方、保守的な士族の中には、新政府樹立に功を上げながらも、急激な改革の中で旧来の特権を失っていくことに対する不満から、反政府暴動をおこすものもあった。

　1874（明治7）年、征韓派前参議の一人、江藤新平は郷里の佐賀の不平士族に迎えられて征韓党の首領となり、政府に対して反乱をおこした（**佐賀の乱**）。さらに1876（明治9）年に**廃刀令**(→p.265)が出され、ついで**秩禄処分**(→p.265)が断行されると、復古的攘夷主義を掲げる熊本の不平士族の敬神党（神風連）が反乱をおこし、熊本鎮台を襲った。これに呼応して、福岡県の不平士族による秋月の乱、山口県萩での前参議前原一誠(1834〜76)の反乱など、士族の武装蜂起があいついでおこったが、反乱はいずれも政府によって鎮圧された。

　一方、1873（明治6）年には、徴兵制度や学制にもとづく小学校の設置による負担の増加をきらって、多くの農民が一揆をおこし（**血税一揆**）、さらに1876（明治9）年になると、低米価のもとで過去の高米価も含めて平均した地価を基準に地租を定めることに反発する大規模な農民一揆が発生した（**地租改正反対一揆**）❶。

　各地の士族反乱が鎮圧される中、地租の軽減で農民の不満がいくぶん緩和された1877（明治10）年には、

民撰議院設立の建白

臣等伏シテ方今❶政権ノ帰スル所ヲ察スルニ、上ハ帝室ニ在ラズ、下ハ人民ニ在ラズ、而シテ独リ有司❷ニ帰ス。……而シテ政令百端、朝出暮改、政情実ニ成リ、賞罰愛憎ニ出ヅ、言路壅蔽、困苦告ルナシ。……臣等愛国ノ情自ラ已ムコト能ハズ、乃チ之ヲ振救スルノ道ヲ講求スルニ、唯天下ノ公議ヲ張ルニ在ルノミ。天下ノ公議ヲ張ルハ民撰議院ヲ立ルニ在ルノミ。即チ有司ノ権限ル所アッテ、而シテ上下其安全幸福ヲ受ル者アラン。請フ遂ニ之ヲ陳ゼン。

❶現在。❷上級の役人。❸言論発表の道がふさがれている。
（『日新真事誌』）

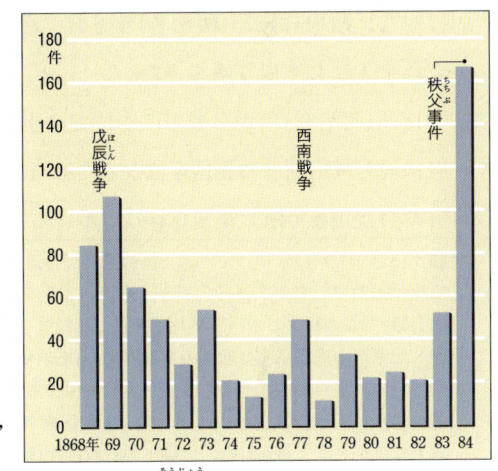

明治前期の農民騒擾の発生件数（『明治農民騒擾の年次的研究』より）

---

❶まず茨城県で、ついで三重・愛知・岐阜・堺の4県にわたって反対一揆が発生し、政府は軍隊を出動させてこれを鎮圧した。

2. 明治維新と富国強兵　275

下野・帰郷していた西郷隆盛を首領として,私学校生らの鹿児島士族を中心とした最大規模の士族反乱が発生した。九州各地の不平士族がこれに呼応したが,政府は約半年を費やしてすべて鎮圧した(**西南戦争**)。これを最後に,不平士族による反乱はおさまった。

3 立憲国家の成立と日清戦争

自由民権運動

板垣退助らが民撰議院設立の建白書を提出したことを(→p.274)きっかけに,自由民権論は急速に高まった。1874(明治7)年,板垣は郷里の土佐に帰って片岡健吉(1843〜1903)らの同志を集めて**立志社**をおこし,翌年これを中心に民権派の全国組織をめざして**愛国社**を大阪に設立した。これに対して政府側も,時間をかけて立憲制に移行すべきことを決め❶,1875(明治8)年4月に**漸次立憲政体樹立の詔**を出すとともに,立法諮問機関である**元老院**,最高裁判所に当たる**大審院**,府知事・県令からなる**地方官会議**を設置した。元老院では,翌1876(明治9)年から憲法草案の起草が始められた❷。一方,民権運動家たちが新聞や雑誌で活発に政府を攻撃するのに対し,政府は1875(明治8)年6月,**讒謗律**・**新聞紙条例**などを制定して,これをきびしく取り締まった。

1876(明治9)年から翌年にかけての士族反乱や農民一揆がおさまると,政府は地方統治制度の整備をはかるため,1878(明治11)年に**郡区町村編制法**❸・**府県会規則**❹・**地方税規則**❺のいわゆる**地方三新法**を制定した。これにより,

---

❶ 1875(明治8)年初めに,大久保利通と,台湾出兵に反対して下野していた木戸孝允,それに板垣退助の三者が大阪で会談し,木戸の主張を入れて漸進的な国会開設方針が決定した(大阪会議)。この結果,木戸・板垣はいったん政府に復帰した。
❷ 元老院の憲法草案は数次の案を経て,1880(明治13)年に「日本国憲按」として完成した。しかし岩倉具視らから,その内容が日本の国体にあわないとして反対され,廃案となった。
❸ 廃藩置県後に設置された画一的な行政区画の大区・小区をやめ,旧来の郡・町・村を行政上の単位として復活した。府県下の行政区画は,市街地は区,その他は郡とされ,郡の下では江戸時代以来の町や村が行政の末端組織とされた。
❹ 地方では府知事・県令の判断で公選制の民会が設置され始めていたが,この規則で全国的に認めるとともに統一規則を定め,府県予算案の部分的審議権を府県会に与えた。
❺ 府県税や民費などとして徴収してきた複雑な諸税を地方税に統一して,府県財政の確立をはかった。

府会・県会を通してある程度の民意を組み入れられる地方制度となった。

　他方，民権運動の中心であった立志社は，西南戦争の最中に片岡健吉を総代として国会開設を求める意見書(**立志社建白**)を天皇に提出しようとしたが，政府に却下された。また，立志社の一部が反乱軍に加わろうとしたこともあって，運動は一時下火になった。しかし，1878(明治11)年に，解散状態にあった愛国社の再興大会が大阪で開かれた頃から，運動は士族だけではなく，地主や都市の商工業者，府県会議員などのあいだにも広まっていった❶。

　1880(明治13)年3月には前年末の愛国社の第3回大会の呼びかけにもとづいて，**国会期成同盟**が結成され，同盟参加の各地の政社❷の代表が署名した天皇宛の国会開設請願書を太政官や元老院に提出しようとした。政府はこれを受理せず，4月に**集会条例**を定めて，政社の活動を制限した。国会期成同盟は同年11月に第2回大会を東京で開いたが，運動方針について意見がまとまらず，翌1881(明治14)年10月に各自の憲法草案をたずさえてふたたび会することだけを決めて散会した。散会したあとに，参加者の一部は別に会合をもち，自由主義政党の結成に進むことを決めた。同年10月に，このグループを中心に，板垣退助を総理(党首)とする**自由党**が結成された。

　1878(明治11)年に政府の最高実力者であった大久保利通内務卿が暗殺されてから強力な指導者を欠いていた政府は，このような自由民権運動の高まりを前にして内紛を生じ，大隈重信(1838〜1922)はイギリス流の議院内閣制の早期導入を主張し，右大臣岩倉具視や伊藤博文(1841〜1909)と激しく対立した。たまたま，これと同時におこった**開拓使官有物払下げ事件**❸で，世論の政府攻撃が激しくなった。1881(明治14)年10月，政府は，大隈をこの世論の動きと関係ありとみて罷免し，**欽定憲法**❹制定の基本方針を決定し，**国会開設の勅諭**を出して，1890年に国会を開設すると公約した。この**明治十四年の政変**によって，伊藤

---

❶　1879(明治12)年には植木枝盛の『民権自由論』などの民権思想の啓蒙書も刊行され，運動の広がりに大きな影響を与えた。
❷　土佐の立志社を先駆とする各地の民権運動の政治結社を政社という。
❸　1881(明治14)年，北海道の開拓使所属の官有物を払い下げるに当たり，旧薩摩藩出身の開拓長官黒田清隆は，同藩出身の政商五代友厚らが関係する関西貿易社に不当に安い価格で払い下げようとして問題化した。明治十四年の政変で，払下げは中止された。
❹　国民の総意にもとづく民定憲法に対し，天皇が定める憲法をいう。

3．立憲国家の成立と日清戦争　**277**

年代	民権運動	政府の動き
1874	1．民撰議院設立の建白書。4．立志社創立	
1875	2．大阪で愛国社結成	1．大阪会議。4．漸次立憲政体樹立の詔。元老院・大審院設置。6．第1回地方官会議。讒謗律・新聞紙条例。9．出版条例改正
1876	（農民一揆激しくなる）	9．元老院、憲法草案起草
1877	6．立志社建白（却下）	
1878	9．大阪で愛国社再興	7．地方三新法公布
1880	4．国会期成同盟の請願（不受理）	4．集会条例
1881	7．開拓使官有物払下げ事件、問題化。10．自由党結成	10．大隈罷免。明治十四年の政変（国会開設の勅諭）
1882	3．立憲改進党結成。4．岐阜事件。12．福島事件	3．伊藤、憲法調査のため欧州へ出発。立憲帝政党結成。11．板垣退助ら渡欧
1884	5．群馬事件。9．加波山事件。10．自由党解党。秩父事件。12．大隈、立憲改進党離脱	3．制度取調局設置。7．華族令
1885	11．大阪事件	12．内閣制度発足
1886	10．星亨ら、大同団結を主張	この年、政府、憲法起草に着手
1887	10．三大事件建白運動	12．保安条例の公布・施行
1888		4．枢密院設置。6．憲法草案審議開始
1889	4．大同団結運動分裂	2．大日本帝国憲法発布

自由民権運動と立憲体制の成立

博文らを中心とする薩長藩閥の政権が確立し、君主権の強い立憲君主制の樹立に向けて準備が始められた。

民間でも、さかんに憲法私案がつくられた。まず、1881（明治14）年に福沢諭吉系の交詢社が「私擬憲法案」を発表したのに続いて、民権派でも植木枝盛（1857～92）らが数多くの草案を作成した❶。同時に民権思想一般でも、さかんに論争が展開された❷。

国会開設の時期が決まると、フランス流の急進的な自由主義をとなえる自由党に対抗して、1882（明治15）年には大隈重信を党首として、イギリス流の

---

❶ 民間の憲法私案の作成は、交詢社の「私擬憲法案」が発表された頃から各方面でさかんになり、現在では「私擬憲法」と総称している。交詢社案は、議院内閣制と国務大臣連帯責任制を定めたものであった。植木枝盛の「東洋大日本国国憲按」は、広範な人権保障、権限の強い一院制議会、抵抗権・革命権などをもった急進的なもので、立志社が発表した「日本憲法見込案」はこれと同系統に属する。この他、東京近郊の農村青年の学習グループによる五日市憲法草案などもあった。
❷ 中江兆民は、ルソーの『社会契約論』の一部を漢訳した『民約訳解』を刊行した。また、加藤弘之が社会進化論の立場から『人権新説』で民権派の天賦人権論に批判を加えると、馬場辰猪が『天賦人権論』を、植木枝盛が『天賦人権弁』を出して反論した。

議院内閣制を主張する**立憲改進党**が結成された。立志社・愛国社の流れをくむ自由党が主として地方農村を基盤としたのに対し、立憲改進党は都市の実業家や知識人に支持された。

政府側も**福地源一郎**(1841〜1906)らを中心に保守的な**立憲帝政党**を結成させたが、民権派に対抗できるほどの勢力にはなれず、翌1883(明治16)年に解党した。

《松方財政》 政府は西南戦争の戦費の必要から、不換紙幣を増発した。これと、1876(明治9)年の条例改正で兌換義務を取り除かれた国立銀行が商人・地主や金禄公債証書で出資する華族・士族によって続々と設立されて❶不換銀行券を発行したことから、激しいインフレーションがおこり、貿易取引などで用いられる銀貨に対する紙幣の価値が下落した。その結果、紙幣でおさめられる定額の地租を中心とする政府の歳入は実質的に減少して財政困難をまねいた。また、1866(慶応3)年ごろから輸入超過が続いていたこともあって、正貨(金・銀)保有高は底を突いてきた。

そこで政府は1880(明治13)年、大蔵卿**大隈重信**が中心となって酒造税などを増徴し、官営工場を払い下げる方針を決める❷など、財政・紙幣整理に着手した。翌年、**松方正義**(1835〜1924)が大蔵卿に就任すると、増税によって歳入の増加をはかる一方、軍事費以外の歳出を徹底的に緊縮した。そして、歳入の余剰で不換紙幣を処分するデフレ政策をとりながら正貨の蓄積を進め、1882(明治15)年、中央

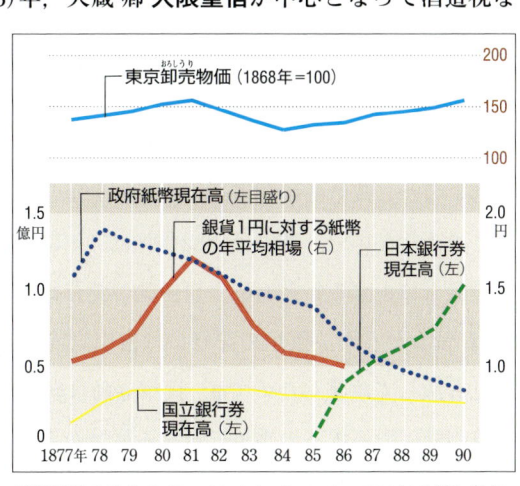

紙幣整理の動向(『近代日本経済史要覧』より) 1880年前後に物価上昇以上に銀貨が値上がりしたのは、貿易収支の赤字で銀貨が流出したためである。こののち、政府紙幣と国立銀行券は回収され、日清戦争後には紙幣は日本銀行券のみとなった。

---

❶ 国立銀行の設立は、1879(明治12)年の第百五十三国立銀行を最後に打ち切られた。
❷ 同年、損失の多い一部の官営事業を払い下げるため**工場払下げ概則**を公布したが、投資額の回収を主眼としたため希望者は少なく、払下げが本格的に進むのは、この概則が廃止された1884(明治17)年からのことであった。

3. 立憲国家の成立と日清戦争　279

銀行として**日本銀行**を設立した❶。日本銀行は銀貨と紙幣価値の差がほとんどなくなった1885(明治18)年から銀兌換の銀行券を発行し、翌年には政府紙幣の銀兌換も始められ、ここに**銀本位**の貨幣制度が整うことになった。

最初の日本銀行兌換銀券 日本銀行は兌換銀券条例により、100円・10円・5円・1円の4種類の銀兌換の銀行券を発行した。(日本銀行貨幣博物館蔵)

しかし、きびしい緊縮・デフレ政策のため、米・繭など物価の下落が著しく、深刻な不況は全国におよんだ。しかも増税に加えて地租は定額金納であったので、農民の負担は著しく重くなり、自作農が土地を手放して**小作農**に転落した。地主は所有地の一部を耕作するほかは、小作人に貸しつけて高率の現物小作料を取り立て、そのかたわら貸金業や酒屋などを営んで、貸金のかたに土地を集中していった。また、土地を失った農民が都市に貧民として流れ込み、さらに下級士族の困窮も激しくなって、社会は動揺していった。

民権運動の再編

松方財政下での農村の窮迫は、民権運動にも大きな影響を与えた。運動の支持者であった地主・農民のうちで経営難・生活難のため運動から手を引くものが多くなり、他方では同じ事情から政治的に急進化するものも現われた。

このような中で、政府は1882(明治15)年に**集会条例**を改正して政党の支部設置を禁止するとともに、自由党の党首板垣退助の洋行を援助するなどの懐柔策もとった。板垣の洋行には自由党内部にも批判があり、また立憲改進党も激しく攻撃したので❷、民権運動は統一的な指導部を失った。他方、政府の弾圧や不況下の重税に対する反発から、自由党員や農民が各地で直接行動をおこした。1882(明治15)年には**福島事件**がおこり、ついで関東および北陸・東海地方で高田事件・群馬事件・加波山事件などの騒擾が続いた。

---

❶ 翌1883(明治16)年には国立銀行条例を改正して、銀行券発行権を国立銀行から取り上げ、国立銀行を普通銀行に転換させることにした。
❷ 民権運動の穏健化をはかる政府の伊藤博文・井上馨らは、ひそかに三井からその費用を出させ、自由党の板垣退助・後藤象二郎らを洋行させた。旅費出所の疑惑を突いた立憲改進党が自由党を攻撃すると、自由党側も大隈重信と三菱との関係を暴いて反撃した。

第9章 近代国家の成立

1884(明治17)年には埼玉県秩父地方で，困民党を称する約3000人の農民が急増する負債の減免を求めて蜂起し，多数の民衆を加えて高利貸・警察・郡役所などを襲撃したのに対し，政府はその鎮圧に軍隊まで派遣した(秩父事件)。
　これらすべての事件を自由党員が指導したわけではなかったが❶，自由党の指導部は党員の統率に自信を失い，運動資金の不足もあって，加波山事件の直後に解党した。立憲改進党も党首大隈重信ら中心的指導者が離党し，事実上の解党状態におちいった。さらに翌1885(明治18)年には旧自由党左派の大井憲太郎らが，朝鮮に渡ってその保守的政府を武力で打倒しようと企て，事前に大阪で検挙される事件がおこった(大阪事件)❷。こうした運動の急進化とそれに対する弾圧の繰り返しの中で，民権運動はしだいに衰退していった。

山形市街図(高橋由一筆)　山形県令となった三島通庸は，県庁・学校・警察署など洋風建築の官庁街をつくって開化を形で示した。(山形県蔵)

自由党の騒擾事件

---

❶　福島事件は，県令三島通庸が不況下の農民に労役を課して県道をつくろうとしたことに対して農民が抵抗した事件で，福島自由党は訴訟などで間接に支援したにすぎなかった。しかし三島がこの事件を口実に河野広中らの福島自由党員を大量に検挙したので，自由党の激化事件の最初として知られるようになった。秩父事件も旧自由党員の関わりは間接的なものであった。
❷　1882(明治15)年の壬午軍乱(→p.288)のあと，自由党の板垣退助らは，朝鮮国内の金玉均(キムオッキュン)らの改革派を援助し，朝鮮の内政改革を企てた。

3.　立憲国家の成立と日清戦争　281

保安条例

第四条 皇居又ハ行在所❶ヲ距ル三里以内ノ地ニ住居シ又ハ寄宿スル者ニシテ、内乱ヲ陰謀シ又ハ教唆シ又ハ治安ヲ妨害スルノ虞アリト認ムルトキハ、警視総監又ハ地方長官ハ内務大臣ノ認可ヲ経、期日ヨリ三年以内同一ノ距離内ニ出入寄宿又ハ住居ヲ禁ズルコトヲ得。

（『官報』号外、明治20年12月25日）

❶天皇の行幸の際の宿所。

言論の弾圧（『トバエ』22号） 政府は保安条例公布の直後、新聞紙条例を改正して取締りをややゆるめたが、基本的にはかわらなかった。図はフランス人ビゴーの描いたもので、警察官が民権論をとなえる新聞人を取り締まっているところ。

しかし国会開設の時期が近づくと、民権派のあいだで運動の再結集がはかられた。1887（明治20）年に、板垣退助にかわって同じく高知の後藤象二郎が大同団結❶をとなえ、井上馨外相の条約改正交渉の失敗を機に**三大事件建白運動**❷がおこった。同年末に政府が**保安条例**を公布して多くの在京の民権派を東京から追放したあとも、運動は東北地方を中心に継続し、1889（明治22）年の憲法発布によって政党再建に向かっていった。

憲法の制定

政府は、明治十四年の政変の際に、天皇と政府に強い権限を与える憲法を制定する方針を決めていたが、翌1882（明治15）年には、伊藤博文らをヨーロッパに派遣して憲法調査に当たらせた。伊藤はベルリン大学のグナイスト(Gneist 1816～95)、ウィーン大学のシュタイン(Stein 1815～90)らから主としてドイツ流の憲法理論を学び、翌年に帰国して憲法制定・国会開設の準備を進めた。

まず1884（明治17）年に**華族令**❸を定め、華族の範囲を広げて、旧上層公家・大名以外からも国家に功績のあったものが華族になれるようにして、将

---

❶ 自由党と立憲改進党がこれまでの反目を忘れて、小異を捨て大同につき、団結して国会開設に備えようとした運動。

❷ 三大事件とは、地租の軽減、言論・集会の自由、外交失策の回復（対等条約の締結）の3要求を指し、建白書をたずさえた全国の代表者が政府諸機関に激しい陳情運動をおこなった。

❸ 華族を公・侯・伯・子・男の5爵にわけ、内規でそのおのおのの資格を詳細に定めた。

282 第9章 近代国家の成立

来の上院(貴族院)の土台をつくった。ついで1885(明治18)年には太政官制(→p.263)を廃して内閣制度を制定した。

これにより，各省の長官は国務大臣として自省の任務に関して天皇に直接責任を負うだけでなく，国政全体に関しても総理大臣のもとに閣議の一員として直接に参画するものとなった。また，宮中の事務に当たる宮内省(宮内大臣)は内閣の外におかれ，同時に天皇御璽(天皇の印)・日本国璽(日本国の印)の保管者で天皇の常侍輔弼の任に当たる内大臣が宮中におかれた。初代総理大臣の伊藤博文は同時に宮内大臣を兼任したが，制度的には府中(行政府)と宮中の区別が明らかとなった。

地方制度の改革も，ドイツ人顧問モッセ(Mosse 1846〜1925)の助言を得て山県有朋(1838〜1922)を中心に進められ，1888(明治21)年に市制・町村制❶が，1890(明治23)年には府県制・郡制❷が公布され，政府の強い統制のもとではあるが，地域の有力者を担い手とする地方自治制が制度的に確立した。

政府の憲法草案作成作業は，1886(明治19)年末頃から国民に対しては極秘のうちに進められ，ドイツ人顧問ロエスレル(Roesler 1834〜94)らの助言を得て，伊藤を中心に井上毅(1843〜95)・伊東巳代治(1857〜1934)・金子堅太郎(1853〜1942)らが起草に当たった。この草案は，天皇臨席のも

大日本帝国憲法

第一条　大日本帝国ハ万世一系ノ天皇之ヲ統治ス
第三条　天皇ハ神聖ニシテ侵スベカラズ
第四条　天皇ハ国ノ元首ニシテ統治権ヲ総攬シ此ノ憲法ノ条規ニ依リ之ヲ行フ
第八条　天皇ハ公共ノ安全ヲ保持シ又ハ其ノ災厄ヲ避クル為，緊急ノ必要ニ由リ帝国議会閉会ノ場合ニ於テ法律ニ代ルベキ勅令ヲ発ス……
第一一条　天皇ハ陸海軍ヲ統帥ス
第一二条　天皇ハ陸海軍ノ編制及常備兵額ヲ定ム
第二九条　日本臣民ハ法律ノ範囲内ニ於テ言論著作印行集会及結社ノ自由ヲ有ス
第三三条　帝国議会ハ貴族院衆議院ノ両院ヲ以テ成立ス
第五五条　国務各大臣ハ天皇ヲ輔弼シ其ノ責ニ任ス……
第七〇条　公共ノ安全ヲ保持スル為緊急ノ需用アル場合ニ於テ，内外ノ情形ニ因リ政府ハ帝国議会ヲ召集スルコト能ハザルトキハ勅令ニ依リ財政上必要ノ処分ヲ為スコトヲ得……

---

❶ 人口2万5000人以上の都市を市として郡と対等の行政区域とし，従来の町村は大幅に合併されて新しい町村とされた。市長は市会の推薦する候補者から内務大臣が任命し，市参事会が行政を担当した。町村長は無給の名誉職で，町村会で公選された。
❷ 郡長および郡参事会を行政機関とし，町村会議員の投票と大地主の互選とによって選ばれる郡会を議決機関とした。府県会も郡会議員の投票による間接選挙であった。

3．立憲国家の成立と日清戦争　283

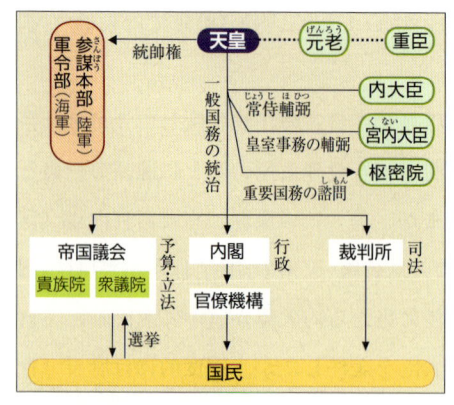

大日本帝国憲法下の国家機構

とに枢密院❶で審議が重ねられ，1889(明治22)年2月11日，**大日本帝国憲法**(明治憲法)が発布された。

帝国憲法は，天皇が定めて国民に与える**欽定憲法**であり，天皇と行政府にきわめて強い権限が与えられた。神聖不可侵とされた天皇は統治権のすべてを握る総攬者であり，文武官の任免❷，陸海軍の統帥(作戦・用兵など)，宣戦・講和や条約の締結など，議会の関与できない大きな権限をもっていた(**天皇大権**)。また，このうち陸海軍の統帥権は，内閣からも独立して天皇に直属していた(**統帥権の独立**)。

天皇主権のもと，立法・行政・司法の三権が分立し，それぞれが天皇を補佐することとされたが，種々の制限を設けられた議会の権限❸と比べると，政府の権限は強く，各国務大臣は個別に，議会にではなく天皇に対してのみ責任を負うものとされた。

帝国議会は，対等の権限をもつ**貴族院**❹と**衆議院**からなっていたので，衆議院の立法権行使は，華族や勅選議員などからなる貴族院の存在によって実質的に制限されていた。しかし，多くの制限はあっても，議会の同意がなければ予算や法律は成立しなかったから，政府は議会(とくに衆議院)とのあいだで妥協をはかるようになり，政党の政治的影響力がしだいに増大していった。

一方，憲法上「**臣民**」と呼ばれた日本国民は，法律の範囲内で所有権の不可

❶ 憲法・選挙法などの特別な法律・会計・条約などについて，天皇の諮問にこたえる機関として1888(明治21)年に設置され，その後，憲法の第56条により権限が明確化された。
❷ 政府は，1886(明治19)年に帝国大学令を公布して大学を官吏養成機関として明確に位置づけ，1887(明治20)年には文官高等試験の制を定め，官僚制度の基礎を固めた。
❸ 憲法で天皇大権と規定されている事項に関する予算案については，議会は政府の同意なくして削減できないと定められ(第67条)，また予算案が不成立の場合には政府は前年度の予算をそのまま施行することができた。
❹ 貴族院は皇族と世襲もしくは互選により選出される華族の議員と天皇が任命する勅任議員からなり，勅任議員は勅選議員と各府県1人の多額納税者議員とから構成された。

284　第9章　近代国家の成立

法典名	公布年	施行年
刑法＊	1880	1882
治罪法	〃	〃
大日本帝国憲法＊	1889	1890
皇室典範		(1889)
刑事訴訟法＊	1890	〃
民事訴訟法＊	〃	1891
民法＊	〃	延期
商法＊	〃	1893
(修正)民法	1896・98	1898
(修正)商法	1899	1899

おもな法典の制定（＊印は六法）

民法

第七百四十九条　家族ハ戸主ノ意ニ反シテ其居所ヲ定ムルコトヲ得ズ
（第二項・第三項略）

第七百五十条　家族ガ婚姻又ハ養子縁組ヲ為スニハ戸主ノ同意ヲ得ルコトヲ要ス
（第二項・第三項略）

第九百七十条　被相続人ノ家族タル直系卑属ノ左ノ規定ニ従ヒ家督相続人ト為ル
一　親等ノ異ナリタル者ノ間ニ在リテハ其近キ者ヲ先ニス
二　親等ノ同ジキ者ノ間ニ在リテハ男ヲ先ニス
（第一項の三・四・五、第二項略）

　侵、信教の自由、言論・出版・集会・結社の自由を認められ、帝国議会での予算案・法律案の審議を通じて国政に参与する道も開かれた。こうして日本は、アジアではじめての近代的立憲国家となった。また、憲法の公布と同時に議院法・衆議院議員選挙法・貴族院令が公布され、**皇室典範**❶も制定されて、皇位の継承、摂政の制などについて定められた。

《**諸法典の編纂**》　西洋を範とする法典の編纂は明治初年に着手され、フランスの法学者ボアソナード（Boissonade 1825～1910）をまねいて、フランス法をモデルとする各種法典を起草させ、1880（明治13）年には刑法❷と治罪法（刑事訴訟法）を憲法に先行して公布した。その後も、条約改正のためもあって、民法と商法の編纂を急ぎ、1890（明治23）年には、民法・商法、民事・刑事訴訟法が公布され、法治国家としての体裁が整えられた。

　これらのうち民法は、1890（明治23）年に大部分がいったん公布されたが、制定以前から一部の法学者のあいだで、家族道徳など日本の伝統的な倫理が破壊されるとの批判がおこり、これをめぐって激しい議論が戦わされた（**民法典論争**）❸。この結果、1892（明治25）年の第三議会において商法とともに、修正を前提に施行延期となり、1896（明治29）年と1898（明治31）年に、先の民

❶　憲法は官報で公布されたが、皇室典範は「臣民の敢て干渉する所に非ざるなり」という理由で公布されなかった。
❷　天皇・皇族に対する犯罪である大逆罪・不敬罪や、内乱罪を厳罰とする規定を設けた。
❸　1891（明治24）年、帝国大学教授穂積八束は法律雑誌に「民法出デヽ忠孝亡ブ」という題の論文を書き、ボアソナードの民法を激しく批判した。

3．立憲国家の成立と日清戦争　285

法を大幅に修正して公布された。こうしてできた新民法は，戸主の家族員に対する絶大な支配権（戸主権）や家督相続制度など，家父長制的な家の制度を存続させるものとなった。

初期議会

1890（明治23）年におこなわれる日本最初の衆議院議員総選挙❶を前に，旧民権派の再結集が進み，これに対抗する政府側では，すでに憲法発布直後に黒田清隆首相が，政府の政策は政党の意向によって左右されてはならないという超然主義の立場を声明していた。しかし旧民権派が総選挙に大勝し，第1回帝国議会（第一議会）では，立憲自由党と立憲改進党などの民党が衆議院の過半数を占めた❷。

第一議会が開かれると，超然主義の立場をとる第1次山県有朋内閣は，予算問題で政費節減・民力休養❸を主張する民党に攻撃されたが，自由党の一部を切り崩して予算を成立させた❹。つづく第二議会では，第1次松方正義内閣が民党と衝突して，衆議院を解散した。1892（明治25）年の第2回総選挙に際して，松方内閣は，内務大臣品川弥二郎を中心に激しい選挙干渉をおこなって政府支持者の当選につとめたが，民党の優勢をくつがえすことはできず，第三議会終了後に退陣した。

ついで成立した「元勲総出」❺の第2次伊藤博文内閣は，民党第一党の自由党と接近し，1893（明治26）年には天皇の詔書❻の力もあって海軍軍備の拡張に成功した。しかし，政府と自由党の接近に反発する改進党などの残存民党は，かつての吏党である国民協会と連合して，条約改正問題で政府を攻撃

---

❶ 憲法と同時に公布された衆議院議員選挙法では，選挙人は満25歳以上の男性で直接国税（地租と所得税，のちに営業税も加わる）15円以上の納入者に限られたから，有権者は全人口の1％強で，中農以上の農民か都市の上層民だけが参政権を与えられた。また，被選挙人は満30歳以上の男性で，納税資格は選挙人と同じであった。

❷ 第一議会召集時には総議席300のうち，立憲自由党130・立憲改進党41で，両党で過半数を占めた。当時，自由党や改進党などの反政府野党を民党，政府支持党を吏党と呼んだ。

❸ 行政費を節約して地租軽減・地価修正をおこなえ，という主張であった。

❹ 山県は予算案の説明で，国境としての「主権線」とともに朝鮮を含む「利益線」の防衛のための陸海軍増強の必要を力説した。

❺ 明治維新に功績のあった薩摩・長州出身の政治家（元勲）が多数入閣した。

❻ 天皇みずから宮廷費を節約して6年間毎年30万円ずつ下付し，また文武官の俸給の10分の1を出させて軍艦建造費にあてるから，議会も政府に協力するようにとの詔勅が出た。

したので❶，政府と衆議院は日清戦争直前の第六議会まで対立を繰り返した。

《条約改正》 旧幕府が欧米諸国と結んだ不平等条約の改正，とくに領事裁判権（治外法権）の撤廃と関税自主権の回復は，国家の独立と富国強兵をめざす政府にとって重要な課題であった。

岩倉具視・寺島宗則の交渉失敗のあとを受け継いだ井上馨外務卿（1835～1915）（のち外務大臣）は，1882（明治15）年，東京に列国の代表を集めて予備会議を開き，ついで1886（明治19）年から正式会議に移った。その結果，1887（明治20）年には，日本国内を外国人に開放する（内地雑居）かわりに，領事裁判権を原則として撤廃する改正案が，欧米諸国によって一応了承された。

しかし，領事裁判権の撤廃に関しては，欧米同様の法典を編纂し，外国人を被告とする裁判には半数以上の外国人判事を採用するという条件がついていた。政府部内にもこれらの条件は国家主権の侵害であるという批判がおこり，井上が交渉促進のためにとった極端な欧化主義❷に対する反感とあいまって，改正交渉に反対する政府内外の声が強くなり❸，井上は交渉を中止して外相を辞任した。

そのあとを受けた大隈重信外相は，条約改正に好意的な国から個別に交渉を始め，アメリカ・ドイツ・ロシアとのあいだに改正条約を調印した。しかし，条約正文以外の約束として大審院への外国人判事の任用を認めていたことがわかると，政府内外に強い反対論がおこった。大隈外相が対外硬派の団体玄洋社の一青年により負傷させられた事件（1889〈明治22〉年）を機に，改正交渉はふたたび中断した。

条約改正の最大の難関であったイギリスは，シベリア鉄道を計画して東アジア進出をはかるロシアを警戒して日本に対して好意的になり，相互対等を原則とする条約改正に応じる態度を示した。そこで青木周蔵外相（1844～1914）が改正交

---

❶ この連合を対外硬派連合と呼ぶが，そのうち，国民協会を除いた諸会派を中心に，日清戦争後の1896（明治29）年に進歩党が結成された。

❷ 井上外相は改正交渉を有利にするため，外国要人接待の社交場として東京日比谷に鹿鳴館を建設し（1883〈明治16〉年），さかんに利用した（鹿鳴館外交）。

❸ 折から1886（明治19）年には，横浜から神戸に向かうイギリスの汽船が暴風雨にあって沈没した際に，日本人乗客を見殺しにし，イギリス領事による海事審判で船長の過失が問われないという事件（ノルマントン号事件）がおこり，不平等条約に対する世論の反感を強めた。

3．立憲国家の成立と日清戦争　**287**

年代	担当者	改正案の内容	経過・結果
1872	岩倉　具視	おもに法権回復	米欧巡回，米で改正交渉に入るが，中途で断念
1878	寺島　宗則	税権回復	米，賛成，英・独などの反対により失敗
1882～87	井上　馨	法・税権の一部回復を主眼，外国人判事任用，内地雑居	欧化政策(法典編纂・鹿鳴館)。改正予備会議，国内の反対で失敗
1888～89	大隈　重信	外国人判事を大審院に限る	国別交渉，外国人判事の大審院任用問題で挫折
1891	青木　周蔵	法権の回復・税権の一部回復	英は同意。大津事件で引責辞任，挫折
1894	陸奥　宗光	法権の回復・税権の一部回復	日英通商航海条約締結
1899	青木　周蔵		改正条約を実施(有効期限12年)
1911	小村寿太郎	関税自主権の回復	条約満期にともない新条約締結

条約改正への歩み

渉を開始したが，1891(明治24)年の**大津事件❶**で辞任した。

その後，第2次伊藤内閣の外相**陸奥宗光**(1844～97)は，自由党の支持によって国内の改正反対の声をおさえ，日清戦争直前の1894(明治27)年，領事裁判権の撤廃と関税率の引上げ，および相互対等の最恵国待遇を内容とする**日英通商航海条約**の調印に成功した。

ついで他の欧米諸国とも改正条約が調印され，1899(明治32)年から同時に施行された。残された関税自主権の回復も，1911(明治44)年に**小村寿太郎**(1855～1911)外相のもとで達成された。こうして開国以来半世紀を経て，日本は条約上列国と対等の地位を得ることができた。

朝鮮問題

1876(明治9)年に日本が**日朝修好条規**によって朝鮮を開国させて以後，朝鮮国内では親日派勢力が台頭してきた。しかし1882(明治15)年，朝鮮の漢城で日本への接近を進める国王高宗(1852～1919)の外戚**閔氏**一族に反対する**大院君**(1820～98)を支持する軍隊が反乱をおこし，これに呼応して民衆が日本公使館を包囲した(**壬午軍乱**，または壬午事変)。反乱は失敗に終わったが，これ以後，閔氏一族の政権は日本から離れて清国に依存し始めた。

これに対し，日本と結んで朝鮮の近代化をはかろうとした**金玉均**(1851～94)らの親日改革派(独立党)は，1884(明治17)年の清仏戦争での結果を改革の好機と判

---

❶ 訪日中のロシア皇太子が琵琶湖遊覧の帰途，滋賀県大津市で警備の巡査津田三蔵によって切りつけられ負傷した事件。ロシアとの関係悪化を苦慮した日本政府(第1次松方内閣)は，犯人に日本の皇族に対する大逆罪を適用して死刑にするよう裁判所に圧力をかけたが，大審院長児島惟謙はこれに反対して津田を通法の無期徒刑に処させ，司法権の独立を守った。

日韓両国民の歴史認識の相違

1882(明治15)年と1884(明治17)年の日・中・韓3国の関係悪化の中で、その背景に日韓両国民の歴史認識の相違があることに気がついていた日本人もいた。福沢諭吉は、1882(明治15)年の『時事新報』の社説の中で、つぎのように記している。

「韓人が日本人を恐れ、日本人を悪むこと甚し。その原因は文禄壬辰の役にあり。豊公(豊臣秀吉)朝鮮征伐の紀事はわが国に伝わるものと韓人の史記口碑に存ずるものとは大に異にして、彼の国人の云ふ所にては、当時日本軍人の惨虐なりしこと実に名状すべからず。加藤清正、小西行長の輩が……兵士を指揮してただに韓兵に敵するのみならず、無辜の婦人小児を殺戮し、田野を荒らし家屋を焼き、……乱暴無状至らざる所なし……、云々は今日に至るまでも彼の人民一般の信ずる所にして、その日本人を恐れて之を悪むの情は、満清を視るに比すれば幾倍を加ふるものなり。」(福沢諭吉「日支韓三国の関係」『時事新報』社説1882〈明治15〉年8月24日付)

このような朝鮮の人びととの歴史的感情も原因して、福沢が期待していた同国の親日改革派が政権を追われた時、彼は「脱亜論」を発表した。福沢をして親日改革派の援助からアジア分割論に転換させた背景には、両国民の歴史認識の相違もあったのである。

断し、日本公使館の援助を得てクーデタをおこしたが、清国軍の来援で失敗した(**甲申事変**)。この事件できわめて悪化した日清関係を打開するために、翌1885(明治18)年、政府は伊藤博文を天津に派遣し、清国全権李鴻章(1823～1901)とのあいだに**天津条約**を結んだ。これにより日清両国は朝鮮から撤兵し、今後同国に出兵する場合には、たがいに事前通告することになり、当面の両国の衝突は回避された。

2回の事変を経て、日本の朝鮮に対する影響が著しく減退する一方、清国の朝鮮進出は強化された。同時に清国・朝鮮に対する日本の世論は急速に険悪化した。

こうした中で、福沢諭吉が「**脱亜論**」(1885〈明治18〉年)を発表した。それはアジアの連帯を否定し、日本がアジアを脱して欧米列強の一員となるべきこと、清国・朝鮮に対しては武力をもって対処すべきことを主張するもので、軍事的対決の気運を高めた。

福沢諭吉の「脱亜論」❶

今日の謀を為すに、我国は隣国の開明を待て、共に亜細亜を興すの猶予ある可らず、寧ろ其伍を脱して西洋の文明国と進退を共にし、其支那朝鮮に接するの法も隣国なるが故にとて特別の会釈に及ばず、正に西洋人が之に接するの風に従て処分す可きのみ。悪友を親しむ者は共に悪名を免かる可らず。我れは心に於て亜細亜東方の悪友を謝絶するものなり。

❶『時事新報』社説 一八八五(明治十八)年三月十六日付。

3. 立憲国家の成立と日清戦争　**289**

日清戦争と三国干渉

天津条約の締結後、朝鮮に対する影響力の拡大をめざす日本政府は、軍事力の増強❶につとめるとともに、清国の軍事力を背景に日本の経済進出に抵抗する朝鮮政府との対立を強めた❷。

1894(明治27)年、朝鮮で東学の信徒を中心に減税と排日を要求する農民の反乱(**甲午農民戦争**、東学の乱)❸がおこると、清国は朝鮮政府の要請を受けて出兵するとともに、天津条約に従ってこれを日本に通知し、日本もこれに対抗して出兵した。農民軍はこれをみて急ぎ朝鮮政府と和解したが、日清両国は朝鮮の内政改革をめぐって対立を深め、交戦状態に入った。当初は日本の出兵に批判的だったイギリスも、日英通商航海条約に調印すると態度をかえたので、国際情勢は日本に有利になった。同年8月、日本は清国に宣戦を布告し、**日清戦争**が始まった。

開戦と同時に政党は政府批判を中止し、議会は戦争関係の予算・法律案をすべて承認した❹。戦局は、軍隊の訓練・規律、兵器の統一性などにまさる日本側の圧倒的優勢のうちに進んだ。日本軍は、清国軍を朝鮮から駆逐するとさらに遼東半島を占領し、清国の北洋艦隊を黄海海戦で撃破し、根拠地の威海衛を

日清戦争要図

---

❶ これより先、陸軍は1878(明治11)年、参謀本部を新設して統帥部を強化し、また1882(明治15)年に、**軍人勅諭**を発布して、「大元帥」である天皇への軍人の忠節を強調し、軍人の政治関与をいましめた。そののち、1888(明治21)年に陸軍の編制が、国内治安対策に主眼をおいた従来の鎮台から師団に改められるなど、対外戦争を目標に軍事力を充実させていった。

❷ 1889(明治22)年から翌年にかけて、朝鮮の地方官は大豆などの穀物の輸出を禁じた(**防穀令**)。これに対し、日本政府は同令を廃止させたうえで、禁輸中の損害賠償を要求し、1893(明治26)年に最後通牒を突きつけてその要求を実現した。

❸ 東学はキリスト教(西学)に反対する民族宗教であり、農民反乱は東学幹部に指導されて、朝鮮半島南部を制圧する勢いとなった。

❹ 日清戦争の戦費は約2億円余りで、当時の国家歳入の約2倍強という多額であった。

占領した。戦いは日本の勝利に終わり，1895(明治28)年4月，日本全権伊藤博文・陸奥宗光と清国全権李鴻章とのあいだで下関条約が結ばれて講和が成立した。

その内容は，(1)清国は朝鮮の独立を認め，(2)遼東半島および台湾・澎湖諸島を日本にゆずり，(3)賠償金2億両(当時の日本貨で約3億1000万円)を日本に支払い，(4)新たに沙市・重慶・蘇州・杭州の4港を開くこと，などであった。

しかし，遼東半島の割譲は東アジア進出をめざすロシアを刺激し，ロシアはフランス・ドイツ両国を誘って，同半島の返還を日本に要求した(三国干渉)。3大国の圧力に抗することを不可能と判断した日本政府は，この勧告を受け入れたが，同時に「臥薪嘗胆」の標語に代表される国民のロシアに対する敵意の増大を背景に，軍備の拡張につとめた。

遼東半島を返還した日本政府は，新たに領有した台湾の統治に力を注ぎ❶，1895(明治28)年，海軍軍令部長の樺山資紀を台湾総督に任命し，島民の頑強な抵抗を武力で鎮圧した。

日清戦争の賠償金の使途(『明治財政史』より) 遼東半島還付の代償3000万両を加えると，賠償金の合計2億3000万両は当時の日本貨の約3億5600万円に相当し，これに運用利益金850万円を加えた約3億6450万円で特別会計がつくられた。

災害準備金 2.7
教育基金 2.7
台湾経費 3.3
皇室費用 5.5
その他 2.1
臨時軍事費 21.7
軍備拡張費 62.0%
賠償金特別会計 3.645億円

4　日露戦争と国際関係

立憲政友会の成立

日清戦争の勝利と三国干渉は，政府と政党の関係を大きく変化させた。自由党は第2次伊藤博文内

❶　台湾総督には陸海軍の大将・中将が任命され，軍事指揮権のほか，行政・立法・司法に大きな権限をもった。1898(明治31)年以降，台湾総督児玉源太郎のもとで後藤新平が民政に力を入れ，土地調査事業に着手し土地制度の近代化を進めた。また，台湾銀行や台湾製糖会社が設立されるなど，産業の振興がはかられた。台湾の支配は，現地の地主・商人などの富裕層を懐柔しながら進められたが，その一方で貧農などの民衆は日本の支配への抵抗を続け，たびたび反日武装蜂起をおこした。日本はこれに対して徹底した弾圧でのぞみ，その支配は1945(昭和20)年まで続いた。

閣を公然と支持して板垣退助を内相として入閣させ，軍備拡張予算を承認し，1896(明治29)年にそのあとを継いだ第2次松方正義内閣も，進歩党と提携して大隈重信を外相として入閣させ，軍備を拡張した。しかし，1898(明治31)年に成立した第3次伊藤内閣は，総選挙でのび悩んだ自由党との提携をあきらめて超然主義に戻った。これに対し，自由・進歩両党は合同して憲政党を結成した。衆議院に絶対多数をもつ合同政党の出現により，伊藤内閣は議会運営の見通しを失って退陣し，かわってはじめての政党内閣である第1次大隈内閣(**隈板内閣**)が成立した❶。

しかし，大隈内閣は組閣直後から旧自由・進歩両党間の対立に悩まされ，尾崎行雄がいわゆる共和演説事件❷で文部大臣を辞任すると，後任をめぐって対立が頂点に達した。憲政党は憲政党(旧自由党系)と憲政本党(旧進歩党系)に分裂し，内閣はわずか4カ月で退陣した。

かわった第2次山県内閣は，憲政党の支持を得て地租増徴案を成立させた。また，政党の影響力が官僚におよぶのを防ぐために，1899(明治32)年に**文官任用令を改正**❸し，翌1900(明治33)年には政党の力が軍部におよぶのをはばむために**軍部大臣現役武官制**を定め，現役の大将・中将以外は陸・海軍大臣になれないことを明記した。さらに治安警察法を公布して，政治・労働運動の規制を強化した。

このような一連の政策に批判的になった憲政党は，政党結成をめざしていた伊藤博文に接近し，解党して伊藤派の官僚とともに，1900(明治33)年に**立憲政友会**(総裁伊藤博文)を結成した。伊藤は，立憲政友会を率いて同年第4次内閣を組織したが，貴族院の反対に苦しめられて退陣し，1901(明治34)年

---

❶ 首相に大隈重信，内相に板垣退助をすえ，陸・海軍両大臣を除くすべての閣僚を憲政党出身者が占めた。

❷ 尾崎文相は，絶対にあり得ない仮定と断ったうえで，「仮に日本に共和政治がおこなわれるとしたら，三井・三菱が大統領の有力候補となろう」と金権政治を批判した。これに対し，宮中や枢密院・貴族院，それに与党内の旧自由党系から，批判が集中した。

❸ 任用資格規定のなかった各省次官などの高級官吏にも資格規定を設け，専門官僚としての知識・経験のないものが政党などの力で高級官吏になることができないようにした。同時に，文官懲戒令と文官分限令を制定し，国務大臣以外の行政官の身分保障を強化し，政党の影響から官吏を守ろうとした。

に第1次桂太郎内閣が成立した。

これ以後、山県の後継者で長州閥の桂太郎が率いる軍部・官僚・貴族院勢力と、伊藤のあとを受けた西園寺公望を総裁とする立憲政友会とが政界を二分した。老齢の山県や伊藤は政界の第一線から退いたが、非公式に天皇を補佐する元老として首相の選任権を握り、内閣の背後から影響力を行使していった。

中国分割と日英同盟

日清戦争によって清国の弱体ぶりを知った欧米列強は、あいついで清国に勢力範囲を設定していった(中国分割)。まず1898年に、ドイツが山東半島の膠州湾を、ついでロシアが遼東半島の旅順・大連を、さらにイギリスは九龍半島・威海衛を、翌年にフランスが広州湾を租借し、各国はこれらの租借地を拠点に鉄道建設などを進めていった。アメリカは中国分割には直接加わらなかったが、1898年にはハワイを正式に併合し、ついでフィリピンを領有した。しかし、中国に関しては、翌年に国務長官ジョン=ヘイが門戸開放・機会均等を日本を含めた列国に提案して、各国の勢力範囲内での通商の自由を要求した❶。

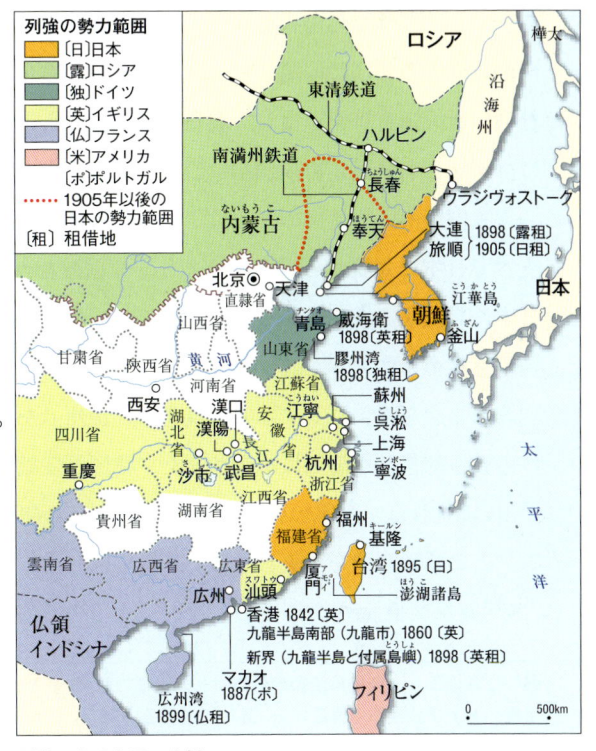

列強による中国の分割

❶ アメリカは1823年に大統領モンローが、ヨーロッパの事態に介入しないかわりに、アメリカ大陸へのヨーロッパ諸国の介入を拒否するという宣言(モンロー宣言)を発表し、それ以後もこの立場を保ってきた。しかし、この門戸開放宣言によって、その外交姿勢を転換した。

4. 日露戦争と国際関係　293

北清事変に出兵した連合国軍の兵士たち 左からイギリス・アメリカ・ロシア・イギリス領インド・ドイツ・フランス・オーストリア・イタリア・日本の各国の兵士たち。

　1900年に入ると，清国では「扶清滅洋」をとなえる排外主義団体義和団が勢力を増して各地で外国人を襲い，北京の列国公使館を包囲した（義和団事件）。清国政府も義和団に同調して，列国に宣戦を布告した（北清事変）。日本を含む列国は，連合軍を派遣し，義和団を北京から追って清国を降伏させ，翌年には清国と北京議定書❶を結んだ。

　宗主国であった清国の敗北は，朝鮮の外交政策にも影響を与え，ロシアの支援で日本に対抗する動きが強まり，親露政権が成立した❷。この政権は，日本に対抗する意味もあって，1897年，国号を**大韓帝国**（韓国）と改め，朝鮮国王も皇帝を名乗った。

　北清事変を機にロシアは中国東北部（「満州」）を事実上占領し，同地域における独占的権益を清国に承認させた。韓国と陸続きの中国東北部がロシアの手中に入れば，日本の韓国における権益がおびやかされるため，日本はロシアとの協調政策を変更し始めた。日本政府内には伊藤博文をはじめロシアとの「満韓交換」❸を交渉でおこなおうとする日露協商論もあったが，桂

---

❶　これにより，列国は清国政府に対し，巨額の賠償金と首都北京の公使館所在区域の治外法権，および公使館守備隊の駐留などを承認させた。

❷　日清戦争開戦の直接のきっかけとなった日本軍による王宮占拠で成立した大院君（テウォングン）の親日政権は，三国干渉後，まもなく閔妃らの親露派に倒された。日本の公使三浦梧楼は大院君をふたたび擁立しようと公使館守備兵に王宮を占拠させ，閔妃殺害事件をおこした。王妃を殺害された国王高宗はロシア公使館に逃れ，親露政権が成立した。

❸　「満州」とは中国東北部を占める東北三省を指す旧称である。ロシアに満州経営の自由を与えるかわりに，日本が韓国に対する優越権を獲得しようという考えであった。

内閣はイギリスと同盟してロシアから実力で韓国での権益を守る対露強硬方針をとり，1902(明治35)年に日英同盟協約❶が締結された(**日英同盟**)。

日英同盟の成立後もロシアは満州に駐兵を続けたので，政府は対露交渉を続けるかたわら開戦準備を進めた。日本国内の一部では，キリスト教徒の内村鑑三や平民社をおこして『平民新聞』を創刊した社会主義者の幸徳秋水・堺利彦らは非戦論・反戦論をとなえ，国内世論も当初は戦争を好まなかったが，対露同志会などが決戦を声高に叫ぶ中，開戦論に傾いていった❷。

《**日露戦争**》 日本とロシアの交渉は1904(明治37)年初めに決裂し，同年2月，両国はたがいに宣戦を布告し，**日露戦争**が始まった。

日本は，ロシアの満州占領に反対するアメリカ・イギリス両国の経済的支援を得て，戦局を有利に展開した。1905(明治38)年初めには，半年以上の包囲攻撃で多数の兵を失った末にようやく旅順要塞を陥落させ，ついで3月には奉天会戦で辛勝し，さらに5月の日本海海戦では，日本の連合艦隊がヨーロッパから回航してきたロシアのバルチック艦隊を全滅させた。

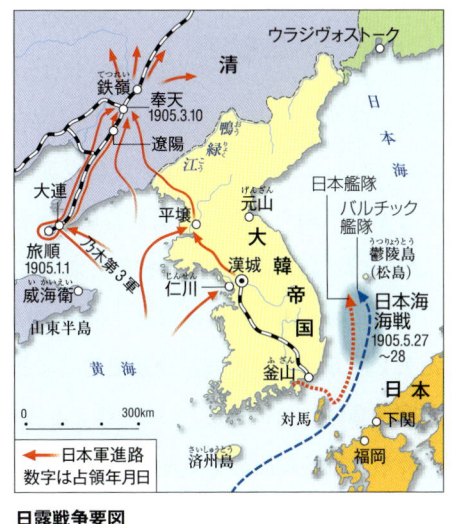

しかし，長期にわたる戦争は日本の国力の許すところではなく❸，

日露戦争要図

---

❶ この協約には，両国がたがいに清国および韓国の独立と領土の保全を認めあうこと，清国における両国の利益と韓国における日本の政治・経済・産業上の利益を承認すること，もし同盟国の一方が他国と交戦した場合には他の同盟国は厳正中立を守り，さらに第三国が相手国側として参戦した場合には他の同盟国も参戦することが定められていた。

❷ 1903(明治36)年に結成された対露同志会や戸水寛人ら東京帝国大学などの七博士は強硬な主戦論をとなえ，『万朝報』の黒岩涙香や『国民新聞』の徳富蘇峰が主戦論を盛り上げた。開戦後，歌人の与謝野晶子は，「君死にたまふこと勿れ」とうたう反戦詩を『明星』に発表した。

❸ 日露戦争は，機関銃や速射砲のような新兵器の登場によって，本格的な近代戦・物量戦となったため，兵器・弾薬・兵士などの補給が日本の限界に達した。また，約17億円の軍事費のうち，約13億円を内外の国債に依存し(外債約7億円，内債約6億円)，国内の増税でまかなわれたのは3億2000万円弱であったが，これも国民負担の限度に近かった。

4. 日露戦争と国際関係　**295**

ロシアも国内で革命運動がおこって戦争継続が困難になったため，セオドア=ローズヴェルト米大統領の斡旋によって，1905(明治38)年9月，アメリカのポーツマスで日本全権小村寿太郎とロシア全権ウィッテは講和条約(ポーツマス条約)に調印した。その結果，ロシアは，(1)韓国に対する日本の指導・監督権を全面的に認め，(2)清国からの旅順・大連の租借権，長春以南の鉄道とその付属の利権を日本に譲渡し，さらに，(3)北緯50度以南のサハリン(樺太)と付属の諸島の譲渡と，(4)沿海州とカムチャツカの漁業権を日本に認めた。国民は人的な損害と大幅な増税にたえてこの戦争を支えたが，賠償金がまったくとれない講和条約に不満を爆発させ，講和条約調印の日に開かれた講和反対国民大会は暴動化した(**日比谷焼打ち事件**)。

日露戦後の国際関係

日露戦争後の日本は，戦勝で得た大陸進出拠点の確保につとめた。まず1905(明治38)年，アメリカと非公式に桂・タフト協定を結び，イギリスとは日英同盟協約を改定(第2次)して，両国に日本の韓国保護国化を承認させた。これらを背景として日本は，同年中に第2次日韓協約❶を結んで韓国の外交権を奪い，漢城に韓国の外交を統轄する**統監府**をおいて伊藤博文が初代の統監となった。

これに対し韓国皇帝高宗は，1907(明治40)年にオランダのハーグで開かれた第2回万国平和会議に密使を送って抗議したが，列国に無視された(**ハーグ密使事件**)。日本は，この事件をきっかけに韓国皇帝高宗を退位させ，ついで第3次日韓協約を結んで韓国の内政権をもその手におさめ，さらに韓国軍を解散させた。これまでも植民地化に抵抗して散発的におこっていた**義兵運動**は，解散させられた韓国軍の元兵士たちの参加を得て本格化した。日本政府は，1909(明治42)年に軍隊を増派して義兵運動を鎮圧したが，そのさなかに前統監の伊藤博文が，ハルビン駅頭で韓国の民族運動家安重根(アンジュングン)に暗殺される事件がおこった。日本政府は憲兵隊を常駐させるなどの準備のうえに立って，1910(明治43)年に韓国併合条約を強要して韓国を植民地化し(**韓国併合**)，漢城を京城と改称してそこに統治機関としての**朝鮮総督府**を設置し

---

❶ 日露戦争中の1904(明治37)年に結んだ第1次日韓協約では，日本が推薦する財政・外交顧問を韓国政府におき，重要な外交案件は事前に日本政府と協議することを認めさせた。

て，初代総督に寺内正毅陸相を任命した。朝鮮総督は当初現役軍人に限られ，警察の要職は日本の憲兵が兼任した。

　総督府は，地税賦課の基礎となる土地の測量，所有権の確認を朝鮮全土で実施したが（**土地調査事業**），その際に所有権の不明確などを理由に広大な農地・山林が接収され❶，その一部は**東洋拓殖会社**や日本人地主などに払い下げられた。

　他方で，日本の満州進出が本格化し，1906（明治39）年には，**関東州**（旅順・大連を含む遼東半島南端の租借地）を統治する**関東都督府**が旅順におかれ，半官半民の**南満州鉄道株式会社**（**満鉄**）が大連に設立された。満鉄は，ロシアからゆずり受けた長春・旅順間の旧東清鉄道に加えて，鉄道沿線の炭鉱なども経営し，満州への経済進出の足がかりとなった。これに対して，満州市場に関心をもつアメリカが，門戸開放をとなえて日本の南満州権益の独占に反対し❷，日米関係が急速に悪化した❸。清国内

日朝関係の推移

年	事項
1873	征韓論高まる。西郷ら征韓派敗北
1875	江華島事件
1876	日朝修好条規（江華条約）
1882	壬午軍乱（壬午事変）
1884	甲申事変
1885	天津条約
1889	防穀令（米穀・大豆など輸出禁止）
1894	甲午農民戦争（東学の乱）。清国・日本，出兵。日清戦争始まる
1895	下関条約。日本守備隊，閔妃殺害
1904	日韓議定書。第1次日韓協約
1905	桂・タフト協定。第2次日韓協約（韓国保護条約）。統監府設置
1907	ハーグ密使事件，韓国皇帝の譲位。第3次日韓協約。義兵運動高まる
1909	伊藤博文，ハルビンで暗殺される
1910	韓国併合条約（韓国併合）。大韓帝国を朝鮮に改称。統監府を朝鮮総督府とする

東洋拓殖会社京城本店　東洋拓殖会社は韓国の資源開発・殖産振興を目的として設立され，土地調査事業による収公地の払下げを受け，地主経営などを展開した。（絵葉書資料館蔵，兵庫県）

---

❶　これによって多くの朝鮮農民が土地を奪われて困窮し，一部の人びとは職を求めて日本に移住するようになった。
❷　1905年には，アメリカの鉄道企業家ハリマンが満鉄共同経営を提案したが，日本政府はこれを拒否した。ついで1909年に，アメリカ政府は満鉄の中立化を列国に提唱した。
❸　1906年にサンフランシスコでおこった日本人学童の入学拒否事件をはじめ，カリフォルニア州を中心に合衆国内で日本人移民排斥運動が激化したことも，その一因であった。

でも、権益の返還を求める声が強くなった。そこで日本は、第2次日英同盟協約および4次にわたる日露協約(1907～16年)❶による日英・日露協調を背景に、満州権益を国際社会で承認させた。

1911年、清国では専制と異民族支配に反対する辛亥革命がおこり、翌年には、三民主義をとなえる革命指導者孫文(1866～1925)を臨時大総統とする中華民国が成立して、清朝が倒れた❷。これをみて日本の陸軍などは南満州権益を強化するために中国に軍事干渉するよう主張したが、政府は列国の意向と国内の財政事情を考慮して、不干渉の立場をとった。

《桂園時代》　第1次桂太郎内閣は、長らく政権を担当し、日露戦争後の1905(明治38)年末に退陣した。この間、野党の地位にとどまっていた立憲政友会は、鉄道や港湾の拡充を掲げることで地方の有力者の支持を得て勢力をのばし、1906(明治39)年には同党総裁西園寺公望が内閣を組織し、鉄道国有法を成立させた。(→p.303) また、同年に日本社会党が結成されると、当面その存続を認めた❸。しかし、1907(明治40)年の恐慌による政策のゆきづまりを背景に、翌年の総選挙で圧勝したにもかかわらず、桂太郎に政権をゆずった。

第2次桂内閣は、1908(明治41)年に戊申詔書を発布し、(→p.309) また内務省を中心に地方改良運動を推進した。この運動は、江戸時代以来の村落共同体である旧町村を、(→p.306) 行政単位としての新しい町村に再編成し、その租税負担力の増加をはかるものであった。このために、旧村落の財産が新町村に吸収され、旧村落の青年会も新町村ごとの青年会に再編されて、内務省や文部省とのつながりを強めた。町村ごとの在郷軍人会も、1910(明治43)年の帝国在郷軍人会の設立により、その分会となった。

また、桂内閣は、1910(明治43)年の大逆事件を機に社会主義者・無政府

---

❶ 満州および内蒙古における両国の勢力圏を確認するなど、日露両国は急速に接近した。
❷ 孫文は、軍閥の首領袁世凱の圧力によって彼に臨時大総統の地位をゆずった。これ以後、中国では、列国の支援を受けた各地の軍閥政権がたがいに抗争する不安定な政治情勢が続いた。
❸ 1901(明治34)年、日清戦争後の労働運動の展開の中で、安部磯雄・片山潜・幸徳秋水・木下尚江らが最初の社会主義政党である社会民主党を結成したが、治安警察法によって、結成直後に解散を命じられた。また、日本社会党は1907(明治40)年、党内で議会政策派(片山潜ら)と直接行動派(幸徳秋水ら)の対立が激しくなり、後者が優位を占めると、解散させられた。

主義者を大弾圧し❶，以後，第一次世界大戦に至るまで社会主義者にとっては身動きのとれない「冬の時代」になった。一方で，桂内閣は，翌年の工場法の公布など若干の社会政策的配慮もおこなった。桂は韓国併合を強行したのち，1911（明治44）年にふたたび西園寺に内閣をゆずった。

このように，10年以上にわたって桂と西園寺が交互に内閣を担当したので，この時期をこの二人の苗字から一字ずつとって**桂園時代**と呼んだ。

大逆事件の判決を報じる新聞記事（『東京朝日新聞』1911（明治44）年1月19日付）

5　近代産業の発展

産業革命

1880年代前半にいわゆる松方財政が展開され，一時はデフレと不況が深刻となった。しかし，貿易が輸出超過に転じ，銀本位制も確立すると物価が安定し，金利が低下して株式取引も活発になり，産業界は活気づいた。1886〜89（明治19〜22）年には鉄道や紡績を中心に会社設立ブームがおこり（最初の**企業勃興**）❷，機械技術を本格的に用いる産業革命が日本でも始まった。ブームは株式への払込みが集中し，金融機関の資金が不足したところへ，前年の凶作と生糸輸出の半減が加わって挫折した（1890年恐慌）。これを機に日本銀行は，普通銀行を通じて産業界に資金を供給する態勢を整えた。

日清戦争の勝利で清国から巨額の賠償金を得た政府は，これをもとに戦

---

❶　第2次桂内閣は，天皇暗殺を計画して爆弾を製造した社会主義運動家を捕えたのをきっかけに，全国で数百名の社会主義者・無政府主義者を検挙し，うち幸徳秋水ら26名を大逆罪で起訴した。翌年，26名全員が有罪判決を受け，うち12名が死刑を執行されたが，その多くは暗殺計画に直接関与してはいなかった。またこの時，警視庁内に特別高等課（特高）と呼ばれる思想警察がおかれた。

❷　全国の会社資本金は，1885（明治18）年から1890（明治23）年の5年間で，工業では777万円から7753万円に，運輸業では2559万円から1億363万円へと急速に増加した。

後経営に取り組み,軍備拡張を推進するとともに,金融・貿易の制度面の整備をはかった。1897(明治30)年に**貨幣法**を制定し,賠償金の一部を準備金として,欧米諸国にならった**金本位制**を採用し,貨幣価値の安定と貿易の振興をはかった❶。また,特定の分野に資金を供給する特殊銀行❷の設立も進めた。

日清戦争後には鉄道や紡績などでふたたび企業勃興が生じ,その結果,繊維産業を中心として,**資本主義**❸が本格的に成立した。これにともなって,1900(明治33)年に,過剰生産による恐慌がおこった。

貿易の規模は,産業革命の進展にともなって拡大したが,綿花などの原料品や機械・鉄などの重工業製品の輸入が増加したために,大幅な輸入超過となった。貿易品の取扱いでは,三井物産会社に代表される**商社**が活躍し,特殊銀行である**横浜正金銀行**が積極的に貿易の金融に当たった。

また,海運業奨励政策❹に助けられて,日本郵船会社などがつぎつぎと遠洋航路を開いていった❺。

紡績・製糸・鉄道

日本の産業革命の中心は,綿糸を生産する紡績業であった。幕末以来,イギリス製綿製品の輸入に圧迫されて,綿花栽培が壊滅し,綿糸・綿織物の生産も一時は衰えた。しかし,綿織物生産は原料糸に輸入綿糸を用い,**飛び杼**❻を取り入れて手織機を改良し,農村の問屋制家内工業を中心に,しだいに上向いた。このような綿織物業の回復が,原料糸を供給する紡績業の勃興の前提となった。1883(明

---

❶ 当時は金に対する銀の価値が低下し続けていたため,銀本位制をとっていることは,欧米の金本位制国への輸出を増やし,輸入を減らす効果をもった。しかし,金銀相場の変動で貿易関係が不安定になる一方,金本位制国からの資本輸入の点では不利であったため,欧米なみの金本位制がのぞまれていた。

❷ 日本勧業銀行・日本興業銀行・台湾銀行・各府県の農工銀行などが設立された。

❸ 工場や機械・原材料などの生産手段を所有する資本家が,利潤獲得を目的に賃金労働者を雇用しておこなう経済活動が主流である経済体制をいう。

❹ 1896(明治29)年,政府は外貨節約と戦時の軍用船確保のため**造船奨励法・航海奨励法**を公布して,鉄鋼船の建造と外国航路への就航に奨励金を交付することにした。

❺ 日本郵船会社は,1885(明治18)年に三菱社と半官半民の共同運輸会社との合併によって設立され,1893(明治26)年にはインドへのボンベイ航路,1896(明治29)年にはヨーロッパ・アメリカ・オーストラリアへの各航路を開いた。

❻ 緯糸をおさめた杼を,紐で引くことで左右に動かす装置で,イギリスのジョン=ケイが1733年に発明した。1873年のウィーン万国博覧会を機に日本に紹介され,普及していった。

治16)年には渋沢栄一らが設立した**大阪紡績会社**が開業し，政府の奨励する2000錘紡績の不振を尻目に，輸入の紡績機械・蒸気機関を用いた1万錘の大規模経営に成功した。これに刺激されて，大阪などを中心に商人が会社を設立する動きが高まり，在来の手紡やガラ紡❶による綿糸生産を圧迫しながら**機械制生産**が急増した。1890(明治23)年には，綿糸の生産量が輸入量を上まわり，日清戦争頃から中国・朝鮮への綿糸輸出が急増し，1897(明治30)年には輸出量が輸入量を上まわった。

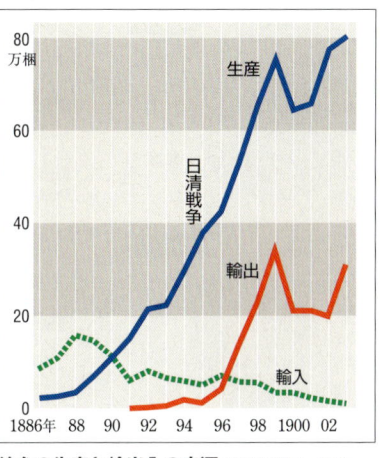

綿糸の生産と輸出入の変遷(『日本紡績史』より)

日露戦争後には，大紡績会社が合併などにより独占的地位を固め，輸入の大型力織機で綿織物もさかんに生産し，販売組合を結成して朝鮮・満州市場への進出を強めた。一方，おもに手織機によって問屋制家内工業生産がおこなわれていた農村の綿織物業では，**豊田佐吉**(1867〜1930)らが考案した小型の国産力織機を導入して小工場に転換する動きが進んだ。1909(明治42)年には綿布輸出額が輸入額をこえた。

このように綿糸・綿織物の輸出は増加したが，原料綿花は中国・インド・アメリカなどからの輸入に依存したため，綿業貿易の輸入超過はむし

大阪紡績会社 イギリス製の最新式紡績機械を用い，電灯を設備して昼夜2交代制で操業し，大きな利益を上げた。(東洋紡蔵)

❶ ガラ紡は臥雲辰致が発明し，第1回内国勧業博覧会で最高の賞を与えられた簡単な紡績機械である。人力式から水車式に改良されて以後，愛知県を中心に普及した。しかし，機械制大紡績工場の増加にともない，1890年代には衰退していった。

5．近代産業の発展　301

ろ増加した。それだけに国産の繭を原料として生糸輸出で外貨を獲得する**製糸業**の役割は重要であった。

幕末以来，生糸は最大の輸出品であり，製糸業は欧米向けの輸出産業として急速に発達した。当初は簡単な手動装置による**座繰製糸**が普及したが，ついで輸入機械に学んで在来技術を改良した**器械製糸**❶の小工場が長野県・山梨県などの農村地帯に続々と生まれ，原料の繭を供給する養蚕農家も増加した。輸出増にともない，日清戦争後には器械製糸の生産量が座繰製糸を上まわり，生糸を原料とする絹織物業でも輸出向けの羽二重生産がさかんになって，力織機も導入された。日露戦争後にはアメリカ向けを中心に生糸輸出がさらにのび，1909（明治42）年には清国を追いこして世界最大の生糸輸出国となった。

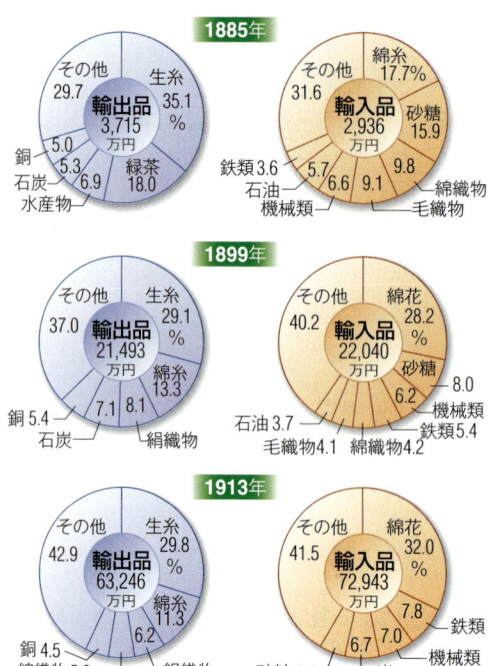

鉄道業では，華族を主体として1881（明治14）年に設立された**日本鉄道会社**が，政府の保護を受けて成功したことから，商人や地主らによる会社設立ブームがおこった。その結果，官営の東海道線（東京・神戸間）が全通した1889（明治22）年には，営業キロ数で民営鉄道が官営を上まわった。日本鉄道会社が1891（明治24）年に上

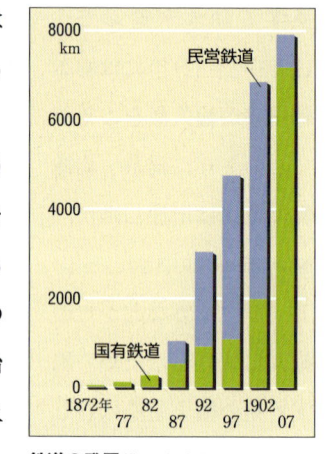

品目別の輸出入の割合（『日本貿易精覧』より）

鉄道の発展（『日本経済統計総観』より）

---

❶ 器械製糸は，複数の作業者が用いる生糸の巻取り装置を1本の軸で連結し，人力や水車（のち蒸気機関）で回転させる点で，幕末に普及した座繰製糸と異なっていた。

302　第9章　近代国家の成立

野・青森間を全通させたのをはじめ，山陽鉄道・九州鉄道などの民営鉄道も幹線の建設を進め，日清戦争後には青森・下関間が連絡された。しかし，日露戦争直後の1906(明治39)年，第1次西園寺内閣は，軍事的な配慮もあって全国鉄道網の統一的管理をめざす**鉄道国有法**を公布し，主要幹線の民営鉄道17社を買収して国有化した。鉄道国有化で得た資金を重工業へ投じた資本家も多かった。

重工業の形成

軍事工場と鉄道を除く官営事業は，1884(明治17)年頃からつぎつぎと民間に売却されていった(**官営事業払下げ**)。とくに，三井・三菱(岩崎)・古河などの**政商**は優良鉱山の払下げを受け，巻上機の導入など機械化を進めて，石炭や銅の輸出を増やしていった。これらの政商はここに鉱工業の基盤をもつことになり，**財閥**に成長していった。また，北九州の筑豊一帯では排水用蒸気ポンプの導入に成功したのを契機に炭鉱開発が進み，筑豊炭田は日清戦争後に国内最大の産炭地となった。

しかし，重工業部門では，日清戦争後の造船奨励政策のもとで三菱長崎造船所などが成長したほかは民間にみるべきものは少なく，材料となる鉄鋼も輸入に頼っていた。そこで軍備拡張を急ぐ政府は，官営軍事工場の拡充を進めるとともに，重工業の基礎となる鉄鋼の国産化をめざして，背後に筑豊炭田をひかえる北九州に，1897(明治30)年，官営**八幡製鉄所**を設立した。八幡製鉄所は1901(明治34)年にドイツの技術を導入して操業を開始し，技術的な困難に悩まされながらも，日露戦争の頃には生産を軌道に乗せた。

日露戦争後，政府は外債募集を拡大するとともに各種の増税をおこなって，軍備拡張を中心とする戦後経

事業所	年代	払下げ先	払下げ価格
高島炭鉱	1874	後藤象二郎，のち三菱が買収	円 550,000
院内銀山	1884	古河	108,977
阿仁銅山	1885	〃	337,766
三池炭鉱	1888	三井	4,590,439
佐渡金山	1896	三菱	2,560,926
生野銀山	〃	〃	(大阪製錬所とも)
長崎造船所	1887	三菱	459,000
兵庫造船所	〃	川崎	188,029
深川セメント製造所	1884	浅野	61,741
新町紡績所	1887	三井	141,000
富岡製糸場	1893	〃	121,460

主要な払下げ工場・鉱山(年代は払下げ許可年，『日本の工業化と官営払下げ』より)

営を進め，政府の保護のもとに民間重工業も発達し始めた。鉄鋼業では，官営八幡製鉄所であいついで拡張計画が実施される❶一方，日本製鋼所など民間の製鋼会社の設立が進んだ。政策的に重視されていた造船技術は世界水準に追いつき，機械をつくる機械である工作機械の分野では，池貝鉄工所が先進国なみの精度をもった旋盤の国産化に成功した。また，水力発電の本格的な開始によって電力事業が勃興し，大都市では電灯の普及が始まった。

八幡製鉄所 建設資金の一部には日清戦争の賠償金もあてられ，1897(明治30)年に着工，1901(明治34)年から鉄鋼の生産を始めた。上は，1900(明治33)年に伊藤博文が視察した時の記念写真。(新日本製鐵株式會社・八幡製鐵所蔵，福岡県)

　三井・三菱などの財閥は，金融・貿易・運輸・鉱山業などを中心に多角的経営を繰り広げ，株式所有を通じてさまざまな分野の多数の企業を支配するコンツェルン(企業連携)形態を整え始めた❷。
　また，日露戦争後には，対満州の綿布輸出・大豆粕輸入，対朝鮮の綿布移出・米移入，台湾からの米・原料糖の移入が増え，日本経済に占める植民地の役割が大きくなった。この時期には生糸・綿布などの輸出が増加したものの，原料綿花や軍需品・重工業資材の輸入が増加したため，貿易収支は，ほとんど毎年のように大幅な赤字となった。しかも，これに巨額の外債の利払いが加わり，日本の国際収支はしだいに危機的な状態におちいっていった。

❶ 中国の大製鉄会社漢冶萍公司に日本政府が借款を与えた見返りとして，八幡製鉄所は大冶鉄山(湖北省)の鉄鉱石を安価に入手した。
❷ まず1909(明治42)年，三井財閥が三井合名会社を，そののち1920年代初めにかけて，安田・三菱・住友の各財閥もそれぞれ持株会社を設立した。これら持株会社は，創業者の同族によって直接支配され，多数の財閥傘下企業の株式を所有していた。また，これら四大財閥のほかに，古河市兵衛・浅野総一郎・川崎正蔵らの中小財閥もあった。

《農業と農民》 工業に比べると農業の発展はにぶく、依然として米作を柱とする零細経営が中心をなしていた。大豆粕などの金肥の普及や**品種改良**❶によって、単位面積当たりの収穫は増加したが、都市人口の増加により、米の供給は不足がちになった。

一方、貿易と国内工業の発達にともなって、農家も商品経済に深く巻き込まれ、自家用の衣料の生産は減少した。安価な輸入品におされて綿・麻・菜種などの生産は衰えたが、生糸輸出の増加に刺激されて桑の栽培や**養蚕**がさかんになった。

1880年代の松方財政でのデフレ政策によって上昇し始めていた小作地率は、1890年代にも上昇し続け、下層農民が小作へと転落する一方、大地主が耕作から離れて小作料の収入に依存する**寄生地主**となる動きが進んだ（寄生地主制）。小作料は現物納で、地租は定額金納であったから、米価の上昇は地主の収入増となり、地主は小作料収入をもとに企業をおこしたり、公債や株式に投資したりして、しだいに資本主義との結びつきを深めた。一方、小作料の支払いに苦しむ小作農は、子女を工場に出稼ぎに出したり、副業を営んだりして、かろうじて家計をおぎなっていた。

日露戦争後になると、地租や間接税の負担増のもとで、農業生産の停滞や農村の困窮が

小作地率の変化（『近代日本経済史要覧』より）

年	小作地	自作地
1873年平均	27.4	72.6
1883〜84	35.9	64.1
1892	40.2	59.8
1903	43.6	56.4
1912	45.4	54.6
1922	46.4	53.6
1932	47.5	52.5
1940	45.9	54.1

田植えの風景 1970年代に機械化が進むまで、田植えは伝統的な共同作業（→p.187注❹）によってなされてきた。（横浜開港資料館蔵）

❶ 政府は1893（明治26）年に農事試験場を設けて、稲などの品種改良を進めた。

社会問題となった。政府はこれに対応すべく**地方改良運動**（→p.298）を進め，協同事業に成功した村を模範村として，その事例を全国に紹介した。

《《 社会運動の発生 》》　工場制工業が勃興するにつれて，賃金労働者が増加してきた。当時の工場労働者の大半は繊維産業が占めており，その大部分は女性であった❶。女性労働者（女工，または工女と呼ばれた）の多くは，苦しい家計を助けるために出稼ぎにきた小作農家などの子女たちで，賃金前借りや寄宿舎制度で工場に縛りつけられ，劣悪な労働環境のもと，欧米よりはるかに低い賃金で長時間の労働に従事していた。紡績業では2交代制の昼夜業がおこなわれ，製糸業では労働時間が約15時間，ときには18時間におよぶこともあった。重工業の男性熟練工の数はまだ限られており，工場以外では鉱山業や運輸業で多数の男性労働者が働いていた❷。

日清戦争前後の産業革命期に入ると，待遇改善や賃金引上げを要求する工場労働者の**ストライキ**が始まり，1897（明治30）年には全国で40件余り発生した。同年にはアメリカの労働運動の影響を受けた**高野房太郎**（1868〜1904）・**片山潜**（1859〜1933）らが労

工女のこえた峠　岐阜と長野の県境に，標高1672mの野麦峠がある。明治の中頃から毎年2〜3月になると，長い行列をつくった若い女性たちが，毎日のようにこの峠をこえた。桃割髪に赤い腰巻，木綿のすねあてに草鞋掛けの姿で，荷物を裂装掛けに背負っていた。中には義務教育の尋常小学校4年を終えたばかりの少女もまじっていた。彼女たちは飛騨から諏訪の製糸工場に出稼ぎに行く工女であった。集合地高山を出発した彼女たちは，野麦峠をこえ，島々・松本・塩尻峠を経て，工女宿に泊まりながら，140kmの道を諏訪まで歩き通した。

きびしい労働条件のもとで年の暮れまで働いた工女たちは，年越しの金を待ちのぞむ飛騨の親もとへ，「男軍人女は工女　糸をひくのも国のため」と工女節をうたいながら，夜の雪道を急いだ。しかし吹雪の野麦峠はたいへんな難所で，谷底に転落する悲劇もあったという（山本茂実『あゝ野麦峠』による）。近代日本がこのような国民の辛苦のうえに成長をとげていった面も見逃せない。

---

❶　1900（明治33）年には，工場労働者総数約39万人のうち，繊維産業が約24万人とほぼ6割を占め，その88％が女性であった。
❷　産業革命期の労働者がおかれた悲惨な状態については，1888（明治21）年，雑誌『日本人』が高島炭鉱（長崎県，三菱経営）の労働者の惨状を報道して大きな反響を呼んだほか，横山源之助の『日本之下層社会』（1899年刊）や農商務省編『職工事情』（1903年刊）に記されている。

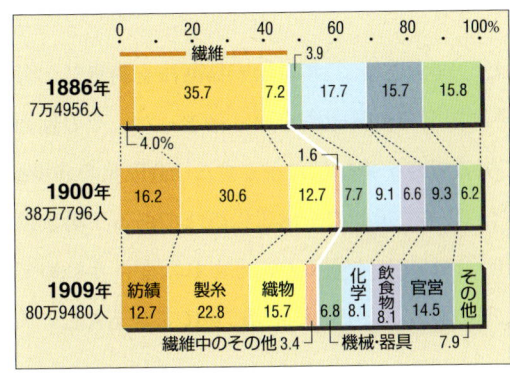

工場労働者数の内訳(『日本産業革命の研究』より) 工場は10人以上使用のもの。

東京の「貧民窟」(『風俗画報』) 1890年代に東京などの大都市には、日雇などで生計をかろうじて立てる貧しい人びとが居住する「貧民窟」が各所に存在した。

働組合期成会を結成して労働運動の指導に乗り出すとともに、鉄工組合や日本鉄道矯正会などの労働組合が組織され、熟練工を中心に労働者が団結して資本家に対抗する動きが現われた。また1891(明治24)年には足尾銅山(栃木県)の鉱毒が渡良瀬川流域の農漁業に深刻な被害をもたらした公害事件(**足尾鉱毒事件**)が発生し、15年余りにわたって大きな社会問題

田中正造と足尾鉱毒事件

幕末には廃鉱同然であった足尾銅山を、古河市兵衛が買いとったのは1877(明治10)年であるが、6年後には製銅額が買収時の十数倍になった。しかし、この飛躍的な発展にともなって、下流の渡良瀬川流域の農業・漁業に大被害が現われた。まず1880年代半ば頃から、渡良瀬川の水が青白色に変じた時は、必ず魚が浮くといわれた。銅山から流れ込む鉱毒による被害であった。1896(明治29)年の大洪水では、群馬県など4県にわたる流域一帯の農作物や家畜に大きな被害を与え、人体にも影響をおよぼすに至った。

これに対し被害地の村民は、1897(明治30)年以来、蓑笠・草鞋ばきで大挙して上京し、数回にわたって陳情を試みたが、1900(明治33)年には警官隊と衝突して数十名が逮捕された。栃木県選出の衆議院議員田中正造は、議会で政府に銅山の操業停止をせまった。また木下尚江らの知識人とともに世論の喚起につとめた。政府も鉱毒調査会を設けて鉱毒予防を銅山に命じたが、操業は停止させなかった。そこで、1901(明治34)年に田中は議員を辞職し、天皇に直訴を試みたが、果たせなかった。政府は1907(明治40)年、被害と洪水を緩和するために、渡良瀬川と利根川の合流点に近い栃木県下の谷中村を廃村として住民を集団移転させ、遊水池にした。しかし、田中はこれを不服とする住民とともに谷中村に残り、1913(大正2)年に亡くなるまで、そこに住んで政府に抗議し続けた。

5. 近代産業の発展　307

となった。

　これらの動きに対して政府は，1900(明治33)年に**治安警察法**(→p.292)を制定し，労働者の団結権・ストライキ権を制限して労働運動を取り締まった。その反面で，政府は労働条件を改善して労資対立を緩和しようとする社会政策の立場❶から，**工場法**の制定に向かった。日本で最初の労働者保護法である工場法は，資本家の反対もあって，1911(明治44)年にようやく制定されたが，きわめて不備な内容❷であったうえに，その実施も1916(大正5)年にずれ込んだ。

6　近代文化の発達

明治の文化

　強大な欧米列強に対抗するために，新生の明治国家は，「**富国強兵**」「**殖産興業**」「文明開化」といったスローガンを掲げ，西洋文明の移植による急速な近代化を推し進めた。しかし，物質文明の急激な流入に比べて多くの日本人の精神の変化はゆるやかで，都市に比べ農村の近代化は，はるかに遅れた。こうして明治の文化には，新しいものと古いもの，西洋的なものと東洋的なものが無秩序に混在・併存する，独特の二元性が存在することになった。

　また，明治初期には新政府がみずから先頭に立って近代化を推進することが多かったが，明治の中頃からは教育の普及や交通・通信・出版の著しい発達によって，国民の自覚が進み，国民自身の手による近代文化の発展をみるようになった。

思想と信教

　文明開化期の**啓蒙主義**や西洋思想導入の動きは，自由民権運動に継承されたが，明治10年代後半の朝鮮問題を機に，民権論者の中にも**国権論**をとなえるものが現われた。欧化主義と国権論の対立は，条約改正問題をきっかけにさらに鋭くなり，**平民的欧化主義**をとなえる**徳富蘇峰**(1863～1957)らと**近代的民族主義**を主張する**三宅雪嶺**(1860～1945)・**志賀重昂**(1863～1927)・**陸羯南**(1857～1907)

❶　その背景には，労働者家庭の生活状態の悪化は兵士の資質をも低下させて，ひいては日本の軍事力をそこなう，という危機感が存在した。
❷　少年・女性の就業時間の限度を12時間とし，その深夜業を禁止した。適用範囲は15人以上を使用する工場に限られ，製糸業などに14時間労働，紡績業に期限つきで深夜業を認めていた。

らとのあいだで論争が繰り広げられた❶。

　日清戦争での勝利は，思想界の動向に決定的な変化を与えた。徳富蘇峰は，開戦と同時に対外膨張論に転じ，高山樗牛も雑誌『太陽』で日本主義をとなえて日本の大陸進出を肯定した。日本の中国分割への参加を批判した陸羯南も，義和団事件後のロシアの満州占領により，対露強硬論に転換した。社会主義者と一部のキリスト教徒たちはこれらの思想傾向に反対していたが，対外膨張を支持する国家主義は，日露戦争以前に思想界の主流となっていた。

　しかし，日露戦争での勝利によって日本も列強の一員に加わると，明治維新以来の国家目標は一応達成されたという気持ちが国民のあいだに強まり，国家主義に対する疑問が生まれてきた。農村においては国家的利害よりも地方社会の利益を重視する傾向が現われ，都市においても国家や政治から離れて実利を求めたり，あるいは人生の意義に煩悶する青年層が現われた。

　このような傾向に対して政府は，1908（明治41）年，勤倹節約と皇室の尊重を国民に求める戊申詔書を発して，列強の一員としての日本を支えるための国民道徳の強化につとめた。

　宗教界では，伝統的な神道や仏教と西洋から流入したキリスト教との対立・競合がみられた。明治初期の神道国教化の試みは失敗したが，政府の公認を受けた民間の教派神道はさらに庶民のあいだに浸透していった。廃仏毀釈で一時は大きな打撃を受けた仏教も，仏教の神道からの完全な分離を進めた島地黙雷らの努力で，まもなく立ちなおった。

『国民之友』『日本人』の第1号表紙　議会開設と好景気により，1890（明治23）年までの3年間に全国の新聞・雑誌の延べ発行部数は，ほぼ倍増して年間1億9000万部に達した。その半分は，東京で発行された。

---

❶　蘇峰は民友社をつくって雑誌『国民之友』を刊行し，政府が条約改正のためにおこなった欧化政策を貴族的欧化主義として批判して，一般国民の生活の向上と自由を拡大するための平民的欧化主義の必要を説いた。これに対して雪嶺や羯南らは，同じく一般国民の幸福を重視しながらも，その前提として国家の独立や国民性を重視した。雪嶺らは政教社をつくって雑誌『日本人』を，羯南らは新聞『日本』を刊行した。

6．近代文化の発達　**309**

明治初期に来日したクラークやジェーンズ(Janes 1838〜1909)らの外国人教師❶の強い影響も(→p.268)あって,青年知識人のあいだにキリスト教信仰が広がり,内村鑑三・海老名弾正・新渡戸稲造らはのちにキリスト教や西洋近代思想の啓蒙家として活躍するようになった。キリスト教会は布教のかたわら,人道主義の立場から教育・福祉活動や廃娼運動などに成果を上げたが,国家主義の風潮が高まるとさまざまな圧迫を受けるようになった。

教育の普及

学制(1872年公布)のもとで,小学校教育の普及に努力が払われた結果,義務教育の就学率はしだいに高まったが,地方の実情を無視した画一的な強制に対する政府内外の批判から,1879(明治12)年に学制は廃され,教育令が公布された。教育令では,全国画一の学区制を廃して町村を小学校の設置単位とし,その管理も地方に移管し,就学義務を大幅に緩和した。

しかし,強制から放任への急転換は大きな混乱をまねいたので,教育令は翌年には早くも改正され,小学校教育に対する政府の監督責任が強調された。

これらの試行錯誤を経て,1886(明治19)年に森有礼文部大臣のもとでいわゆる学校令が公布され,小学校・中学校・師範学校・帝国大学などからなる学校体系が整備された❷。この時,尋常・高等小学校各4年のうち,尋常小学校4年間あるいはこれに準じる簡易科が義務教育とされた❸。さらに1907(明治40)年には義務教育は6年間に延長された。

同時に,教育政策はしだいに国家

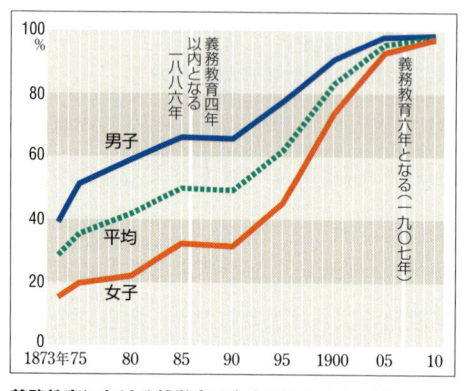

義務教育における就学率の向上(『学制百年史』より)

---

❶ クラークは札幌農学校で,ジェーンズは熊本洋学校で教えた。
❷ 公布された帝国大学令・師範学校令・中学校令・小学校令などを総称して学校令という。小学校・中学校・師範学校は,それぞれ尋常・高等の2種にわけられたが,のち,尋常中学校が中学校,高等中学校が高等学校へと改称された。また,唯一の官立大学であった東京大学は,この時,帝国大学に改組された(1897年には東京帝国大学と改称)。
❸ 1892(明治25)年の就学率は男子70%,女子36%であったが,1900(明治33)年に義務教育期間の授業料が廃止されたため,就学率は1902(明治35)年に90%をこえた。

主義重視の方向へと改められていき，1890(明治23)年に発布された**教育に関する勅語**(教育勅語)によって，忠君愛国が学校教育の基本であることが強調された❶。1903(明治36)年には小学校の教科書を文部省の著作に限ることが定められ(**国定教科書**)，教育に対する国家の統制が強まった。

　また，官立の高等教育機関の拡充が進み，東京帝国大学に加えて，1897(明治30)年には京都帝国大学，ついで東北・九州の各帝国大学が創設された❷。民間では，慶応義塾・同志社に続いて，大隈重信が創立した東京専門学校(のち早稲田大学と改称)などの私立学校が発達し，官立学校とは異なった独自の学風を誇った。

《 **科学の発達** 》近代的な学問は，明治の初めに留学や欧米からまねいた多くの学者に学ぶ形で本格的に始まったが，やがて日本人自身の手で各分野の専門研究・教育ができるようになった。

経済学では，まず自由放任の経済政策や自由貿易を主張するイギリスの経済学が導入され，ついでドイツの保護貿易論や社会政策の学説などが主流となった。法律学では，初めフランスからボアソナードがまねかれて法典の編纂に当たったが，民法典論争をきっかけにドイツ法学が支配的となり，哲学でもドイツ観念論を中心にドイツ哲学が優勢となった。日本史❸や日本文学などの分野でも，

おもな外国人教師の業績		
宗　教	ヘボン(米)	伝道・医療・語学
	フルベッキ(米)	伝道・語学
	ジェーンズ(米)	伝道・語学
教　育	クラーク(米)	札幌農学校
自然科学	モース(米)	動物学・考古学
	ナウマン(独)	地質学
	ミルン(英)	地震学
医　学	ベルツ(独)	東京医学校→帝大
工　学	ダイアー(英)	工部大学校
哲　学	フェノロサ(米)	哲学・古美術
	ケーベル(露)	ドイツ哲学
美　術	ラグーザ(伊)	彫刻
	フォンタネージ(伊)	洋画
	ワーグマン(英)	洋画
	キヨソネ(伊)	銅版画
建　築	コンドル(英)	建築

❶ 1891(明治24)年，キリスト教徒の内村鑑三は，講師をつとめる第一高等中学校での教育勅語奉読式の際，天皇の署名のある教育勅語への拝礼を拒否したために教壇を追われた(内村鑑三不敬事件)。
❷ 大正から昭和初期にかけて，北海道・京城(朝鮮)・台北(台湾)・大阪・名古屋の各帝国大学が増設され，あわせて「9帝大」となった。
❸ 日本史では，民間から田口卯吉の『日本開化小史』のような文明史論が現われて歴史観が革新された。また，東京帝国大学の史料編纂掛では，『大日本史料』『大日本古文書』など基礎史料の体系的な編纂事業が進められた。

6．近代文化の発達　311

西洋学問の研究方法が取り入れられて科学的研究が始まり，従来の国学者の研究を一新した❶。

自然科学の分野では，富国強兵・殖産興業政策を推進するために，欧米の近代的科学技術の導入がおこなわれ，明治の終わり頃には世界的水準に達した研究や地震学などの独創的な研究も発表されるようになった。

おもな自然科学者の業績

分野	人物	業績
医学	北里柴三郎	細菌学の研究（破傷風血清療法，ペスト菌発見）。伝染病研究所創設
	志賀潔	赤痢菌の発見
薬学	高峰譲吉	アドレナリンの抽出 タカジアスターゼの創製
	鈴木梅太郎	オリザニン（ビタミンB₁）の抽出
	秦佐八郎	サルバルサンの創製
地震学	大森房吉	大森式地震計の発明
天文学	木村栄	緯度変化のZ項の発見
物理学	長岡半太郎	原子構造の研究
	田中館愛橘	地磁気の測定
植物学	牧野富太郎	植物の分類法

ジャーナリズムと近代文学

1880年代から90年代にかけて，自由民権論やアジア情勢・条約改正などをめぐって世論が高まる中で，政治評論中心の新聞(**大新聞**)があいついで創刊された。それぞれ独自の政治的主張をもつ大新聞は，国民への政治思想の浸透に大きな役割を果たしたが，また専属の文芸担当者や寄稿家を擁し，近代文学の育成と普及にも貢献した。これに対し瓦版の伝統を引き継ぐ**小新聞**は，報道・娯楽中心の大衆紙で，戯作文学の復活を助けた。

明治初期の『明六雑誌』を先駆けとする雑誌は，1880年代後半の『国民之友』や『日本人』の創刊から本格的な発達が始まり，さらに明治後期には『太陽』や『中央公論』などの**総合雑誌**があいついで創刊された。

文学では，江戸時代以来の大衆文芸である**戯作文学**が，明治初期も引き続き人気を博した。また，自由民権論・国権論などの宣伝を目的に，政治運動家たちの手で政治小説が書かれた❷。

戯作文学の勧善懲悪主義や政治小説の政治至上主義に対し，坪内逍遙
_{1859〜1935}

---

❶ 科学的研究が伝統的な思想と衝突することもあり，1891(明治24)年，帝国大学教授久米邦武が「神道は祭天の古俗」と論じて，翌年に職を追われる事件もおきた。
❷ 戯作文学では，文明開化の世相を描いた仮名垣魯文の『安愚楽鍋』などがある。政治小説では，立憲改進党系の政治家でもあった矢野龍溪の『経国美談』や東海散士の『佳人之奇遇』などがある。

312　第9章　近代国家の成立

| おもな文学作品（　）内は刊行年（1800年代末から1900年代初め） | ＊詩歌　○評論　●翻訳 |

仮名垣魯文	安愚楽鍋(71)	土井晩翠	天地有情＊(99)
矢野龍溪	経国美談(83)	泉鏡花	高野聖(00)
東海散士	佳人之奇遇(85)	徳富蘆花	不如帰(98)　自然と人生(00)
末広鉄腸	雪中梅(86)	国木田独歩	牛肉と馬鈴薯(01)　武蔵野(01)
坪内逍遙	小説神髄○(85)	田山花袋	蒲団(07)　田舎教師(09)
二葉亭四迷	浮雲(87)　あひびき●(88)	正宗白鳥	何処へ(08)
山田美妙	夏木立(88)	徳田秋声	黴(11)　あらくれ(15)
尾崎紅葉	金色夜叉(97)	石川啄木	一握の砂＊(10)　時代閉塞の現状○(10)
幸田露伴	五重塔(91)		悲しき玩具＊(12)
樋口一葉	にごりえ(95)　たけくらべ(95)	夏目漱石	吾輩は猫である(05)　坊っちゃん(06)
森鷗外	舞姫(90)　即興詩人●(92)		草枕(06)
島崎藤村	若菜集＊(97)　破戒(06)	長塚節	土
与謝野晶子	みだれ髪＊(01)	正岡子規	病牀六尺(02)
高山樗牛	滝口入道(94)	上田敏	海潮音＊●(05)

『小説神髄』 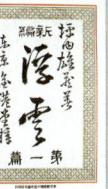　『浮雲』 　『金色夜叉』 　『若菜集』 　『一握の砂』 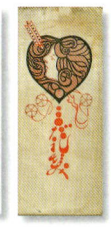　『みだれ髪』

　は1885（明治18）年に評論『小説神髄』を発表して，西洋の文芸理論をもとに，人間の内面や世相を客観的・写実的に描くことを提唱した。**言文一致体**で書かれた二葉亭四迷の『浮雲』は，逍遙の提唱を文学作品として結実させたものでもあった。尾崎紅葉らの硯友社❶は，同じく写実主義を掲げながらも文芸小説の大衆化を進めた。これに対して幸田露伴は逍遙の内面尊重を受け継ぎ，東洋哲学を基盤とする理想主義的な作品を著した。

　日清戦争前後には，啓蒙主義や合理主義に反発して，感情・個性の躍動を重んじる**ロマン主義文学**が日本でもさかんになった。北村透谷らの雑誌『文学界』がその拠点をなし，森鷗外・泉鏡花らの小説のほか，詩歌の分野でも，島崎藤村の新体詩や与謝野晶子の情熱的な短歌が現われた❷。底辺の女性たちの悲哀を数篇の小説に描いた樋口一葉も，ロマン主義の運動の影響下にあ

❶　尾崎や山田美妙らを中心として結成され，回覧雑誌『我楽多文庫』を発刊した。
❷　島崎藤村は『若菜集』によって新体詩を開き，与謝野晶子は夫の与謝野鉄幹が主宰する，雑誌『明星』の誌上で活躍した。『明星』はロマン主義の運動の中心となった。

った。一方，正岡子規は俳句の革新と万葉調和歌の復興を進め，伝統文芸の革新として注目された❶。

日清戦争後には，人道主義に立つ徳冨蘆花(蘇峰の弟)の社会小説も登場した。日露戦争の前後になると，フランス・ロシアの**自然主義文学**の影響によって，人間社会の暗い現実の姿をありのままに写し出そうとする自然主義が文壇の主流となり，国木田独歩・田山花袋・島崎藤村・徳田秋声らの作家が現われた。ロマン主義から出発した詩人石川啄木も，社会主義思想を盛り込んだ生活詩をうたい上げている。

自然主義の隆盛に対立する形で，知識人の内面生活を国家・社会との関係でとらえる夏目漱石の作品群や，森鷗外の一連の歴史小説なども現われた。また，文芸作品の批評が新聞・雑誌に掲載され，作家ばかりでなく批評家も文壇で重要な地位を占めるようになった。

明治の芸術

演劇では，歌舞伎が民衆に親しまれた。明治の初めには河竹黙阿弥が文明開化の風俗を取り入れた新作を発表した。明治中期には名優たちが活躍する「**団菊左時代**」❷を現出し，その社会的地位も著しく向上した。川上音二郎らが時事的な劇に民権思想を盛り込んだ壮士芝居は，日清戦争前後から人気がある通俗小説の劇化を加えて，**新派劇**と呼ばれた。さらに日露戦争後には，坪内逍遙の文芸協会や小山内薫の自由劇場などが，西洋の近代劇を翻訳・上演し，歌舞伎や新派劇に対して**新劇**といわれた。

西洋音楽は軍楽隊で最初に取り入れられ，ついで伊沢修二らの努力で小学校教育に西洋の歌謡を模倣した唱歌が採用された。1887(明治20)年に**東京音楽学校**が設立されて専門的な音楽教育が始まり，滝廉太郎らの作曲家が現われた。また，伝統的な能楽は明治中期から復活した。

学問や音楽と同じく，美術の発達も政府に依存する面が強かった。政府は，

---

❶ 1897(明治30)年，病床にあった子規の協力によって俳句雑誌『ホトトギス』が創刊され，のちには門下の高浜虚子に引き継がれた。また和歌では，子規の門下から伊藤左千夫や長塚節らが出て，1908(明治41)年には短歌雑誌『アララギ』を創刊した。
❷ 1890年代には9代目市川団十郎・5代目尾上菊五郎・初代市川左団次が現われて，明治歌舞伎の黄金時代をつくり上げた。

湖畔(黒田清輝筆)　黒田は，東京美術学校に西洋画科が設けられると，そこで指導に当たった。翌年の白馬会展に出品したこの作品は，日本における西洋画のあり方を示そうという意欲を感じさせる。(東京文化財研究所蔵)

読書(黒田清輝筆)　黒田は，17歳で法律学を学ぶためフランスに渡り，2年後に絵画を学ぶことを決意，10年近く滞在した。この作品は，フランスでの入選作である。(東京国立博物館蔵)

初め**工部美術学校**を開いて，外国人教師に西洋美術を教授させた。しかし，アメリカ人**フェノロサ**(1853〜1908)や**岡倉天心**(1862〜1913)の影響のもとに，伝統美術育成の態度に転じて工部美術学校を閉鎖し，1887(明治20)年には西洋美術を除外した**東京美術学校**を設立した。このような政府の保護に支えられて，**狩野芳崖**(1828〜88)・**橋本雅邦**(1835〜1908)らがすぐれた日本画を創作した。政府が伝統美術の保護に傾いた一因には，当時，ヨーロッパにおいて日本画が高い評価を受けていたこともあった。

　西洋画は，**高橋由一**(1828〜94)らによって開拓されたのち，一時衰退を余儀なくされたが，**浅井忠**(1856〜1907)らによる日本初の西洋美術団体である**明治美術会**の結成や，フランスで学んだ**黒田清輝**(1866〜1924)の帰国によって，しだいにさかんになった。1896(明治29)年には，東京美術学校に西洋画科が新設される一方，黒田らは**白馬**

海の幸　黒田清輝らの指導を受けた**青木繁**が，1904(明治37)年白馬会展に出品した作品。房州(千葉県)布良の海でのモチーフで，大魚をかつぐ漁師の群が，リズミカルな構図，力強いデッサンと褐色の色調で描かれている。(石橋財団石橋美術館蔵，福岡県)

6．近代文化の発達　**315**

おもな建築・美術作品

●日本画　＊西洋画

【建築】
ニコライ堂(コンドル)
日本銀行本店(辰野金吾)
旧東宮御所(片山東熊)(迎賓館赤坂離宮, 口絵㉕)

【彫刻】
老猿(高村光雲)(p.316)
ゆあみ(新海竹太郎)
抗夫・女(荻原守衛)

墓守(朝倉文夫)
【絵画】
悲母観音●(狩野芳崖)
鮭＊(高橋由一)
収穫＊(浅井忠)
湖畔＊・読書＊(黒田清輝)(p.315)
龍虎図●(橋本雅邦)
南風＊(和田三造)
天平の面影＊(藤島武二)

海の幸＊(青木繁)(p.315)
渡頭の夕暮＊(和田英作)
夜汽車＊(赤松麟作)
無我●(横山大観)
大原御幸●(下村観山)

三菱一号館　東京の丸の内には，1894(明治27)年に三菱一号館(のち東九号館)が落成したのを始め，つぎつぎに赤煉瓦のオフィスビルが建設された。この建物はのちに解体されたが，近年復元された。(三菱地所株式会社蔵, 東京都)

老猿(高村光雲作)(高さ90.9cm, 東京国立博物館蔵)

会を創立して画壇の主流を形成した。

　伝統美術も，岡倉天心らの**日本美術院**を中心に，多くの美術団体が競合しながら発展していった。文部省も伝統美術と西洋美術の共栄をはかり，1907(明治40)年に**文部省美術展覧会**(文展)(→p.338)が開設されたので，両者は共通の発表の場をもつに至った。

　彫刻の分野でも，**高村光雲**(1852〜1934)の伝統的な木彫と，アメリカやフランスで学んだ**荻原守衛**(1879〜1910)らの西洋流の彫塑とが対立・競合しながら発達したが，絵画と同じく文展の開設によって共存の方向に向かった。工芸も西洋の技術を加味して，新しい陶器・七宝・ガラス・漆器などの制作を始め，陶器・七宝は海外にも輸出された。また建築でもしだいに本格的な西洋建築が建てられるようになり，明治末期になると，鉄筋コンクリートを使用した建物がつくられ始めた。

生活様式の近代化

　明治になって，都市部を中心に官庁・会社・学校・軍隊では，ガラス窓のある建物で，机・椅子

東京の変容

人口10万人以上の都市の住民は，1890(明治23)年には総人口の6％にすぎなかったが，1908(明治41)年には11％に増えた。1889(明治22)年の東京市発足時の人口は110万人台であったが，1908年には約2倍の210万人台に増えていた。東京市区改正条例(1888年公布)にもとづき，道路と上水道を中心に首都の体裁を整える事業が進められ，1899(明治32)年には淀橋浄水場が開設されて，近代的な水道が開通した。

東京丸の内オフィス街(国立国会図書館蔵)

1904(明治37)年には前年に登場した路面電車の路線が広がったため，鉄道馬車が姿を消し，甲武鉄道(JR中央線)の飯田町・中野間でも電車運転が始まって，電車による通勤が広まった。

陸軍省から土地の払下げを受けた三菱がつぎつぎとビルを建設した丸の内は，「一丁ロンドン」と呼ばれ，1911(明治44)年には帝国劇場が竣工し，観劇に訪れる紳士・淑女目あての貸自動車業も生まれた。この頃には，電灯とガスが市内全世帯の半分に普及した。

一方，1903(明治36)年開園の日比谷公園は，旅順占領や日本海海戦の戦勝祝賀行事の会場となったが，まもなく日比谷焼打ち事件の舞台ともなった。1911(明治44)年の市有化直後の市電でストライキがおこったことにも示されるように，都市下層の人びとの不満が高まっていた。

を使用し，洋服を着て定められた時刻通りに行動する西洋風の行動様式を採用した。

1880年代末には電灯が大都市の中心部で実用化された。交通機関では，明治初期の鉄道開通に続いて，1880年代には鉄道馬車が走り，1890年代になると京都で路面電車も開通した。1900年前後からは，大都市の大手呉服店がアメリカのデパートメントストアにならって，ショーウィンドーや陳列台を用いて従来より幅広い顧客を対象とするデパート型の小売を開始した。

こうして人びとの生活様式は，日本風と西洋風とが入りまじるようになった。日本髪にかわって女性の髪形として束髪が考案され，便利さから広くいきわたったのもその一例である。

しかし，地方の農漁村では石油を用いるランプが普及し，洋装の駐在巡査や人力車がみられるようになったものの，日常生活に大きな変化はなく，暦法も農漁業の関係から，太陽暦と並んで旧暦が用いられた。

6. 近代文化の発達

第10章

二つの世界大戦とアジア

1 第一次世界大戦と日本

大正政変

　1911(明治44)年，第2次西園寺公望内閣は，国家財政が悪化する中で組閣した。しかし，与党の立憲政友会は積極的な財政政策を，商工業者は減税を，海軍は建艦計画❶の実現を，陸軍は師団増設❷をそれぞれ求めたため，内閣は困難な立場に立たされた。1912(明治45)年7月，明治天皇の死去にともない，大正天皇が即位した。また，この頃，東京帝国大学教授の美濃部達吉が『憲法講話』を刊行し，天皇機関説や政党内閣論をとなえたことで，新時代に対する国民の政治的関心が高まった。一方，元老の山県有朋は，大正天皇の内大臣兼侍従長に，長州閥の一員で陸軍の長老であった桂太郎を選んだ。

　中国でおこった辛亥革命と清朝滅亡という事態に対し，第2次西園寺内閣が明確な態度をとらず，また海軍拡張を優先しようとした内閣の姿勢を不満とする山県と陸軍は，2個師団増設を内閣に強くせまった。西園寺首相が，これを財政上困難だとして拒絶すると，上原勇作陸相は単独で辞表を天皇に提出し，1912(大正元)年末，内閣も総辞職した。

　元老会議は桂を後継首相としたが，内大臣兼侍従長である人物が首相となるのは宮中と政府(府中)の境界を乱すとの非難の声がただちに上がった。ここに，立憲政友会の尾崎行雄と立憲国民党の犬養毅を中心とする野党勢

---

❶　1907(明治40)年の帝国国防方針で，海軍は戦艦8隻・装甲巡洋艦8隻のいわゆる八・八艦隊を長期目標にすえていた。

❷　陸軍が2個師団増設を強く要求したのは，1910(明治43)年に併合した韓国に常設師団をおくとともに，辛亥革命勃発直後に清からの独立を宣言した外蒙古とロシアとの関係緊密化を警戒し，南満州と近接する内蒙古の諸権益を確保する必要があったためである。

力・ジャーナリストに，商工業者・都市民衆が加わり，「閥族打破・憲政擁護」を掲げる運動として全国に広がった(**第一次護憲運動**)。桂は非政友会系の新党❶組織をはかり，従来の元老政治からの脱却を掲げて内閣を維持しようとしたが，政友会と国民党が内閣不信任案を議会に提出し，それを支持する民衆が議会を包囲したため，1913(大正2)年2月，内閣は在職50日余りで退陣した(**大正政変**)。

> **第三次桂内閣初閣議での桂の発言**
>
> 抑立憲ノ要義ニ於テ内閣大臣輔弼ノ責任ハ、瞭々火ヲ見ルガ如ク、一毫其ノ疑ヲ存セストモ雖、従来ノ慣行或ハ政事ヲ閣外ノ議シ、始後進力先輩ニ対スル一ノ礼議視スルノ観ヲ呈シ、随テ一面ハ元勲ニ累ヲ嫁スルノ嫌ヲ生シ、一面ハ閣臣タル自家ノ本領ヲ忘ル、カ如キモノアリ。……故ニ太郎就任ノ初ニ於テ深之ヲ鑑ミ此微衷ヲ元勲諸氏ニ総明ニ訴ヘシニ、深之ヲ諒トシ将来ハ閣臣進テ此弊ヲ廃スベシ、元勲モ亦喜テ之ヲ避クヘキヲ以テ互ニ誓言セリ。
>
> (桂太郎関係文書)

　桂のあとは，薩摩出身の海軍大将**山本権兵衛**(1852〜1933)が立憲政友会を与党として内閣を組織した。山本内閣は行政整理をおこなうとともに，**文官任用令**を改正して政党員にも高級官僚への道を開き，また**軍部大臣現役武官制**を改めて予備・後備役の大・中将にまで資格を広げるなど❷，官僚・軍部に対する政党の影響力の拡大につとめた。しかし，1914(大正3)年，外国製の軍艦や兵器の輸入をめぐる海軍高官の汚職事件(**ジーメンス事件**)の発覚により，都市民衆の抗議行動がふたたび高まり，やむなく退陣した。

　これをみた山県・井上馨らの元老は，言論界や民衆のあいだで人気のある**大隈重信**を急きょ後継首相に起用した❸。第2次大隈内閣は，衆議院においては立憲政友会に比べて少数であった**立憲同志会**を与党として出発した。翌1915(大正4)年の総選挙では，青年層を巻き込み，大衆的な選挙戦術をとった与党が立憲政友会に圧勝し，懸案の2個師団増設案は議会を通過した。

　大正政変頃の日本を取り巻く国際環境は，この時期，大きく変化していた。

---

❶ 立憲国民党の離党者も加わり，桂の死後の1913(大正2)年末，立憲同志会(総裁加藤高明)として結党をみた。

❷ 現役の大・中将しか軍部大臣になれなかった規定を改めたのは，内閣に対する軍の影響力行使を制限しようとしたからである。実際の就任例はなかった。

❸ 大隈は政界から引退した状態にあったが，山県らの元老は大隈起用により藩閥への反発をしずめ，立憲政友会に打撃を与えられると期待した。

1. 第一次世界大戦と日本　319

1910年の韓国併合，1911年の関税自主権の回復などからわかるように，明治
　　　　（→p.296）　　　　　　　　　　（→p.288）
以来の諸懸案が解決をみたといえる。これにともない，国家を主導していた
藩閥というまとまりも，政党・官僚・軍へと多元化し，解体していった。

《第一次世界大戦》　20世紀初頭のヨーロッパ大陸においては，軍備を拡
張し積極的な世界政策を進めるドイツ，これにオー
ストリアとイタリアを加えた三国同盟が一方にあり，ロシアとフランスの同
盟（露仏同盟）とのあいだで対立を深めていた。イギリスがドイツの挑戦に備
えて1904年に英仏協商を結び，ロシアもまた日露戦争の敗北により東アジ
　　　　　　　　　　　　　　　　　　　　　　　（→p.295）
アからバルカン半島への進出策へと転じて，1907年，英露協商に踏みきった
ことで，イギリス・フランス・ロシアのあいだで三国協商が締結され，三国
同盟との均衡に変化が生じた。日本は，イギリスとの日英同盟協約，ロシア
　　　　　　　　　　　　　　　　　　　　　　　　　（→p.295）
との日露協約の関係上，三国協商の側に立つこととなった。
　（→p.298）
　「ヨーロッパの火薬庫」と呼ばれていたバルカン半島の一角で，1914年6月，
オーストリア帝位継承者が親露的なセルビア人に暗殺されると（サライェヴ
ォ事件），両国のあいだに戦争がおこり，これが8月にはドイツとロシアの
戦争に拡大した。さらにフランスとイギリスもロシア側について参戦したこ
とで，帝国主義列強間の覇権争いから始まったこの戦争は，4年余りにおよ
ぶ総力戦❶となった（第一次世界大戦）❷。

《日本の中国進出》　イギリスがドイツに宣戦すると，第2次大隈内閣は
加藤高明外相の主導により日英同盟を理由として参
　　　　　　　　　　1860〜1926
戦し❸，中国におけるドイツの根拠地青島と山東省の権益を1914（大正3）年
中には接収し，さらに赤道以北のドイツ領南洋諸島の一部を占領した。

---

❶　戦争目的に向かって，国家の有する軍事的・政治的・経済的・人的諸能力を最大限に組織
し動員する戦争の形態。一方，国家は，国民の協力を鼓舞するため政治・経済体制の民主的改
変をせまられることもあった。

❷　戦況は初めドイツ側が優勢であったが，イギリスの海上封鎖に苦しんだドイツが無制限潜
水艦作戦を始めたのを機に，1917年アメリカが三国協商側（連合国側）に立って参戦すると，戦
局は連合国側に有利に展開した。翌1918年，ドイツでは革命がおこって帝政が崩壊し，11月に
連合国側に休戦を申し入れた。

❸　イギリス外務省などは日本の参戦に消極的だったが，日本は軍事行動の範囲についてのイ
ギリスとの合意なしに，ドイツに宣戦布告した。

続く1915(大正4)年，加藤外相は袁世凱政府に対し，山東省のドイツ権益の継承，南満州および東部内蒙古の権益の強化，日中合弁事業の承認など，いわゆる**二十一カ条の要求**❶をおこない，同年5月，最後通牒を発して要求の大部分を承認させた❷。加藤による外交には内外からの批判があり，大隈を首相に選んだ元老の山県も，野党政友会の総裁原敬に対して「訳のわからぬ無用の箇条まで羅列して請求したるは大失策」と述べて批判していた。

大隈内閣の外交の背景には，国家の膨張を「開国進取」の現れととらえる大隈の発想があったが，内閣としては北京政府の袁世凱をおさえ，しだいに南方の革命勢力への支持を鮮明にしていった。これに対し，寺内正毅内閣のもとでは，袁世凱のあとを継いだ北方軍閥の段祺瑞政権に巨額の経済借款を与え(**西原借款**)，同政権を通じた日本の権益確保を意図した。

大戦後に向けた講和会議対策も進められた。1916(大正5)年，第

中国に対する列強の投資比(『近現代日本経済史要覧』より)

1914年：イギリス38％，日本13，ロシア17，アメリカ3，フランス11，ドイツ16，その他2

1931年：イギリス37％，日本35，ソ連8，アメリカ6，フランス3，ドイツ5，その他

二十一カ条の要求

第一号……第一条　支那国政府ハ独逸国カ山東省ニ関シ条約其他ニ依リ支那国ニ対シテ有スル一切ノ権利益譲与等ノ処分ニ付日本国政府カ独逸国政府ト協定スヘキ一切ノ事項ヲ承認スヘキコトヲ約ス……

第二号　日本国政府及支那国政府ハ支那国政府カ南満州及東部内蒙古ニ於ケル日本国ノ優越ナル地位ヲ承認スルニヨリ茲ニ左ノ条款ヲ締約セリ

第一条　両締約国ハ旅順大連租借期限❶竝南満州及安奉両鉄道各期限ヲイレモ更ニ九十九ケ年ツツ延長スヘキコトヲ約ス……

第五号　一，中央政府ニ政治財政及軍事顧問トシテ有力ナル日本人ヲ傭聘セシムルコト❷

『日本外交年表並主要文書』

❶日露戦争後のロシアおよび清国との条約により，旅順・大連の租借期限は一九二三(大正十二)年に満了することになっていた。
❷中国側の反対により，この要求は撤回された。

---

❶　二十一カ条の各要求は，外務省や陸海軍において中国問題を扱っていた部署の意見の集大成といえるものであった。日本は中国に要求を飲ませるため海軍に艦隊を出動させる一方，陸軍に満州駐屯兵の交代を利用した圧力をかけさせたうえで最後通牒を発した。中国国民はこれに強く反発し，袁世凱政府が要求を受け入れた5月9日を国恥記念日とした。

❷　中国政府の顧問として日本人の雇用を求める第5号は撤回されたが，二十一カ条の要求は，1915(大正4)年5月25日「山東省に関する条約」「南満州及東部内蒙古に関する条約」の二つの条約として成立した。この二つ目の条約は日本に，ロシアから継承した旅順・大連，南満州鉄道の租借期限を99年間延長させることを認めたものであった。

1．第一次世界大戦と日本　321

2次大隈内閣では，第4次日露協約を締結し，極東における両国の特殊権益を相互に再確認した。続く寺内内閣では，イギリスが日本軍艦の地中海派遣を求めたのをきっかけに，戦後の講和会議で山東省と赤道以北の南洋諸島のドイツ権益を求める日本の要求を，英・仏など列強が支持する，との密約がかわされた。一方，日本の中国進出を警戒していたアメリカは，第一次世界大戦に参戦するに当たって，太平洋方面の安定を確保する必要があったため，特派大使石井菊次郎と国務長官ランシング(Lansing 1864～1928)とのあいだで，1917(大正6)年，中国の領土保全・門戸開放と，地理的な近接性ゆえに日本は中国に特殊利益をもつと認める公文が交換された(**石井・ランシング協定**)❶。

戦争が長期化する中，ロシアでは1917年に帝政と大戦継続に反対する労働者・兵士の革命(**ロシア革命**)がおこり，世界ではじめての社会主義国家(のちのソヴィエト連邦)が生まれた。ボリシェヴィキ(のちの共産党)のレーニン(Lenin 1870～1924)が率いるソヴィエト政権は，全交戦国に無併合・無償金・民族自決の原則を呼びかけ，翌1918年にはドイツ・オーストリアと単独講和(ブレスト＝リトフスク条約)を結んで戦線から離脱した。

東部戦線の崩壊と社会主義国家の誕生を恐れた英・仏など連合国は，内戦下のロシアに干渉戦争をしかけ，日本にも共同出兵をうながした。寺内内閣は，アメリカがシベリアのチェコスロヴァキア軍救援を名目とする共同出兵を提唱したのを受けて，1918(大正7)年8月，シベリア・北満州への派兵を決定した(**シベリア出兵**)。大戦終了後，列国は干渉戦争から手を引くが，日本の駐兵は1922(大正11)年まで続いた❷。

《《 **大戦景気** 》》 第一次世界大戦は，明治末期からの不況と財政危機とを一挙に吹き飛ばした。日本は，英・仏・露などの連合国には軍需品を，ヨーロッパ列強が後退したアジア市場には綿織物などを，また戦争景気のアメリカ市場には生糸などを輸出し，貿易は大幅な輸出超過となった❸。

---

❶ 協定は，ワシントン会議で九カ国条約(→p.328)が成立したのを機に廃棄された。
❷ 出兵に要した戦費は10億円に達し，3000人の死者と2万人以上の負傷者を出した。
❸ 1914(大正3)年に11億円の債務国であった日本は，1920(大正9)年には27億円以上の債権国になった。

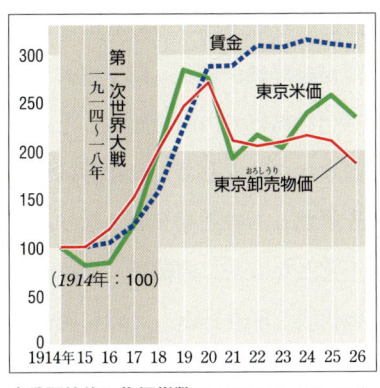

大戦開始後の物価指数(『日本経済統計総観』より) 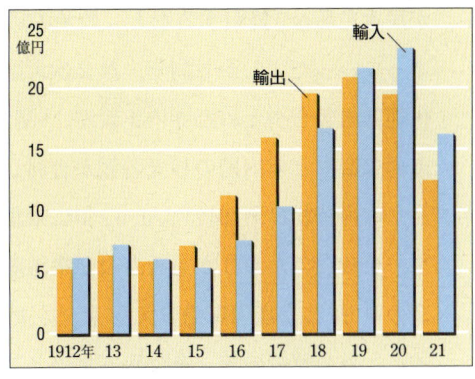　第一次世界大戦前後の貿易(『日本貿易精覧』より)

　世界的な船舶不足のために，海運業・造船業は空前の好況となり，日本はイギリス・アメリカにつぐ世界第3位の海運国となり，いわゆる**船成金**が続々と生まれた。鉄鋼業では八幡製鉄所の拡張や満鉄の鞍山製鉄所の設立のほか，民間会社の設立もあいついだ。薬品・染料・肥料などの分野では，ドイツからの輸入がとだえたため，化学工業が勃興した。大戦前から発達し始めていた電力業では，大規模な水力発電事業が展開され，猪苗代・東京間の長距離送電も成功し，電灯の農村部への普及や工業原動力の蒸気力から電力への転換を推し進め，また電気機械の国産化も進んだ。

　その結果，重化学工業は工業生産額のうち30％の比重を占めるようになった。輸出の拡大に刺激された繊維業も活況を呈し，中国で工場経営(**在華紡**)をおこなう紡績業も急拡大した。

　工業の躍進によって，工業(工場)生産額は農業生産額を追いこした。工場労働者数は大戦前の1.5倍に増えて150万人をこえ，なかでも男性労働者は重化学工業の発展により倍増して，女性労働者の数にせまった。それでも，工業を本業とする人は農業を本業とする人の半数以下にしかすぎなかった。

　このような**大戦景気**の底は浅く，空前の好況が資本家を潤して**成金**を生み出す一方で，物価の高騰で苦しむ多数の民衆が存在した。また，工業の飛躍的な発展に比較して，農業の発展は停滞的であった。

《《政党内閣の成立》》

大正政変を契機とする民衆運動の高揚は，政治思想にも大きな影響を与え，1916(大正5)年，**吉野作造**
1878～1933

1．第一次世界大戦と日本　**323**

が民本主義❶を提唱するなど，政治の民主化を求める国民の声もしだいに強まっていった。しかし同年，第2次大隈内閣が総辞職すると，陸軍軍人で初代朝鮮総督をつとめた寺内正毅が，「挙国一致」を掲げて内閣を組織した。立憲同志会など前内閣の与党各派が合同して憲政会を結成してこれに対抗すると，寺内首相は翌1917（大正6）年に衆議院を解散し，総選挙をおこなった結果，憲政会にかわり立憲政友会が衆議院第一党となった。内閣は，立憲政友会の原敬と立憲国民党の犬養毅ら，政党の代表を取り込み，これに閣僚を加え，外交政策の統一をはかるためとして，臨時外交調査委員会を設置した。

大戦による急激な経済の発展は，工業労働者の増加と人口の都市集中を通じて米の消費量を増大させたが，寄生地主制のもとでの農業生産の停滞もあり，米価などが上昇し，都市勤労者や下層農民の生活が困窮した。1918（大正7）年，シベリア出兵を当て込んだ米の投機的買占めが横行して米価が急騰すると，7月の富山県での騒動をきっかけに，都市民衆や貧農・被差別民らは，米の安売りを求めて買占め反対を叫び，米商人・富商・地主・精米会社を襲って警官隊と衝突するなど，東京・大阪をはじめ全国38市・153町・177村，約70万人を巻き込む大騒擾となった（米騒動）。政府は軍隊を出動させて鎮圧に当たったが，責任を追及する世論の前に寺内内閣は総辞職した。

国民の政治参加の拡大を求める民衆運動の力を目の当たりにした元老の山県もついに政党内閣を認め，1918（大正7）年9月，立憲政友会の総裁原敬を首班とする内閣が成立した。盛岡（南部）

民本主義

民本主義といふ文字は，日本語としては極めて新しい用例である。従来は民主々義といふ語を以て普通に唱へられて居ったやうだ。時としては又民衆主義とか平民主義とか呼ばれたこともある。然し民主々義といへば，社会民主党などといふ場合に於けるが如く，「国家の主権は人民にあり」といふ危険なる学説と混同され易い。……此言葉は今日の政治法律等の学問の上に於ては，少くとも二つの異った意味に用ひられて居るやうに思ふ。一つは「国家の主権の活動の基本的目標は政治上人民に在るべし」といふ意味に用ひらるる。この第二の意味に用ひらるる時に，我々は之を民本主義と訳するのである。……

（『中央公論』一九一六〈大正五〉年一月号）

❶　民本主義はデモクラシーの訳語であるが，国民主権を意味する民主主義とは一線を画し，天皇主権を規定する明治憲法の枠内で民主主義の長所を採用するという主張で，美濃部達吉の天皇機関説とともに大正デモクラシー（→p.332注❶）の理念となった。吉野は普通選挙制にもとづく政党内閣が，下層階級の経済的不平等を是正すべきであると論じた。

324　第10章　二つの世界大戦とアジア

藩の家老の家柄に生まれた原だったが、華族でも藩閥でもない、衆議院に議席をもつ首相であったため、「平民宰相」と呼ばれ、国民から歓迎された。原は臨時外交調査委員会を舞台に、国際協調を軸とした対外政策を主導し、日本の満州権益開発方針についても、アメリカ・イギリス・フランスとのあいだに妥協点を見出した。

　一方、原内閣は社会政策や普通選挙制の導入には慎重で、選挙権の納税資格を3円以上に引き下げ、**小選挙区制**を導入するにとどまったが、普通選挙を要求する運動はしだいに高まり、1920（大正9）年には数万人規模の大示威行動がおこなわれた。これを背景として、憲政会などの野党は衆議院に男性普通選挙法案を提出するが、政府は時期尚早として拒否し、衆議院を解散した。立憲政友会は、年来の政策である鉄道の拡充や高等学校の増設などの積極政策を公約として掲げ、小選挙区制の効果もあり、総選挙では圧勝した。

　積極政策を掲げた立憲政友会だったが、1920（大正9）年におきた、大戦後の反動恐慌によって財政的にゆきづまり、また党員の関係する汚職事件も続発した。原は1921（大正10）年、政党政治の腐敗に憤激した一青年により東京駅で暗殺された。総裁を引き継いだ高橋是清が後継内閣を組織したが短命に終わり、かわって海軍大将加藤友三郎が立憲政友会を事実上の与党として内閣を組織し、以後約2年間にわたって3代の非政党内閣が続いた。

選挙結果の動き

第12回総選挙 (1915年3月25日)	立憲同志会 153	大隈伯後援会 12 / 立憲政友会 108	中正会 33	立憲国民党 27	無所属 48
第13回総選挙 (1917年4月20日)	憲政会 121	立憲政友会 165	立憲国民党 35	無所属 60
第14回総選挙 (1920年5月10日)	憲政会 110	立憲政友会 278	立憲国民党 29	無所属 47

2　ワシントン体制

《パリ講和会議とその影響》　アメリカ大統領ウィルソン（Wilson 1856〜1924）が提唱していた14カ条❶を講和の基礎としてドイツが受け

---

❶　1918年1月18日にウィルソンが議会に発した教書で、おもな内容は、秘密外交の廃止、いっさいの経済的障壁の除去、国際的連合の創設などの14カ条からなっていたが、賠償問題には触れていなかった。

入れたことで、1918年11月、休戦が成立した。翌年にパリで講和会議が開かれ、日本も五大連合国の一員として西園寺公望・牧野伸顕らを全権として送った。6月に調印された講和条約(ヴェルサイユ条約)は、ドイツ側に巨額の賠償金を課し、軍備を制限し、ドイツ本国領土の一部を割譲させるきびしいものとなった。一方で民族自決の原則のもとで東欧に多数の独立国家を誕生させ、また国際紛争の平和的解決と国際協力のための機関として**国際連盟**❶の設立を決めた。ヴェルサイユ条約にもとづくヨーロッパの新しい国際秩序を、**ヴェルサイユ体制**と呼んでいる。

日本はヴェルサイユ条約によって、山東省の旧ドイツ権益の継承を認められ、赤道以北の旧ドイツ領南洋諸島の**委任統治権**を得た❷。しかし、山東問題については会議中からアメリカなどが反対し、連合国の一員として会議に参加していた中国も、日本の二十一カ条の要求によって結ばれた取決めの撤回を会議で拒否されたことや、旧ドイツ権益の中国への直接返還などを求める学生・商人・労働者の反日国民運動(**五・四運動**)❸がおき

ヴェルサイユ体制下の日本の領土

---

❶ 1920年に発足した国際連盟(League of Nations)は、各国間の行動を律するための国際法の原則を確立し、戦争に訴えることなく各国間の協調を促進しようとしたが、戦勝国に有利な状況を維持する側面もあった。日本はイギリス・フランス・イタリアの3国とともに常任理事国となったが、提唱国のアメリカは上院の反対で国際連盟に参加することができなかった。

❷ 会議で日本側が主張したその他の論点として、人種差別撤廃案があった。アメリカの日本人移民排斥への対応、また国際連盟を白色人種にのみ有利な組織にしないことをねらったが、列国の反対で条約案に入らなかった。

❸ 一連の運動は、1919年5月4日の北京の学生による街頭運動に端を発したものである。

326 第10章 二つの世界大戦とアジア

たことなどから，ヴェルサイユ条約の調印を拒否した。

　これより先，民族自決の国際世論の高まりを背景に，東京在住の朝鮮人学生，日本支配下の朝鮮における学生・宗教団体を中心に，朝鮮独立を求める運動が盛りあがり，1919年3月1日に京城(ソウル)のパゴダ公園(タプッコル公園)で独立宣言書朗読会がおこなわれたのを機に，朝鮮全土で独立を求める大衆運動が展開された(**三・一独立運動**)。この運動はおおむね平和的・非暴力的なものだったが，朝鮮総督府は警察・憲兵・軍隊を動員してきびしく弾圧した。原敬内閣は，国際世論へ配慮するとともに，朝鮮総督と台湾総督について文官の総督就任を認める官制改正❶をおこない，朝鮮における憲兵警察を廃止するなど，植民地統治方針について，若干の改善をおこなった。

　一方，戦勝国としてのぞんだ講和会議でありながら，山東還付問題で中国やアメリカから批判されたことに，講和会議に参加した外交官や新聞各紙記者らは衝撃を受けた。このような時代の風潮の中で，北一輝は『日本改造法案大綱』を書き，大川周明らは猶存社を結成した。
(→p.350注❹)　　1886〜1957
北一輝 1883〜1937

ワシントン会議と協調外交

ドイツの賠償総額は1320億金マルクにものぼったが，イギリス・フランス・イタリアなどの戦勝国もアメリカに対する戦債の支払いに苦しんだ。アメリカがドイツにさまざまな援助を与えてドイツの産業を復興させ，賠償金支払いを円滑にし，支払いを受けたイギリス・フランス・イタリアがアメリカへ戦債を返還する，という経済の国際的循環の構造が必要となっていた。一方，大戦中の日本の露骨な中国進出，連邦制国家形成へと向かうソヴィエト政権の動向，中国における民族運動の活発化など，極東の新情勢にも対応する必要が生まれた。そこで1921年，アメリカは海軍軍縮と太平洋および極東問題を審議するための国際会議を開催した(**ワシントン会議**)。アメリカのおもな目的は，アメリカ・イギリス・日本の建艦競争を終わらせて自国の財政負担を軽減すると同時に，東アジアにおける日本の膨張を抑制することにあった。日本は加藤友三郎・幣原喜重郎らを全権として派遣した。
1872〜1951

❶　朝鮮総督には海軍軍人の斎藤実が，台湾総督には文官の田健治郎が任命された。

条約名		参加国	内容その他
ヴェルサイユ条約 (1919.6)		27カ国	第一次世界大戦後の処理。国際連盟成立(1920)
ワシントン会議	四カ国条約 (1921.12)	米・英・日・仏	太平洋の平和に関する条約 これにより日英同盟協約終了
	九カ国条約 (1922.2)	米・英・日・仏・伊・ベルギー・ポルトガル・オランダ・中国	中国問題に関する条約(中国の主権尊重、門戸開放、機会均等)。この条約に関連して、山東懸案解決条約で山東半島における旧ドイツ権益を返還
	海軍軍縮条約 (1922.2)	米・英・日・仏・伊	主力艦保有量の制限 今後10年間、主力艦の建造禁止
*ジュネーヴ会議 (1927.6)		米・英・日	米・英・日の補助艦の制限
不戦条約(パリ) (1928.8)		15カ国	戦争放棄
ロンドン海軍軍縮条約 (1930.4)		米・英・日・仏・伊	主力艦の保有制限および建造禁止を1936年まで延長。米・英・日の補助艦保有量の制限

第一次世界大戦後のおもな国際条約 条約名欄の( )は調印の年月、*印は決裂。

　会議においてはまず、米・英・日・仏のあいだで、太平洋諸島の現状維持と、太平洋問題に原因する紛争の話合いによる解決を決めた**四カ国条約**が結ばれ、これにより日英同盟協約の廃棄が同意された(1921年)。

　ついで翌1922年、この4カ国に、中国および中国に権益を有する主要国4カ国を加えて**九カ国条約**が結ばれ、中国の領土と主権の尊重、中国における各国の経済上の門戸開放・機会均等を約束し、日米間の石井・ランシング協定は廃棄された。さらに同年、米・英・日・仏・伊の五大国のあいだに**ワシントン海軍軍縮条約**が結ばれ、主力艦の保有比率をアメリカ・イギリス各5、日本3、フランス・イタリア各1.67とし、今後10年間は老朽化しても代艦を建造しないことを定めた。日本国内では海軍とくに軍令部が対英米7割論を強く主張したが、海軍大臣で全権の加藤友三郎が部内の不満をおさえ調印に踏みきった。またこの会議の場を借りて、英米側の仲介にもとづいて、1922年に日中間に交渉がもたれ、山東半島の旧ドイツ権益を中国へ返還する条約も結ばれた。

　こうした一連の国際協定は、戦争再発の防止と列強間の協調をめざしたもので、それらにもとづくアジア・太平洋地域の新しい国際秩序は、**ワシントン体制**と呼ばれた。原敬暗殺のあとを受けて成立した立憲政友会の高橋是清内閣はこれを積極的に受け入れて**協調外交**の基礎をつくり、続く加藤友三

郎・第2次山本権兵衛両内閣もこれを引き継いだ。それが可能であったのは，アメリカがウィルソンの理想主義的外交から現実的な経済外交に方針を転換し，1920年代の日米経済関係もきわめて良好だったことがあげられる。1924（大正13）年に護憲三派による加藤高明内閣が成立すると，これまで立憲政友会系の外務大臣の展開してきた協調外交に反対であった憲政会は，加藤の対中政策の穏健化とあいまって，幣原喜重郎外相のもとに**幣原外交**と呼ばれる協調政策に転ずるようになった❶。

幣原外交は，正義と平和を基調とする「世界の大勢」に歩調をあわせ，経済重視の外交姿勢を特徴としていた。中国に対しても不干渉主義を掲げたが，こと経済的な懸案になると非妥協的となり，反日運動もおこって日中関係全般の安定化には必ずしも成功しなかった❷。

協調外交のもとで実現した海軍軍縮の影響は大きく，老朽艦の廃棄や戦艦建造が中止された。陸軍でも，加藤友三郎内閣に続き，加藤高明内閣で軍縮がなされるとともに，軍装備の近代化がはかられた❸。

社会運動の勃興と普選運動

第一次世界大戦が国民を戦争へと動員する総力戦として戦われたため，欧州諸国では労働者の権利の拡張や国民の政治参加を求める声が高まり，日本でもロシア革命・米騒動などをきっかけとして社会運動が勃興した。大戦中の産業の急速な発展によって労働者の数が大幅に増加し，物価高が進む中，賃金引上げを求める労働運動は大きく高揚し，労働争議の件数も急激に増加した。

1912（大正元）年，労働者階級の地位向上と労働組合育成とを目的に鈴木文治によって組織された**友愛会**は，この時期，修養団体から労働組合の全国組織へと急速に発展した。友愛会は，1919（大正8）年に大日本労働総同盟友愛

---

❶ すでに1922年に北樺太を除いてシベリアからの撤兵は完了していたが，幣原外相はさらに対ソ関係の改善につとめ，1925（大正14）年初めに日ソ基本条約を締結してソ連との国交を樹立した。その際，北樺太からの撤兵と引きかえに同地方の油田の半分の開発権を獲得した。

❷ 1925（大正14）年には，上海の日本人経営の紡績工場（在華紡←p.323）でおきた中国人労働者の待遇改善を要求するストライキをきっかけに，労働者・学生らによる大規模な反帝国主義運動が中国全土に広がった（五・三〇事件）。

❸ その結果，1921（大正10）年には国家歳出（一般会計）の5割に近かった軍事費が，1926（昭和元）年には3割を切るまでになった。

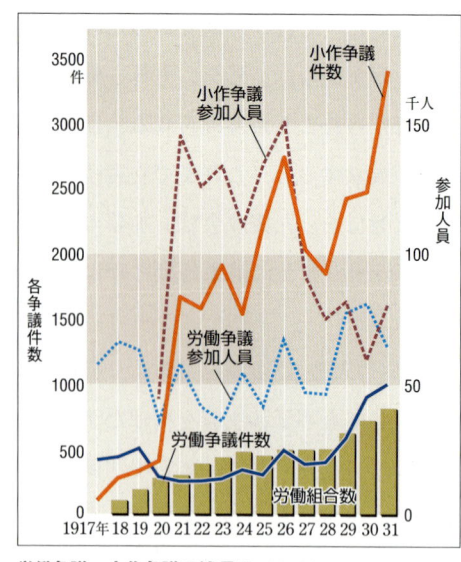

労働争議・小作争議の消長（『日本経済統計集』より）

会と改称するとともに、1920（大正9）年の第1回メーデーを主催した。1921（大正10）年にはさらに**日本労働総同盟**と改めて労資協調主義からしだいに階級闘争主義に方向を転換した。また、この前後から農村でも小作料の引下げを求める**小作争議**が頻発し、1922（大正11）年には杉山元治郎1885～1964・賀川豊彦1888～1960らによって、全国組織である**日本農民組合**が結成された。

一方、民本主義をとなえる吉野作造は、1918（大正7）年には**黎明会**を（→ p.323）組織して全国的な啓蒙運動をおこない、時代の趨勢は平和・協調にあると述べた論説を通じて、知識人層を中心に大きな影響を与えた。また、吉野の影響を受けた学生たちは**東大新人会**などの思想団体を結成し、しだいに労働・農民運動との関係を深めていった。

こうした革新的な雰囲気の中で、大逆事件以来の「冬の時代」にあった社（→ p.299）会主義者たちも活動を再開し、1920（大正9）年には労働運動家・学生運動家・諸派の社会主義者たちを一堂に会した日本社会主義同盟が結成されたが、翌年には禁止された。社会主義の学問的な研究にも制限が加えられ、1920（大正9）年には、東京帝国大学助教授森戸辰男1888～1984がクロポトキンKropotkin 1842～1921の研究をとがめられて休職処分になった。社会主義勢力内部では大杉栄1885～1923らの無政府主義者と、堺利彦1871～1933らの共産主義（マルクス・レーニン主義）者が対立していたが、ロシア革命の影響で社会運動全体における共産主義の影響力が著しく増大し、1922（大正11）年7月には、堺や山川均1880～1958らによって**日本共産党**がコミンテルンの支部として非合法のうちに結成された。

社会的に差別されていた女性の解放をめざす運動は、1911（明治44）年に平塚らいてう（明）1886～1971らによって結成された文学者団体**青鞜社**に始まり、平塚と市川房枝1893～1981らが1920（大正9）年に設立した**新婦人協会**は、参政権の要求など女

性の地位を高める運動を進めた❶。

　被差別部落の住民に対する社会的差別を，政府の融和政策に頼ることなく自主的に撤廃しようとする運動も，西光万吉〈1895～1970〉らを中心にこの時期に本格化し，1922(大正11)年，**全国水平社**が結成された。

　男性普通選挙権の獲得を求める運動は，1919～20(大正8～9)年にかけて大衆運動として盛りあがった。これに対して政府の側でも，加藤友三郎内閣の頃から普通選挙制の検討を始め，1923(大正12)年に成立した第2次山本権兵衛内閣も導入の方針を固めていたが，**関東大震災**と，その後の虎の門事件❷による総辞職で立ち消えになった。

『青鞜』の同人たち(『青鞜』明治45年2月号)　1912(明治45)年1月21日，東京の大森海岸での新年会。右から2番目が平塚らいてう。

関東大震災の混乱　1923(大正12)年9月1日午前11時58分，相模湾北西部を震源としてマグニチュード7.9の大地震が発生し，中央気象台の地震計の針はすべて吹きとばされた。地震と火災で東京市・横浜市の大部分が廃墟と化したほか，東京両国の陸軍被服廠跡の空地に避難した罹災者約4万人が猛火で焼死したのをはじめ，死者・行方不明者は10万人以上を数えた。全壊・流失・全焼家屋は57万戸にのぼり，被害総額は60億円をこえた。
　関東大震災後におきた朝鮮人・中国人に対する殺傷事件は，自然災害が人為的な殺傷行為を大規模に誘発した例として日本の災害史上，他に類をみないものであった。流言により，多くの朝鮮人が殺傷された背景としては，日本の植民地支配に対する抵抗運動への恐怖心と，民族的な差別意識があったとみられる。9月4日夜，亀戸警察署構内で警備に当たっていた軍隊によって社会主義者10人が殺害され，16日には憲兵により大杉栄と伊藤野枝，大杉の甥が殺害された。市民・警察・軍がともに例外的とは言い切れない規模で武力や暴力を行使したことがわかる。

---

❶　新婦人協会(これを母体に1924年，婦人参政権獲得期成同盟会に発展)などによる運動の結果，1922(大正11)年，女性の政治運動参加を禁じた治安警察法第5条が改正されて，女性も政治演説に参加できるようになった。この間，山川菊栄・伊藤野枝らは赤瀾会を結成し，社会主義の立場からの女性運動を展開した。

❷　1923(大正12)年，無政府主義の一青年難波大助が，摂政の裕仁親王(のちの昭和天皇)を虎の門付近で狙撃した事件。摂政宮は無事だったが，内閣は責任をとって総辞職，難波は翌年大逆罪で死刑となった。

2．ワシントン体制　331

護憲三派内閣の成立

　1924(大正13)年，松方正義と西園寺公望の二人の元老は，政党と距離をおく人物を選ぶため，枢密院議長であった清浦奎吾(1850〜1942)を首相に推した。清浦が陸相と海相を除く全閣僚を貴族院から選出すると，憲政会・立憲政友会・革新俱楽部の3党は，超然内閣の出現であるとして，憲政擁護運動をおこした(**第二次護憲運動**)。これに対し清浦内閣は，立憲政友会の高橋是清総裁を批判する勢力によって組織された政友本党を味方につけ，議会を解散して総選挙にのぞんだが，結果は護憲三派の圧勝に終わった。

　総辞職した清浦内閣にかわり，衆議院第一党の憲政会総裁の加藤高明が，3党の連立内閣を組織した。加藤は，明治憲法下において選挙結果によって首相となった唯一の例となった。加藤内閣は幣原外相による協調外交を基本とし(→p.329)，1925(大正14)年，いわゆる**普通選挙法**を成立させた。これにより満25歳以上の男性が衆議院議員の選挙権をもつことになり，有権者は一挙に4倍に増えた❶。

　一方で，この内閣のもとで，「**国体**」❷の変革や私有財産制度の否認を目的とする結社の組織者と参加者を処罰すると定めた**治安維持法**が成立した。制定当初の目的は，日ソ国交樹立(1925年)(→p.329注)による共産主義思想の波及を防ぎ，普通選挙法の成立(1925年)による労働者階級の政治的影響力の増大に備えることにあった。

　1925(大正14)年，立憲政友会が陸軍・長州閥の長老田中義一(1864〜1929)を総裁に迎え，革新俱楽部を吸収したため，護憲三派の提携は解消された。その結果，加藤内閣は憲政会を単独与党とする内

公布年	公布時の内閣	実施年	選挙人 直接国税	性別年齢(歳以上)	総数(万人)	全人口比(%)
1889	黒田	1890	15円以上	男性25	45	1.1
1900	山県	1902	10円以上	〃	98	2.2
1919	原	1920	3円以上	〃	306	5.5
1925	加藤(高)	1928	制限なし	〃	1240	20.8
1945	幣原	1946	〃	男女20	3688	50.4

おもな選挙法の改正(『新選挙制度論』より)　1889(明治22)年の選挙法では被選挙人も選挙人と同じ納税資格を必要としたが，1900(明治33)年の改正で廃止された。

❶　第一次護憲運動(→p.319)から男性普通選挙制の成立までの時代思潮や社会運動を，「**大正デモクラシー**」と呼ぶことが多い。その具体的内容は，市民的自由(言論・出版・集会)の拡大，大衆の政治参加(政党政治・普選論)要求にまとめられる。

❷　国家の主権のあり方によって区別される国家形態。この場合は天皇制を指す。

閣となったが，加藤が病死すると，1926（大正15）年，憲政会総裁を継いだ若槻礼次郎が組閣した。同年末には大正天皇が死去し，摂政の裕仁親王（昭和天皇）が即位して，**昭和**と改元された。

1927（昭和2）年に若槻内閣（第1次）が金融恐慌の処理に失敗して退陣すると，立憲政友会総裁の田中義一が後継内閣を組織し，野党となった憲政会は政友本党と合同して**立憲民政党**を結成した。

こうして1924（大正13）年の第1次加藤高明内閣の成立から，1932（昭和7）年の五・一五事件で犬養毅内閣が崩壊するまでの8年間，二大政党である立憲政友会と憲政会（のち立憲民政党）の総裁が交代で内閣を組織する「**憲政の常道**」❶が続いた。

> **治安維持法**
>
> 治安維持法（一九二五年）
> 第一条 国体ヲ変革シ又ハ私有財産制度ヲ否認スルコトヲ目的トシテ結社ヲ組織シ又ハ情ヲ知リテ之ニ加入シタル者ハ十年以下ノ懲役又ハ禁錮ニ処ス。……
>
> 改正治安維持法（一九二八年）
> 第一条 国体ヲ変革スルコトヲ目的トシテ結社ヲ組織シタル者、又ハ結社ノ役員其ノ他指導者タル任務ニ従事シタル者ハ死刑又ハ無期若ハ五年以上ノ懲役又ハ禁錮ニ処シ……私有財産制度ヲ否認スルコトヲ目的トシテ結社ヲ組織シタル者、結社ニ加入シタル者又ハ結社ノ目的遂行ノ為ニスル行為ヲ為シタル者ハ、十年以下ノ懲役又ハ禁錮ニ処ス。……
> （『官報』）

3　市民生活の変容と大衆文化

都市化の進展と市民生活

第一次世界大戦後，都市化と工業化の進展にともない，東京や大阪などの大都市では，会社員・銀行員・公務員などの**俸給生活者**（サラリーマン）が大量に現われた（新中間層）。また，タイピストや電話交換手など，仕事をもつ女性もみられるようになり，**職業婦人**と呼ばれた。

都市の景観や市民生活も大きく変貌し，洋風化・近代化が進んだ。都心では丸の内ビルディング（丸ビル）など鉄筋コンクリート造のオフィスビルが出現し，都心部から郊外にのびる鉄道沿線には新中間層向けの**文化住宅**が建

---

❶「憲政の常道」とは，慣習的に二大政党制を意味する場合もあるが，広くは衆議院における最大多数党（あるいはそれが失脚した場合は次位の多数党）の総裁（党首）に組閣の大命がおりることを意味する。

モガが行く アメリカのシネモード＝スタイルそのままのモガが、銀座通りを闊歩する姿。

和文タイプライターを打つ女性 1914（大正3）年に杉本京太が発明した。1916（大正5）年に販売されて以来、急速に普及し、タイピスト養成が急がれた。（毎日新聞社）

てられた。また、関東大震災の翌年の1924（大正13）年に設立された同潤会は、東京・横浜に木造住宅のほか4〜5階建てのアパートを建設した。電灯は農村部も含めて広く一般家庭に普及し、都市では水道・ガスの供給事業が本格化した。都市内では市電やバス、円タクなどの交通機関が発達し、東京と大阪では地下鉄も開業した。服装では洋服を着る男性が増え、銀座や心斎橋などの盛り場では、断髪にスカート、山高帽にステッキといったいでたちのモガ（モダンガール）やモボ（モダンボーイ）が闊歩するようになり、食生活の面ではトンカツやカレーライスのような洋食が普及した。

また、さまざまな商品を陳列して販売する百貨店が発達した。日本の百貨店は、三越などの呉服店に起源をもつものが主流であったが、私鉄の経営するターミナルデパートが現われ、生鮮食料品など日用品の販売に重点をおいた。代表的なのは、小林一三が1907（明治40）年に設立した箕面有馬電気軌道（1918年に阪神急

阪神急行電鉄の本社事務所（梅田） 1920（大正9）年、この建物の1階を白木屋に貸して日用品を販売、日本ではじめてのターミナルデパートとなった。1925（大正14）年には本社事務所が移転し、白木屋に貸すのをやめてこの建物の2階と3階に直営の「阪急マーケット」を開業した。

334 第10章 二つの世界大戦とアジア

行電気鉄道と改称)で、乗客の増加をはかるため沿線で住宅地開発を進めるとともに、遊園地や温泉、宝塚少女歌劇団などの娯楽施設を経営し、ターミナルの梅田ではデパートを開業した。

一方、大企業と中小企業、都市と農村とのあいだの格差が問題となり、二重構造と呼ばれた。個人消費支出が増加し、「大衆消費社会」的状況が現われたが、一般農家や中小企業の労働者の生活水準は低く、大企業で働く労働者とのあいだの格差が拡大した。

大衆文化の誕生

日露戦争後の1907(明治40)年には小学校の就学率が97％をこえ、ほとんどの国民が文字を読めるようになった。また、1920年代には中学校(旧制)の生徒数が急増し、高等教育機関も拡充された❶。そうした中で、新聞・雑誌・ラジオ・映画などのマス=メディアが急速に発達し、労働者やサラリーマンなどの一般勤労者(大衆)を担い手とする**大衆文化**が誕生した。

新聞や雑誌の発行部数は、飛躍的にのびた。大正末期には、『大阪朝日新聞』と『東京朝日新聞』、『大阪毎日新聞』と『東京日日新聞』の系列のように発行部数100万部をこえる新聞が現われ、『中央公論』や『改造』などの総合雑誌も急激な発展をとげた。『サンデー毎日』や『週刊朝日』などの週刊誌、『主婦之友』などの女性雑誌のほか、一般投資家向けの『経済雑誌ダイヤモンド』なども刊行された。また、鈴木三重吉(1882〜1936)は児童文芸雑誌『赤い鳥』を創刊した。昭和に

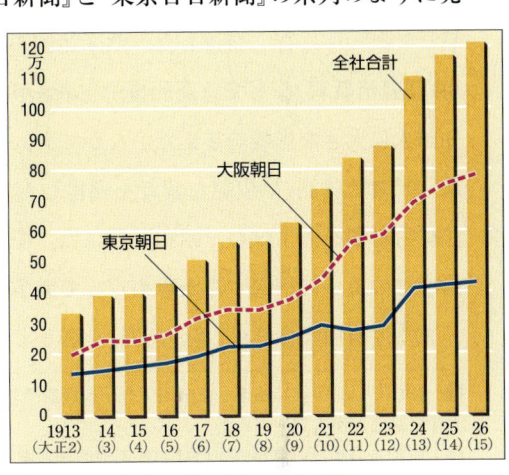

『大阪朝日新聞』『東京朝日新聞』の発行部数

---

❶　中学校の生徒数は、1920(大正9)年には約17万人であったが、1930(昭和5)年には約34万人に倍増した。また、1918(大正7)年に原敬内閣によって制定された高等学校令にもとづいて、高等学校の増設が進められた。同年には**大学令**も制定され、総合大学である帝国大学のほかに、単科大学や公立・私立の大学の設置が認められた。大学生の数は、1918年には約9000人であったが、1930年には約7万人に増加した。

『キング』創刊号の表紙　1925(大正14)年に大日本雄弁会講談社が,「日本一面白くて為になる」雑誌をめざして創刊した。

入ると,『現代日本文学全集』などの円本や岩波文庫が登場して,低価格・大量出版の先駆けとなり,大衆娯楽雑誌『キング』の発行部数も100万部をこえた。

ラジオや映画も発達した。**ラジオ放送**は,1925(大正14)年に東京・大阪・名古屋で開始され,翌年にはこれらの放送局を統合して日本放送協会(NHK)が設立された。ラジオ劇やスポーツ❶の実況放送などが人気を呼び,放送網が全国に拡大した❷。映画は活動写真と呼ばれ,当初は無声映画を弁士の解説つきで上映していたが,大正期には大衆娯楽として発展し,日活や松竹などの映画会社が国産映画の製作に乗り出した。なお,1930年代に入ると,トーキーと呼ばれた有声映画の製作や上映が始まった。

学問と芸術

大正デモクラシーの風潮のもとで,多様な学問や芸術が発達した。欧米諸国のさまざまな思想や文学が紹介され,『東洋経済新報』などで急進的自由主義❸が主張される一方,**マルクス主義**が知識人に大きな影響を与えた。なかでも,1917(大正6)年に出版された河上肇(1879〜1946)の『貧乏物語』は広範な読者を獲得した。マルクス主義は,学問研究の方法にも影響をおよぼし,昭和初期には,明治維新以来の日本の近代社会の性格をどのように把握するかをめぐって論争が展開された❹。

また,西田幾多郎(1870〜1945)は『善の研究』を著して独自の哲学体系を打ち立て,和辻

---

❶ 1915(大正4)年に始まった全国中等学校優勝野球大会,1925(大正14)年に発足した東京六大学野球などが人気を集めた。

❷ 契約者の数は,開局の年には36万人であったが,満州事変が始まると,出征兵士の安否を気づかう人びとがラジオ放送の定時ニュースに耳を傾けるようになり,100万人をこえた。

❸ 『東洋経済新報』の記者であった石橋湛山は,朝鮮や満州など植民地の放棄と平和的な経済発展を主張し,この考え方は「小日本主義」と呼ばれた。

❹ この論争は日本資本主義論争と呼ばれ,その後の日本の社会科学の方法に大きな影響をおよぼした。雑誌『労農』に論文を執筆した櫛田民蔵・猪俣津南雄らの労農派と,野呂栄太郎が編集した『日本資本主義発達史講座』に論文を執筆した羽仁五郎・服部之総・山田盛太郎らの講座派とのあいだでおこなわれた。

哲郎は仏教美術や日本思想史を研究し，『古寺巡礼』『風土』などを著した。津田左右吉は『古事記』『日本書紀』に科学的分析を加え，柳田国男は民間伝承の調査・研究を通じて，無名の民衆（「常民」）の生活史を明らかにする民俗学を確立した。

　自然科学の分野では，大戦期に染料・薬品などの輸入がとだえたため，この分野での独自の研究が始まり，1917（大正6）年には理化学研究所❶が設立された。また，野口英世の黄熱病の研究，本多光太郎のKS磁石鋼の発明など，すぐれた業績が生まれた。

　文学では，自然主義はしだいに退潮となったが，森鷗外や夏目漱石らをはじめ多くの作家が現われ，活況を呈した。人道主義・理想主義を掲げる雑誌『白樺』（1910〜23年）を中心に，都会的感覚と西欧的教養を身につけた有島武郎・志賀直哉・武者小路実篤らの**白樺派**，耽美的作風で知られる永井荷風や谷崎潤一郎ら，さらに芥川龍之介・菊池寛らの**新思潮派**などが活躍した。また，新聞や大衆雑誌には，中里介山の大長編小説『大菩薩峠』をはじめ，吉川英治・大佛次郎の時代小説，江戸川乱歩の探偵小説などが連載され，人気を博した。

おもな文学作品　（　）内は刊行年（1900年代）
永井荷風………腕くらべ(16)
谷崎潤一郎……刺青(10)　痴人の愛(24)
武者小路実篤……その妹*(15)　人間万歳(22)
有島武郎………カインの末裔(17)　或る女(19)
志賀直哉………和解(17)　暗夜行路(21)
芥川龍之介……羅生門(15)　鼻(16)　河童(27)
菊池寛…………父帰る*(17)　恩讐の彼方に(19)
葉山嘉樹………海に生くる人々(26)
森鷗外…………阿部一族(13)
夏目漱石………こゝろ(14)　明暗(16)
島崎藤村………夜明け前(29)
中里介山………大菩薩峠(21)
高村光太郎……道程(14)
萩原朔太郎……月に吠える(17)
斎藤茂吉………赤光(13)
鈴木三重吉……赤い鳥**(18)
*戯曲　**雑誌

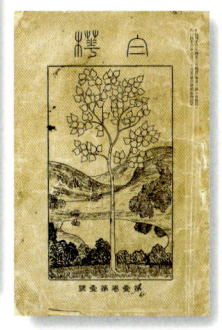

『太陽のない街』と『白樺』創刊号の表紙　『太陽のない街』は，1926（昭和元）年の共同印刷争議における徳永直みずからの体験を素材とした小説。『白樺』は，1910（明治43）年4月に創刊され，反自然主義の立場で活動を進めた。

❶　欧米諸国に対抗し得る物理学や化学の研究をおこなうことを目的に，財界からの寄付金，国庫補助，皇室下賜金によって設立され，のちに理研コンツェルンに成長した。

おもな建築・美術作品

【建築】
東京駅（辰野金吾）
旧帝国ホテル
　　（フランク゠ロイド゠ライト）

【彫刻】
手・鯰（高村光太郎）
転生・五浦釣人（平櫛田中）
　　　　　　　　　　　（p.338）

【絵画】
生々流転（横山大観）
紫禁城（梅原龍三郎）
金蓉（安井曽太郎）（p.338）
麗子微笑（岸田劉生）

転生（平櫛田中作）（高さ150cm、東京芸術大学蔵）

金蓉（安井曽太郎筆）（東京国立近代美術館蔵）

　大正の末から昭和の初めにかけて、社会主義運動・労働運動の高揚にともなって、**プロレタリア文学運動**がおこり、『種蒔く人』（1921年創刊）や『戦旗』（1928年創刊）などの機関誌が創刊された。これらの雑誌には、小林多喜二（1903〜33）の『蟹工船』や徳永直（1899〜1958）の『太陽のない街』など、労働者（プロレタリア）の生活に根ざし、階級闘争の理論に即した作品が掲載された。

　演劇では、1924（大正13）年に小山内薫（→p.314）・土方与志（1898〜1959）らが創設した築地小劇場が**新劇運動**の中心となり、知識人のあいだに大きな反響を呼んだ。音楽では洋楽の普及がめざましく、小学校の唱歌とともに、新たに民間で創作された童謡がさかんにうたわれるようになった。山田耕筰（1886〜1965）は、本格的な交響曲の作曲や演奏に活躍した。

　美術の世界では、文展❶のアカデミズム（→p.316）に対抗する洋画の在野勢力として二科会や春陽会が創立され、安井曽太郎（1888〜1955）・梅原龍三郎（1888〜1986）・岸田劉生（1891〜1929）らが活躍した。日本画では、横山大観（1868〜1958）らが**日本美術院**（→p.316）を再興して院展をさかんにし、近代絵画としての新しい様式を開拓した。建築では、1914（大正3）年に開業した東京駅が辰野金吾（1854〜1919）の代表的な作品となった。

❶　第1次西園寺内閣の文部大臣になった牧野伸顕（大久保利通の子）は、文部省や東京美術学校などの関係者の意見を入れて、日本画・洋画・彫刻の3部門よりなる総合展覧会の開設をはかり、第1回文展を開催した。文展はそののちも回を重ね、1919（大正8）年に帝国美術院美術展覧会（帝展）に改組された。

4 恐慌の時代

《戦後恐慌から金融恐慌へ》

第一次世界大戦が終結してヨーロッパ諸国の復興が進み，その商品がアジア市場に再登場してくると，開戦以来の好景気とは打ってかわって，日本経済は苦境に立たされることになった。1919（大正8）年から貿易は輸入超過に転じ，とりわけ重化学工業は輸入品が増加して，国内の生産を圧迫した。1920（大正9）年には，株式市場の暴落を口火に欧米に先んじて**戦後恐慌**が発生し，綿糸・生糸の相場は半値以下に暴落した。ついで1923（大正12）年には，日本経済は関東大震災で大きな打撃を受けた。銀行は，手持ちの手形が決済不能となり，日本銀行の特別融資で一時をしのいだが，不況が慢性化する中，決済は進まなかった❶。

その後1927（昭和2）年，議会で震災手形の処理法案を審議する過程で，片岡直温蔵相（1859～1934）の失言から，一部の銀行の不良な経営状態が暴かれ，ついに取付け騒ぎがおこって銀行の休業が続出した（**金融恐慌**）。時の若槻礼次郎内閣は，経営が破綻した鈴木商店❷に対する巨額の不良債権を抱えた台湾銀行を緊急勅令によって救済しようとしたが，枢密院の了承が得られず，総辞職した。

銀行におし寄せた預金者たち 1927（昭和2）年，東京中野銀行に預金の払戻しを求めて行列する群衆と，その整理に当たる警官。（朝日新聞社）

❶ 政府は，決済不能になった手形（震災手形）に対して，日本銀行に4億3082万円を特別融資させた。1926（昭和元）年末時点，そのうち2億680万円が未決済であった。
❷ 貿易商として出発した総合商社の鈴木商店は，大戦中に台湾銀行の融資に支えられて急速に各部門に進出し，三井物産・三菱商事にせまったが，戦後の不況で破産に瀕していた。

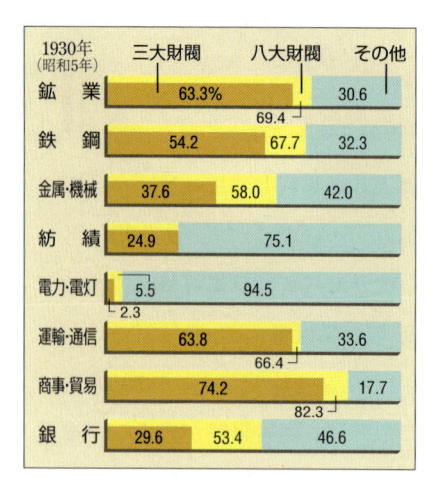

1930年 (昭和5年)	三大財閥	八大財閥	その他
鉱　業	63.3%		30.6
鉄　鋼	54.2	67.7 (69.4)	32.3
金属・機械	37.6	58.0	42.0
紡　績	24.9		75.1
電力・電灯	5.5 / 2.3		94.5
運輸・通信	63.8	66.4	33.6
商事・貿易	74.2	82.3	17.7
銀　行	29.6	53.4	46.6

業種別払込資本金の財閥への集中(『三井・三菱の百年』より) 1930(昭和5)年末時点。三大財閥は三井・三菱・住友、八大財閥はこれに安田・浅野・大倉・古河・川崎を加えていう。

ついで成立した立憲政友会の田中義一内閣は、3週間の**モラトリアム**(支払猶予令)を発し、日本銀行から巨額の救済融資をおこない、全国的に広がった金融恐慌をようやくしずめた。

1920年代の日本経済は、電気機械・電気化学など電力関連の重化学工業の発展がみられたものの、慢性的不況の状態を続けていた。再三の恐慌に対して、政府はそのつど日本銀行券を増発して救済政策をとってきたが、それは経済の破綻を一時的に回避しただけで、大戦中に過大に膨張した経済界の再編は進まなかった。工業の国際競争力の不足とインフレ傾向のために輸入超過は増大し、1917(大正6)年以来の**金輸出禁止**が続く中で、外国為替相場は動揺と下落を繰り返した。多くの産業分野で、企業集中、カルテル結成、資本輸出❶の動きが強まり、財閥はこの時期に主として金融・流通面から産業支配を進め、政党との結びつきも深めていった❷。

こうして日本経済においては、独占資本・金融資本が支配的な地位を占めるようになった。一方、大企業や農村からはじき出された過剰労働力を基盤として、中小企業が増加する傾向もみられた。

《**社会主義運動の高まりと積極外交への転換**》(→p.332)

普通選挙法成立後、労働組合・農民組合を基盤とする社会主義勢力は議会を通じての社会改造をめざすようになり、1926(昭和元)年、合法的な無産政党❸である**労働農民党**(労農党)が組織された。し

---

❶ 巨大紡績会社は、大戦ののち中国に紡績工場をつぎつぎに建設した(在華紡〈→p.323〉)。
❷ 金融恐慌の過程で、中小銀行の整理・合併が進み、預金は大銀行に集中し、三井・三菱・住友・安田・第一の五大銀行が支配的な地位を占めた。また、三菱と憲政会(立憲民政党)、三井と立憲政友会とのつながりは世間に知られており、政党に対する反感を強める一因となった。
❸ 当時の時代情勢から「社会主義」政党と称することがはばかられたために、この言葉が用いられた。全国的無産政党として1925(大正14)年に結成された農民労働党が、共産党と関係があるとして即日禁止されたため、共産党系を除外して労働農民党が結成された。

かし，労農党内で共産党系の勢力が強まると，議会主義・国民政党路線をとる社会民衆党(社民党)，労農党と社民党との中間的立場に立つ日本労農党が分裂・離脱した。

　1928(昭和3)年におこなわれた普通選挙制による最初の総選挙では，無産政党勢力が8名の当選者を出した。この時，これまで非合法活動を余儀なくされていた日本共産党が公然と活動を開始したので，衝撃を受けた田中義一内閣は選挙直後の3月15日に共産党員の一斉検挙をおこない，日本労働組合評議会などの関係団体を解散させた(三・一五事件)。また，同年に治安維持法を改正して最高刑を死刑・無期とし❶，道府県の警察にも特別高等課(特高)を設置して，翌1929(昭和4)年にも大規模な検挙をおこなった(四・一六事件)。このため，日本共産党は大きな打撃を受けた。

　同じ田中義一内閣の時期に，日本の外交は中国政策をめぐって強硬姿勢に転じた❷。全国統一をめざして北上する国民革命軍は，広東から長江流域を北上し，各地方を制圧し

北伐関係要図

❶ 議会では改正法案が成立しなかったために，緊急勅令によって改正された。従来の最高刑が10年以下の懲役・禁錮であったのに対し，「国体」の変革を目的とする結社の組織者・指導者には死刑・無期を科すことができるようになり，また協力者も処罰可能となった。
❷ 田中内閣は，欧米諸国に対しては協調外交の方針を引き継ぎ，1928年にパリで不戦条約に調印した。この条約は，国際紛争解決のための戦争を非とし，国家政策の手段として戦争を放棄することを，「其ノ各自ノ人民ノ名ニ於テ」宣言したものだったが，翌年の批准に際して，日本政府は，この部分は天皇主権の憲法をもつ日本には適用されないものと了解すると宣言した。

4. 恐慌の時代　341

ていった(北伐)❶。

　これに対して田中内閣は，1927(昭和2)年に中国関係の外交官・軍人を集めて東方会議を開き，満州における日本権益を実力で守る方針を決定した。この年から翌年にかけて田中内閣は，満州軍閥の張作霖(1875〜1928)を支援し，国民革命軍に対抗するため，日本人居留民の保護を名目に，3次にわたる山東出兵を実施した。第2次出兵の際には日本軍は国民革命軍とのあいだに武力衝突をおこし，一時，済南城を占領した(済南事件)。

　しかし，張作霖軍が国民革命軍に敗北すると，関東軍❷の一部に，謀略によって張作霖を排除して満州を直接支配するという考えが台頭してきた。1928(昭和3)年6月，関東軍は中央にはからず独断で，満州へ帰還途上の張作霖を奉天郊外で列車ごと爆破して殺害した(張作霖爆殺事件)。当時，事件の真相は国民に知らされず，満州某重大事件と呼ばれた。元老の西園寺公望の助言もあり，田中首相は当初，真相の公表と厳重処分を決意し，その旨を天皇に上奏した。しかし，閣僚や陸軍から反対されたため，首謀者の河本大作大佐(1883〜1955)を停職にしただけで一件落着とした。この方針転換をめぐって田中首相は天皇の不興をかい，1929(昭和4)年に内閣は総辞職した。

　張作霖爆殺事件の結果，関東軍のもくろみとは逆に，張作霖の子で後継者の張学良(1901〜2001)は，1928(昭和3)年，勢力下にあった満州を国民

張作霖爆殺事件　張作霖の専用列車が爆破され，その爆発の激しさがうかがえる(1928年6月5日)。(山形新聞社)

---

❶　孫文によって1919年に結成された中国国民党は，広東を中心に中国南方に支配を広げた。1921年には中国共産党が結成されたが，国民党はこれと提携して，第1次国共合作を成立させた(1924年)。翌1925年に死去した孫文のあとを引き継いだ蔣介石は，1926年，北方軍閥を打倒して中国全土を統一するため，国民革命軍を率いて北伐に乗り出し，南京に国民政府を樹立し，さらに北伐を進めた。

❷　1919(大正8)年に関東都督府が関東庁に改組された際に，陸軍部が独立して関東軍となった。遼東半島租借地と満鉄沿線の守備を任務としたが，大陸進出の急先鋒となっていった。

342　第10章　二つの世界大戦とアジア

政府支配下の土地と認めた❶。こうして，国民党の北伐は完了し，中国全土の統一がほぼ達成された。中国では不平等条約撤廃，国権回収を要求する民族運動が高まり，1931(昭和6)年には国民政府も不平等条約の無効を一方的に宣言する外交方針をとるようになった。

金解禁と世界恐慌

財界からは，大戦後まもなく金本位制に復帰した欧米にならって，**金輸出解禁**(金解禁)❷を実施して為替相場を安定させ，貿易の振興をはかることをのぞむ声が高まってきた。1929(昭和4)年に成立した立憲民政党の浜口雄幸内閣(1870～1931)は，蔵相に井上準之助前日銀総裁(1869～1932)を起用し，財政を緊縮して物価の引下げをはかり，産業の合理化を促進して国際競争力の強化をめざした。そして1930(昭和5)年1月には，旧平価による金輸出解禁を断行して，外国為替相場の安定と経済界の抜本的整理とをはかった❸。

解禁を実施したちょうどその頃，1929年10月にニューヨークのウォール街で始まった株価暴落が**世界恐慌**に発展していたため，日本経済は解禁による不況とあわせて二重の打撃を受け，深刻な恐慌状態におちいった(**昭和恐慌**)。輸出が大きく減少し，正貨は大量に海外に流出して，企業の操業短縮，倒産があいつぎ，産業合理化によって賃金引下げ，人員整理がおこなわれて，失業者が増大した。政府は1931(昭和6)年，**重要産業統制法**を制定し，指定産業での不況カルテルの結成を容認したが，これが統制経済の先駆けとなった。

米価は1920年代から植民地米移入の影響を受けて低迷していたが❹，昭和恐慌が発生すると米をはじめ各種農産物の価格が暴落した。恐慌で消費が

---

❶ 張学良は国民政府に合流し，満州全土で国民党の青天白日旗を掲げた(易幟事件)。
❷ 金輸出解禁とは，輸入品の代金支払いのために正貨(金貨や地金)の輸出を認めることをいい，自由な金輸出には為替相場を安定させる働きがある。また，金輸出の解禁は金兌換を再開して金本位制に復帰することを意味した。
❸ 為替相場の実勢は100円＝46.5ドル前後と円安であったが，100円＝49.85ドルの旧平価で解禁したので，実質的には円の切上げとなった。円高をもたらして日本の輸出商品を割高にし，ひいては日本経済をデフレと不況に導く見込みの強い旧平価解禁をあえて実施したことには，円の国際信用を落としたくないという配慮に加えて，生産性の低い不良企業を整理・淘汰して日本経済の体質改善をはかる必要があるとの判断があった。
❹ 政府は米騒動以後，朝鮮・台湾での米の増産と品種改良をはかり，その移入を促進していた。一方，この時期には硫安などの化学肥料の使用が本格化して，国内米の増産も進んだ。

4．恐慌の時代　343

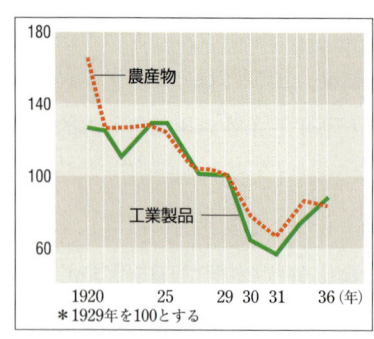

工業製品・農産物価格の下落(『昭和経済史』より)

縮小したアメリカへの生糸輸出は激減し、その影響で繭価は大きく下落した。1930(昭和5)年には豊作のためにさらに米価がおし下げられて「豊作貧乏」となり、翌1931(昭和6)年には一転して東北・北海道が大凶作に見舞われた。不況のために兼業の機会も少なくなったうえ、都市の失業者が帰農したため、東北地方を中心に農家の困窮は著しく(農業恐慌)、欠食児童や女子の身売りが続出した。

このような状態のもとで、労働争議・小作争議が激増すると同時に、無策な政党や金輸出再禁止を予期して円売り・ドル買いを進めた財閥を攻撃する声が高まっていった。

協調外交の挫折

浜口雄幸内閣は協調外交の方針を復活させ、ふたたび幣原喜重郎を外相に起用した。対中国関係を改善するために、1930(昭和5)年に中国と日中関税協定を結び、条件つきではあったが中国に関税自主権を認めた。

また軍縮の方針に従って、1930(昭和5)年、ロンドン海軍軍縮会議に参加した。軍縮会議では、主力艦建造禁止をさらに5年延長することと、ワシントン海軍軍縮条約で除外された補助艦(巡洋艦・駆逐艦・潜水艦)の保有量が取り決められた。当初の日本の要求のうち、補助艦の総トン数の対イギリス・アメリカ約7割は認められたものの、大型巡洋艦の対米7割は受け入れられないまま、政府は条約調印に踏みきった(**ロンドン海軍軍縮条約**)。

これに対し、野党の立憲政友会・海軍軍令部・右翼などは、海軍軍令部長の反対をおしきって政府が兵力量を決定したのは**統帥権の干犯**❶であると激

---

❶ 軍の最高指揮権である統帥権は天皇に属し、内閣が管掌する一般国務から独立し、その発動には参謀総長・海軍軍令部長が直接参与した。憲法解釈上の通説では、兵力量の決定は憲法第12条の編制大権の問題で、内閣の輔弼事項であり、第11条の統帥大権とは別であった。しかし、帝国国防方針中で、国防に要する兵力に責任をもつべきであるとされていた海軍軍令部とのあいだでは意見が一致しなかった。また、条約の批准には枢密院の承認が必要であったので、政府は海軍軍令部と枢密院の二つの国家機構との対決をせまられた。

しく攻撃した。政府は枢密院の同意を取りつけて，条約の批准に成功したが，1930（昭和5）年11月には浜口首相が東京駅で右翼青年に狙撃され重傷を負い，翌年，退陣後まもなく死亡した。

5　軍部の台頭

満州事変

中国で国権回収の民族運動が高まっている頃，日本国内では軍や右翼が幣原喜重郎の協調外交を軟弱外交と非難し，「満蒙の危機」を叫んでいた。危機感を深めた関東軍は，中国の国権回収運動が満州におよぶのを武力によって阻止し，満州を長城以南の中国主権から切り離して日本の勢力下におこうと計画した。

関東軍は参謀の石原莞爾❶を中心として，1931（昭和6）年9月18日，奉天郊外の柳条湖で南満州鉄道の線路を爆破し（柳条湖事件），これを中国軍のしわざとして軍事行動を開始して満州事変が始まった。第2次若槻礼次郎内閣（立憲民政党）は不拡大方針を声明したが，世論・マスコミは戦争熱に浮かされたかのように軍の行動を支持した。関東軍は，全満州を軍事的制圧下におくべく戦線を拡大したため❷，事態の収拾に自信を失った若槻内閣は総辞職した。

かわって同1931（昭和6）年12月に立憲政友会総裁犬養毅が組閣し，中国

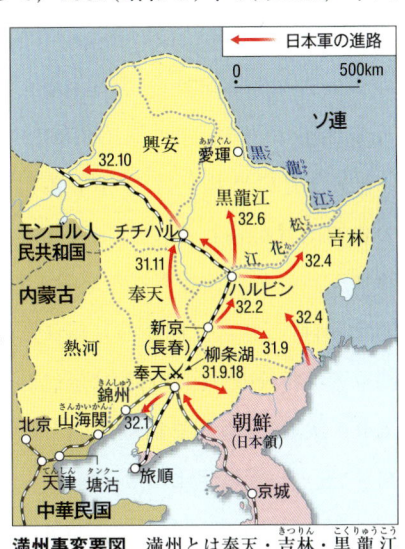

満州事変要図　満州とは奉天・吉林・黒龍江の3省をいう。成立した「満州国」は熱河・興安を加えた5省で，新京（長春）を首都とした。中国国民政府はこの地域を「東北」と呼んだ。

---

❶　かねてから石原は，近い将来，東西両文明それぞれの盟主となった日米両国間で「世界最終戦争」が戦われ，それは飛行機による殲滅戦争となるだろうと予言し，満州を占領してこれに備えることを主張していた。

❷　満州での日本の軍事行動は，中国の排日運動をますます激しくさせ，1932（昭和7）年には上海でも日中両国軍が衝突した（第1次上海事変）。

5．軍部の台頭　345

との直接交渉をめざしたが、翌1932(昭和7)年になると、関東軍は満州の主要地域を占領し、3月には清朝最後の皇帝溥儀を執政として、満州国の建国を宣言させた。アメリカは日本の一連の行動に対して不承認宣言を発し、中国からの訴えと日本の提案で、国際連盟理事会は事実調査のためにイギリスのリットンを団長とする調査団を現地と日中両国に派遣することにした。

《 政党内閣の崩壊と国際連盟からの脱退 》 ロンドン海軍軍縮会議(統帥権干犯問題)・昭和恐慌・満州事変などをきっかけに、軍人や右翼による急進的な国家改造運動が急速に活発になっていった。陸海軍の青年将校および右翼運動家は、日本のゆきづまりの原因が、財閥・政党などの支配層の無能と腐敗にあると考え、これらを打倒して軍中心の強力な内閣をつくり、内外政策の大転換をはかろうとした。

1931(昭和6)年には陸軍青年将校のクーデタ未遂事件(三月事件❶・十月事件❷)があり、翌1932(昭和7)年の2〜3月には井上日召率いる右翼の血盟団員が井上準之助前蔵相・団琢磨三井合名会社理事長を暗殺し(血盟団事件)、さらに同年5月15日には海軍青年将校の一団が首相官邸におし入り、犬養毅首相を射殺するという事件(五・一五事件)があいついだ。

一連のテロ活動は支配層をおびやかし、五・一五事件のあと、元老西園寺公望は穏健派の海軍大将斎藤実を後継首相に推薦した。ここに大正末以来

五・一五事件直後の首相官邸の日本間玄関 一国の首相が官邸で暗殺された。その事件の緊迫感が伝わってくる。(毎日新聞社)

❶ 橋本欣五郎率いる陸軍青年将校の秘密結社桜会が、右翼指導者大川周明の協力と一部陸軍首脳の賛同を得て軍部政権樹立のクーデタを計画したが、未発に終わった。
❷ 桜会が大川らの右翼と提携して政党内閣を倒し、満州事変に呼応して国内改造を断行するクーデタを企てたが、未然に発覚してふたたび失敗に終わった。

8年で政党内閣は崩壊し、太平洋戦争後まで復活しなかった。
(→p.333)

　1932(昭和7)年9月、斎藤内閣は**日満議定書❶**を取りかわして満州国を承認した。日本政府は既成事実の積み重ねで国際連盟に対抗しようとしたが、連盟側は1933(昭和8)年2月の臨時総会で、**リットン調査団の報告❷**にもとづき、満州国は日本の傀儡国家であると認定し、日本が満州国の承認を撤回することを求める勧告案を採択した。松岡洋右ら日本全権団は、勧告案を可決した総会の場から退場し、3月に日本政府は正式に**国際連盟からの脱退**を通告した(1935年発効)。

　1933(昭和8)年5月、日中軍事停戦協定(**塘沽停戦協定**)❸が結ばれ、満州事変自体は終息した。しかし、日本は満州の経営・開発に乗り出し、1934(昭和9)年には満州国を溥儀を皇帝とする帝政に移行させた。1936(昭和11)年には、日本が第2次ロンドン海軍軍縮会議を脱退してロンドン条約が失効し、1934(昭和9)年に廃棄を通告していたワシントン海軍軍縮条約も続いて失効し、日本は国際的に孤立するに至った。
(→p.328)

《 **恐慌からの脱出** 》　1931(昭和6)年12月に成立した犬養毅内閣(立憲政友会)の高橋是清蔵相は、ただちに**金輸出再禁止**を断行し、ついで円の金兌換を停止した。日本経済は、これをもって最終的に金本位制を離れて**管理通貨制度**に移行した。恐慌下で産業合理化を進めていた諸産業は、円相場の大幅な下落(**円安**)❹を利用して、飛躍的に輸出をのばしていった。とくに綿織物の輸出拡大はめざましく、イギリスにかわって世界第1位の規模に達した。

　この頃、世界の情勢は大きくゆれ動き、列強は世界恐慌からの脱出をはか

---

❶　満州国は、同国における日本の権益を確認し、日本軍の無条件駐屯を認めた。この他、付属の秘密文書では、満州の交通機関の管理を日本に委託すること、関東軍司令官の推薦・同意にもとづいて満州国政府の要職に日本人官吏を採用することなどが規定された。

❷　リットン報告書は、日本の軍事行動は合法的な自衛措置ではなく、満州国は自発的な民族独立運動によってつくられたものではないとしながらも、一方で日本の経済的権益に中国側が配慮すべきであるとする妥協的なものであった。

❸　河北省東北部の冀東地区から中国軍と日本軍の双方が撤退し、そこに非武装地帯を設定して、治安維持には中国警察が当たることになった。

❹　1932(昭和7)年には円の外国為替相場が金解禁時代の半分以下になり、100円につき20ドルを割ることさえあった。

って苦しんでいた❶。イギリスは，本国と植民地で排他的なブロック経済圏をつくり，輸入の割当てや高率の関税による保護貿易政策をとった。イギリスをはじめ列強は，円安のもとでの日本の自国植民地への輸出拡大を国ぐるみの投げ売り（ソーシャル＝ダンピング）と非難して対抗した。一方，輸入面では綿花・石油・屑鉄・機械などにおいて，日本はアメリカへの依存度を高めていった。

　輸出の躍進に加え赤字国債の発行による軍事費・農村救済費を中心とする財政の膨張で産業界は活気づき，日本は他の資本主義国に先駆けて1933（昭和8）年頃に世界恐慌以前の生産水準を回復した。とくに，軍需と保護政策とに支えられて重化学工業がめざましく発達し，金属・機械・化学工業合計の生産額は，1933（昭和8）年には繊維工業を上まわり，さらに1938（昭和13）年には工業生産額全体の過半を占め，産業構造が軽工業中心から重化学工業中心へと変化した。

　鉄鋼業では，八幡製鉄所を中心に大合同がおこなわれて国策会社**日本製鉄会社**が生まれ，鋼材の自給が達成された。自動車工業や化学工業では，日産・日窒などの**新興財閥**が台頭し，軍と結びついて満州・朝鮮へも進出していった❷。また既成財閥も，

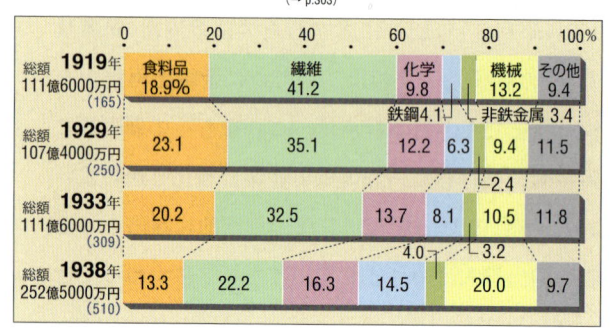

工業生産額の内訳（『長期経済統計10　鉱工業』より）　（　）内は物価により実質化した指数（1913年＝100）。

年	総額	食料品	繊維	化学	鉄鋼	非鉄金属	機械	その他
1919	111億6000万円 (165)	18.9	41.2	9.8			13.2	9.4
1929	107億4000万円 (250)	23.1	35.1	12.2	4.1	3.4	9.4	11.5
1933	111億6000万円 (309)	20.2	32.5	13.7	6.3	2.4	10.5	11.8
1938	252億5000万円 (510)	13.3	22.2	16.3	8.1	3.2	20.0	9.7

---

❶　アメリカでは1933年に就任したフランクリン＝ローズヴェルト大統領が，財政支出による一連の景気刺激策（ニューディール政策）をとってこの危機を切り抜けた。イタリア・ドイツなどでは，ファシスト党を率いたムッソリーニやナチ党を率いたヒトラーによる一党独裁の全体主義体制（ファシズムやナチズム）が確立していった。ソ連は一国社会主義をとなえる独裁者スターリンのもとで，計画経済を通じて，独自の中央集権的経済体制を築いていった。

❷　鮎川義介は，日産自動車・日立製作所などからなる日産コンツェルンを結成したが，さらに満州に進出し，満鉄にかわって満州の重化学工業を独占支配した。野口遵は，日本窒素肥料会社を母体に，朝鮮北部で大水力発電所と化学コンビナートを建設して，日窒コンツェルンを形成した。

重化学工業部門の増強に積極的になった。

　農業恐慌の中で農村救済請願運動が高まると，政府は1932(昭和7)年度から時局匡救事業と称して公共土木事業をおこない，農民を日雇い労働に雇用して現金収入の途を与えた。さらに政府は**農山漁村経済更生運動**を始め，産業組合の拡充などを通じて農民を結束させて「自力更生」をはからせた。

《転向の時代》

満州事変をきっかけに日本国内で生まれたナショナリズムの高揚は，国家による弾圧とあいまって，社会主義運動に大きな衝撃を与え，社会主義からの大量の**転向**❶という現象を発生させた。四分五裂を続けてきた無産政党も国家社会主義に転じ，1932(昭和7)年には，**赤松克麿を中心に日本国家社会党が結成された**❷。残った人びとは合同して当時最大の無産政党である社会大衆党を結成したが，しだいに国家社会主義化した。さらに1933(昭和8)年，獄中にあった日本共産党の最高指導者たちが転向声明書を発表したことは，大量転向のきっかけとなった❸。わずかに社会主義を守り続けた鈴木茂三郎らの日本無産党なども，1937(昭和12)年には弾圧されて活動を停止した。

　思想・言論の取締りも強化され，共産主義ばかりでなく，自由主義・民主主義的な学問への弾圧事件もつぎつぎにおこった❹。また，ジャーナリズムのうえでも，軍部の国家社会主義的な国内改革への期待がしだいに支配的な論調になっていった。

《二・二六事件》

国内政治に対する政党の影響力は五・一五事件後，しだいに小さくなり，逆に，**軍部**(とくに陸軍)や反既成

---

❶　転向という言葉は，一般に個人の思想的立場の変化を指すが，この時期にはとくに国家権力が加える暴力・圧迫による社会主義・共産主義思想の放棄を意味した。
❷　国家社会主義とは，国家の社会政策などによって資本主義の弊害を除こうとする立場だが，ファシスト党やナチ党もこれをとなえていた。日本国家社会党は，天皇を中心とする「一君万民」の平等社会の実現をとなえ，民族的利益の擁護という見地から戦争を支持した。
❸　佐野学・鍋山貞親の両幹部は連名で転向を声明し，コミンテルンが日本共産党に指示した天皇制打倒・侵略戦争反対の方針を批判し，天皇制と民族主義のもとでの一国社会主義の実現を提唱した。この声明をきっかけに，獄中の大半の党員は転向した。
❹　1933(昭和8)年，自由主義的刑法学説をとなえていた滝川幸辰京都帝国大学教授が鳩山一郎文相の圧力で休職処分を受けたのに対し，京都帝国大学法学部教授会は全員辞表を提出して抵抗したが，結局敗北した(**滝川事件**)。

政党・革新・現状打破❶を掲げる勢力が政治的発言力を増大させ，これに一部の官僚(革新官僚)や政党人が同調した。斎藤実・岡田啓介と，2代の海軍穏健派内閣が続いたことは，彼らの不満をつのらせることになった。1934(昭和9)年に陸軍省が発行したパンフレット「国防の本義と其強化の提唱」は，陸軍が政治・経済の運営に関与する意欲を示したものとして，論議を巻きおこした。

かねてから美濃部達吉の憲法学説は右翼の攻撃を受けていたが，1935(昭和10)年，貴族院で軍出身議員の菊池武夫がこれを反国体的と非難したのをきっかけに，にわかに政治問題化した(天皇機関説問題)。

天皇機関説❷はそれまで明治憲法体制を支えてきたいわば正統学説であったが，現状打破をのぞむ陸軍，立憲政友会の一部，右翼，在郷軍人会などが全国的に激しい排撃運動を展開したので，岡田内閣は屈服して国体明徴声明を出し，天皇機関説を否認した。こうして，政党政治や政党内閣制は，民本主義と並ぶ理論的支柱を失った。

政治的発言力を増した陸軍の内部では，隊付の青年将校を中心に，直接行動による既成支配層の打倒，天皇親政の実現をめざす皇道派と，陸軍省や参謀本部の中堅幕僚将校を中心に，革新官僚や財閥と結んだ軍部の強力な統制のもとで総力戦体制樹立をめざす統制派が対立していた❸。1936(昭和11)年2月26日早朝，北一輝❹の思想的影響を受けていた皇道派の一部青年将校たちが，約1400名の兵を率いて首相官邸・警視庁などを襲い，斎藤実内大臣・高橋是清蔵相・渡辺錠太郎教育総監らを殺害し，国会を含む国政の心臓部を4日間にわたって占拠した(二・二六事件)。首都には戒厳令が布

---

❶ 国内的には，天皇を中心とする国民統合や，経済の計画化，内閣制度・議会制度の改革をめざし，対外的には，ワシントン体制(→p.328)打破を主張した。

❷ 美濃部のいわゆる天皇機関説は，統治権の主体を法人としての国家に帰属させ，天皇は国家の最高機関として憲法に従って統治権を行使すると説明するもので，統治権は神聖不可侵の天皇に属し，それは無制限であるとする上杉慎吉らの学説と対立していた。

❸ 統制派は永田鉄山・東条英機ら，皇道派は荒木貞夫・真崎甚三郎らが中心人物とみられていた。両者の対立は，皇道派の相沢三郎中佐が，陸軍省で統制派の永田鉄山軍務局長を斬殺した相沢事件(1935年)で表面化した。

❹ 右翼の理論的指導者で，天皇と軍隊を中核とする国家改造方針について論じた『日本改造法案大綱』(1923年刊)は，右翼運動家のバイブルとなっていた。

二・二六事件 2月26日未明に蜂起した「蹶起部隊」は，国会・警視庁などを占拠した。戒厳司令部はビラをまいて「反乱部隊」の帰順を呼びかけた。写真は，赤坂山王下の兵士たち。（朝日新聞社）

告された。このクーデタは，国家改造・軍部政権樹立をめざしたが，天皇が厳罰を指示したこともあり，反乱軍として鎮圧された。事件後，統制派が皇道派を排除して陸軍内での主導権を確立し，陸軍の政治的発言力はいっそう強まった。岡田内閣にかわった広田弘毅内閣（1878～1948）は，閣僚の人選や軍備拡張・財政改革などについて軍の要求を入れてかろうじて成立し，以後の諸内閣に対する軍の介入の端緒となった❶。

この1936（昭和11）年はワシントン・ロンドン両海軍軍縮条約が失効するため，陸海軍による**帝国国防方針の改定**❷にもとづいて，広田内閣は「国策の基準」で，大陸における日本の地歩を確保する一方で，南方へ漸進的に進出する方針を決定し，外交ではドイツと提携を強めてソ連に対抗し，国内では大規模な軍備拡張計画が推進された❸。

しかし，国内改革の不徹底を不満とする軍と，大軍拡に反対する政党の双方の反発で，広田内閣は1937（昭和12）年1月総辞職し，組閣の大命は陸軍の穏健派宇垣一成（1868～1956）にくだった。これに反発する陸軍が陸相を推挙しなかったので，宇垣は組閣を断念せざるを得なかった。結局，陸軍大将の林銑十郎（1876～1943）が組閣し，軍部と財界との調整をはかったが（軍財抱合）❹，これも短命に終わった。同年6月，この時，貴族院議長をつとめていた**近衛文麿**（1891～1945）が，元老・軍

---

❶ 1936（昭和11）年に，軍の要求に従って軍部大臣現役武官制（→p.292）を復活させた。
❷ 国防方針の改定に際して，陸軍は北進論（対ソ戦），海軍は南進論（南洋諸島および東南アジアへの進出）をとったため，「国策の基準」ではこれらを併記し，折衷した。
❸ 海軍は，戦艦大和・武蔵を含む大建艦計画を進めた。
❹ 陸軍統制派は，大軍拡を進めるために，まず重要産業の育成が必要と考えた。

5. 軍部の台頭　351

部から一般民衆まで国民各層の期待を集め，第1次近衛内閣を組織した。

6 第二次世界大戦

《三国防共協定》

ヴェルサイユ・ワシントン体制と呼ばれる，第一次世界大戦後の秩序の維持には，二つの条件が必要であった。世界経済が好調で規模も拡大していること，平和維持の価値が広く認められていることである。しかし，世界恐慌で第一の条件が失われて，1930年代半ばには世界秩序崩壊のきざしがみえ始めた。日本が満州事変をおこしてワシントン体制をゆさぶっている頃，ドイツは，1933年に全体主義体制(ナチズム)を樹立するとともに，ヴェルサイユ体制の打破をとなえて国際連盟から脱退し，1935年には禁じられていた再武装に踏みきった。イタリアでは一党独裁が確立され(ファシズム)，1935年のエチオピア侵攻をきっかけに国際連盟とも対立した。1936年，スペイン内戦がおこると，ドイツ・イタリア両国は連帯を強めて枢軸を形成した❶。

ソ連は，第1次5カ年計画(1928～32年)によって重工業化と農業集団化を推進し，急速に国力を高めた。さらに，アメリカのソ連承認(1933年)，ソ連の国際連盟加入(1934年)は，国際社会におけるソ連の役割の増大を示した。1936(昭和11)年，広田内閣は，ソ連を中心とする国際共産主義運動への対抗を掲げる日独防共協定を結んだ。イタリアは，翌年これに参加し(日独伊三国防共協定)，つづいて連盟を脱退した。こうして，国際的孤立を深めていた日本・ドイツ・イタリア3国は反ソ連の立場で結束し，枢軸陣営が成立した。

《日中戦争》

1935年以降，中国では関東軍によって，華北❷を国民政府の統治から切り離して支配しようとする華北分離工作が公然と進められた。同年，イギリスの支援のもとに国民政府は，地域的な通貨の混在状態の解消をはかる幣制改革を実施して，中国国内の経済的統一を進

---

❶ スペイン内戦に際して，ドイツ・イタリア両国はこれを機に友好関係を強め，ベルリン＝ローマ枢軸と呼ばれた。枢軸(Axis)は，「世界の中心となるべき」国々の協力関係を意味した。
❷ チャハル・綏遠・河北・山西・山東の5省を日本側では華北と呼んでいた。

めた。これをみて、関東軍は華北に傀儡政権(冀東防共自治委員会)を樹立して分離工作を強め、翌1936(昭和11)年には日本政府も華北分離を国策として決定した。これに対し、中国国民のあいだでは抗日救国運動が高まり、同年12月の**西安事件❶**をきっかけに、国民政府は共産党攻撃を中止し、内戦を終結させ、日本への本格的な抗戦を決意した。

　第1次近衛文麿内閣成立直後の1937(昭和12)年7月7日、北京郊外の盧溝橋付近で日中両国軍の衝突事件が発生した(**盧溝橋事件**)。いったんは現地で停戦協定が成立したが、近衛内閣は軍部の圧力に屈して当初の不拡大方針を変更し、兵力を増派して戦線を拡大した。これに対し、国民政府の側も断固たる抗戦の姿勢をとったので、戦闘は当初の日本側の予想をはるかにこえて全面戦争に発展した(**日中戦争**)❷。8月には上海でも戦闘が始まり(第2次上海事変)、戦火は南に広がった。9月には国民党と共産党がふたたび提携して(第2次国共合作)、抗日民族統一戦線を成立させた。日本はつぎつぎと大軍を投入し、年末には国民政府の首都南京を占領した❸。国民政府は南京から漢口、さらに奥地の重慶に

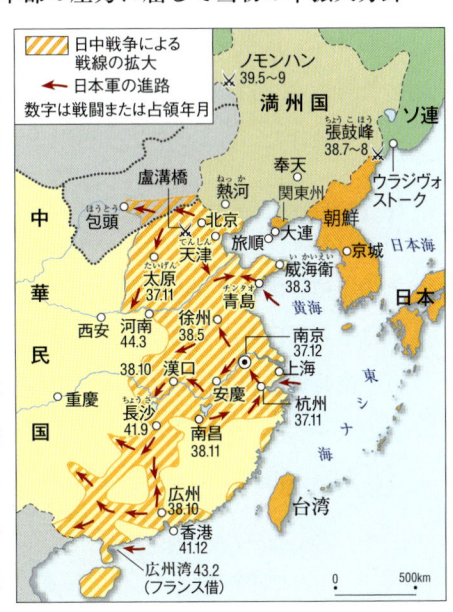

日中戦争要図

---

❶ 中国共産党軍は、国民党軍のたびかさなる猛攻のため南方の根拠地瑞金を放棄し、1万2000キロ以上の苦難の大行軍(長征、1934〜36年)を敢行して西北辺境の延安に移動し、新しい革命根拠地を築いた。延安の共産党軍の攻撃を国民政府から命じられた張学良は、督励のため来訪した蔣介石を西安の郊外で監禁し、国共内戦の停止と一致抗日を要求した。ここで、共産党が調停に乗り出して蔣は釈放され、同時に内戦も停止された。

❷ 日本政府はこの戦闘を、初め「北支事変」ついで「支那事変」と名づけたが、実質的には全面戦争であった。日中両国ともに、アメリカの中立法(戦争状態にある国への武器・弾薬の禁輸条項を含む)の適用を避けるためなどの理由から、正式に宣戦布告をしなかった。

❸ 南京陥落の前後、日本軍は市内外で略奪・暴行を繰り返したうえ、多数の中国人一般住民(婦女子を含む)および捕虜を殺害した(南京事件)。南京の状況は、外務省ルートを通じて、早くから陸軍中央部にも伝わっていた。

退いてあくまで抗戦を続けたので，日中戦争は泥沼のような長期戦となった。

そこで日本側は，大規模な攻撃を中断して，各地に傀儡政権を樹立する方式に切りかえた。1938(昭和13)年1月には近衛首相が「国民政府を対手とせず」と声明し，国民政府との交渉による和平の可能性をみずから絶ち切った。さらに近衛は，同年末，戦争の目的が日・満・華3国連帯による東亜新秩序建設にあることを声明した❶。そして，ひそかに国民政府の要人汪兆銘(精衛)(1885～1944)を重慶から脱出させ，1940(昭和15)年にようやく各地の傀儡政権を統合して，汪を首班とする親日の新国民政府を南京に樹立した。しかし，汪政権は弱体で，日本の戦争終結の政略は失敗に帰し，国民政府は米・英などからの物資搬入路であるいわゆる援蔣ルートを通じて援助を受けて，その後も抗戦を続けた。

戦時統制と生活

広田弘毅内閣の大軍備拡張予算をきっかけに，財政は軍事支出を中心に急速に膨張し，軍需物資の輸入の急増は国際収支の危機をまねいた。日中戦争が始まると，第1次近衛内閣はさらに巨額の軍事予算を編成するとともに，直接的な経済統制に踏みきり，臨時資金調整法・輸出入品等臨時措置法などを制定して，軍需産業に資金や輸入資材を集中的に割り当てることとした。経済統制が進むと経済関係の官僚の進出が著しくなり，彼らのあいだでは軍部と結んで強力な国防国家を建設しようとの動きが活発になった。戦争の拡大につれて軍事費は年々急増し，財政膨張があいつぐ増税をも

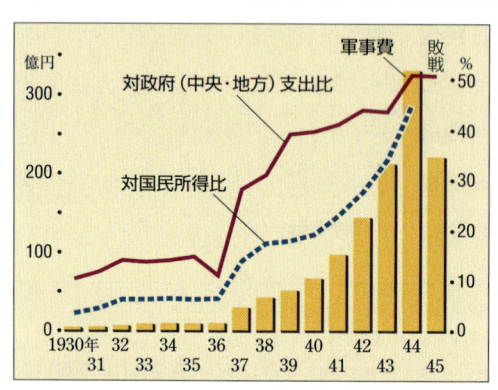

軍事費の増大と国家予算の膨張(『長期経済統計1 国民所得』『長期経済統計7 財政支出』より)

---

❶ 1938(昭和13)年11月3日(東亜新秩序声明)，および12月22日(善隣友好・共同防共・経済提携をうたった近衛三原則声明)の2回にわたってなされた近衛声明をいう。突発的に始まった戦争の目的を，この頃になってあらためて日本側が表明したのは，ヨーロッパでの危機的状況を背景にイギリスの対アジア政策が軟化したため，中国内部の親日勢力を引き出して対中国支配確立の好機ととらえたからである。

たらし，それでも膨大な歳出をまかなえずに多額の赤字公債が発行され，紙幣増発によるインフレーションが進行していった。

　1938(昭和13)年4月には**国家総動員法**が制定され，政府は議会の承認なしに，戦争遂行に必要な物資や労働力を動員する権限を与えられ，国民生活を全面的統制下においた。同時に制定された電力国家管理法は，民間の電力各社を単一の国策会社に一挙に統合するもので，政府が私企業への介入を強めるきっかけとなった。ついで，中小企業の強制的整理も進められ，翌1939(昭和14)年には，国家総動員法にもとづく**国民徴用令**によって，一般国民が軍需産業に動員されるようになった。また，1938年度から，**企画院**❶によって物資動員計画が作成され，軍需品は優先的に生産された。このため重化学工業中心の新興財閥ばかりでなく，既成財閥系の大企業も積極的に軍需品生産に乗り出し，「国策」への協力でばく大な利益を上げた。総力戦を想定した生産力拡充計画も立てられたが，当面の軍需生産に追われて，実現にはほど遠かった。機械・非鉄金属の生産は，1944(昭和19)年までは軍需を中心に上昇を続けたが❷，原材料の品質低下や高性能な工作機械の輸入途絶，そして大量生産の経験不足から所定の品質を達成できないことが多かった。

　これに対し，国内向けの綿製品の生産・販売が禁止されるなど，「不要不急」の民需品の生産や輸入はきびしく制限され，生活必需品は品不足となっ

> **国家総動員法**
>
> 第一条　本法ニ於テ国家総動員トハ戦時ニ際シ国防目的達成ノ為，国ノ全力ヲ最モ有効ニ発揮セシムル様，人的及物的資源ヲ統制運用スルヲ謂フ
> 第四条　政府ハ戦時ニ際シ国家総動員上必要アルトキハ，勅令ノ定ムル所ニ依リ，帝国臣民ヲ徴用シテ総動員業務ニ従事セシムルコトヲ得
> 第八条　政府ハ戦時ニ際シ，国家総動員上必要アルトキハ，勅令ノ定ムル所ニ依リ，総動員物資ノ生産，修理，配給，譲渡其ノ他ノ処分，使用，消費，所持及移動ニ関シ必要ナル命令ヲ為スコトヲ得
> 第二十条　政府ハ戦時ニ際シ国家総動員上必要アルトキハ，勅令ノ定ムル所ニ依リ，新聞紙其ノ他ノ出版物ノ掲載ニ付，制限又ハ禁止ヲ為スコトヲ得（第二項略）
>
> （『官報』）

---

❶　1937(昭和12)年10月に，戦時動員の計画・立案・調整を任務とする内閣直属の機関として設置されたが，経済界の強い反発もあって，1943(昭和18)年新設の軍需省に吸収・合併された。
❷　兵器の生産高は，1936(昭和11)年から1941(昭和16)年にかけて6.4倍，1941(昭和16)年から1944(昭和19)年にかけて3.0倍となった。

た。このため政府は，国家総動員法にもとづき1939(昭和14)年10月に**価格等統制令**を出して公定価格制を導入し，経済統制をさらに強化した。国民に対しては，「ぜいたくは敵だ」「欲しがりません，勝つまでは」といったスローガンのもとに消費の切詰めを強要した。1940(昭和15)年にはぜいたく品の製造・販売の禁止(**七・七禁令**)，砂糖・マッチなどの消費を制限する**切符制**が敷かれ，翌年には米が**配給制**となり，ついで衣料にも切符制が敷かれるなど，生活必需品への統制は極端に強まった。

生活物資の購入券や配給券 生活必需物資の切符制・配給制の導入は，「銃後」の生活をよりいっそうきびしいものにし，庶民生活を追い詰めた。

農村では，1940(昭和15)年から政府による米の強制的買上げ制度(**供出制**)が実施された。政府は生産奨励のために小作料の制限や生産者米価の優遇などの措置をとり，地主の取り分を縮小させたが，それでも労働力や生産資材の不足のために，食糧生産は1939(昭和14)年を境に低下し始め，食糧難が深刻になっていった。

戦時体制の形成にともなって，**国体論**にもとづく思想統制，社会主義・自由主義の思想に対する弾圧がいちだんときびしくなった❶。第1次近衛内閣は，1937(昭和12)年10月から国家主義・軍国主義を鼓吹し，節約・貯蓄など国民の戦争協力をうながすため，**国民精神総動員運動**を展開した。総力戦の遂行に向けて労働者を全面的に動員するため，労資一体で国策に協力する**産

---

❶ 日中戦争開始直前，文部省は『**国体の本義**』を発行し，全国の学校・官庁に配布して，国民思想の教化をはかった。また，植民地経済政策の研究者であった矢内原忠雄東京帝国大学教授が，政府の大陸政策を批判したことで大学を追われ，著書も発禁となり(矢内原事件，1937年)，東京帝国大学の大内兵衛らの教授グループが人民戦線結成をはかったとして検挙された事件(人民戦線事件，1938年)などがおこった。

356 第10章 二つの世界大戦とアジア

業報国会の結成❶も進められた。1940(昭和15)年には内閣情報局を設置して，出版物・演劇などのほか，ラジオ・映画を含むマス＝メディアの総合的な統制をめざし，戦争遂行のためにこれらを利用する方針をとった。

《戦時下の文化》

1930年代に入ると，政府のきびしい取締りや国家主義的気運の高まりの中で，転向者があいつぎ，マルクス主義の思想の影響力もしだいに衰えて，日本の伝統的文化・思想への回帰に向かい，1930年代後半にはこの傾向はいっそう濃厚となった。雑誌『日本浪曼派』による亀井勝一郎(1907〜66)・保田与重郎(1910〜81)らが，反近代と民族主義を掲げる文芸評論をさかんに発表した。日中戦争期には，国体論やナチズムなどの影響を受けた全体主義的な思想が主流となり，東亜新秩序論・大東亜共栄圏論・統制経済論など「革新」的な国内改革論が展開された。

昭和初期の文学界では，社会主義運動と結びついて興隆したプロレタリア文学が，主観と感性の表現の中に文学の実体を求めようとした横光利一(1898〜1947)・川端康成(1899〜1972)らの**新感覚派**とともに二大潮流をなした。しかし，1930年代前半の社会主義弾圧の嵐の中で，プロレタリア文学もまた壊滅していった❷。

一方，既成の大家の中には，せまりくる戦争の足音の中で静かに力強い創作の世界を維持するものも少なくなく，島崎藤村の『夜明け前』や谷崎潤一郎の『細雪』といった大作が書き続けられた。日中戦争期には，火野葦平(1907〜60)がみずからの従軍体験を記録した『麦と兵隊』に代表される戦争文学が人気を博したが，

『麦と兵隊』の表紙 1938(昭和13)年，火野葦平が徐州作戦に従軍した様子を描いた戦記。

---

❶ 1938(昭和13)年，資本家団体や労働組合幹部を集めて産業報国連盟が結成される一方，警察の指導で各職場ごとに労資一体の産業報国会を組織し，既存の労働組合も一部これに改組させた。1940(昭和15)年，連盟が大日本産業報国会となり，すべての労働組合が解散させられた時には，その単位会数は約7万，組織人員は約418万人であった。

❷ 社会主義やプロレタリア文学からの転向の体験は，中野重治『村の家』，島木健作『生活の探求』などの作品に描かれた(転向文学)。

6. 第二次世界大戦　357

日本軍兵士の生態を写実的に描いた石川達三の『生きてゐる兵隊』は発売禁止となり、1942(昭和17)年には日本文学報国会が結成された。

第二次世界大戦の勃発

ヨーロッパでは、ナチス＝ドイツが積極的にヴェルサイユ体制の打破に乗り出して1938年にオーストリアを併合し、さらにチェコスロヴァキアにも侵略の手をのばした。このような中でドイツは、日本の第1次近衛内閣に対し防共協定を強化して、ソ連に加えイギリス・フランスを仮想敵国とする軍事同盟にすることを提案した。近衛内閣はこの問題に決着をつけないまま退陣し、1939(昭和14)年初めに平沼騏一郎枢密院議長が組閣した。平沼内閣では軍事同盟の締結をめぐり閣内に対立が生じたが、同年8月、ドイツが突如ソ連と不可侵条約を結んだため(独ソ不可侵条約)❶、国際情勢の急変に対応し得ないとして総辞職した。

1939年9月1日、ドイツがポーランド侵攻を開始すると、9月3日、イギリス・フランスはただちにドイツに宣戦を布告し、**第二次世界大戦**が始まった。平沼内閣に続く阿部信行(陸軍大将)・米内光政(海軍大将)の両内閣は、ドイツとの軍事同盟には消極的で、ヨーロッパの戦争には不介入の方針をとり続けた。

一方、日中戦争開始以来、日本の必要とする軍需産業用の資材は、

第二次世界大戦中のヨーロッパ

---

❶ 日中戦争中のソ連の出方を警戒していた日本陸軍は、1938(昭和13)年、ソ連と満州国の国境不明確地帯においてソ連軍と戦い(張鼓峰事件)、さらに翌1939(昭和14)年5月には、満州国西部とモンゴル人民共和国の国境地帯でソ連・モンゴル連合軍と戦ったが、ソ連の大戦車軍団の前に大打撃を受けた(**ノモンハン事件**)。独ソ不可侵条約成立の報は、ノモンハンでまさにソ連と戦闘中だった日本にとって衝撃であった。

358　第10章　二つの世界大戦とアジア

植民地を含む日本の領土や，満州および中国における占領地からなる経済圏（円ブロック）の中だけではとうてい足りず，欧米とその勢力圏からの輸入に頼らなければならない状態にあった。

しかし，アメリカはアジア・北太平洋地域との自由な交易関係の維持を重要な国益と認識していたため，日本が「東亜新秩序」(→p.354)形成に乗り出すと，これをみずからの東アジア政策への本格的な挑戦とみなし，日米間の貿易額も減少し始めた。さらに日独間の軍事同盟締結の動きが伝えられると，アメリカは1939年7月，日米通商航海条約の廃棄を日本側に通告し，翌年に発効してからは，軍需資材の入手はきわめて困難になった。

ヨーロッパでドイツが圧倒的に優勢となり，イギリスだけが抵抗を続けている状態になると，日本では陸軍を中心に，ドイツとの結びつきを強め，対アメリカ・イギリスとの戦争を覚悟のうえで欧米の植民地である南方に進出し，「大東亜共栄圏」の建設をはかり，石油・ゴム・ボーキサイトなどの資源を求めようという主張が急速に高まった。議会内や政界上層部に反対の空気はあったが，流れをかえるだけの力はなく❶，南方進出はかえって欧米の対日経済封鎖を強める結果をまねいた。

《《新体制と三国同盟》》 1940(昭和15)年6月，近衛文麿は枢密院議長を退いて，**新体制運動**の先頭に立った。これは，ナチ党やファシスト党にならって強力な大衆組織を基盤とする一大指導政党を樹立し，既成の政党政治を打破して一元的な指導のもとで全国民の戦争協力への動員をめざす「革新」運動であった。立憲政友会・立憲民政党・社会大衆党などの諸政党や各団体は積極的に，あるいはやむを得ず解散して参加を表明した。軍部も近衛の首相就任に期待して，米内内閣を退陣に追い込んだ。

1940(昭和15)年7月，第2次近衛内閣が成立したが，組閣に先だって近衛と陸相・海相・外相予定者との会談で，欧州大戦不介入方針からの転換，ドイツ・イタリア・ソ連との提携強化，積極的な南方への進出(南進)の方針が

---

❶ 立憲民政党議員斎藤隆夫は，1940(昭和15)年に議会で軍部と政府が中国で進める戦争政策を激しく批判する演説(反軍演説)をおこない，軍部の圧力により議員を除名された。政界上層部の「親英米派」と呼ばれた人びとも，軍部などからさまざまの攻撃を受けた。

6. 第二次世界大戦　359

定まった。南進政策には，ドイツに降伏したヨーロッパ諸国の植民地❶を影響下におくことのほか，援蒋ルートを遮断して停滞した戦局を打開するねらいもあった。こうして9月，日本軍は北部仏印に進駐し，ほぼ同時に日独伊三国同盟❷を締結した。これと前後してアメリカが，航空機用ガソリンや屑鉄の対日輸出禁止の措置をとり，日本への経済制裁を本格化させた。

一方，新体制運動は，1940(昭和15)年10月に大政翼賛会として結実した。しかし，大政翼賛会は当初めざした政党組織ではなく，総裁を総理大臣，支部長を道府県知事などとし，部落会・町内会・隣組を下部組織とする官製の上意下達機関となった❸。

教育面では，1941(昭和16)年には小学校が国民学校に改められ，「忠君愛国」の国家主義的教育が推進された。また朝鮮・台湾でも，日本語教育の徹底など「皇民化」政策がとられ，朝鮮では姓名を日本風に改める創氏改名が強制された。

太平洋戦争の始まり

三国同盟の締結は，アメリカの対日姿勢をいっそう硬化させることになった。第2次近衛内閣では，日米衝突を回避するため日米交渉を開始した。1940年末の日米民間人同士の交渉が，野村吉三郎(1877～1964)とハル(Hull 1871～1955)国務長官とのあいだの政府間交渉に発展したものである。

一方，時を同じくして三国同盟の提携強化のためにドイツ・イタリアを訪問していた松岡洋右外相は，帰途モスクワで日ソ中立条約を結んだ。これは南進政策を進めるためには，北方での平和を確保するばかりでなく，悪化しつつあったアメリカとの関係を日ソ提携の力で調整しようとするねらいもあ

---

❶ 本国がドイツの占領下にあったオランダ領東インド(蘭印〈インドネシア〉)，本国がドイツに降伏していたフランス領インドシナ(仏印〈ベトナム・ラオス・カンボジア〉)などである。
❷ 三国は，ヨーロッパとアジアの「新秩序」における指導的地位を相互に認め，第三国からの攻撃に対しては，たがいに援助しあうことを約した。ソ連に対しては除外規定があり，アメリカを仮想敵国とする軍事同盟で，結果的にはアメリカの強い反発をまねいた。
❸ のちには大日本産業報国会・大日本婦人会・大日本翼賛壮年団・大日本青少年団など，あらゆる団体をその傘下におさめ，戦時の国民動員に役割を果たした。とくに，5～10戸ほどで構成される最末端組織の隣組(隣保班)は，回覧板による情報伝達や配給などの戦時業務を担わされた。

った。

　1941年6月，ドイツが突如ソ連に侵攻して独ソ戦争が始まった。これに対応するために開かれた1941(昭和16年)7月2日の御前会議❶は，軍部の強い主張によって，対米英戦覚悟の南方進出と，情勢有利の場合の対ソ戦(北進)とを決定した❷。第2次近衛内閣は日米交渉の継続をはかり，対米強硬論をとる松岡外相を除くためいったん総辞職した。第3次近衛内閣成立直後の7月末，すでに決定されていた**南部仏印進駐**が実行され，これに対してアメリカは在米日本資産を凍結し，対日石油輸出の禁止❸を決定した。アメリカは，日本の南進と「東亜新秩序」建設を阻止する意志を明確に示し，イギリス・オランダも同調した。日本の軍部はさらに危機感をつのらせ，「ABCD包囲陣」❹の圧迫をはね返すには戦争以外に道はないと主張した。

　9月6日の御前会議は，日米交渉の期限を10月上旬と区切り，交渉が成功しなければ対米(およびイギリス・オランダ)開戦に踏みきるという**帝国国策遂行要領**を決定した。日米交渉は，アメリカ側が日本軍の中国からの全面撤退などを要求したため，妥協点を見い出せないまま10月半ばを迎えた。日米交渉の妥結を強く希望する近衛首相と，交渉打切り・開戦を主張する**東条英機**陸軍大臣が対立し，10月16日に近衛内閣は総辞職した。
1884～1948

　木戸幸一内大臣は，9月6日の御前会議決定の白紙還元を条件として東条陸相を後継首相に推挙し❺，首相が陸相・内相を兼任する形で東条英機内閣が成立した。新内閣は9月6日の決定を再検討して，当面日米交渉を継続さ

❶　対外戦争の遂行に関わる問題について，大本営政府連絡会議が天皇臨席のもとで開催される場合，御前会議と呼ばれた。参謀総長・軍令部総長ら陸・海軍の代表および首相・外相・蔵相・内相・企画院総裁らが出席した。
❷　これを受けて陸軍は，シベリアなど極東ソ連領の占領計画を立て，関東軍特種演習(関特演)という名目で約70万人の兵力を満州に集結した。しかし，南進の決定によって8月に対ソ戦の計画は中止された。
❸　これまで開戦に消極的だった海軍部内でも，2年分ほどしかない国内の石油備蓄が尽きる前に即時に開戦して，南方の石油資源を確保すべきだとする開戦論がにわかに浮上した。
❹　軍部は，この時結ばれたA＝アメリカ(America)，B＝イギリス(Britain)，C＝中国(China)，D＝オランダ(Dutch)の4カ国の対日経済封鎖を中心とする包囲網を「ABCD包囲陣」と呼び，日本を不当に圧迫していると国民に訴えた。
❺　最後の元老である西園寺公望が死去し，以後の後継首相選定は木戸幸一内大臣(木戸孝允の孫)を中心に，首相経験者らで構成される重臣会議の合議の形がとられた。

6．第二次世界大戦　**361**

太平洋戦争の勃発　右は日米開戦を報じる新聞記事(『読売新聞』1941〈昭和16〉年12月8日付)。上は真珠湾奇襲攻撃を受けて炎上するアメリカ太平洋艦隊。(毎日新聞社)

せた。しかし，11月26日のアメリカ側の提案(ハル＝ノート)は，中国・仏印からの全面的無条件撤退，満州国・汪兆銘政権の否認，日独伊三国同盟の実質的廃棄など，満州事変以前の状態への復帰を要求する最後通告に等しいものだったので，交渉成立は絶望的になった。12月1日の御前会議は対米交渉を不成功と判断し，米・英に対する開戦を最終的に決定した。12月8日，日本陸軍が英領マレー半島に奇襲上陸し，日本海軍がハワイ真珠湾を奇襲攻撃した。日本はアメリカ・イギリスに宣戦を布告し❶，第二次世界大戦の重要な一環をなす**太平洋戦争**❷が開始された。

戦局の展開

日本の対米宣戦とともに，三国同盟によってドイツ・イタリアもアメリカに宣戦し，これを受けてアメリカはヨーロッパとアジア・太平洋の二正面戦争に突入した。こうして，戦争は全世界に拡大した。アメリカ・イギリス・ソ連などは**連合国**，日本・ドイツ・イ

---

❶ アメリカに対する事実上の宣戦布告である交渉打切り通告は，先制攻撃の戦果を上げたい軍部の思惑もあり，真珠湾攻撃開始後にずれ込んだ。その結果，アメリカの世論は「リメンバー＝パールハーバー」(真珠湾を忘れるな)との標語のもとに一致し，日本に対する激しい敵愾心に火がついた形となった。カリフォルニア州をはじめ，西海岸諸州に住む12万313人の日系アメリカ人が各地の強制収容所に収容されたが，ドイツ系・イタリア系のアメリカ人に対しては，こうした措置はとられなかった。アメリカ政府は，1988年になって，収容者に対する謝罪と補償をおこなった。

❷ 対米開戦ののち，政府は「支那事変」(日中戦争)を含めた目下の戦争を「大東亜戦争」と呼ぶことに決定し，敗戦までこの名称が用いられた。

タリアなどは枢軸国と呼ばれた。

　緒戦の日本軍は，ハワイでアメリカ太平洋艦隊，マレー沖でイギリス東洋艦隊に打撃を与え，開戦後から半年ほどのあいだに，イギリス領のマレー半島・シンガポール・香港・ビルマ(ミャンマー)，オランダ領東インド(インドネシア)，アメリカ領のフィリピンなど，東南アジアから南太平洋にかけての広大な地域を制圧して軍政下においた。日本国民の多くは，緒戦の段階の日本軍の勝利に熱狂した。当初，日本はこの戦争をアメリカ・イギリスの脅威に対する自衛措置と規定していたが，しだいに欧米の植民地支配からのアジア解放，「大東亜共栄圏」(→p.359)の建設といったスローガンに縛られ，戦域は限りなく拡大していった❶。

　国民が緒戦の勝利にわき返っていた1942(昭和17)年4月，東条英機内閣は，戦争翼賛体制の確立をめざし，5年ぶりの総選挙を実施した(**翼賛選挙**)。その結果，政府の援助を受けた推薦候補が絶対多数を獲得し❷，選挙後には挙国一致的政治結社として翼賛政治会が結成され，議会は政府提案に承認を与えるだけの機関となった。しかし，形式的には，憲法や議会活動が停止されることはなかった。

　連合国はドイツ打倒を第一としたので，当初は太平洋方面への軍事力投入は抑制された。しかし，アメリカによる軍事的優位の確保は早く，1942(昭和17)年6月，中部太平洋のミッドウェー島沖で日米の海軍機動部隊同士が戦い(**ミッドウェー海戦**)，日本側は主力空母4隻とその艦載機を失う大敗北を転機として，海上・航空戦力で劣勢となった。戦局は大きく転換し，この年の後半からはアメリカの対日反攻作戦が本格化した。

　その結果，日本側も戦略の再検討をせまられ，1943(昭和18)年9月30日の御前会議では，千島・小笠原・マリアナ・カロリン・西ニューギニア・ビルマを含む圏域(絶対国防圏)まで，防衛ラインを後退させることに決まった。

❶　1941(昭和16)年12月8日に出された「宣戦の詔書」では，米・英両国は中国に介入して，日本の東アジアの安定への努力を踏みにじったばかりか，経済断交を通じて日本の生存そのものをもおびやかしたので，日本は自存自衛のために戦争に訴えたのだと説明されていた。
❷　鳩山一郎・尾崎行雄・芦田均・片山哲らが推薦を受けずに立候補したが，警察や地方当局の選挙干渉に悩まされた。当選者の内訳は，推薦候補381人・非推薦候補85人であった。

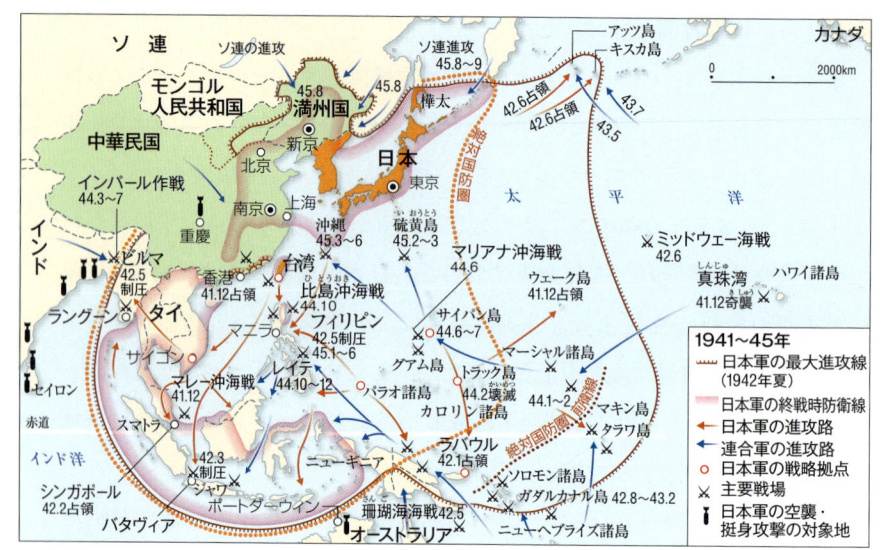

太平洋戦争要図

　1943(昭和18)年11月，東条内閣は，占領地域の戦争協力を確保するために，満州国や中国(南京)の汪兆銘政権，タイ・ビルマ・自由インド・フィリピンなどの代表者を東京に集めて**大東亜会議**を開き，「**大東亜共栄圏**」の結束を誇示した。しかし，欧米列強にとってかわった日本の占領支配は，アジア解放の美名に反して，戦争遂行のための資材・労働力調達を最優先するものだったので❶，住民の反感・抵抗がしだいに高まった。東南アジアの占領地では，現地の文化や生活様式を無視して，日本語学習や天皇崇拝・神社参拝を強要し，タイとビルマを結ぶ泰緬鉄道の建設，土木作業などや鉱山労働への強制動員もおこなわれた。ことにシンガポールやマレーシアでは，日本軍が多数の中国系住民(華僑)を反日活動の容疑で虐殺するという事件も発生した。その結果，日本軍は仏印・フィリピンをはじめ各地で組織的な抗日運動に直面するようになった❷。

　中国戦線では，太平洋戦争開始後，中国の飛行場が米軍に利用されるのを

---

❶　日本軍は東南アジア諸国を占領する際，欧米植民地からの解放軍として，住民の歓迎を受けることもあった。しかし，多くの地域(タイ・仏印を除く)で軍政が敷かれ，苛酷な収奪・動員が始まると，住民の評価は一変した。
❷　日本の敗戦後，これらの民族解放運動は植民地の本国軍と戦って自力で独立を勝ちとり，結果的に，アジアにおける欧米の植民地支配は一掃された。

防ぐ作戦や，華中と華南を連絡させるための作戦がなされた。とくに，中国共産党が華北の農村地帯に広く抗日根拠地(解放区)を組織してゲリラ戦を展開したのに対し，日本軍は抗日ゲリラに対する大掃討作戦(中国側はこれを三光作戦と呼んだ)を実施し，一般の住民にも多大の被害を与えた❶。

1944(昭和19)年7月，マリアナ諸島のサイパン島の陥落により，絶対国防圏の一角が崩壊すると，その責任を負う形で東条内閣は総辞職した。ついで，小磯国昭新首相(陸軍大将)に米内光政(海軍大将)が協力する陸海軍の連立内閣が成立した。
1880～1950

《《 国民生活の崩壊 》》 太平洋戦争の開戦後，政府は，民需生産の工場を軍需工場へ転用するなど軍需生産最優先政策をとる一方，国民に対しては生活を極度に切り詰めさせて兵力・労働力として根こそぎ動員した。1943(昭和18)年には，大学・高等学校および専門学校に在学中の徴兵適齢文科系学生を軍に徴集(**学徒出陣**)する一方，学校に残る学生・生徒や女子挺身隊に編制した女性を軍需工場などで働かせた(**勤労動員**)。また，数十万人の朝鮮人や占領地域の中国人を日本本土などに強制連行し，鉱山や土木工事現場などで働かせた❷。

軍隊に動員された青壮年男性は400万から500万人に達したので，日本国内で生産に必要な労働力が絶対的に不足した。制海・制空権の喪失によって南方からの海上輸送が困難となったため，軍需生産に不可欠の鉄鉱石・石炭・石油などの物資も欠乏した。

衣料では**総合切符制**が敷かれたが，切符があっても物がない状況となり❸，

---

❶ 中国戦線では毒ガスも使用され，満州などにおかれた日本軍施設では毒ガスや細菌兵器の研究がおこなわれた。満州のハルビンには，731部隊と呼ばれる細菌戦研究の特殊部隊(石井四郎中将ら)がおかれ，中国人やソ連人の捕虜を使った生体実験がおこなわれた。

❷ 朝鮮では1943年，台湾では1944年に徴兵制が施行された。しかし，すでに1938年に志願兵制度が導入され，植民地からも兵士を募集していた。また，戦地に設置された「慰安施設」には，朝鮮・中国・フィリピンなどから女性が集められた(いわゆる従軍慰安婦)。

❸ 開戦1年後の世帯調査では，購入回数のうち闇取引によるものが穀類では3分の1以上を，生魚介・乾物・蔬菜類では半分近くを占めていた。また，国民1人1日当たりのエネルギー摂取量は1942年に2000kcalを割り，1945年には1793kcalまで低下した。これは，第二次世界大戦に参戦した主要国のうちでもきわめて低い数字である。海外の日本占領地域でも軍事インフレで，経済状況は過酷であった。

成人1日2.3合（330g）の米の配給も、いも・小麦粉などの代用品の割合が増えていった。

1944（昭和19）年後半以降、サイパン島の基地から飛来する米軍機による本土空襲が激化した。空襲は当初軍需工場の破壊を目標としたが、国民の戦意喪失をねらって都市を焼夷弾で無差別爆撃するようになった。都市では、建築物の強制取りこわしや防空壕の掘削がおこなわれ、軍需工場の地方移転、住民の縁故疎開や国民学校生の集団疎開（学童疎開）も始まった。

学童の集団疎開　集団疎開は1944（昭和19）年7月頃から始まり、親と離れた児童41万人余りが地方の旅館や寺などに収容された。（毎日新聞社）

1945（昭和20）年3月10日の東京大空襲では、約300機のB29爆撃機が下町の人口密集地を中心に約1700トンの焼夷弾を投下し、一夜にして約10万人が焼死した。空襲は全国の中小都市にもおよび、内務省防空総本部の発表によれば、被害は家屋の全焼が約221万戸、死者約26万人、負傷者42万人に達し、主要な生産施設が破壊された。

敗戦

1944（昭和19）年10月、アメリカ軍はフィリピンの奪回をめざしてレイテ島に上陸し、激戦の末これを占領した❶。翌1945（昭和20）年3月に硫黄島を占領したアメリカ軍は、4月にはついに沖縄本島

沖縄戦　沖縄本島の中部に上陸したアメリカ軍は、付近の二つの飛行場を制圧し、島を南北に分断した。この間、日本軍は特攻機を投入した航空総攻撃をおこなったが、アメリカ艦隊を沖縄海域から撃退することはできなかった。沖縄を守備していた日本軍は、アメリカ軍を内陸に引き込んで反撃をする持久戦態勢をとったため、島民を巻き込んでの激しい地上戦となり、おびただしい数の犠牲者を出し、6月23日、組織的な戦闘は終了した。沖縄県援護課の資料によれば、死者は軍民あわせて18万人余りにのぼった。

❶　レイテ沖で連合艦隊は米艦隊に大敗し、日本海軍は組織的な作戦能力を喪失した。この際はじめて、海軍の神風特別攻撃隊（特攻隊）による体当たり攻撃がなされた。

ポツダム宣言

六　吾等ハ無責任ナル軍国主義カ世界ヨリ駆逐セラルルニ至ル迄ハ平和、安全及正義ノ新秩序カ生シ得サルコトヲ主張スルモノナルヲ以テ日本国国民ヲ欺瞞シ之ヲシテ世界征服ノ挙ニ出ツルノ過誤ヲ犯サシメタル者ノ権力及勢力ハ永久ニ除去セラレサルヘカラス

十　吾等ハ日本人ヲ民族トシテ奴隷化セントシ、又ハ国民トシテ滅亡セシメントスルノ意図ヲ有スルモノニ非サルモ、吾等ノ俘虜ヲ虐待セル者ヲ含ム一切ノ戦争犯罪人ニ対シテハ、厳重ナル処罰ヲ加ヘラルヘシ。日本国政府ハ日本国国民ノ間ニ於ケル民主主義的傾向ノ復活強化ニ対スル一切ノ障礙ヲ除去スヘシ。言論、宗教及思想ノ自由並ニ基本的人権ノ尊重ハ確立セラルヘシ

十二　前記諸目的カ達成セラレ、且日本国国民ノ自由ニ表明セル意志ニ従ヒ、平和的傾向ヲ有シ且責任アル政府カ樹立セラルルニ於テハ連合国ノ占領軍ハ直ニ日本国ヨリ撤収セラルヘシ

十三　吾等ハ日本国政府カ直ニ全日本国軍隊ノ無条件降伏ヲ宣言シ且右行動ニ於ケル同政府ノ誠意ニ適当且充分ナル保障ヲ提供センコトヲ同政府ニ対シ要求ス

右以外ノ日本国ノ選択ハ迅速且完全ナル壊滅アルノミトス

（『日本外交年表竝主要文書』）

他のおもな条項の要旨は、八、日本領土の削減、九、軍隊の解散、十一、軍需産業以外の平和産業の維持、将来貿易関係の参加を許可、などである。

に上陸し、島民を巻き込む3カ月近い戦いの末これを占領した(**沖縄戦**)。日本の敗北は必至の情勢となった。アメリカ軍沖縄上陸の直後、小磯国昭内閣が退陣して、侍従長を長くつとめ天皇の信頼も厚かった鈴木貫太郎(1867〜1948)が後継内閣を組織した。ヨーロッパ戦線でも、1943年に連合(国)軍が反攻に転じ、同年9月にまずイタリアが降伏し、ついで1945年5月にはドイツも無条件降伏して日本は完全に孤立した。軍部はなお本土決戦を叫んでいたが、鈴木内閣はソ連に和平交渉の仲介を依頼しようとした。

しかし、すでに1945年2月には、クリミア半島のヤルタで、アメリカ・イギリス・ソ連の3国の首脳会談(**ヤルタ会談**)がおこなわれており❶、さらに7月には、3国はベルリン郊外のポツダムで会談をして、ヨーロッパの戦後処理問題を協議していた。会談を契機に、アメリカは対日方針をイギリスに

---

❶　これより先の1943(昭和18)年に、アメリカ大統領フランクリン＝ローズヴェルト、イギリス首相チャーチル、中国国民政府主席蔣介石がエジプトのカイロで会談し、連合国が日本の無条件降伏まで徹底的に戦うことのほか、満州・台湾・澎湖諸島の中国返還、朝鮮の独立、日本の委任統治領である南洋諸島のはく奪など、日本領土の処分方針を決めた(カイロ宣言)。また、ヤルタ会談では、ローズヴェルト・チャーチルとソ連共産党中央委員会書記長スターリンがドイツの戦後処理問題を話しあうとともに、ドイツ降伏から2〜3カ月後のソ連の対日参戦や、ソ連への南樺太の返還および千島列島の譲渡、旅順・大連の自由港化を約す秘密協定が結ばれた(ヤルタ秘密協定)。

広島(上)・長崎(下)の爆心地の惨状 原爆は広島市中心部の上空で爆発し、約20万人が生命を奪われ、ついで長崎でも死者は7万人以上と推定されている。現在でも多くの人が放射能障害で苦しんでいる。

　提案し、アメリカ・イギリスおよび中国の3交戦国の名で、日本軍への無条件降伏勧告と日本の戦後処理方針からなる**ポツダム宣言**を発表した❶。
　ポツダム宣言に対して、「黙殺する」と評した日本政府の対応を拒絶と理解したアメリカは、人類史上はじめて製造した2発の**原子爆弾**を8月6日**広島**に、8月9日**長崎**に投下した。また8月8日には、ソ連が日ソ中立条約を無視して日本に宣戦布告し、満州・朝鮮に一挙に侵入した❷。陸軍はなおも本土決戦を主張したが、昭和天皇のいわゆる「聖断」によりポツダム宣言受諾が決定され、8月14日、政府はこれを連合国側に通告した。8月15日正午、天皇のラジオ放送で戦争終結が全国民に発表された。9月2日、東京湾内のアメリカ軍艦ミズーリ号上で日本政府および軍代表が降伏文書に署名して、4年にわたった太平洋戦争は終了した。

❶　アメリカ大統領トルーマン・チャーチル(のちにアトリー)・スターリンがポツダムで会談した。議題は、敗北したドイツの戦後処理問題であった。
❷　侵攻するソ連軍の前に関東軍はあえなく壊滅し、満蒙開拓移民をはじめ多くの日本人が悲惨な最期をとげた。生き残った人びとも、引揚げに際してきびしい苦難にあい、多数の中国残留孤児を生む結果となった。

第11章

占領下の日本

1　占領と改革

《戦後世界秩序の形成》　第一次世界大戦終結後わずか20年ほどで第二次世界大戦が勃発し、人類に多大の犠牲をもたらしたことに対する反省が、戦後秩序の構築の大前提となった。アメリカ・イギリス・ソ連の3国が、大戦中から戦争終結後の国際秩序について協議を重ねる中で、大戦の再発を防げなかった国際連盟にかわる**国際連合**の設立が合意された。1945年10月に連合国51カ国が参加して発足した国際連合は、アメリカ・イギリス・フランス・ソ連・中国の5大国を常任理事国とする**安全保障理事会**❶を設け、平和の破壊に対して、軍事行動の実施を含む強制措置発動を決定できる強大な権限を付与した。

　さらに連合国は、巨額の賠償金を敗戦国に課したヴェルサイユ条約の失敗にかんがみ、敗戦国が2度と戦争に訴えることのないよう、長期の占領を通じて、その国家と社会を平和的な仕組みに改革する道を選んだ。

　このように、国際連合を中心とした戦勝国の協調体制と敗戦国に対する占領を通じて、安定した戦後秩序が生み出されるはずであった。しかし、両大戦を経て著しく凋落した西欧諸国にかわって、アメリカとソ連が、抜きん出た軍事力・経済力を背景として世界に圧倒的な影響力をもつようになり、しかもこの両超大国のあいだで大戦末期以降しだいに相互不信と利害対立が深まった。こうして、戦後世界は**米ソ対立**を軸に展開することになった。

---

❶　常任理事国5カ国と非常任理事国10カ国の15の理事国からなる。重要な決議を通過させるためには、9カ国の理事国を必要とするが、常任理事国のうち1カ国でも反対票を投じた場合、これは拒否権と呼ばれ、決議は成立しない。

一方，西欧列強の支配下にあった多くの植民地では，戦争協力と引きかえに戦後の独立が約束されたり，大戦の過程で生活基盤が根本的に破壊されたりしたことから，大戦が終結するとともに民族解放運動が高揚するようになった❶。朝鮮でも独立への動きが高まったが，日本の降伏とともに，北緯38度線を境にして北はソ連軍，南はアメリカ軍によって分割占領され，軍政がしかれたため，統一的な独立を果たせなかった。

初期の占領政策

　日本はポツダム宣言にもとづいて連合国に占領されることになった❷。同じ敗戦国ドイツがアメリカ・イギリス・フランス・ソ連4カ国によって分割占領され，直接軍政のもとにおかれたのに対し，日本の場合はアメリカ軍による事実上の単独占領で，マッカーサー元帥（MacArthur 1880～1964）を最高司令官とする**連合国軍最高司令官総司令部**（GHQ／SCAP）の指令・勧告にもとづいて日本政府が政治をおこなう，間接統治の方法がとられた❸。

　連合国による対日占領政策決定の最高機関としてワシントンに極東委員会がおかれ，東京には最高司令官の諮問機関である対日理事会が設けられたが，アメリカ政府主導で占領政策が立案・実施された❹。当初の占領目標は，非軍事化・

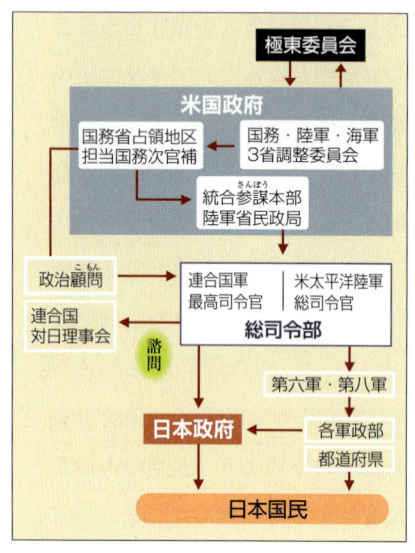

日本管理の命令系統

---

❶　日本の占領地域でも，インドネシアとベトナムがあいついで独立を宣言したが，それぞれの旧宗主国であるオランダとフランスが武力でおさえ込もうとして，激しい戦闘が生じた。
❷　朝鮮半島北部・南樺太・千島列島などはソ連軍が，朝鮮半島南部および奄美諸島・琉球諸島を含む南西諸島と小笠原諸島はアメリカ軍が占領し，直接軍政をしいた（→p.391）。台湾は中国に返還され，日本の主権は四つの島と連合国の定める諸小島の範囲に限定された。
❸　占領軍の日本政府に対する要求は，法律の制定を待たずに勅令（「ポツダム勅令」）によって実施に移され，憲法をもしのぐ超法規的性格を有した。さらに，アメリカ政府はマッカーサーに対して，日本政府の措置に不満の場合は直接行動をとる権限を与えていた。
❹　空襲と原爆投下によって日本を降伏させたアメリカの地位は，日本占領に関しては別格で，緊急事態には極東委員会の決定を待たずに「中間指令」を出せた。また，米・英・ソ・中の代表で構成された対日理事会も，農地改革の際を除いて大きな影響力をもたなかった。

民主化を通じて日本社会を改造し、アメリカや東アジア地域にとって日本がふたたび脅威となるのを防ぐことにおかれた。

　ポツダム宣言受諾とともに鈴木貫太郎内閣は総辞職し、皇族の東久邇宮稔彦が組閣して、1945（昭和20）年8月末以降の連合国軍の進駐受入れ、旧日本軍のすみやかな武装解除、降伏文書への調印を円滑に遂行した。しかし、「一億総懺悔」「国体護持」をとなえて占領政策と対立し、同年10月にGHQが、治安維持法や特別高等警察（特高）の廃止、共産党員はじめ政治犯の即時釈放を指令し（**人権指令**）❶、天皇に関する自由な議論を奨励したのを機に、内閣は総辞職した。かわって、かつての協調外交で米・英側にもよく知られた幣原喜重郎が首相に就任したが、マッカーサーは幣原に対して、「憲法の自由主義化」のほか、婦人参政権の付与、労働組合の結成奨励、教育制度の自由主義的改革、秘密警察などの廃止、経済機構の民主化、のいわゆる**五大改革**を口頭で指示した。ついでGHQは、政府による神社・神道への支援・監督を禁じ（神道指令）、戦時期の軍国主義・天皇崇拝の思想的基盤となった国家神道を解体した（国家と神道の分離）。

　国の内外に配備された陸・海軍の将兵約789万人の武装解除・復員が進み、日本の軍隊は急速に解体・消滅した。1945（昭和20）年9月から12月にかけて、GHQは軍や政府首脳など日本の戦争指導者たちをつぎつぎに逮捕したが、うち28人がA級戦犯容疑者として起訴され、1946（昭和21）年5月から東京に設置された極東国際軍事裁判所で裁判が始まった（**東京裁判**）。

　戦犯容疑者の逮捕が進むとともに、内外で天皇の戦争責任問題も取り沙汰された。しかしGHQは、天皇制廃止がもたらす収拾しがたい混乱を避け、むしろ天皇制を占領支配に利用しようとして、天皇を戦犯容疑者に指定しなかった。1946（昭和21）年元日、昭和天皇はいわゆる人間宣言をおこなって、「現御神」としての天皇の神格をみずから否定した。

　また1946（昭和21）年1月、GHQが戦争犯罪人・陸海軍軍人・超国家主義者・大政翼賛会の有力者らの**公職追放**を指令したのにもとづき、1948（昭和

---

❶　思想・言論の自由など市民的自由の保障が進められたが、他方で占領軍に対する批判は、いわゆるプレス＝コード（新聞発行綱領）で禁止され、新聞などの出版物は事前検閲を受けた。

東京裁判　ポツダム宣言は戦争犯罪人の「厳重なる処罰」を明記していたが，GHQは侵略戦争を計画・実行して，「平和に対する罪」をおかしたとして，戦前・戦中の多くの指導者を敗戦直後から逮捕した(A級戦犯)。GHQの一部局として設置された国際検察局を中心に被告の選定が進められた結果，1946(昭和21)年4月，まずは28人の容疑者が極東国際軍事裁判所に起訴された。

　審理の結果，1948(昭和23)年11月，東条英機以下7人の死刑をはじめとして全員(病死など3人を除く)に有罪判決がくだされ，翌12月死刑が執行された。この裁判で国家の指導者個人が戦争犯罪人として裁かれたのは，例のないことであった。しかし，11人からなる裁判官のあいだには意見の対立があり，朗読された多数派判決のほかに，インドのパル，オランダのレーリンクらが反対意見を書いている。

　A級戦犯のほかに，戦時中に捕虜や住民を虐待し，戦時国際法をおかしたもの(B・C級戦犯)として，オランダ・イギリス以下関係諸国がアジアに設置した裁判所で5700人余りが起訴され，984人が死刑，475人が終身刑の判決を受けた。

東京裁判の開廷　1946(昭和21)年5月，東条ら戦時の最高指導者たちが被告席に並んだ。(毎日新聞社)

23)年5月までに，政・財・官界から言論界に至る各界指導者21万人が戦時中の責任を問われて職を追われた。

　さらに，非軍事化の観点から軍需産業の禁止や船舶保有の制限がおこなわれたうえに，日本国内の産業設備を解体・搬出して中国・東南アジアの戦争被害国に供与する現物賠償をおこなうことになった。

民主化政策　GHQは，日本経済の後進性を象徴する財閥・寄生地主制(→p.303)(→p.305)が軍国主義の温床になったとみて，それらの解体を経済民主化の中心課題とした。1945(昭和20)年11月，まず三井・三菱・住友・安田など15財閥の資産の凍結・解体が命じられ，翌年には**持株会社整理委員会**が発足し，指定された持株会社・財閥家族の所有する株式などの譲渡を受けて，これを一般に売り出し，株式所有による財閥の傘下企業支配を一掃しようとした(**財閥解体**)。さらに1947(昭和22)年には，いわゆる**独占禁止法**によって持株会社やカルテル・トラストなどが禁止され，**過度経済力集中排除法**によって巨大独占企業の分割がおこなわれることになった❶。

---

❶ 1948(昭和23)年2月には325社が集中排除法の指定を受けたが，占領政策の変化により実際に分割されたのは日本製鉄・三菱重工など11社だけであった。

またGHQは，農民層の窮乏が日本の対外侵略の重要な動機となったとして，寄生地主制を除去し，安定した自作農経営を大量に創出する**農地改革**の実施を求めた。1946(昭和21)年，日本政府は第一次農地改革案を自主的に決定したが，地主制解体の面で不徹底であったため，翌年からGHQの勧告案にもとづく**自作農創設特別措置法**によって第二次農地改革が開始され❶，1950(昭和25)年までにほぼ完了した。不在地主の全貸付地，在村地主の貸付地のうち一定面積(都府県平均1町歩，北海道では4町歩)をこえる分は，国が強制的に買い上げて，小作人に優先的に安く売り渡した。

その結果，全農地の半分近くを占めていた小作地が1割程度にまで減少し，農家の大半が1町歩未満の零細な自作農となった一方，大地主たちは従来の大きな経済力と社会的威信とを一挙に失った❷。

低賃金構造にもとづく国内市場の狭さを解消して対外侵略の基盤を除去する観点から，GHQの労働政策は労働基本権の確立と労働組合の結成支援に向けられた。まず，1945(昭和20)年12月には**労働組合法**が制定され，労働者の団結権・団体交渉権・争議権が保障された❸。さらに，翌年に**労働関係調整法**，1947(昭和22)年には8時間労働制などを規定した**労働基準法**が制定され(以上が労働三法)，労働省が設置された。

教育制度の自由主義的改革も，民主化の重要な柱の一つであった。GHQは，

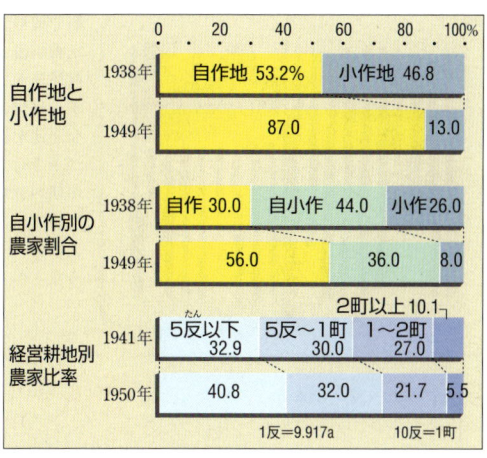

農地改革表(『農林省統計調査局資料』より)

	区分	0	20	40	60	80	100%
自作地と小作地	1938年	自作地 53.2%			小作地 46.8		
	1949年	87.0					13.0
自小作別の農家割合	1938年	自作 30.0		自小作 44.0		小作 26.0	
	1949年	56.0			36.0		8.0
経営耕地別農家比率	1941年	5反以下 32.9	5反〜1町 30.0	1〜2町 27.0	2町以上 10.1		
	1950年	40.8		32.0		21.7	5.5

1反=9.917a　10反=1町

❶ 各市町村ごとに，地主3・自作農2・小作農5の割合で選ばれた農地委員会が，農地の買収と売渡しに当たった。また，残った小作地についても，小作料は公定の定額金納とされた。
❷ 1946(昭和21)年に再結成された日本農民組合を中心とする農民運動は，農地改革を進める力となったが，改革後は衰え，1947(昭和22)年12月以降，農業経営を支援する農業協同組合(農協)が各地に設立された。
❸ 官公庁や民間企業で労働組合の結成があいつぎ，1946(昭和21)年には全国組織として，右派の日本労働組合総同盟(総同盟)，左派の全日本産業別労働組合会議(産別会議)が結成された。

1. 占領と改革　373

墨で塗りつぶされた教科書 新しい教科書がまにあわず、生徒に不適当な記述を墨で塗りつぶさせた教科書が使われた。そのため、ほとんど使えないページもあった。

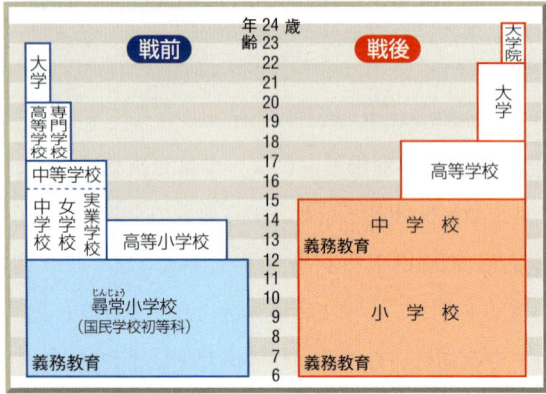

戦前・戦後の学制の比較

1945（昭和20）年10月には、教科書の不適当な記述の削除と軍国主義的な教員の追放（教職追放）を指示し、つづいて修身・日本歴史・地理の授業が一時禁止された❶。ついでアメリカ教育使節団の勧告により、1947（昭和22）年、教育の機会均等や男女共学の原則をうたった**教育基本法**が制定され、義務教育が6年から9年に延長された。同時に制定された**学校教育法**により、4月から六・三・三・四の新学制が発足した。大学も大幅に増設されてより大衆化し、女子大学生も増加した。1948（昭和23）年には、都道府県・市町村ごとに、公選による教育委員会が設けられ、教育行政の地方分権化がはかられた。

《政党政治の復活》

民主化政策がつぎつぎに実施される中で、各政党もあいついで復活ないし結成された。1945（昭和20）年10月には、GHQの指令で出獄した徳田球一（1894〜1953）らを中心に、日本共産党が合法政党として活動を開始した。11月には、旧無産政党を統合した日本社会党、旧立憲政友会系で翼賛選挙時の非推薦議員を中心に結成された日本自由党、旧立憲民政党系で翼賛体制期には大日本政治会に属していた議員を中心に結

---

❶ 文部省は従来の国定教科書から内容を一新した『くにのあゆみ』『あたらしい憲法のはなし』などを刊行した。国定歴史教科書の最後のものとなった『くにのあゆみ』は、建国神話からではなく、考古学的記述から始められていたが、1947（昭和22）年から新学制による社会科となったので、使用されなくなった。

成された日本進歩党が，12月には労資協調を掲げる日本協同党が誕生した。しかしGHQは，きたるべき総選挙にかつての戦争協力者が立候補するのをきらい，1946(昭和21)年1月の公職追放指令によって，翼賛選挙の推薦議員をすべて失格としたため，政界は大混乱におちいった。

　1945(昭和20)年12月には，衆議院議員選挙法を大幅に改正し，**女性参政権**をはじめて認めた新選挙法が制定された。満20歳以上の成人男女に選挙権が与えられた結果，有権者数はこれまでの3倍近くに拡大した。翌1946(昭和21)年4月に戦後初の総選挙がおこなわれ，39名の女性議員が誕生し，日本自由党が第一党となった。同年5月，戦前からの親英米派外交官であった**吉田茂**(1878～1967)が，公職追放処分を受けた鳩山一郎(1883～1959)にかわって，日本進歩党の協力を得て第1次吉田内閣を組織した。

《**日本国憲法の制定**》　1945(昭和20)年10月，幣原喜重郎内閣はGHQに憲法改正を指示され，憲法問題調査委員会(委員長松本烝治(1877～1954))を政府内に設置した。しかし，同委員会作成の改正試案が依然として天皇の統治権を認める保守的なものだったため，GHQは極東委員会の活動が始まるのを前に，みずから英文の改正草案(マッカーサー草案)を急きょ作成して❶，1946(昭和21)年2月，日本政府に提示した。政府は，これにやや手を加えて和訳したものを政府原案として発表した。新憲法制定は手続き上，大日本帝国憲法を改正する形式をとり，改正案は衆議院と貴族院で修正可決❷されたのち，**日本国憲法**として1946(昭和21)年11月3日に公布され，1947(昭和22)年5月3日から施行された。

　新憲法は，**主権在民・平和主義・基本的人権の尊重**の3原則を明らかにした画期的なものであった。国民が直接選挙する国会を「国権の最高機関」とす

---

❶　高野岩三郎らによる民間の憲法研究会は，1945(昭和20)年12月に主権在民原則と立憲君主制をとった「憲法草案要綱」を発表し，GHQや日本政府にも提出していた。GHQはマッカーサー草案を執筆した際，この「憲法草案要綱」も参照した。

❷　GHQ草案がそのまま新憲法になったのではなく，政府案の作成や議会審議の過程で追加・修正がなされた。草案では国会は衆議院のみの一院制だったが，日本政府の強い希望で参議院を加えて二院制となった。また衆議院の修正段階では，芦田均の発案により，戦力不保持に関する第9条第2項に「前項の目的を達するため」との字句が加えられ，自衛のための軍隊保持に含みを残した。

日本国憲法

〔前文〕日本国民は、正当に選挙された国会における代表者を通じて行動し、われらとわれらの子孫のために、諸国民との協和による成果と、わが国全土にわたつて自由のもたらす恵沢を確保し、政府の行為によって再び戦争の惨禍が起ることのないやうにすることを決意し、ここに主権が国民に存することを宣言し、この憲法を確定する。……

第一条　天皇は、日本国の象徴であり日本国民統合の象徴であつて、この地位は、主権の存する日本国民の総意に基く。

第九条　日本国民は、正義と秩序を基調とする国際平和を誠実に希求し、国権の発動たる戦争と、武力による威嚇又は武力の行使は、国際紛争を解決する手段としては、永久にこれを放棄する。

② 前項の目的を達するため、陸海空軍その他の戦力は、これを保持しない。国の交戦権は、これを認めない。

第一一条　国民は、すべての基本的人権の享有を妨げられない。この憲法が国民に保障する基本的人権は、侵すことのできない永久の権利として、現在及び将来の国民に与へられる。

第二五条　すべて国民は、健康で文化的な最低限度の生活を営む権利を有する。

② 国は、すべての生活部面について、社会福祉、社会保障及び公衆衛生の向上及び増進に努めなければならない。

第二八条　勤労者の団結する権利及び団体交渉その他の団体行動をする権利は、これを保障する。

る一方、天皇は政治的権力をもたない「日本国民統合の象徴」となった（**象徴天皇制**）。また第9条第1項で「国際紛争を解決する手段」としての**戦争を放棄**し、第2項で「前項の目的を達するため」戦力は保持せず、交戦権も認めないと定めたことは、世界にも他に例がない。

新憲法の精神にもとづいて、多くの法律の制定あるいは大幅な改正がおこなわれた。1947（昭和22）年に改正された民法（**新民法**）は、家中心の戸主制度を廃止し、男女同権の新しい家族制度を定めた❶。刑事訴訟法は人権尊重を主眼に全面改正され、刑法の一部改正で不敬罪・姦通罪などが廃止された。また1947（昭和22）年には**地方自治法**が成立して、都道府県知事・市町村長が公選となり、地方行政や警察に権力をふるってきた内務省もGHQの指示で廃止された。国家地方警察とともに自治体警察をつくることを定めた警察法も、1947（昭和22）年末に公布され、翌年施行された。

《 生活の混乱と大衆運動の高揚 》

戦争によって国民の生活は徹底的に破壊された。空襲によって焼け出され

---

❶ 戸主の家族員に対する支配権は否定され、家督相続制度にかえて財産の均分相続が定められ、婚姻・家族関係における男性優位の諸規定は廃止された。

復員と引揚げ

敗戦の時点で海外にいた日本の軍隊は約310万人, その他約320万人の一般居留民がいた。財産を失った居留民と復員将兵からなる約630万人の日本人が, 日本国内に引き揚げることになった。

とりわけ悲惨だったのは旧満州国地域の居留民で, 彼らのうち, 飢えと病気で死んだものも少なくないし, 残留孤児として残されたものもあった。ソ連に降伏した約60万人の軍人や居留民はシベリアの収容所に移送され, 厳寒の中で何年間も強制労働に従事させられて, 6万人以上の人命が失われた。ソ連からの引揚げはもっとも遅れ, 最終的には1956(昭和31)年頃までかかった。

中国	1,541,329	沖縄	69,416
満州	1,045,525	本土隣接諸島	62,389
朝鮮	919,904	ベトナム	32,303
台湾	479,544	香港	19,347
旧ソ連	472,951	インドネシア	15,593
樺太・千島	293,533	ハワイ	3,659
オーストラリア	138,843	ニュージーランド	797
フィリピン	133,123	その他	937,461
太平洋諸島	130,968	合計	6,296,685

日本人の海外引揚げ者数(2003年1月時点, 軍人を含む,『厚生労働省社会・援護局資料』より)

た人びとは, 防空壕や焼け跡に建てたバラック小屋で雨露をしのいだ。鉱工業生産額は戦前の3分の1以下にまで落ち込んだ。将兵の**復員**や**引揚げ**で人口はふくれ上がり, 失業者も急増した❶。1945(昭和20)年は記録的な凶作で, 食糧不足は深刻となり❷, 米の配給も不足し, サツマイモやトウモロコシなどの**代用食**にかえられた。遅配・欠配が続いたので, 都市民衆は農村への**買出し**や**闇市**での闇買い, 家庭での自給生産で飢えをしのいだ。

買出し列車 食料を求める人びとは, すし詰めの列車に乗って農村へ出かけた。写真は, 1945(昭和20)年秋, 千葉県の総武本線日向駅付近。(朝日新聞社)

❶ 復員軍人や引揚げ者のほかに, 軍需工場の閉鎖などによる失業者も生じた。
❷ 米の総収穫量は, 1940〜44(昭和15〜19)年の平均が911万トンであったのに対して, 1945(昭和20)年には587万トンへと3割以上も落ち込んだ。

1. 占領と改革　377

極度の物不足に加えて、終戦処理などで通貨が増発されたため❶、猛烈なインフレーションが発生した。1946(昭和21)年2月、幣原内閣は預金を封鎖してそれまで使用されていた旧円の流通を禁止し、新円の引出しを制限することによって貨幣流通量を減らそうとした(**金融緊急措置令**)が、効果は一時的であった。第1次吉田茂内閣は経済安定本部を設置して対応し、1947(昭和22)年には、資材と資金を石炭・鉄鋼などの重要産業部門に集中する**傾斜生産方式**を採用し、復興金融金庫(復金)を創設して電力・海運などを含む基幹産業への資金供給を開始した。

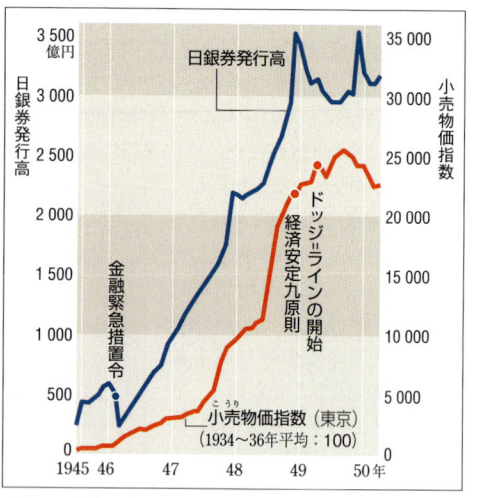

戦後の通貨発行高と物価指数(『本邦経済統計』より)

　国民生活の危機は、大衆運動を高揚させた。敗戦直後には、労働者たちが自主的に生産・業務を組織する生産管理闘争が活発になった。さらに全官公庁共同闘争委員会に結集した官公庁労働者を中心に、吉田内閣打倒をめざし、1947(昭和22)年2月1日を期して基幹産業を巻き込むゼネラル゠ストライキへの突入が決定されたが、スト突入前日にGHQの指令で中止された。

　1947(昭和22)年4月、新憲法下の新しい政府を組織するため、衆参両議院議員の選挙がおこなわれた。その結果、大衆運動の高揚を背景に日本社会党が日本自由党・民主党をわずかの差で破り、衆議院第一党となった。新憲法下最初の首班指名で日本社会党委員長**片山哲**(1887〜1978)が選出され、民主党・国民協同党との連立内閣が発足した。GHQは、日本が保守でも急進でもない「中道」を歩んでいることの証として新内閣の誕生を評価していたが、内閣は連立ゆえの政策の調整に苦しみ、炭鉱国家管理問題で党内左派から攻撃され、翌年2月に総辞職した。ついで民主党総裁の**芦田均**(1887〜1959)が、同じ三党の連立で内

---

❶　敗戦直後に、臨時軍事費が大量に支払われたことのほか、日本銀行の対民間貸出しの増加などによる。

閣を組織したが，広く政界からGHQまで巻き込んだ疑獄事件（昭和電工事件）で退陣した。

2 冷戦の開始と講和

冷戦体制の形成と東アジア

原子爆弾の威力で大戦を終結させたアメリカは，圧倒的な国力を背景に，イギリスにかわって世界の指導・管理に乗り出した❶。ソ連に占領された東欧諸国ではソ連型の共産主義体制が樹立され，強大なソ連が小国を支配する「衛星国」化が進行した。

これに対してアメリカは，トルーマン大統領（1884〜1972）が1947年にソ連「封じ込め」政策の必要をとなえ（トルーマン＝ドクトリン），ついで1947年のマーシャル＝プラン❷にもとづいて西欧諸国の復興と軍備増強を援助することで，ヨーロッパにおける共産主義勢力との対決姿勢を鮮明にした。こうして，アメリカを盟主とする西側（資本主義・自由主義陣営）とソ連を盟主とする東側（社会主義・共産主義陣営）の二大陣営が形成され，1949年，アメリカと西欧諸国の共同防衛組織である**北大西洋条約機構**（NATO）が結成された。一方，ソ連は1949年に原爆開発に成功し，1955年にはソ連と東欧7カ国の共同防衛組織である**ワルシャワ条約機構**が結成された。

これ以降，核武装した東西両陣営は軍事的な対峙を継続し，勢力範囲の画定や軍備・経済力・イデオロギーなどあらゆる面で激しい競争を展開した。「冷たい戦争」（「冷戦」）と呼ばれる対立はしだいに世界におよび，戦後世界秩序の骨格を形づくった（冷戦体制）。また，国連の国際安全保障への信頼性は動揺するようになった。

中国では，農民の強い支持を受けた共産党が，アメリカに支援された国民

---

❶ IMF（国際通貨基金）や世界銀行の創設，GATT（関税及び貿易に関する一般協定）の締結などにみられるように，大戦末期からアメリカ主導で，ドルを基軸通貨とする固定為替相場制と自由貿易体制のもとで資本主義的世界経済の再建をはかる枠組みが構築された（→p.393）。
❷ アメリカの国務長官マーシャルの提案にもとづくこの政策は，全ヨーロッパの復興援助計画であったが，ソ連・東欧諸国はその受入れを拒否した。

党との内戦に勝利し、1949年10月に北京で中華人民共和国(主席毛沢東)の成立を宣言した。翌年には中ソ友好同盟相互援助条約が成立し、新中国は東側陣営に加わった。一方、敗れた国民党は台湾に逃れて、中華民国政府(総統蔣介石)を存続させた。朝鮮半島では、1948年、ソ連軍占領地域に朝鮮民主主義人民共和国(北朝鮮、首相金日成)が、アメリカ軍占領地域には大韓民国(韓国、大統領李承晩)が建国され、南北分断状態が固定化した。

占領政策の転換

中国内戦で共産党の優勢が明らかになった1948(昭和23)年以降、アメリカの対日占領政策は転換した。アメリカ政府は日本を政治的に安定した工業国として復興させ、西側陣営の東アジアにおける主要友好国とする政策を採用した❶。このためGHQも、非軍事化・民主化という当初の占領目的はすでに達成されたとして、日本の工業生産能力を低くおさえようとする政策を改め、経済復興を強く求めるようになった。

日本の諸外国に対する賠償は軽減され、過度経済力集中排除法にもとづく企業分割は大幅に緩和された。1948(昭和23)年には、GHQの命令による政令201号で国家公務員法が改正され、労働運動の中核であった官公庁労働者は争議権を失った。また、翌年以降、公職追放の解除が進められた。

占領政策の転換と同時に、1948(昭和23)年10月に芦田均の中道連立内閣が倒れると、民主自由党❷の第2次吉田茂内閣が成立した。翌年1月の総選挙で民主自由党は絶対多数の議席を獲得し、保守政権を安定させた。

GHQは、日本の経済復興に向けてつぎつぎと積極的な措置をとった。片山哲・芦田均内閣のもとで実施された傾斜生産方式は、生産再開の起動力となったが、赤字財政による巨額の資金投入にともなって、ますますインフレが進行した。これに対して、GHQは1948(昭和23)年12月、第2次吉田内閣

---

❶ 対日政策の転換は、まず、1948年1月のロイヤル陸軍長官の演説で表明された。ついで同年10月、アメリカ政府は、冷戦政策の提唱者の一人である外交官ケナンの提言をもとに、行政責任の日本政府への大幅委譲、公職追放の緩和、民間企業の育成、均衡予算の達成などによる経済復興の推進を決定した。
❷ 日本自由党は民主党の脱党者を吸収して民主自由党になり、1950(昭和25)年からは自由党となった。

に対し，総予算の均衡，徴税の強化，金融貸出しは復興のみに制限，賃金の安定，物価の統制などの内容を含む，**経済安定九原則❶**の実行を指令した。これを実施させるため，翌年には銀行家のドッジ(Dodge 1890～1964)が特別公使として派遣され，一連の施策を指示した（**ドッジ＝ライン**）。

第3次吉田内閣はドッジの要求に従い，まったく赤字を許さない予算を編成し，財政支出を大幅に削減した。ついで，1ドル＝360円の**単一為替レート**を設定して日本経済を国際経済に直結させ，国際競争の中で輸出振興をはかろうとした。1949（昭和24）年には，財政学者のシャウプ(Shoup 1902～2000)を団長とする租税専門家チームが来日して勧告をおこない，これにもとづく税制の大改革で，直接税中心主義や累進所得税制が採用された。

ドッジ＝ラインによってインフレは収束したが，1949（昭和24）年後半からの不況が深刻化し，中小企業の倒産が増大した。これに行政や企業の人員整理が重なって，失業者があふれるようになった。人員整理の強行には，共産党・産別会議や国鉄労組などを中心とする労働者側も激しく抵抗したが，同年夏に国鉄をめぐって続発した**下山事件・三鷹事件・松川事件❷**で嫌疑をかけられた影響もあり，労働者側は結局おし切られた。

《**朝鮮戦争と日本**》　南北分断状態となった朝鮮半島では，1950年6月，中国革命の成功に触発された北朝鮮が，武力統一をめざして北緯38度線をこえて韓国に侵攻し，**朝鮮戦争**が始まった。

松川事件　福島県松川駅付近でレールがはずされ，通りかかった列車が転覆，乗務員が死亡した。国鉄などの共産党員・組合活動家が多数逮捕されたが，裁判では無罪になった。（毎日新聞社）

---

❶　徹底した引締め政策でインフレを一気におさえて円の価値を安定させ，国際競争力を高める輸出志向型の発展によって日本経済を復興・自立させることがめざされた。
❷　1949（昭和24）年7月から8月にかけて，人員整理を進めていた下山定則国鉄総裁の怪死事件，中央線三鷹駅構内での無人電車の暴走事故，東北本線松川駅付近で列車の脱線・転覆事故が発生した。政府は，一連の事件は国鉄労働組合・共産党の関与によると発表したため，労働者側は打撃を受けたが，事件の真相は今なお不明である。

2．冷戦の開始と講和　381

北朝鮮軍はソウルを占拠し朝鮮半島南部を席巻したが，アメリカ軍が国連軍❶として介入した結果，北朝鮮軍をおし返した。アメリカ軍は1950年9月の仁川（インチョン）上陸作戦を転機として北緯38度線をこえて中国の国境にせまった。これに対し，中国人民義勇軍が北朝鮮側に参戦し，北緯38度線付近で戦線は膠着状態となった❷。1951年7月から休戦会談が始まり，1953年7月に板門店（パンムンジョム）で休戦協定が調印された。

　朝鮮戦争が始まると，在日アメリカ軍が朝鮮に動員されたあとの軍事的空白を埋めるために，GHQの指令で**警察予備隊**が新設された。旧軍人の公職追放解除も進められ，旧軍人は警察予備隊に採用されていった。これより先，GHQは日本共産党幹部の公職追放を指令し，戦争勃発に続いて共産主義者の追放（レッドパージ）が始まり，マスコミから民間企業・官公庁へと広がった。労働運動では左派の産別会議の勢力が弱まる中，1950（昭和25）年，反産別派の組合がGHQのあと押しで**日本労働組合総評議会**（総評）を結成し，運動の主導権を握った❸。

講和と安保条約

　朝鮮戦争で日本の戦略的価値を再認識したアメリカは，占領を終わらせて日本を西側陣営に早期に編入しようとする動きを加速させた。アメリカのダレス（Dulles 1888〜1959）外交顧問らは対日講和からソ連などを除外し（単独講和），講和後も日本に駐留することなどを条件に準備を進めた。

　日本国内には，ソ連・中国を含む全交戦国との全面講和❹を主張する声もあったが，第3次吉田茂内閣は，独立・講和の時期をめぐる問題はアメリカ軍基地にあると考え，再軍備の負担を避けて経済復興に全力を注ぐためにも

---

❶　国際連合の安全保障理事会は，ソ連代表が欠席する中で開かれ，朝鮮民主主義人民共和国（北朝鮮）を侵略者として武力制裁することを決定した。

❷　国連軍の総司令官マッカーサーは，戦局のゆきづまりを打開するために中国東北部の爆撃を主張したが，1951年，戦争の拡大を恐れるトルーマン米大統領によって突然解任された。

❸　しかし総評は，まもなく講和問題を契機に大きく路線を転換し，日本社会党と提携しつつ，対アメリカ協調的な保守政治に反対する戦闘的な姿勢を強めた。

❹　南原繁・大内兵衛らの知識人層や日本社会党・日本共産党が，全面講和の論陣を張った。日本社会党は，サンフランシスコ平和条約の批准をめぐって党内の対立が激化し，1951（昭和26）年，左右両派に分裂した。

サンフランシスコ平和条約

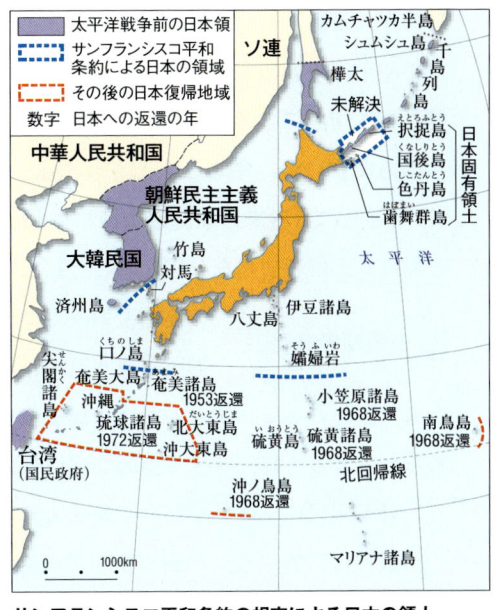

第三条　日本国は、北緯二十九度以南の南西諸島（琉球諸島を含む。）並びに沖の鳥島及び南鳥島の南方諸島（小笠原群島……を含む。）を合衆国を唯一の施政権者とする信託統治制度の下におくこととする国際連合に対する合衆国のいかなる提案にも同意する。

第六条（a）　連合国のすべての占領軍は、この条約の効力発生の後なるべくすみやかに、且つ、いかなる場合にもその後九十日以内に、日本国から撤退しなければならない。但し、この規定は……協定に基く……外国軍隊の日本国の領域における駐とん又は駐留を妨げるものではない。

（『条約集』）

サンフランシスコ平和条約の規定による日本の領土

西側諸国のみとの講和によって独立を回復し、施設提供の見返りに独立後の安全保障をアメリカに依存する道を選択した。

　1951（昭和26）年9月、サンフランシスコで講和会議が開かれ、日本と48カ国とのあいだで**サンフランシスコ平和条約**が調印された❶。翌年4月、条約が発効して約7年間におよんだ占領は終結し、日本は独立国としての主権を回復した。この条約は、交戦国に対する日本の賠償責任を著しく軽減したが❷、領土についてはきびしい制限を加え、朝鮮の独立、台湾・南樺太・千島列島などの放棄が定められ、南西諸島・小笠原諸島はアメリカの施政権下

---

❶　ソ連などは講和会議には出席したが調印せず、インド・ビルマ（ミャンマー）などは条約案への不満から出席しなかった。主要交戦国である中国については、中華人民共和国と中華民国のいずれもまねかれなかった。のちに日本は、1952（昭和27）年に中華民国と日華平和条約を結び、つづいてインド（1952年）・ビルマ（1954年）とも平和条約を結んだ。

❷　サンフランシスコ平和条約は、日本が交戦国の戦争被害に対しておもに役務の供与により賠償を支払う義務を定めたが、冷戦激化の情勢に応じて、アメリカをはじめ多くの交戦国が賠償請求権を放棄した。これに対し、日本軍の占領を受けたフィリピン・インドネシア・ビルマ・南ベトナムの東南アジア4カ国はそれぞれ日本と賠償協定を結び、日本政府は1976（昭和51）年までに総額10億ドルの賠償を支払った。その支払いは、建設工事などのサービス（役務の供与）や生産物の提供という形をとったため、日本の商品・企業の東南アジア進出の重要な足がかりとなった。また、非交戦国のタイや韓国に対しても、日本は賠償に準ずる支払いをおこなった。

2. 冷戦の開始と講和　383

におかれた❶。

　平和条約の調印と同じ日，**日米安全保障条約**(安保条約)が調印され，独立後も日本国内にアメリカ軍が「極東の平和と安全」のために駐留を続け，日本の防衛に「寄与」することとされた❷。この条約にもとづいて翌1952(昭和27)年2月には**日米行政協定**が締結され，日本は駐留軍に基地(施設・区域)を提供し，駐留費用を分担することになった。

占領期の文化

　一連の占領改革によって，思想や言論に対する国家の抑圧が取り除かれ，従来の価値観・権威は大きく否定された。かわって，個人の解放・民主化という新しい理念が占領軍の手で広められるとともに，アメリカ的な生活様式や大衆文化が急激な勢いで流れ込み，日本国民によってしだいに受け入れられていった。

　出版界は活気づき，印刷用紙不足にもかかわらず数多くの新聞や雑誌❸が誕生し，民主化を促進した。

　天皇制に関するタブーもとかれ，またマルクス主義が急速に復活をとげる中，人文・社会科学各分野の研究に新しい分野が開かれた。登呂遺跡・岩宿遺跡の発掘など考古学研究がさかんになる一方，西欧近代との比較により日本の後進性を批判する丸山真男(1914～96)の政治学，大塚久雄(1907～96)の経済史学，川島武宜(1909～92)の法社会学などが学生・知識人に大きな影響をおよぼした。自然科学の分野では，理論物理学者の湯川秀樹(1907～81)が1949(昭和24)年に日本人ではじめてノーベル賞を受賞した。また同年，あらゆる分野の科学者を代表する機関として**日本学術会議**が設立された。

　また，法隆寺金堂壁画の焼損(1949年)をきっかけとして，伝統的価値のある文化財を保護するために，1950(昭和25)年には**文化財保護法**が制定された❹。1937(昭和12)年に学問・芸術の発達を奨励するために制定され中断し

---

❶　南西諸島・小笠原諸島は，アメリカの信託統治が予定されていたが，アメリカはこれを国際連合に提案せずに施政権下においた。奄美諸島は1953(昭和28)年に日本に返還された。
❷　条約上は，アメリカが必要とすれば日本のどの地域でも基地として要求することができ，在日アメリカ軍の行動範囲とされた「極東」の定義も不明確であった。
❸　総合雑誌では，『中央公論』などの復刊，『世界』『思想の科学』などの創刊があいついだ。
❹　伝統ある文化財を保護し，文化を復興するために，1968(昭和43)年には文化庁が設置された。

おもな文学作品 ＊印は戯曲

坂口安吾　白痴(1946)
太宰治　斜陽(47)
大岡昇平　俘虜記(48)
谷崎潤一郎　細雪(48)
木下順二　夕鶴＊(49)
三島由紀夫　仮面の告白(49)
野間宏　真空地帯(52)
峠三吉　原爆詩集(51)
石原慎太郎　太陽の季節(55)
大江健三郎　飼育(58)
松本清張　点と線(58)

ダンスホールの開場(1949年，神戸)　社交ダンスは，若い男女にとって親密さを深めるだけでなく，アメリカから入った新しい文化そのものとなった。(神戸新聞社)

人気を呼ぶプロ野球　1951(昭和26)年におこなわれた第1回オールスター戦の第2戦。東京後楽園球場は，満員となった。(毎日新聞社)

　ていた文化勲章の授与も，1946(昭和21)年に復活した。
　文学ではまず，社会の常識や既成のリアリズムに挑戦する太宰治・坂口安吾らの作品が，敗戦で虚脱した人びとに衝撃を与えた。また，大岡昇平と野間宏は，自身の苛烈な戦時体験を西欧現代文学に学んだ斬新な手法で表現して，戦後文学の頂点を築いた。

　戦争の悪夢から解放された日本国民のあいだには，日々の生活の苦しさにもかかわらず，明るくのびやかな大衆文化が広がった。歌謡曲では，「リンゴの唄」の大流行に続いて，美空ひばりが登場した。大衆娯楽としての映画は黄金時代を迎え，溝口健二・黒澤明らの作品は国際的にも高く評価された。GHQの指導のもとに再出発した日本放送協会(NHK)のラジオ放送はドラマやスポーツ中継で高い人気を獲得し，1951(昭和26)年からは民間放送も開始された。

2．冷戦の開始と講和　**385**

第12章 高度成長の時代

1 55年体制

冷戦構造の世界 朝鮮戦争の休戦後も米・ソは原爆から水爆へ、さらに核兵器を遠方に撃ち込む大陸間弾道ミサイル(ICBM)へと、とめどない軍備拡大競争にのめり込んだ❶。しかし、核対決の手詰まりの中で、1950年代半ばから東西対立を緩和する動きが生まれた(「雪どけ」)。ソ連では独裁者スターリン(Stalin 1879～1953)の死後、フルシチョフ(Khrushchov 1894～1971)が東西平和共存路線を打ち出し、1959年に訪米してアイゼンハワー(Eisenhower 1890～1969)大統領と首脳会談をおこなった。つづいて部分的核実験停止条約(1963年)・核兵器拡散防止条約(1968年)が調印されるなど、核軍縮交渉が始まった。

1960年代には両陣営内で「多極化」が進み、米・ソの圧倒的地位にかげりがみえるようになった。西側諸国は対米依存のもとで復興を進めていたが、ヨーロッパ経済共同体(EEC, 1957年)につぐヨーロッパ共同体(EC, 1967年)が組織され、経済統合を進めて自立をはかった。ド＝ゴール(de Gaulle 1890～1970)大統領のフランスは独自の外交を展開し、西ドイツや日本は驚異的な経済成長をとげてアメリカ産業をおびやかすようになった。東側陣営内では中ソ対立が表面化し、中国は1964年に核実験を成功させ、1966年には「文化大革命」を開始した。

第三勢力の台頭もめざましくなった。1955年には中国・インドを中心にアジア＝アフリカ会議(バンドン会議)が開催されて❷、新興独立国家群の結集

---

❶ ソ連の人工衛星スプートニクの打上げ(1957年)、アメリカの宇宙船アポロ11号による人類初の月面着陸(1969年)など、米・ソの競争は宇宙をめぐっても展開された。
❷ 1954年、中国とインドは周恩来・ネルー会談で、両国友好の基礎として「平和五原則」を確認しており、これを基礎にアジア＝アフリカ会議では、平和共存・反植民地主義をうたった「平和十原則」が決議された。

がはかられ、1960年代にはアジア・アフリカ諸国が国連加盟国の過半を占めるようになった。

ベトナムでは、1954年の**インドシナ休戦協定**によりフランス軍は撤退した。しかし、南北分断のもとでなおも内戦が続き、1965年からは、南ベトナム政府を支援するアメリカが北ベトナムへの爆撃(**北爆**)を含む大規模な軍事介入を始め、北ベトナムと南ベトナム解放民族戦線は中・ソの援助を得て抗戦した(**ベトナム戦争**)。

独立回復後の国内再編

1952(昭和27)年のサンフランシスコ平和条約(→p.383)の発効は、GHQの指令で制定された多数の法令の失効を意味した。吉田茂内閣は、労働運動や社会運動をおさえるため法整備を進め、「血のメーデー事件」❶を契機に、7月、暴力主義的破壊活動の規制をめざす**破壊活動防止法**を成立させ、その調査機関として公安調査庁を設置した。

平和条約発効とともに海上警備隊が新設され、警察予備隊は保安隊に改組(→p.382)されたが、アメリカの再軍備要求はさらに強まり、吉田内閣は防衛協力の実施に踏みきった。1954(昭和29)年に**MSA協定**(日米相互防衛援助協定など4協定の総称)が締結され、日本はアメリカの援助(兵器や農産物など)を受けるかわりに、自衛力の増強を義務づけられ、政府は同年7月、新設された防衛庁の統轄のもとに、保安隊・海上警備隊を統合して、陸・海・空の3隊からなる**自衛隊**❷を発足させた。また同年に自治体警察を廃止し、警察庁指揮下の都道府県警察からなる国家警察に一

自衛隊発足記念式典での観閲行進(1954年7月1日)(毎日新聞社)

---

❶ 1952(昭和27)年5月1日、メーデー中央集会のデモ隊が使用不許可とされた皇居前広場に入り、警官隊とデモ隊とが衝突して多数の死傷者を出した。皇居前広場事件ともいう。

❷ 直接・間接の侵略からの自衛を主たる任務とし、災害救助のほか治安維持を目的に出動を命じることができるとされた。自衛隊の最高指揮監督権は内閣総理大臣に属し、内閣の一員で文民の防衛大臣が総理の指揮・監督のもと隊務を統轄することになっている。

1. 55年体制　**387**

本化して，警察組織の中央集権化をはかった（新警察法）❶。

　左右の社会党・共産党・総評などの革新勢力は，こうした吉田内閣の動きを占領改革の成果を否定する「逆コース」ととらえ，積極的な反対運動を組織した。とくに，内灘(石川県)・砂川(東京都)などでのアメリカ軍基地反対闘争，第五福龍丸事件を契機に原水爆禁止運動❷などが全国で高まりをみせた。

　また，平和条約の発効を待たずに進められた公職追放の解除によって，鳩山一郎・石橋湛山 1884〜1973・岸信介 1896〜1987ら有力政治家が政界に復帰し，自由党内でも吉田首相に反発する勢力が増大した。

砂川事件 アメリカ軍立川基地の拡張計画に対し，地元の砂川町民と支援の革新勢力が激しく抵抗した。

《 55年体制の成立 》

　1954(昭和29)年，造船疑獄事件で吉田茂内閣批判が強まる中，鳩山一郎ら自由党反吉田派は離党して，鳩山を総裁とする日本民主党を結成した。同年末，吉田内閣は退陣して鳩山内閣が成立した。鳩山首相は，憲法改正・再軍備をあらためてとなえ，これを推進する姿勢を打ち出した。一方，左右の社会党は「逆コース」批判の運動が高まる中で党勢を拡大し，再軍備反対の立場を明確にした左派社会党は，総評の支援を受けて議席を増やしていった❸。

　1955(昭和30)年2月の総選挙で，社会党は左右両派あわせて改憲阻止に必要な3分の1の議席を確保し，10月には両派の統一を実現した。保守陣営でも，財界の強い要望を背景に，11月，日本民主党と自由党が合流して**自由民**

---

❶ 教育の分野でも，1954(昭和29)年公布の「教育二法」で公立学校教員の政治活動と政治教育を禁じ，さらに1956(昭和31)年の新教育委員会法により，それまで公選であった教育委員会が，地方自治体の首長による任命制に切りかえられた。

❷ 1954(昭和29)年，中部太平洋ビキニ環礁でのアメリカの水爆実験により，第五福龍丸が被爆し，乗組員1人が死亡した。これを契機に平和運動が高まり，翌1955(昭和30)年，広島で第1回原水爆禁止世界大会が開かれた。

❸ 保守と革新の対立構造が形成され，保守勢力は憲法改正(改憲)とアメリカ依存の安全保障を，革新勢力は憲法擁護(護憲)と非武装中立をそれぞれ主張した。

主党を結成し(**保守合同**)，初代総裁には鳩山首相が選出された。ここに形式上で二大政党制が出現したが，保守勢力が議席の3分の2弱を，革新勢力が3分の1を維持して推移し，保革対立のもとでの保守一党優位の政治体制(**55年体制**)が40年近く続くことになった。

 保守合同後の第3次鳩山内閣は，防衛力増強(再軍備)を推進するために国防会議を発足させ，憲法改正をとなえて憲法調査会を設置した。他方では，「自主外交」をうたってソ連との国交回復交渉を推進した。1956(昭和31)年10月には首相みずからモスクワを訪れ，**日ソ共同宣言**に調印して国交を正常化した❶。その結果，日本の国連加盟を拒否していたソ連が支持にまわったので，同年12月に日本の**国連加盟**が実現した。

安保条約の改定

鳩山一郎内閣のあとを継いだ石橋湛山内閣は，首相の病気で短命に終わった。1957(昭和32)年に成立した岸信介内閣は，革新勢力と対決する❷一方，「日米新時代」をとなえ，安保条約を改定して日米関係をより対等にすることをめざした。当初アメリカ側は安保改定に消極的であったが，交渉の結果，1960(昭和35)年1月には**日米相互協力及び安全保障条約**(新安保条約)が調印された。

新条約ではアメリカの日本防衛義務が明文化され，さらに条約付属の文書で在日アメリカ軍の日本および「極東」での軍事行動に関す

日米相互協力及び安全保障条約

第四条 締約国は、この条約の実施に関して随時協議し、また、日本国の安全又は極東における国際の平和及び安全に対する脅威が生じたときはいつでも、いずれか一方の締約国の要請により協議する。

第五条 各締約国は、日本国の施政の下にある領域における、いずれか一方に対する武力攻撃が、自国の平和及び安全を危うくするものであることを認め、自国の憲法上の規定及び手続に従って共通の危険に対処するように行動することを宣言する。

第六条 日本国の安全に寄与し、並びに極東における国際の平和及び安全の維持に寄与するため、アメリカ合衆国は、その陸軍、空軍及び海軍が日本国において施設及び区域を使用することを許される。

(『条約集』)

---

❶ 北方領土について，日本は固有の領土として4島の返還を要求していたが，ソ連は国後島・択捉島の帰属については解決済みとの立場をとり，平和条約の締結はもちこされた。歯舞群島・色丹島の日本への引渡しも平和条約締結後のこととされた。
❷ 岸内閣は，教員の勤務成績の評定を1958(昭和33)年から全国いっせいに実施したが，日本教職員組合(日教組)は全国で激しく抵抗した。さらに同年には，安保改定にともなう混乱を予想して，警察官の権限強化をはかる警察官職務執行法(警職法)改正案を国会に提出したが，革新勢力の反対運動が高まったため，改正を断念した。

1. 55年体制　**389**

新安保条約反対のデモ(1960年6月18日)　空前の規模の抗議行動が約1ヵ月続いた。デモとストの波は全国におよんだ。(朝日新聞社)

る事前協議が定められた。

　革新勢力の側は，新条約によってアメリカの世界戦略に組み込まれる危険性が高まるとして，安保改定反対運動を組織した。政府・与党は，1960(昭和35)年5月，警官隊を導入した衆議院で条約批准の採決を強行すると，反対運動は「民主主義の擁護」を叫んで一挙に高揚した。安保改定阻止国民会議を指導部とする社共両党・総評(→p.382)などの革新勢力や，全学連(全日本学生自治会総連合)の学生，一般の市民からなる巨大なデモが連日国会を取り巻いた(**60年安保闘争**)。予定されていたアメリカ大統領の訪日はついに中止されたが，条約批准案は参議院の議決を経ないまま6月に自然成立した。条約の発効を見届けて，岸内閣は総辞職した。

保守政権の安定

　1960(昭和35)年7月，岸信介内閣にかわった池田勇人内閣(1899～1965)は，「寛容と忍耐」をとなえて革新勢力との真正面からの対立を避けながら，「**所得倍増**」❶をスローガンに，すでに始まっていた高度成長をさらに促進する経済政策を展開した。また，池田内閣は「政経分離」の方針のもと，中華人民共和国との貿易の拡大をめざして，1962(昭和37)年，国交のない同国と準政府間貿易(**LT貿易**)❷の取決めを結んだ。

　ついで1964(昭和39)年に成立した佐藤栄作内閣(1901～75)は，経済成長の順調な持続にも支えられて7年半以上におよぶ長期政権となった。佐藤内閣はまず外交的懸案の日韓交渉を進め，1965(昭和40)年に**日韓基本条約**を結んで，1910(明治43)年に韓国を併合した以前の諸条約の失効を確認し，韓国政府を「朝(→p.296)

❶　10年後の1970(昭和45)年までに国民総生産(GNP)および一人当たり国民所得を2倍にすることをめざす国民所得倍増計画が立てられたが，現実の経済成長は計画をはるかに上まわるハイペースで進み，1967(昭和42)年には目標の倍増を達成した。
❷　交渉に当たった，廖承志(L)，高碕達之助(T)両名の頭文字から，LTと命名された。

鮮にある唯一の合法的な政府」と認め，韓国との国交を樹立した❶。

　1965(昭和40)年以降，アメリカがベトナムへの介入を本格化させると(ベトナム戦争)，沖縄や日本本土はアメリカ軍の前線基地となり，戦争にともなうドル支払いは日本の経済成長を促進させた。「基地の島」沖縄では祖国復帰を求める住民の運動が続き，ベトナム戦争の激化とともにその返還問題❷があらためて浮上した。佐藤内閣は，「(核兵器を)もたず，つくらず，もち込ませず」の**非核三原則**を掲げ，まず1968(昭和43)年に小笠原諸島の返還を実現し，翌年の日米首脳会議(佐藤・ニクソン会談)は「核抜き」の沖縄返還で合意した。1971(昭和46)年に**沖縄返還協定**が調印され，翌年の協定発効をもって沖縄の日本復帰は実現したが，広大なアメリカ軍基地

日韓基本条約

第一条　両締約国間に外交及び領事関係が開設される。両締約国は，大使の資格を有する外交使節を遅滞なく交換するものとする。また，両締約国は，両国政府により合意される場所に領事館を設置する。

第二条　一九一〇年八月二十二日以前に大日本帝国と大韓帝国との間で締結されたすべての条約及び協定は，もはや無効であることが確認される。

第三条　大韓民国政府は，国際連合総会決議第一九五号(Ⅲ)に明らかに示されているとおりの朝鮮にある唯一の合法的な政府であることが確認される。

(『条約集』)

沖縄のアメリカ軍嘉手納基地(上)と専用施設要図(1996年)　写真は嘉手納基地に着陸するB52で，1969(昭和44)年の様子。アメリカ軍専用施設のほとんどが復帰後も返還されず，沖縄県民の不満と不安は強く残った。専用施設面積は沖縄県総面積の約10.4％，また全国の専用施設面積の約75％にも達する。

❶　1952(昭和27)年以来，日韓会談は植民地時代の事後処理・漁業問題で中断と再開を繰り返したが，1961年の朴正熙政権成立後は韓国側の対日姿勢に変化が生じ，64年末からの第7次会談で合意が成立した。国交樹立を定めた基本条約とともに，漁業，請求権・経済協力，在日韓国人の法的地位，文化協力の4協定が結ばれた。

❷　第二次世界大戦後の沖縄は日本本土から切り離されて，アメリカ軍の直接軍政下におかれた。日本の独立回復後も，沖縄は引き続きアメリカの施政権下におかれたが，ベトナム戦争にともなう基地用地の接収とアメリカ兵の犯罪増加があり，祖国復帰運動が本格化していた。

1.　55年体制　**391**

は存続することになった。

　この間，自由民主党は国会の安定多数を占め続けるが，与党内では総裁の地位をめぐる派閥間抗争が繰り返された。野党側では，社会党から民主社会党(のち民社党)が分立(1960年)し，新しく公明党が結成され(1964年)，日本共産党が議席を増やすなど，多党化現象が進んだ。さらに，既成の革新政党を批判する学生を中心に組織された新左翼が，ベトナム戦争や大学のあり方などに異議をとなえる運動を繰り広げた。

2　経済復興から高度成長へ

朝鮮特需と経済復興

日本経済は，ドッジ＝ラインと呼ばれる経済安定政策(→p.381)によって深刻な不況におちいっていたが，1950(昭和25)年に勃発した朝鮮戦争で活気を取り戻した。武器や弾薬の製造，自動車や機械の修理などアメリカ軍による膨大な特需が発生したからである。また，世界的な景気回復の中で対米輸出が増え，繊維や金属を中心に生産が拡大し，1951(昭和26)年には，工業生産・実質国民総生産・実質個人消費などが戦前の水準(1934〜36年の平均)を回復した(**特需景気**)。

　こうした中で，政府は積極的な産業政策を実施した。1950(昭和25)年には

	物資	サービス	合計
第1年(1950.6〜51.5)	229,995	98,927	328,922
第2年(1951.6〜52.5)	235,851	79,767	315,618
第3年(1952.6〜53.5)	305,543	186,785	492,328
第4年(1953.6〜54.5)	124,700	170,910	295,610
第5年(1954.6〜55.5)	78,516	107,740	186,256
累計	974,605	644,129	1,618,734

特需契約高(単位：千ドル)

	物資		サービス	
1	兵器	148,489	建物の建設	107,641
2	石炭	104,384	自動車修理	83,036
3	麻袋	33,700	荷役・倉庫	75,923
4	自動車部品	31,105	電信・電話	71,210
5	綿布	29,567	機械修理	48,217

おもな物資およびサービスの契約高(1950年6月〜56年6月，単位：千ドル)

順位	第1年(1950.6〜51.5)	第2年(1951.6〜52.5)	第3年(1952.6〜53.5)	第4年(1953.6〜54.5)	第5年(1954.6〜55.5)
1	トラック	自動車部品	兵器	兵器	兵器
2	綿布	石炭	石炭	石炭	石炭
3	毛布	綿布	麻袋	食糧品	食糧品
4	建築鋼材	ドラム缶	有刺鉄線	家具	家具
5	麻袋	麻袋	セメント	乾電池	セメント

主要物資の年別契約順位

特需の概要(「資料戦後20年史」2より)　特需は，1950(昭和25)年6月からの5年間で総額16億1900万ドルに達した。当初は物資が多かったが，しだいにサービスが物資を上まわるようになった。物資では兵器・石炭，サービスでは建物の建設，自動車修理などが上位を占めた。

392　第12章　高度成長の時代

輸出振興を目的とする日本輸出銀行❶や，産業資金の供給をおこなう日本開発銀行が設立された。また，1952(昭和27)年には企業合理化促進法が制定され，企業の設備投資に対して税制上の優遇措置がとられた。電力業は，1951(昭和26)年に発電から配電までの一貫経営をおこなう，民有民営形態の地域別9電力体制に再編成された❷。また，電力不足をおぎなうため1952(昭和27)年に電源開発株式会社が設立され，佐久間や奥只見で大規模な水力発電所を建設した。造船業では，1947(昭和22)年から政府主導の計画造船❸が進められ，日本の造船量は1956(昭和31)年にイギリスを抜いて世界第1位となった。鉄鋼業では，1951(昭和26)年度から1953(昭和28)年度まで第1次鉄鋼業合理化計画が実施され，川崎製鉄は銑鋼一貫経営に転換した。なお，戦後の世界貿易は，アメリカ主導の自由貿易体制のもとで発展したが，日本は，1952(昭和27)年にIMF(国際通貨基金)❹，1955(昭和30)年にはGATT(関税及び貿易に関する一般協定)❺に加盟した。

指標	戦前水準を超えた年度	戦前水準の2倍に達した年度	戦前戦時の最高を超えた年度
工業生産	1951	1957	1955
実質国民総生産	〃	1959	1954
〃 設備投資	〃	1956	1957
〃 個人消費	〃	1960	1952
〃 輸出等受取り	1957	1963	1960
〃 輸入等支払い	1956	1961	1959
〃 1人当たり国民総生産	1953	1962	1957
〃 1人当たり個人消費	〃	(1964)	1956
〃 就業者1人当り生産性	1951	1962	—

主要経済指標が戦前水準をこえた年度(戦前基準は1934～36年平均，『講座日本経済』より)

戦時期から敗戦直後にかけて深刻な食糧難が続き，1945～51(昭和20～26)年には占領地行政救済資金(ガリオア資金)による緊急食糧輸入が実施された。しかし，農地改革の実施によって農業生産は急速に向上し，米の生産は毎年史上空前の豊作を繰り返し，1955(昭和30)年には前年比3割増の豊作となり，

---

❶ 1952(昭和27)年に業務を輸入金融にも拡大し，日本輸出入銀行と改称した。
❷ 電力再編成をめぐっては，戦前からの日本発送電体制を継続しようとする国家管理案(→p.355)と，民有民営化をめざす議論とが対立していた。
❸ 海運業の再建と造船業の復興をめざした政策で，海運企業に長期低利の財政資金を供給して船舶を発注させて造船市場を計画的に創出し，造船業の操業を確保しようとした。計画造船は，その後も継続された。
❹ 第二次世界大戦後の国際通貨体制を支える基幹的組織で，為替レートの安定と国際決済の円滑化を目的に1947(昭和22)年に発足した。アメリカが金1オンス＝35ドルという平価を設定し，加盟国はドルに対して平価を定めた(固定為替相場制)。
❺ 第二次世界大戦後の新たな国際経済秩序を形成するために，自由貿易の拡大と関税引下げを目的にIMFとともに創設され，1948(昭和23)年に発効した。当初の加盟国は23カ国であった。

米の自給が可能となった。個人所得の増加にともなって消費水準も上昇し，1955(昭和30)年における総理府の世論調査によると国民の7割が「食べる心配」がなくなったとこたえており，食糧不足はほぼ解消された。

《高度経済成長》 1955～57(昭和30～32)年に「神武景気」と呼ばれる大型景気を迎え❶，経済企画庁は1956(昭和31)年度の『経済白書』で「**もはや戦後ではない**」と記した。日本経済は復興から**技術革新**による経済成長へと舵を切り，1968(昭和43)年には資本主義諸国の中でアメリカにつぐ世界第2位の国民総生産(GNP)を実現し，1955～73(昭和30～48)年の年平均経済成長率は10％を上まわった。

経済成長を牽引したのは，大企業による膨大な設備投資で，当時それは「投資が投資を呼ぶ」と表現された。鉄鋼・造船・自動車・電気機械・化学などの部門で，アメリカの技術革新の成果を取り入れて設備の更新がなされ，石油化学・合成繊維などの新たな産業も発展した。技術革新は中小企業にも波及し，大企業の単なる下請けにとどまらない，部品メーカーなどに成長するものも現われた(**中堅企業**)❷。1955(昭和30)年には日本生産性本部❸が設立

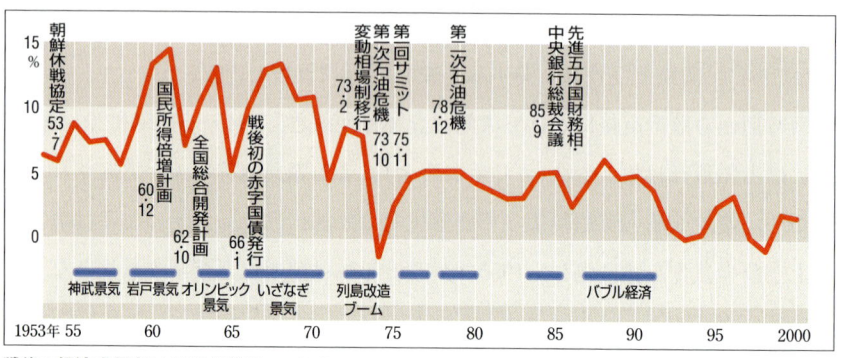

戦後の経済成長率(実質)の推移(『国民所得統計年報』『国民経済計算年報』より)

❶ 神武天皇の治世以来の好景気ということで名づけられた。のち，同じく建国神話にちなんだ「岩戸景気」(1958～61年)，「いざなぎ景気」(1966～70年)などが出現した。いずれも，「有史以来の好況」を意味している。

❷ 1963(昭和38)年に，中小企業近代化促進法および中小企業基本法が公布され，設備・技術・経営管理など中小企業の構造改善がはかられた。

❸ 日本生産性本部は，1955(昭和30)年に財界諸団体によって政府の援助を得て設立された。労資協調・失業防止・成果の公正配分という生産性3原則を掲げ，無欠点(ZD)運動や品質管理(QCサークル)運動など，小集団活動に代表される生産性向上運動を推進した。

され，生産性向上運動が展開された。先進技術の導入は，直接的な生産過程に関わるものばかりでなく，品質管理や労務管理，さらには流通・販売の分野にまでおよんだ。しかも，導入後は日本の条件にあわせて独自の改良がほどこされ，**終身雇用**・**年功賃金**・労資協調を特徴とする，**日本的経営**が確立した。こうして低コスト・高品質の大量生産体制が整備され，日本製品の海外輸出も増加した。

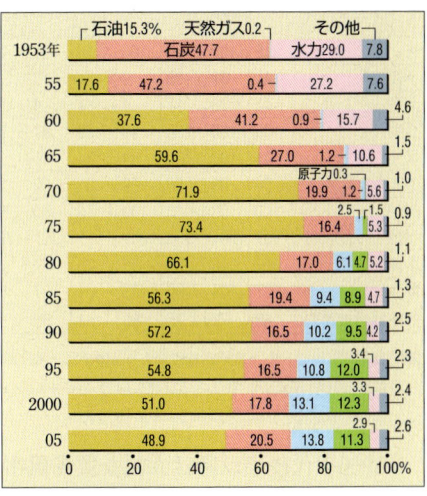

エネルギー需給（『総合エネルギー統計』平成15年度版, 資源エネルギー庁HP「エネルギーバランス表簡易表」より）　中東からの安価な原油供給によって，1960〜70年代に石炭から石油へのエネルギー転換が進んだ。しかし，1970年代初頭の第1次石油危機を契機に石油の比率が低下し，天然ガスや原子力の比重が高まった。

　産業構造は高度化し，第一次産業の比率が下がり，第二次・第三次産業の比重が高まった。また，工業生産額の3分の2を重化学工業が占め，石炭から石油へのエネルギーの転換が急速に進んだ（**エネルギー革命**）❶。安価な原油の安定的な供給は，高度経済成長を支える重要な条件となった。一方，米などわずかな例外を除いて食料の輸入依存が進み，食糧自給率は低下した。

　工業部門では，技術革新による労働生産性の向上，若年層を中心とする労働者不足，「春闘」方式❷を導入した労働運動の展開などによって，労働者の賃金は大幅に上昇した。農業部門でも，化学肥料や農薬，農業機械の普及による農業生産力の上昇，食糧管理制度と農協の圧力による米価の政策的引上げ，さらには農外所得の増加などもあって，農家所得が増加した❸。こうして労働者や農民の所得が増加し，低賃金労働者と貧しい農村という戦前

---

❶　石炭産業は安価な石油におされて衰退し，「斜陽産業」と呼ばれるようになった。1960（昭和35）年に三井鉱山三池炭鉱での大量解雇に反対する激しい争議（三池争議）が展開されたが，労働者側の敗北に終わった。以後，九州や北海道で炭鉱の閉山があいついだ。

❷　総評を指導部とし，各産業の労働組合がいっせいに賃上げを要求する「春闘」は1955（昭和30）年に始まり，しだいに定着していった。

❸　1961（昭和36）年に**農業基本法**が制定され，農業構造改善事業に多額の補助金が支給された。

年度	1955	1960	1965	1970	1975	1980	1985	1990	1995	2000	2005
米	110	102	95	106	110	100	107	100	104	95	95
小麦	41	39	28	9	4	10	14	15	7	11	14
大豆	41	28	11	4	4	4	5	5	2	5	5
野菜	100	100	100	99	99	97	95	91	85	82	79
果実	104	100	90	84	84	81	77	63	49	44	41
牛乳及び乳製品	90	89	86	89	81	82	85	78	72	68	68
肉類	100	93	93	89	76	80	81	70	57	52	54
(肉類のうち牛肉)	(99)	(96)	(95)	(90)	(81)	(72)	(72)	(51)	(39)	(34)	(43)
砂糖類	–	18	31	22	15	27	33	32	31	29	34
魚介類	107	108	100	102	99	97	93	79	57	53	50
供給熱量自給率	88	79	73	60	54	53	53	48	43	40	40

食料自給率(単位：％，『食料需給に関する基礎統計』『食料需給表』より)　日本の食料自給率は1960(昭和35)年頃までは80％前後を占めていたが，その後急激に低下し，1990(平成2)年以降には50％を切った。

期の特徴は大幅に改善され，国内市場が拡大していった。

　輸出も，自由貿易体制下での固定相場制による安定した国際通貨体制，安価な資源の輸入に支えられて急速に拡大し，1960年代後半以降は大幅な**貿易黒字**が続いた。輸出の中心は，鉄鋼・船舶・自動車などの重化学工業製品であった。自動車産業は，国際競争力が弱いとされていたが，1960年代後半には対米輸出を開始した。

　日本は，1960(昭和35)年に「**貿易為替自由化大綱**」を決定し，1963(昭和38)年にはGATT11条国に移行した。また，1964(昭和39)年にはIMF 8条国に移行するとともにOECD(経済協力開発機構)に加盟し，**為替と資本の自由化**を実施した❶。開放経済体制のもとでの国際競争の激化に備えて，産業界では，1964(昭和39)年に財閥解体で3社に分割された三菱重工が再合併し，1970(昭和45)年には八幡製鉄と富士製鉄が合併して新日本製鉄を創立するなど，大型合併が進められた。また，三井・三菱・住友・富士・三和・第一勧銀などの都市銀行が，系列企業への融資を通じて**企業集団**を形成した(六大企業集団)❷。

小型乗用車の組立て工場　1960年代になると自動車工場に，組立てライン方法がとられた。写真は，1970(昭和45)年に開発された自動車工場の様子。

---

❶　GATT(関税及び貿易に関する一般協定)11条国とは，同規程11条の適用を受ける国のことで，国際収支上の理由から輸入制限をすることはできないとされている。IMF(国際通貨基金)8条国とは，貿易支払いや資本移動に対する制限を禁止されている国のことをいう。また，OECDに加盟したことにより，資本の自由化が義務づけられた。

❷　銀行の系列融資，株式の相互もちあい，同系商社が媒介する集団内取引，社長会などによる人的結合などを特徴とする諸企業の連合体で，戦前の財閥とは異なる。

大衆消費社会の誕生

　高度経済成長期には，日本の国土や社会のありさまが大きく変容した。また，個人所得の増大と都市化の進展によって生活様式に著しい変化が生じ，いわゆる**大衆消費社会**が形成された。

　太平洋側に製鉄所や石油化学コンビナートなどが建設され，京葉・京浜・中京・阪神・瀬戸内・北九州と続く重化学工業地帯（太平洋ベルト地帯）が出現し，産業と人口の著しい集中をみた。政府は，1962（昭和37）年に新産業都市建設促進法を公布するとともに，全国総合開発計画を閣議決定し，産業と人口の大都市への集中を緩和し，地域間格差を是正しようとした❶。

　農村では，大都市への人口流出が激しくなり，農業人口が減少し兼業農家が増加した❷。大量の人口が流入した都市部では，住宅問題が深刻となり，地価の安い郊外に向けて無秩序な宅地開発がおこなわれ（スプロール化），2DKの公団住宅など**核家族**❸の住む鉄筋コンクリート造の集合住宅群がひしめき，ニュータウン❹の建設が計画された。

　国民の消費生活にも大きな変化が生じ，テレビから流れるCMによって購買意欲をかき立てられ，「消費は美徳」と考えられるようになった。1965（昭和40）年に白黒テレビの普及率が90％に達し，電気洗濯機や電気冷蔵庫の普及率も1970（昭和45）

広がるコンビナート地帯（1976年，岡山）（朝日新聞社）

❶　全国総合開発計画では拠点開発方式での工業開発がめざされ，新産業都市建設促進法で地方開発拠点として道央・八戸・仙台湾・富山高岡・岡山県南・徳島・大分など15地区が指定された。それにもかかわらず，太平洋ベルト地帯への工業の集中はその後も進行した。
❷　1955（昭和30）年の就業人口に占める農業人口の比率は4割強であった。1970（昭和45）年には2割を割り込み，兼業農家のうち農外収入を主とする第2種兼業農家の割合が農家総数の50％に達して，「三ちゃん（じいちゃん・ばあちゃん・かあちゃん）農業」という言葉が生まれた。
❸　1世帯の家族構成は，高度経済成長以前には5人程度であったが，1970（昭和45）年には3.7人となり，夫婦と未婚の子のみからなる核家族が増えた。
❹　大阪府の千里ニュータウンを皮切りに，泉北ニュータウン（大阪府），多摩ニュータウン（東京都）などが開発された。

2．経済復興から高度成長へ　397

家庭生活の中心となったテレビ(1956年)　白黒テレビをかこんで一家団らんを楽しむ。（毎日新聞社）

マイカー(1959年)　自家用車の普及は大衆消費社会の到来を告げた。

　年には90％前後に達した。また，1960年代の後半からは，カー（自動車）・カラーテレビ・クーラーの，いわゆる３Ｃの普及率が上昇した❶。

　耐久消費財の普及は，メーカーと系列販売網による大量生産・大量販売体制の確立や割賦販売制度によって促進された❷。また，小売業界では廉価販売と品ぞろえのよさを武器にスーパーマーケットが成長し，**中内 㓛**(1922〜2005)が設立したダイエーは，1972(昭和47)年に老舗百貨店の三越を抜いて売上高で第１位となった（**流通革命**）。食生活では洋風化が進み，肉類や乳製品の消費が増えたが，米の供給過剰と食糧管理特別会計の赤字が問題となり，1970(昭和45)年から**減反政策**が始まった。また，インスタント食品や冷凍食品が普及し，外食産業も発達した。

　自家用乗用車（マイカー）の普及によって，自動車が交通手段の主

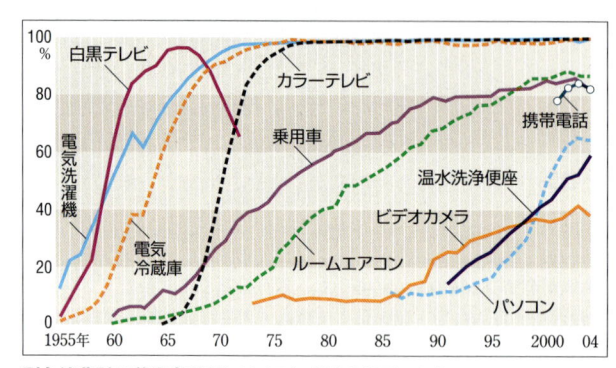

耐久消費財の普及率（『統計でみる日本』『消費動向調査』より）

---

❶　日本の神話で皇位継承の象徴とされる宝物にちなんで，白黒テレビ・電気洗濯機・電気冷蔵庫は「三種の神器」，カー（自動車）・カラーテレビ・クーラーは「新三種の神器」と呼ばれたが，後者は英語の頭文字をとって３Ｃとも称された。

❷　松下電器（現，パナソニック）は系列販売店組織を整備し，トヨタ自動車や日産自動車はディーラーシステムをつくり上げた。

力となり(モータリゼーション)、1965(昭和40)年には名神高速道路、1969(昭和44)年には東名高速道路が全通した。自動車の生産台数は、1955(昭和30)年には約7万台であったが、1970(昭和45)年には約529万台となり、性能の向上によりアメリカなど先進諸国への輸出も拡大した。鉄道は、電化が全国的に進み、1964(昭和39)年には東海道新幹線が開通して高速輸送時代を迎えたが、国鉄財政はこの年から単年度で赤字となった❶。

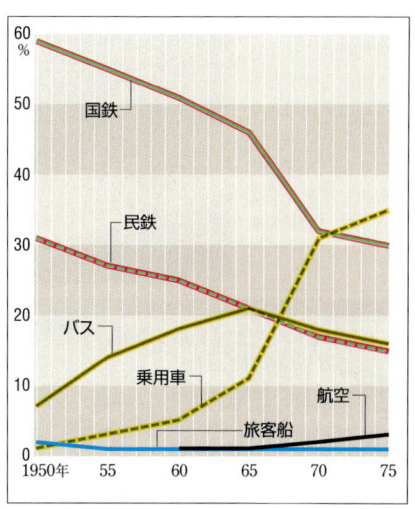

輸送機関別国内旅客輸送分担率の推移(『運輸経済統計要覧』昭和60年版より) 1950～60年代初頭に鉄道の輸送分担率が低下し、バスや乗用車の分担率が増加した。その後、1960年代半ばからモータリゼーションが加速し、鉄道・バスなど公共交通手段の分担率が低下した。

生活にゆとりが出ると、家族旅行や行楽に余暇が費やされるようになり、レジャー産業が発達した。また、マス＝メディアも発達し、新聞・雑誌・書籍類の出版部数が激増し、社会派推理小説の松本清張(1909～92)、歴史小説の司馬遼太郎(1923～96)ら人気作家が輩出した❷。とくに週刊誌の発行部数が著しく拡大し、少年向けの漫画週刊誌は成年をもとらえていった❸。1953(昭和28)年に始まったテレビ放送は、日常生活に欠かせないものとなり、映画産業の衰退をまねいた。

マス＝メディアによって大量の情報が伝達されると、日本人の生活様式はしだいに画一化され、国民の8～9割が社会の中層に位置していると考えるようになった(中流意識)。そうした中で「教育熱」が高まり、高校・大学への進学率が上昇し、高等教育の大衆化が進んだ❹。受験競争が激化し、無気力・無感動・無関心の「三無主義」が広がる一方、高校や大学では学園の民主化を

❶ 航空輸送も、1960(昭和35)年のジェット機の導入によって一挙に拡大した。
❷ 彼らの作品は、純文学と大衆文学の中間に位置するという意味で「中間小説」と呼ばれた。また、この時期の純文学では、三島由紀夫・大江健三郎・高橋和巳らが活躍した。
❸ 第二次世界大戦後まもなく登場した手塚治虫は、世界にも類例のない本格的なストーリー漫画を創作し、その後の漫画・アニメーション隆盛の基礎をつくった。
❹ 1970(昭和45)年に高校進学率は82.1%に達し、大学・短期大学進学率も24.2%となった。

2. 経済復興から高度成長へ　399

東京オリンピック 1964(昭和39)年10月、94カ国から選手たちを集めて第18回オリンピック東京大会が開かれた。アジアで最初のオリンピックであった。(毎日新聞社)

大阪万博 1970(昭和45)年に開催された日本万国博覧会には、1日平均約35万人が会場を訪れた。(毎日新聞社)

求めて「学園紛争」がおこった❶。

科学技術の発達もめざましく、1965(昭和40)年に朝永振一郎(1906～79)、1973(昭和48)年に江崎玲於奈(1925～)がノーベル物理学賞を受賞した。また、政府は、原子力政策❷・宇宙開発などの分野で、積極的な科学技術開発政策を推進した。1964(昭和39)年には**オリンピック東京大会**、1970(昭和45)年には大阪で**日本万国博覧会**が開催されたが、これらは経済・文化面での日本の発展を世界に示す、壮大な国家的イベントであった。

《 高度成長のひずみ 》　高度経済成長が達成される一方で、深刻な社会問題が生み出された。農山漁村では過疎化が進行し、地域社会の生産活動や社会生活が崩壊した。一方、大都市では過密が深刻な問題となり、交通渋滞や騒音・大気汚染が発生し、住宅や病院の不足もめだつようになった。交通事故も急増し、毎年1万人前後の死者を数えるようになった(交通戦争)。

産業公害も深刻であったが、経済成長を優先したため政府の公害対策は進

---

❶ 1968(昭和43)年から翌年にかけて、東京大学・日本大学をはじめとする全国の大学で、大学当局の不当性をとなえる学生たちがキャンパスをバリケードで封鎖するなど、大学の機能が一時的に失われる事態となった。

❷ 1960年代半ば以降、電力会社は原子力の平和利用をとなえる政府の支援のもと、各地で原子力発電所(原発)の建設を進めた。とくに石油危機以降は、石油の代替エネルギーとして原子力への依存度が高まった。

まず，企業が長期間垂れ流していた汚染物質によって環境が破壊され，公害病に苦しむ被害者も放置されたままになっていた。しかし，公害を批判する世論の高まりを背景に，1967(昭和42)年に**公害対策基本法**が制定されて大気汚染・水質汚濁など7種の公害が規制され，事業者・国・地方自治体の責任が明らかにされた。そして，1970(昭和45)年の同法改正を経て翌年には**環境庁**が発足し，ばらばらにおこなわれていた公害行政と環境保全施策の一本化がはかられた。また，公害反対の世論と住民運動がおこり，**新潟水俣病**(阿賀野川流域)・**四日市ぜんそく**(三重県四日市市)・**イタイイタイ病**(富山県神通川流域)・**水俣病**(熊本県水俣市)の被害をめぐる**四大公害訴訟**が始まり，1973(昭和48)年にいずれも被害者側の勝訴に終わった❶。

水俣病患者の少女　工場廃液中の水銀が，不知火海の魚を介して人体に入り，神経をおかした。

　この時期には，部落差別などにみられる人権問題も深刻となった。全国水平社を継承して，1946(昭和21)年に部落解放全国委員会が結成され，1955(昭和30)年に部落解放同盟と改称した。しかし，部落差別の解消は立ち遅れ，1965(昭和40)年の生活環境の改善・社会福祉の充実を内容とする**同和対策審議会の答申**にもとづいて，1969(昭和44)年には**同和対策事業特別措置法**が施行された❷。

　高度成長のひずみに悩む中で，大都市圏では**革新自治体**が成立した。1967(昭和42)年に日本社会党や日本共産党が推薦する**美濃部亮吉**(1904〜84)が東京都知事に当選すると，1970年代の初めには京都府や大阪府でも革新系知事が誕生し，横浜市など大都市の市長も革新系によって占められた(革新首長)。革新自治体は，公害の規制や老人医療の無料化など，福祉政策で成果を上げた。

---

❶　水俣病とイタイイタイ病は有機水銀・カドミウムといった有害物資を含む工場廃液の垂れ流しが，四日市ぜんそくは石油化学コンビナートによる大気汚染が原因であった。
❷　その後，同和対策事業特別措置法は1982(昭和57)年の地域改善対策特別措置法に引き継がれ，1987(昭和62)年からは財政上の特別措置に関する法律(地対財特法)が施行された。

2．経済復興から高度成長へ　401

第13章 激動する世界と日本

1　経済大国への道

ドル危機と石油危機

　1960年代後半におけるアメリカの国際収支は，ベトナム戦争にともなう軍事支出の膨張，西側諸国へのばく大な援助，さらには日本や西ドイツなどによる対米輸出の急増などによって著しく悪化し，アメリカの金準備も減少した(**ドル危機**)。こうしてアメリカのドルへの信頼がゆらぎ始めると，ニクソン(Nixon 1913〜94)大統領はドル防衛を目的に，1971(昭和46)年8月に金とドルとの交換停止，10%の輸入課徴金，90日間の賃金・物価の凍結などを骨子とする新経済政策を発表し，日本や西ドイツなどの国際収支黒字国に対し，大幅な為替レートの切上げを要求した(**ニクソン＝ショック**)。日本は当初1ドル＝360円の固定相場を維持しようとしたが，英・仏・西ドイツなどの西欧諸国が変動相場制に移行するとそれに追随し，1971(昭和46)年に入ると円は1ドル＝320円台にまで上昇した。

　こうして，戦後の世界経済の機軸であったブレトン＝ウッズ(IMF)体制は根底からゆらいだ。1971(昭和46)年末には，ワシントンのスミソニアン博物館で10カ国蔵相会議が開かれ，1ドル＝308円で固定相場制の復活がはかられたが(スミソニアン体制)，1973(昭和48)年にはドル不安が再燃し，日本や西欧諸国は変動相場制に移行した。

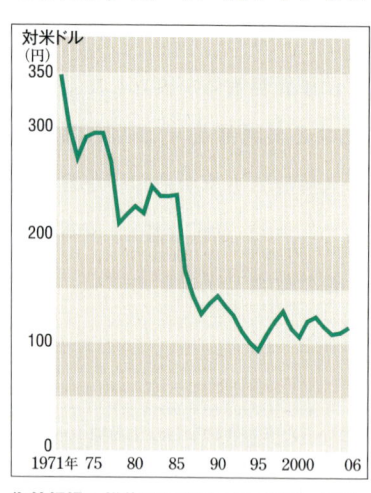

為替相場の推移(対IMF報告の年平均相場，『近現代日本経済史要覧』より)

一方，ニクソン大統領はベトナム戦争を終わらせるため，1972（昭和47）年に中国をみずから訪問し，米・中の敵対関係を改善した（1979年に米中国交正常化）。台湾にかわって国連代表権を獲得した中国を通じて北ベトナムとの和平を引き出すことがねらいで，1973（昭和48）年には**ベトナム和平協定**を成立させた❶。

　1973（昭和48）年10月，第4次中東戦争❷が勃発すると，アラブ石油輸出国機構（OAPEC）❸は「石油戦略」を行使し，イスラエル寄りの欧米や日本への石油輸出を制限し，原油価格を段階的に4倍に引き上げた。これを機に，アラブ産油国の資源ナショナリズムが高まり，安価な原油の安定的な供給という経済成長の基本条件が失われた（第1次**石油危機**）。当時，日本の原油輸入量は世界最大規模に達しており，しかもその大半を中東地域に依存していたので，日本経済が受けた打撃は大きかった。

　世界経済の繁栄は1973（昭和48）年を境に一変し，経済成長率の低下，物価・失業率の上昇という深刻な事態に直面した。こうした事態に対応するため，1975（昭和50）年に米・日・独・英・仏・伊6カ国の首脳による**先進国首**

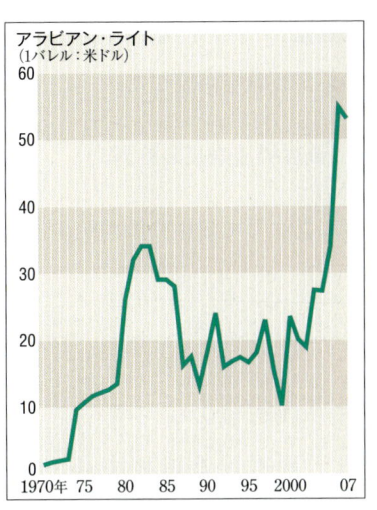

石油価格の推移（価格は，毎年1月第1金曜日のもの〈1987年のみ2月の第1金曜日〉でf.o.b価格，『近現代日本経済史要覧』より）

---

❶　アメリカという後ろ盾を失った南ベトナムは1975年に崩壊し，ベトナム社会主義共和国のもとに南北の統一が実現した。しかし，インドシナ半島ではカンボジアの内戦や中越（中国・ベトナム）戦争などがあいついだ。この過程で多くの難民が生じ，日本を含む海外に流出した（インドシナ難民問題）。
❷　第二次世界大戦後の中東ではパレスチナ問題が発生し，大油田の発見や米・ソの介入もからんで紛争が続いていた。ナチスの迫害を逃れてパレスチナに移住したユダヤ人は1948年にイスラエルを建国したが，これに反対するアラブ諸国とのあいだで，すでに3次にわたる中東戦争（パレスチナ戦争・スエズ戦争・第3次中東戦争）がおこっていた。
❸　石油輸出国機構（OPEC）は，1960年にイラン・イラク・サウジアラビア・クウェート・ベネズエラの5カ国によって結成され，その後リビア・インドネシア・アルジェリア・エクアドルなど世界各地の産油国が加盟した。そして，クウェート・リビア・サウジアラビアのアラブ産油国が1968年にアラブ石油輸出国機構（OAPEC）を結成した。

脳会議（サミット）❶が開催され，経済成長や貿易・通貨問題など，先進国間の経済政策を調整した。

高度経済成長の終焉

1972（昭和47）年，田中角栄（1918〜93）が「日本列島改造論」を掲げて内閣を組織した。田中首相は，同年9月に訪中して日中共同声明❷を発表し，日中国交正常化を実現したが，一方で工業の地方分散，新幹線と高速道路による高速交通ネットワークの整備など列島改造政策を打ち出し，公共投資を拡大した。その結果，土地や株式への投機がおこり，地価が暴騰した。これに第1次石油危機による原油価格の高騰が重なって，激しいインフレが発生し狂乱物価と呼ばれた。商社による商品の買占めもあって生活用品の品不足が生じ，市民生活は混乱した❸。

政府は，金融の引締めに転じたが，インフレが収束しないまま深刻な不況に

> **日中共同声明**
>
> 日本側は，過去において日本国が戦争を通じて中国国民に重大な損害を与えたことについての責任を痛感し，深く反省する。また，日本側は，中華人民共和国政府が提起した「復交三原則」を十分理解する立場に立って国交正常化の実現をはかるという見解を再確認する。中国側は，これを歓迎するものである。……
>
> 五　中華人民共和国政府は，中日両国国民の友好のために，日本国に対する戦争賠償の請求を放棄することを宣言する。
>
> 七　日中両国間の国交正常化は，第三国に対するものではない。両国のいずれも，アジア・太平洋地域において覇権を求めるべきではなく，このような覇権を確立しようとする他のいかなる国あるいは国の集団による試みにも反対する。
>
> （『日本外交主要文書・年表』）

石油危機後の市民による買占め騒動　パニックにおちいった消費者は，灯油・洗剤・トイレットペーパーなどの買いだめに殺到した。

---

❶ サミットは，Summit Meeting（頂上会議）の略称。なお，1976年からはカナダも加わり，以後毎年開催されている。

❷ 日本側が戦争における加害責任を認め，反省する態度を表明したうえで，日中両国間の「不正常な状態」の終結を共同で宣言し，さらに日本は中華人民共和国を「中国で唯一の合法政府」と認めた。これにともなって，日本と台湾の国民政府との外交関係は断絶したが，貿易など民間レベルでは密接な関係が続いている。

❸ トイレットペーパーなどの日用品がスーパーマーケットの店頭から姿を消し，市民生活がパニックにおちいった。

404　第13章　激動する世界と日本

おちいった(スタグフレーション❶)。1974(昭和49)年には戦後初の**マイナス成長**となり、その後も2〜5％の低成長にとどまった。こうして、日本経済は高度成長の終焉を迎え、成長率の低下、物価上昇、経常収支の赤字という三重苦(トリレンマ)に直面することになった。

　政府は、景気刺激策をとると同時に、労働者の賃上げを労働生産性の伸び以内にとどめることに成功し、1976(昭和51)年度には5.1％の経済成長率を実現した。経常収支も4年ぶりに黒字となり、消費者物価の上昇率も前年比で1桁台に落ち着いた。

　田中内閣は、首相の政治資金調達をめぐる疑惑(金脈問題)が明るみに出て、1974(昭和49)年に総辞職した。後継の総理大臣には「クリーン政治」を掲げる三木武夫(1907〜88)が就任したが、1976(昭和51)年に米ロッキード社の航空機売込みをめぐる収賄容疑で田中元首相が逮捕されると、同年におこなわれた総選挙で自由民主党は大敗し、結党以来はじめて衆議院の過半数を割り込んだ。その責任をとって三木内閣は退陣し、1976年には福田赳夫(1905〜95)が内閣を組織した。

　福田内閣は、内需拡大を掲げて貿易黒字・円高不況に対処し、1978(昭和53)年には**日中平和友好条約**を締結した。後継の大平正芳(1910〜80)内閣は、国会での「保革伯仲」と与党の内紛が続く中で、1978年に勃発した第2次石油危機に対処し、財政再建をめざしたが、1980(昭和55)年の衆参同日選挙の運動中に急死した。選挙の結果、自民党は安定多数を回復し、鈴木善幸(1911〜2004)が組閣した。

　低成長が定着する中で、国民のあいだには個人の生活の安定を第一とする保守的な気運が強まり、保守政権が復調する一方、放漫財政と社共両党の対立によって革新自治体は瓦解していった。とくに、1978(昭和53)年から翌年にかけて、京都・東京・大阪の知事選で革新系候補があいついで敗北した。

ロッキード事件で逮捕された田中元首相(1976年7月)

---

❶　不況(スタグネーションstagnation)とインフレ(inflation)が併存している状況を、二つの言葉を合成してスタグフレーション(stagflation)と呼んだ。

1.　経済大国への道　　405

《経済大国の実現》 第1次石油危機以降、世界経済が停滞する中で、日本は省エネ型の産業、省エネ製品の開発、省エネ型のライフスタイルを追求して5％前後の成長率を維持し、1978〜79（昭和53〜54）年の第2次石油危機❶も乗り切って安定成長の軌道に乗った。1980年代前半は3％前後の成長率に落ち込んだが、欧米先進諸国と比べると相対的には高い成長率を維持していた❷。

企業は、省エネルギーや人員削減、パート労働への切りかえなど「減量経営」につとめ、コンピュータや産業用ロボットなどME（マイクロ＝エレクトロニクス）技術を駆使し、工場やオフィスの自動化（オフィス＝オートメーション）を進めた。産業部門別にみると、鉄鋼・石油化学・造船などの資源多消費型産業は停滞し、省エネ型の自動車・電気機械や、半導体・IC（集積回路）・コンピュータなどのハイテク産業が輸出を中心に生産をのばした❸。日本の貿易黒字は大幅に拡大し、欧米諸国とのあいだに**貿易摩擦**がおこり、為替

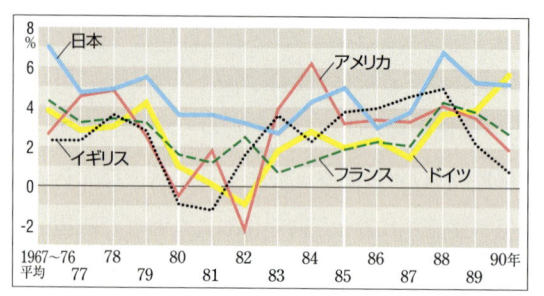

日本と主要先進国の経済成長率（『昭和経済史』『近現代日本経済史要覧』より）　日本経済の実質成長率は2度の石油危機を経て段階的に落ち込むが、主要先進国と比べると相対的に高かった。

産業用ロボットによる無人工場　コンピュータとロボットの発達は無人の工場を出現させた。

---

❶ イランでは、1979年にアメリカの支援のもとに近代化を進めてきた王制が倒され、イスラーム復興を掲げる宗教指導者ホメイニが権力を掌握した（イラン革命）。この事件を機に、アラブの産油諸国は原油価格を3倍に引き上げた。

❷ たとえば、1981〜83（昭和56〜58）年の日本の経済成長率は年平均3.2％であったが、OECD（経済協力開発機構）加盟国全体のそれは1.4％であった。また、同時期における日本の失業率は2.4％であったが、OECD加盟国全体のそれは7.7％であった。

❸ このような産業構造の転換は、「重厚長大型産業」から「軽薄短小型産業」あるいは「知識集約型産業」への転換などといわれた。

相場では円高基調が定着した。とくに自動車をめぐる日米貿易摩擦は深刻となった。

また、中国自動車道・東北自動車道・関越自動車道など高速道路網が整備され、山陽新幹線(1975年)に続いて東北・上越新幹線(1982年)が開業した。1988(昭和63)年には青函トンネルと瀬戸大橋が開通し、北海道・本州・四国・九州が陸路で結ばれた。成田の新東京国際空港❶が開港したのは1978(昭和53)年であったが、国際化が進展する中で海外渡航者数は1972(昭和47)年に100万人をこえ、1990(平成2)年には1000万人を突破し、1994(平成6)年に関西国際空港❷も開港した。

世界のGNP(国民総生産)に占める日本の比重は、1955(昭和30)年の2％強から1970(昭和45)年には約6％、1980(昭和55)年には約10％に達し、日本は「経済大国」となった❸。日本の国際的地位は飛躍的に高まり、1980年代には発展途上国に対する**政府開発援助**(ODA)の供与額も世界最大規模となった。

《《 バブル経済と市民生活 》》 1980年代には日本の対米貿易黒字が激増したため、アメリカは自動車などの輸出自主規制を求め、**農産物の輸入自由化**をせまった。政府は、1988(昭和63)年に牛肉・オレンジの輸入自由化を決定し、1991(平成3)年に実施した。また、1993(平成5)年には米市場の部分開放を決定したが、アメリカはその後も対日批判を強め、市場開放をさまたげる日本の「不公正な」制度や慣行を問題とした。

ジャパン=バッシング 1980年代に、自動車の対米輸出が急増し、アメリカの自動車産業は大きな打撃を受け、対日非難(ジャパン=バッシング)を高めた。写真は、日本製自動車をたたきこわして抗議する米国市民。

---

❶ 新東京国際空港は千葉県成田市の三里塚地域に位置し、建設の閣議決定がなされたのは1966(昭和41)年であったが、反対運動が激しく、開港は大幅に遅れた。
❷ 大阪湾東南部の泉州沖に建設された関西国際空港は、日本で最初の24時間利用可能な国際空港で、国・地方自治体・財界の出資によって設立された特殊法人関西国際空港株式会社が経営主体となった。
❸ 1980年代以降は、円高の影響もあって、日本の一人当たり国民所得(ドル表示)はアメリカを追い抜いた。貿易黒字が累積して、日本は世界最大の債権国となった。

1. 経済大国への道　**407**

アジアでは、韓国・シンガポール・台湾・香港などが、外国の資本や技術を導入し、輸出指向型の工業化を進めて急激な経済成長を続け、新興工業地域経済群(NIES)と呼ばれた❶。こうした動きは、改革開放政策を進める中国の経済特区やASEAN諸国❷にも広がり、「経済大国」日本とその周辺に位置するアジアNIESからなる経済圏は、世界経済の活力の中心となった。

1985(昭和60)年の5カ国蔵相・中央銀行総裁会議(G5)❸で、ドル高の是正が合意されると(**プラザ合意**)、円高は一気に加速し、輸出産業を中心に不況が深刻化した(円高不況)。しかし、1987(昭和62)年半ばから内需に主導されて景気が回復した。コンピュータと通信機器を利用した生産・流通・販売のネットワーク化が進み、コンビニエンスストア(コンビニ)や量販店などが急成長し、重化学工業でもME技術の導入など積極的な設備投資がはかられた(経済のソフト化)。また、レジャーや旅行関連産業、外食産業など第三次産業の比重が増加し、経済のサービス化がいっそう進んだ❹。家庭内でもインターネットや携帯電話が普及し、市民生活も大きく変容した。

この内需景気は、地価や株価の暴騰をともなって進行し、のちに「**バブル経済**」と呼ばれることになった。超低金利政策のもとで、金融機関や企業にだぶついた資金が不動産市場や株式市場に流入したのである。一方、極端な長時間労働が慢性化し、ホワイトカラーなどの「過労死」が深刻な社会問題となった。また、円高が進行したため、欧米やアジアに生産拠点を移す日本企

---

❶ 第二次世界大戦後に独立したアジア・アフリカの新興諸国(および条件の類似するラテンアメリカ諸国)では、容易に経済建設が進まず、北半球の先進工業諸国との経済格差や累積債務が問題になった(南北問題)。1970年代以降、多くの新興諸国で貧困や飢餓が深刻化していく中で、石油戦略を行使して豊かになった産油国や急激な経済成長をとげた国・地域(新興工業地域経済群, Newly Industrializing Economies ; NIES)が現われた。東アジアはNIES発展の中心地域であり、とくにアジアNIESと呼ばれた。

❷ 1967年にインドネシア・シンガポール・タイ・フィリピン・マレーシアの5カ国で結成された東南アジア諸国連合(Association of South East Asian Nations)という地域協力機構の略称。その後、ブルネイ・ベトナム・ラオス・ミャンマー・カンボジアが加盟した。

❸ 米・日・独・仏・英の5大国で構成される。翌1986年からは、イタリア・カナダを加えて、7カ国蔵(財務)相・中央銀行総裁会議(G7)が開かれるようになった。

❹ 産業構造の高度化はさらに進展し、1970～90(昭和45～平成2)年の20年間に、就業人口に占める第一次産業の比重は半減して1割を割り込み、第二次産業の割合が横ばいとなる一方、商業・運輸業をはじめ各種サービス業よりなる第三次産業の比重は5割から6割へと高まった。

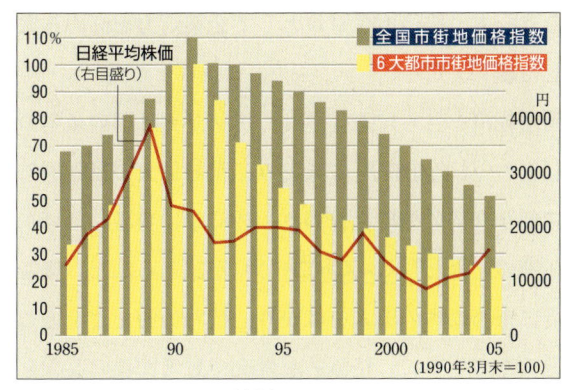

市街地価格指数と日経平均株価の動向（6大都市は東京都区部・横浜・名古屋・京都・大阪および神戸。『近現代日本経済史要覧』より） オフィス需要の増加と企業業績の改善が地価と株価を引き上げたが，1987年頃からは実体経済から乖離し始めた。しかし，1990年代に入ると地価と株価は急激に下落し始め（資産デフレ），日本経済は深刻な不況におちいった。

業が増加し，生産の空洞化が進んだ。

1982（昭和57）年に発足した中曽根康弘内閣は，日米韓関係の緊密化と防衛費の大幅な増額をはかる一方，世界的な新自由（新保守）主義の風潮の中で，「戦後政治の総決算」をとなえて**行財政改革**を推進し，老人医療や年金などの社会保障を後退させ，電電公社（現，NTT）・専売公社（現，JT）・国鉄（現，JR）の民営化を断行し，大型間接税の導入をはかった。また，労働組合の再編も進み，1987（昭和62）年に労資協調的な全日本民間労働組合連合会が発足すると，総評も1989（平成元）年に解散して合流し，**日本労働組合総連合会**（連合）となった。大型間接税は，竹下登内閣のもとで**消費税**として実現し，1989（平成元）年度から実施された。

主要通貨対米ドル変動率（ユーロは1999年相場。『近現代日本経済史要覧』より） 1985年のプラザ合意を機に各国がドル高是正のための政策協調をとったため，主要通貨の対ドル相場が上昇した。とくに日本の円とドイツのマルクの相場が著しい上昇を示した。

2　冷戦の終結と日本社会の動揺

《冷戦から内戦へ》　1970年代半ばには，米ソ関係は緊張緩和へと向かった（デタント）。しかし，1979年のソ連のアフガニスタン侵攻が転機となり，翌年のアメリカ大統領選挙で当選したレーガンはソ連との対決姿勢を鮮明にし，1980年代は「新冷戦」の時代となった。レーガ

ン大統領は大軍拡をおこなう一方,経済不振対策として企業活力を高める大幅減税・規制緩和を実施した❶。

新冷戦の展開は,米ソ両国経済をさらに悪化させ,アメリカは国内産業の空洞化(くうどう)や国家財政・国際収支の「双子(ふたご)の赤字」に苦しみ,世界最大の債務国(さいむ)に転落した。一方,ソ連も深刻な経済危機に見舞われ,1985年に登場したゴルバチョフ(Gorbachev 1931〜)の指導下に国内体制の立直し(ペレストロイカ)が試みられた。機能不全におちいった計画経済に市場原理の導入をはかり,情報公開などを通じて政治・社会の自由化を進めた。さらに,積極的な外交で対米関係の改善をはかり,1987年には中距離核戦力(INF)全廃条約を締結し,翌年にはアフガニスタンからの撤兵を始めた。そして,ついに1989年12月,マルタ島での両国首脳会談の結果,「**冷戦の終結**」が米ソ共同で宣言された。

ソ連での自由化の動きは東欧諸国の民衆を刺激し,つぎつぎに社会主義体制を放棄して東側陣営から離脱した(**東欧(とうおう)革命**)。冷戦の象徴であった「ベルリンの壁」は打ちこわされ,1990年には東西ドイツが統一を実現した。東アジアでも,ソ連と韓国(1990年),中国と韓国(1992年)が国交を樹立し,東西対決の構造が崩れた。一方,自由化の進むソ連では,1991年末には**ソ連邦が解体**した❷。東西対立の一方の極であったソ連の崩壊で,冷戦の時代は完全に幕を閉じた。しかし,旧ソ連やユーゴスラヴィアなどでは,民族と宗教に根ざした深刻な紛争が続いた。

冷戦の終結後は,アメリカの対外的影響力がふたたび高まり,1991年初めには,クウェートに侵攻したイラクに対して,アメリカ軍を主力とする「多国籍軍」が,国連決議を背景に武力制裁を加えた(**湾岸(わんがん)戦争**)。アメリカに「国際貢献」をせまられた日本は,「多国籍軍」に多額の資金援助をおこなったが,続発する地域紛争に**国連平和維持活動**(PKO)で対応する動きが国際的に強

---

❶ 同時期に公共支出の抑制,国有企業の民営化,労働運動への抑圧などを進めたイギリスのサッチャー政権や日本の中曽根政権にもみられるように,先進諸国の経済政策の基調は大きく変化した。従来の有効需要創出(ゆうこうじゅようそうしゅつ)政策(ケインズ政策)や福祉国家政策を批判する「新自由(新保守)主義」の理論にもとづいて,古典的な自由放任経済への回帰と「小さな政府」の実現がめざされた。
❷ 旧ソ連邦諸国の多くは,ロシア共和国(ロシア連邦)を中心とするゆるやかな連合である「独立国家共同体」(CIS)を結成した。

まる中，1992年から，カンボジアへの停戦監視要員などとして自衛隊の海外派遣を開始した❶。2001年のアフガン戦争，2003年のイラク戦争に際しては，一連の特別措置法にもとづき自衛隊を派遣した。

カンボジアでのPKO(1992年10月)　本格的に始まった国道3号の道路工事にたずさわっている自衛隊員の様子。

55年体制の崩壊

1989(平成元)年，昭和天皇が亡くなり，元号が**平成**と改められた頃から，保守長期政権下での金権政治の実態が国民の前に明らかにされていった。同年，竹下登内閣はリクルート事件の疑惑の中で退陣し，これを継いだ宇野宗佑内閣も参議院議員選挙での与党大敗で短命に終わった。湾岸戦争への対応に苦しんだ海部俊樹内閣にかわる宮沢喜一内閣のもとでは，1992(平成4)年に佐川急便事件，翌年にはゼネコン汚職事件が明るみに出て，政官界と大企業の癒着が国民の激しい非難を浴びた。こうした中で，政界でも選挙制度改革や政界再編成をめざす動きが強まった。

1993(平成5)年6月に自由民主党は分裂し❷，7月の衆議院議員総選挙で自民党は過半数割れの大敗北を喫し，宮沢内閣は退陣して，共産党を除く非自民8党派の連立政権❸が，日本新党の細川護熙を首相として発足した。

1955(昭和30)年以来，38年ぶりに政権が交代し，自民党の長期単独政権の弊害，バブル経済の崩壊，総評解散と連合結成という革新勢力内部での変動などが背景となって，55年体制は崩壊した。従来の保守と革新の対立は曖昧

---

❶　自衛隊の海外派遣の違憲性などをめぐって意見が対立したが，1992(平成4)年に宮沢喜一内閣のもとで**PKO協力法**が成立し，PKOへの自衛隊の海外派遣が可能になった。1993年にはモザンビーク，94年にはザイール(コンゴ民主共和国)，96年にはゴラン高原，2002年には東ティモールなどに派遣されている。

❷　「政治改革」の推進を主張する自民党離党者たちは，新生党(小沢一郎・羽田孜ら)および新党さきがけを結成した。

❸　社会党・新生党・公明党・日本新党・民社党・新党さきがけ・社会民主連合の7党派に，参議院の会派である民主改革連合が加わった。

2. 冷戦の終結と日本社会の動揺　411

になり，不安定な連合政治の時代に突入した。

　「政治改革」をとなえる細川内閣は，1994(平成6)年，衆議院に小選挙区比例代表並立制を導入する選挙制度改革を実現した。同年，これを継いだ羽田孜内閣が短命に終わると，自社両党が提携し，新党さきがけが加わり，社会党の村山富市委員長を首相とする政権が成立した。社会党は，安保・自衛隊や消費税を容認するなど，党の基本路線を大幅に変更した。一方，新生党・公明党・民社党・日本新党などの野党側は，1994(平成6)年に合同して新進党を結成した。

《 平成不況下の日本経済 》　1990年代に入ると，1980年代後半の「バブル経済」は一挙に崩壊した。1990(平成2)年の初めから株価が急激に下がり，1991(平成3)年には景気の後退が始まった。また，1992(平成4)年を境に地価も下落に転じ，実質経済成長率は同年に1.3%に落ち込み，1993(平成5)年には1%を割り込んだ(**平成不況**)❶。

　平成不況の特徴は，株価や地価の暴落(資産デフレ)にあった。バブル期に値上がりをみこして購入した株式や土地は不良資産となり，それを大量に抱え込んだ金融機関の経営が悪化して金融逼迫が生じ，これが実体経済の不況に波及した(**複合不況**)。企業は事業の整理や人員削減，海外展開などの大胆な経営の効率化(リストラ)をはかったが，大量の失業者が発生し，雇用不安が増大した❷。そのため消費が冷え込み，かえって不況を長引かせることになった。

　当初，政府と日本銀行は，これを通常の循環的な不況とみなし，財政支出の拡大と低金利政策によって乗りこえようとしたが，効果は上がらなかった。金融機関におよぼした影響は深刻で，1995(平成7)年頃から住宅金融専門会社の破綻が続き，1997(平成9)年には北海道拓殖銀行と山一証券が，1998(平成10)年には日本債権信用銀行と日本長期信用銀行が破綻した。

---

❶　1992(平成4)年4～6月期の経済成長率(GNP，国民総生産)は-3.3%であったが，続く7～9月期は-0.1%，10～12月期は-0.1%であった。第1次石油危機後の不況の時に2四半期連続でマイナスになったことはあるが，経済成長率が3四半期連続でマイナスになったのは，戦後の日本経済でははじめてのことであった。

❷　日本の失業率は1998(平成10)年に4%をこえ，2000(平成12)年には5%に達した。

企業の生産・投資活動はふるわず，個人消費の低迷がこれに追討ちをかけた。消費者のあいだに低価格志向が強まり，ブランド品や高級品の売行きが激減した。さらに円高が加わり，これまで日本経済を牽引してきた自動車や電子・家電，事務機器などの輸出主導・量産指向型の産業が，内需の不振，輸出競争力の低下という深刻な状況に追い込まれた。

　また，1980年代には，エレクトロニクス新素材・バイオテクノロジーなど，新技術でアメリカに肉薄したが，1990年代に入ると日本の技術革新は低迷し，技術格差はむしろ拡大した。

　一方，情報通信技術が飛躍的に発達し，情報のネットワーク化が国境をこえて進展した。また，アメリカの圧力で規制緩和と市場開放が進められ，日本企業もグローバルな競争に巻き込まれ，国際的な提携や合併など大規模な業界再編が進みつつある。

日本社会の混迷と諸課題

　1995(平成7)年には，阪神・淡路大震災やオウム真理教団による地下鉄サリン事件がおこり，沖縄ではアメリカ軍兵士の女子小学生暴行事件をきっかけにアメリカ軍基地の縮小を求める県民の運動が高揚した。日本社会の混迷は，政治や経済にもおよんだ。

　1996(平成8)年に村山富市内閣が退陣すると，自民党総裁の橋本龍太郎が連立政権を引き継いだ。橋本首相は，冷戦終結後の日米安保体制について共同宣言を発表し❶，同年に実施された新選挙制度による最初の総選挙では，自民党が大幅に躍進して単独で政権を組織し，社会民主党(日本社会党より改称)・新党さきがけの両党は，閣外協力の形で連立政権への参加を続けた。

　橋本首相は，1997(平成9)年に財政構造改革法を成立させて行財政改革の基本方向を定め，消費税を3％から5％に引き上げた。この消費税の引上げにアジア諸国の通貨・金融危機が重なり，景気はふたたび後退した❷。経営

---

❶　在日アメリカ軍の行動範囲を「アジア太平洋地域」とし，「日本周辺有事」の際に自衛隊がアメリカ軍の後方支援に当たれるよう，日米防衛協力指針(ガイドライン)を見直すことを宣言した。新ガイドラインは，1997(平成9)年に日米両政府間で決定された。

❷　1997(平成9)年度の実質経済成長率は−0.4％で，第1次石油危機直後の1974(昭和49)年以来のマイナス成長となったが，1998(平成10)年度は−2.0％とさらに落ち込んだ。

阪神・淡路大震災で横倒しとなった橋脚 京阪神地方を襲ったマグニチュード7.3、震度7の大地震で、死者は6000名をこえた。（毎日新聞社）

破綻した大手金融機関に公的資金が投入される一方、企業の倒産やリストラがあいつぎ、大量の失業者が発生した。

橋本首相は1998（平成10）年の参議院議員選挙❶敗北の責任をとって辞任し、小渕恵三（1937〜2000）が内閣を組織した。小渕内閣は大型予算を組んで景気回復につとめる一方、1999（平成11）年初めに自由党、同年7月には公明党の政権参加を取りつけ、衆参両院で安定多数を確保し、**新ガイドライン関連法**（周辺事態安全確保法など）や国旗・国歌法を制定した。

2001（平成13）年4月には、小泉純一郎（1942〜）が構造改革を掲げて内閣を組織した❷。小泉首相は、小さな政府をめざす新自由主義的な政策をとり、不良債権処理の抜本的な解決を掲げるとともに、財政赤字の解消と景気の浮揚をめざして大胆な民営化と規制緩和を進めた。その結果、景気は回復し、「失われた10年」と呼ばれた不況期を脱したかにみえたが、福祉政策が後退したばかりでなく、地方経済の疲弊をまねいて所得格差・地域格差が広がり、日本社会は混迷の度を深めることになった。

小泉首相が2006（平成18）年に任期満了で辞任すると、内閣総理大臣は安倍晋三（1954〜）・福田康夫（1936〜）・麻生太郎（1940〜）とめまぐるしくかわり、ついに2009（平成21）年8月の衆議院議員選挙では民主党が自民党に圧勝し、鳩山由紀夫（1947〜）が組閣して民主党政権が誕生した。しかし、政権は安定せず、総理大臣を菅直人（1946〜）にかえて

---

❶ 新進党は離党者が続出し、1997（平成9）年末に6会派に分裂したが、このうち自由党（党首小沢一郎）・公明党などを除く中道各派は民主党（代表菅直人）を結成した。その後、民主党は2003（平成15）年に自由党を吸収・合併した。

❷ 小泉首相は、2002（平成14）年9月に国交正常化を求めて朝鮮民主主義人民共和国（北朝鮮）を訪問したが、金正日（キムジョンイル）総書記との会談の中で日本人拉致問題をはじめ、解決すべき多くの課題が明らかになった。

のぞんだ2010(平成22)年7月の参議院議員選挙で民主党は大敗した。

　日本社会は現在，さまざまな課題に直面している。日本の人口は2005(平成17)年には約1億2800万人であったが，2050年には1億人近くまで減少し，しかも少子高齢化が急速に進行すると推計されている。少子・高齢社会は，家族や地域社会の機能を縮小するばかりでなく，労働人口の減少によって経済成長を阻害し，税収や保険料が減少して，国民生活のセーフティネットともいえる社会保障制度にも深刻な影響をおよぼすのである。

　地球の温暖化や生態系の破壊など，環境破壊も深刻な問題である。1997(平成9)年には地球温暖化防止京都会議が開催されて**京都議定書**が採択され，先進国の温暖化ガス削減目標が定められた。2000(平成12)年には循環型社会形成推進基本法が施行され，容器包装や家電などのリサイクルが法制化されて，循環型社会の実現がめざされている。なお，原子力は温室効果の影響が少なく，大量のエネルギーを供給することができるが，一方では1995(平成7)年の高速増殖炉「もんじゅ」の事故や1999(平成11)年の東海村(茨城県)の臨界事故によって，原子力発電の安全性に対する信頼がゆらいでいる。また，2011(平成23)年3月11日の**東日本大震災**における東京電力福島第一原子力発電所の事故では，これまでの原子力行政への批判が高まり，再生可能エネルギーの開発・推進に向けて，エネルギー政策そのものが問い直されることになった。

　情報化の進展も著しく，個人が私的に情報機器を活用するようになった。携帯電話の台数が一般の加入電話を上まわり，インターネットの利用が進んでコンピュータが家電製品化するなど，新たな需要を生み出しつつ人びとの生活を変化させている。情報化の進展は，企業活動にも大きな影響をもたらした。国境をこえ，全地球的な規模でリアルタイムに情報を収集し交換できるようになり，企業活動のボーダレス化が進んだ。

　さらに，アメリカやEUなどの先進諸国との関係は成熟期に達し，アジア諸国やASEAN諸国に加えて，中国やインドの経済発展も進み，日本を取り巻く国際関係は大きくかわりつつある。

歴史へのアプローチ

歴史の論述
歴史の流れを組み立てる

課題の設定

　これまで学んできた日本の原始・古代から近代・現代までの歴史の中から，社会と個人，世界の中の日本，地域社会の歴史にかかわる，さまざまな課題を設定することが可能である。交通・通信などの身近な事例や，政治・経済・国際関係などの社会的な事例から，自分が関心のある課題をみつけて，実際に取り組んでみよう。
　ここでは一例として，高度成長期前まで日本の産業を支えた主要なエネルギー源である石炭がどの地域でどのように採掘され，さらにそこで暮らす人びとの生活はどのようなものであったのか，考えてみたい。

課題の探究Ⅰ

　①の写真は，当時の福岡県八幡村（現在の北九州市）につくられ，1901（明治34）年に鉄の生産を開始した官営八幡製鉄所（→p.303）の写真である。八幡製鉄所がなぜこの時代に設立されたのか，この

①官営八幡製鉄所（新日本製鐵株式會社・八幡製鐵所蔵，福岡県）

炭坑名	（府県）	産出高
三池	（福岡・熊本）	712,565
夕張	（北海道）	259,794
新入	（福岡）	191,714
赤池	（福岡）	168,213
高島・端島	（長崎）	165,232
奈良・大藪	（福岡）	163,630
大城	（福岡）	151,019
幌内	（北海道）	121,788
小野田	（福島）	117,672
上歌志内	（北海道）	113,975
金田	（福岡）	108,160
鯰田	（福岡）	106,711
入山	（福島）	106,316
川宮	（福岡）	100,888
その他とも合計		6,721,798

（単位：トン）
②主要炭鉱
（1899〈明治32〉年，農商務省『農商務統計表』16次より）

時代の日本を取り囲む国際情勢や国際関係など国際的背景に留意して考えてみよう。また，設立されたあとの日本の産業発展や交通網の拡大についても調べてみよう。②は，同じ頃の日本の主要炭鉱の所在地と産出高の表である。この表から，日本のエネルギーを支えていたのはおもにどの地方だったのかを読み取り，なぜ八幡製鉄所が福岡県につくられたのか考えてみよう。さらに①②を結びつけ，明治後期の日本の製鉄業や石炭産業について，幅広い視野から論述してみよう。

課題の探究Ⅱ

　③④⑤の絵画は，明治・大正・昭和にかけて筑豊の炭鉱で働いた山本作兵衛（1892～1984）が描いた坑内の様子である。③の炭鉱画からは，石炭層の堆積の様子や，坑夫がどのように掘り進めていったのかがわかる。また，それを支える女性

③寝掘り 　④入坑 　⑤ヤマの水害

がどのような役割を担っていたかも考えてみよう。④の絵には坑夫が描かれていない。坑内の奥深くくだっていく女性と10歳ぐらいの男子、男子に背負われている幼児が描かれている。女性の夫は今、何をしているのだろうか。この男子は学校に通っているのだろうか。幼児は1日中、暗い坑道で何をやっているのだろうか。この家族の日常生活を推察してみよう。⑤の炭鉱画からは、危険な坑内の状況が生々しく伝ってくる。③④⑤の3枚の炭鉱画から、石炭の採掘にたずさわった人びととの労働事情や炭鉱で暮らした家族の生活を読み取って論述してみよう。

課題の探究Ⅲ

⑥の文章は、山本作兵衛がはじめて出版した本のあとがきに書かれたものである。山本作兵衛が炭鉱の様子を描き始めたのは、60歳をこえた1955（昭和30）年からであるという。抜群の記憶力で描かれた600枚近い炭鉱画は、近代日本の産業や社会を支えていた人びとのくらしを物語る貴重な記録として、2011（平成23）年5月にユネスコ（国連教育科学文化機関）から世界記憶遺産に登録された。60歳をこえた山本作兵衛が、こうした炭鉱画を描いた理由について、炭鉱で暮らした人びとに思いをめぐらせながらまとめてみよう。さらに、文中の「エネルギー革命」の語句に着目し、1950年代後半から1960年にかけてのエネルギー資源の転換や日本の産業構造の変化について調べることで、山本作兵衛の思いを戦後の日本社会の動きとも関連づけてより深く探究し、論述してみよう。

⑥
いまさらめいてきますが、エネルギー革命によって、筑豊だけでなく全国のヤマ（炭鉱）がつぎつぎに姿を消しており、跡に残るのはボタ山と鉱害と失業者だけという、みじめな世相となりました。それでも消えていくヤマについては、たくさんの報告が書かれ、多くの写真がうつしとられました。しかし明治・大正・昭和の初期までのヤマの姿を伝えるものはほんとうに少なく、いまから百年の後だれが知っていて、あとに伝えるでしょう。そこで私は昔のヤマの姿を記録して孫たちに残しておこうと思い立ちました。

山本作兵衛『画文集　炭鉱に生きる―地の底の人生記録』「あとがき」より

課題の論述

課題の探究Ⅰ～Ⅲをまとめ、表②にみえる三池・夕張・高島などの炭鉱についても、炭鉱会社の社史などで調べたり、インターネットで検索したりしてみよう。

以上の事例を参考に、日本を取り巻く歴史上の諸課題を多角的に考察してみよう。そして、その結果をレポートにまとめたり、歴史新聞を作成したりするなどして、表現してみよう。また、多様な表現・発信方法で他の課題に取り組んでいる人たちと意見交換や討論をおこない、歴史認識を深めていくことが重要である。

日本史年表

~701　飛鳥時代

年代	天皇	政治・経済・社会	文化	世界
紀元前			◆ 旧石器時代 ◆ 縄文文化 　（新石器文化） 　弥生文化 　（水稲耕作・金属器）	◆ オリエントで農耕・牧畜(前7000) 前221 秦，中国統一 前202 漢(前漢)おこる 前108 楽浪4郡設置 前7/前4頃 イエス誕生
		前1世紀頃，倭，小国分立		
紀元後				
57		倭の奴国王，後漢に入貢。印綬を受ける	◆ 方形周溝墓出現	25 後漢(~220)
100				
107		倭の国王帥升ら，後漢に入貢。生口を献上	◆ 弥生後期に登呂遺跡	◆ 中国で製紙改良
147		この頃より倭おおいに乱れる		◆ ガンダーラ美術
200				
239		卑弥呼，魏に遺使，親魏倭王の称号を受ける		05頃 帯方郡設置
266		倭の女王(壱与?)，晋に遣使	◆ 前方後円墳出現	20 三国時代(~280)
300				
		この頃ヤマト政権，統一進む		13 楽浪郡，滅ぶ
391		この頃より倭軍，朝鮮半島へ出兵		75 ゲルマン民族移動始まる
400				
413		倭，東晋に遣使	◆ 技術者集団の渡来 　（渡来人）	14 高句麗，広開土王碑建立
421	(讃)	倭王讃，宋に遣使		
438	(珍)	倭王珍，宋に遣使，安東将軍の称号を受ける	◆ 巨大古墳の築造	39 中国，南北朝時代(~589)
443	(済)	倭王済，宋に遣使，安東将軍の称号を受ける	71 稲荷山鉄剣	
462	(興)	済の世子興，安東将軍の称号を受ける	? 江田船山鉄刀	
478	(武)	倭王武，宋に遣使・上表，安東大将軍の称号を受ける	◆ 群集墳出現	86 フランク王国おこる
500				
512	(継体)	百済，加耶に進出する	03? 隅田八幡神社人物画像鏡(一説443)	
527	(〃)	筑紫国造磐井の反乱		70頃 ムハンマド生誕
562	(欽明)	新羅，加耶(加羅)を滅ぼす	38? 仏教公伝(戊午説) 　（一説552壬申説）	
587	用明	蘇我馬子，物部守屋を滅ぼす		89 隋，中国を統一
592	崇峻	馬子，崇峻天皇を暗殺	88 飛鳥寺建立	
593	推古	厩戸王，政務に参加する		
600				
603	〃	冠位十二階制定		
604	〃	憲法十七条制定	07? 法隆寺建立	18 隋滅び，唐おこる
607	〃	小野妹子を隋に派遣(遣隋使)		
608	〃	隋使裴世清来日。妹子，留学生と再度入隋		
630	舒明	第1回遣唐使：大使は犬上御田鍬		
643	皇極	蘇我入鹿，山背大兄王を襲い自殺させる		
645	大化1	〃	大化改新(蘇我入鹿暗殺)。難波宮に遷都		60 百済滅ぶ
646	2 孝徳	改新の詔		
658	斉明	阿倍比羅夫，蝦夷を討つ		68 高句麗滅ぶ
663	〈天智〉	白村江の戦い：倭軍，唐・新羅軍に敗北		
667	〈 〃 〉	近江大津宮へ遷都		76 新羅，半島統一
670	天智	庚午年籍をつくる	70 法隆寺火災	
672		壬申の乱。飛鳥浄御原宮へ遷都	80 薬師寺創建	
684	天武	八色の姓制定	（698ほぼ完成）	
689	持統	飛鳥浄御原令施行	81? 国史の編纂開始	98 渤海おこる(~926)
694	〃	藤原京へ遷都	◆ 高松塚古墳	
700				
701	大宝1 文武	大宝律令完成		

418　年表

708〜1189　奈良・平安・鎌倉時代

年代	天皇	政治・経済・社会	文化	世界
708 和銅 1	元明	和同開珎鋳造（711年に蓄銭叙位令）		
710　　3	〃	平城京に遷都		
712　　5	〃	出羽国を建てる。翌年、大隅国を建てる	12『古事記』	12 唐の玄宗即位
718 養老 2	元正	藤原不比等ら、養老律令を撰定	13『風土記』撰進を命ず	
722　　6	〃	百万町歩開墾計画	20『日本書紀』	
723　　7	〃	三世一身法施行		
724 神亀 1	聖武	陸奥国に多賀城を設置		
727　　4	〃	渤海使、はじめて来日（〜929）		
729 天平 1	〃	長屋王の変。光明子、皇后となる		
740　　12	〃	藤原広嗣の乱。恭仁京に遷都	41 国分寺建立の詔	
743　　15	〃	墾田永年私財法。大仏造立の詔		
757 天平宝字	孝謙	養老律令を施行。橘奈良麻呂の変	51『懐風藻』	
764　　8	淳仁	恵美押勝（藤原仲麻呂）の乱	52 東大寺大仏開眼供養	55 唐、安禄山・史思明の乱（〜763）
765 天平神護	称徳	道鏡、太政大臣禅師（翌年法王）となる	56 聖武天皇遺品を東大寺へ納入（正倉院宝物）	
770 宝亀 1	光仁	道鏡を下野薬師寺別当に追放	59 唐招提寺建立	
784 延暦 3	桓武	長岡京に遷都	70 百万塔陀羅尼	
792　　11	〃	諸国の兵士を廃し、健児をおく	◆『万葉集』	
794　　13	〃	平安京に遷都		
800				
802　　21	〃	坂上田村麻呂、胆沢城を築く	04 最澄・空海、入唐	00 フランク王国カール大帝、西ローマ皇帝となる
810 弘仁 1	嵯峨	藤原冬嗣、蔵人頭となる	05 最澄、天台宗を開く	
823　　14	淳和	大宰府管内に公営田制を実施	06 空海、真言宗を開く	
842 承和 9	仁明	承和の変：伴健岑・橘逸勢らを処罰	21 藤原氏、勧学院創創	29 イングランド諸国の統一
858 天安 2	清和	藤原良房、摂政となる（人臣摂政の初め）	28 綜芸種智院設立	
866 貞観 8	〃	応天門の変：伴善男流罪		75 唐：黄巣の乱（〜884）
879 元慶 3	陽成	畿内に官田をおく		
884　　8	光孝	藤原基経、関白となる（関白の初め）		
894 寛平 6	宇多	遣唐使派遣中止	◆『竹取物語』	
900				
901 延喜 1	醍醐	菅原道真を大宰権帥に左遷。延喜の治	01『日本三代実録』（六国史の最後）	07 唐滅ぶ
902　　2	〃	延喜の荘園整理令。班田記録の最後		18 高麗の建国
914　　14	〃	三善清行、意見封事十二カ条を進上	05『古今和歌集』	26 渤海滅ぶ
935 承平 5	朱雀	承平・天慶の乱始まる（〜41）	35 この頃『土佐日記』	36 高麗、朝鮮統一
947 天暦 1	村上	天暦の治	◆ 空也、念仏を勧める	60 宋おこる（〜1127）
969 安和 2	冷泉	安和の変：源高明を左遷	74 この頃『蜻蛉日記』	62 神聖ローマ帝国成立
988 永延 2	一条	尾張国郡司百姓等、国司の非法を訴える	85『往生要集』	
1000				
1017 寛仁 1	後一条	藤原道長、太政大臣、頼通、摂政となる	01 この頃『枕草子』	◆ 中国で火薬発明
1028 長元 1	〃	平忠常の乱（〜31）	10 この頃『源氏物語』	
1045 寛徳 2	後冷泉	寛徳の荘園整理令：前任国司後の荘園停止	22 道長の法成寺なる	38 セルジューク朝建国
1051 永承 6	〃	前九年合戦（〜62）	52 末法第1年	66 英、ノルマン朝成立
1069 延久 1	後三条	延久の荘園整理令。記録荘園券契所設置	53 平等院鳳凰堂なる	
1083 永保 3	白河	後三年合戦（〜87）	59? この頃『更級日記』	96 第1回十字軍
1086 応徳 3	堀河	白河上皇、院政を始める	◆『栄華物語』	
1100				
1156 保元 1	後白河	保元の乱	◆『大鏡』	15 金（〜1234）
1159 平治 1	二条	平治の乱	24 中尊寺金色堂建立	27 宋滅び南宋おこる
1167 仁安 2	六条	平清盛、太政大臣となる。平氏全盛	64? この頃平家納経	47 第2回十字軍
1177 治承 1	高倉	鹿ヶ谷の陰謀	75 法然、専修念仏をとなえる（浄土宗開宗）	
1179　　3	〃	清盛、後白河法皇を幽閉		
1180　　4	安徳	源頼政・以仁王挙兵、敗死。福原京遷都。源頼朝・源義仲挙兵。頼朝、侍所設置		
1183 寿永 2	〃	平氏の都落ち。頼朝の東国支配権確立		
1184 元暦 1	〃	頼朝、公文所・問注所を設置		
1185 文治 1	後鳥羽	平氏滅亡。頼朝、守護・地頭任命権獲得	91 栄西帰国し、臨済宗を広める	89 第3回十字軍
1189　　5	〃	頼朝、藤原泰衡を討ち、奥州を平定		

年表　419

1192〜1438 鎌倉・室町時代

年代	天皇	将軍	政治・経済・社会	文化	世界
1192 建久 3	後鳥羽	頼朝	頼朝, 征夷大将軍となる	95 東大寺再建供養	
1199 正治 1	土御門	頼家	頼朝死去。頼家, 家督相続。13人合議制		
1200					
1203 建仁 3	〃	執権	頼家, 将軍を廃され, 実朝, 将軍となる	05『新古今和歌集』	02 第4回十字軍
1204 元久 1	〃	時政	頼家, 修禅寺で北条時政に殺される		06 チンギス＝ハン, モンゴルを統一
1213 建保 1	順徳	義時	和田合戦。義時, 侍所別当を兼ねる	12『方丈記』	
1219 承久 1	〃	〃	将軍実朝, 公暁に殺される(源氏将軍断絶)		15 マグナ＝カルタ
1221 3	仲恭	〃	承久の乱：3上皇配流。六波羅探題設置	20『愚管抄』	19 チンギス＝ハン, 西アジア遠征(〜24)
1223 貞応 2	後堀河	〃	新補地頭の得分を定める(新補率法)		
1224 元仁 1	〃	泰時	北条時房, 執権となる	24 親鸞,『教行信証』を著す	28 第5回十字軍
1225 嘉禄 1	〃	〃	連署をおく。評定衆設置		
1226 2	〃	〃	藤原頼経, 将軍となる(藤原将軍の初め)	27 道元帰国し, 曹洞宗を伝える	36 バトゥ(モンゴル)の東欧遠征
1232 貞永 1	〃	〃	御成敗式目(貞永式目)制定		
1247 宝治 1	後深草	時頼	宝治合戦：三浦泰村の乱	◆『平家物語』	48 第6回十字軍
1249 建長 1	〃	〃	幕府, 引付を設置		70 第7回十字軍
1252 4	〃	〃	宗尊親王, 将軍となる(皇族将軍の初め)	53 日蓮, 鎌倉で法華宗を広める	
1268 文永 5	亀山	政村	モンゴルの使者, 国書をもたらす		71 モンゴル, 元を建国
1274 11	後宇多	時宗	文永の役：元軍, 九州に来襲	74 一遍, 時宗をとなえる	
1275 建治 1	〃	〃	異国警固番役。阿氐河荘民の訴え		75 マルコ＝ポーロ, 元に仕える(〜90)
1276 2	〃	〃	博多湾岸に防塁を築く	◆ 金沢文庫創立	
1281 弘安 4	〃	〃	弘安の役：元軍, 再度来襲		76 南宋, 元に降伏
1285 8	〃	貞時	霜月騒動：安達泰盛一族滅ぶ	80?『十六夜日記』	
1297 永仁 5	伏見	〃	徳政令発布(永仁の徳政令)		
1300					
1317 文保 1	花園	高時	文保の和談：両統迭立が定まる	◆『吾妻鏡』	02 仏：三部会招集
1321 元亨 1	後醍醐	〃	院政廃止, 後醍醐天皇親政		18 ダンテ『神曲』——ルネサンス始まる
1324 正中 1	〃	〃	正中の変：討幕計画もれる	22『元亨釈書』	
1331 元弘 1	〃	守時	元弘の変：後醍醐天皇, 笠置で捕われる	◆『徒然草』	
1332 2	〃	〃	後醍醐天皇, 隠岐に配流		
1333 3	〃	〃	鎌倉幕府滅亡。後醍醐天皇, 京都に還幸		
1334 建武 1	〃		建武の新政		
1335	〃	将軍	中先代の乱。足利尊氏反す		
1336 建武 3/延元 1	光明/後醍醐		建武式目制定。後醍醐天皇, 吉野に移る		
1338 暦応 1/延元 3	〃	尊氏	足利尊氏, 征夷大将軍となる	39『神皇正統記』	39 英仏：百年戦争(〜1453)
1342 康永 1/興国 3	光明/後村上	〃	尊氏, 天龍寺船を元に派遣	42 五山・十刹を定める	
1350 観応 1/正平 5	崇光/後村上	〃	観応の擾乱(〜52)		48 この頃ヨーロッパにペスト(黒死病)流行
			◆この頃倭寇の活動盛ん(前期倭寇)		68 元滅び, 明おこる
			◆琉球で三山(北山・中山・南山)分立	56『菟玖波集』	70 ティムール朝おこる(〜1507)
1352 文和 1/正平 7	後光厳/後村上	〃	半済令発布	◆『太平記』	
1371 応安 4/建徳 2	後円融/長慶	義満	九州探題今川了俊の赴任		78 ローマ教会大分裂(〜1417)
1378 永和 4/天授 4	〃	〃	足利義満, 室町に花の御所造営		
1391 明徳 2/元中 8	後小松/後亀山	〃	明徳の乱：山名氏清討たれる		92 高麗滅び, 朝鮮おこる
1392 明徳 3	後小松	〃	南北朝の合一		
1394 応永 1	〃	〃	足利義満, 太政大臣となる	◆ 五山文学盛ん	
1399 6	〃	〃	応永の乱：大内義弘討たれる	97 義満, 金閣造営	
1400					
1401 8	〃	〃	義満, 第1回遣明船派遣	◆『風姿花伝』	02 明, 永楽帝即位
1404 11	〃	〃	勘合貿易始まる	◆この頃, 茶の湯・生花など流行する	◆ マヤ・アステカ文明, インカ文明
1411 18	〃	〃	明と国交一時断絶(〜32)		
1419 26	称光	〃	応永の外寇：朝鮮, 対馬をおかす		29 ジャンヌ＝ダルク, オルレアンを救う
1428 正長 1	後花園		正長の徳政一揆	◆この頃, 能楽大成	
1429 永享 1	〃	義教	播磨の土一揆。尚巴志, 琉球王国を建国		
1432 4	〃	〃	足利義教, 明に遣使, 国交再開	39 上杉憲実, 足利学校を再興	
1438 10	〃	〃	永享の乱：鎌倉公方足利持氏を討つ		

1441～1631　室町・安土桃山・江戸時代

年代	天皇	将軍	政治・経済・社会	文化	世界
1441 嘉吉1	後花園	義教	嘉吉の変：義教暗殺。嘉吉の徳政一揆		53 ビザンチン帝国滅ぶ
1455 康正1	〃	義政	足利成氏，下総古河に拠る（古河公方）		55 英：バラ戦争（～85）
1457 長禄1	〃	〃	足利義政，政知を伊豆堀越におく（堀越公方）。コシャマインの戦い	67 雪舟，明に渡る	
1467 応仁1	後土御門	〃	応仁の乱始まる	71 吉崎道場建設	79 スペイン王国成立
1477 文明9	〃	義尚	応仁の乱ほぼ鎮まる	89 義政，銀閣を造営	80 モスクワ大公国独立
1485 17	〃	〃	山城の国一揆（～93）	95 『新撰菟玖波集』	
1488 長享2	〃	〃	加賀の一向一揆，一国支配（～1580）	96 蓮如，石山本願寺を創建	92 コロンブス，アメリカに到達
1493 明応2	〃	義稙	北条早雲，伊豆の堀越公方を滅ぼす		
1500					
1510 永正7	後柏原	〃	三浦の乱：朝鮮在留日本人の反乱	『犬筑波集』	10 ポルトガル人，ゴアを占領
1512 9	〃	〃	壬申約条：宗氏，朝鮮と貿易協定	18 『閑吟集』	17 ルターの宗教改革
1523 大永3	〃	義晴	寧波の乱：細川・大内両氏の争い		19 マゼランの世界周航（～22）
1532 天文1	後奈良	〃	京都で法華一揆（～36）		
1536 5	〃	〃	天文法華の乱		34 イエズス会成立
1543 12	〃	〃	鉄砲が伝わる		
1549 18	〃	義輝	ザビエル，海を渡り，キリスト教を伝える		41 カルヴァンの宗教改革
1551 20	〃	〃	大内氏滅び，勘合貿易断絶		
1560 永禄3	正親町	〃	桶狭間の戦い。この頃後期倭寇盛ん		
1561 4	〃	〃	川中島の戦い（1553～64，5回）	◆三味線伝来	
1565 8	〃	〃	将軍義輝，松永久秀らに殺される		
1568 11	〃	義昭	織田信長，足利義昭を奉じて京都に入る		
1570 元亀1	〃	〃	姉川の戦い。石山合戦（～80）	69 信長，フロイスにキリスト教の布教を許可	71 スペイン，マニラを建設
1571 2	〃	〃	信長，比叡山を焼打ち		
1573 天正1	〃	〃	室町幕府の滅亡：信長，義昭を追放		
1575 3	〃		長篠合戦		
1576 4	〃		信長，安土城完成		
1580 8	〃		信長，本願寺と和す		
1582 10	〃		天目山の戦い：武田氏滅亡。本能寺の変。山崎の合戦。太閤検地開始	82 天正遣欧使節：大友・大村・有馬3大名，ローマ教皇に使節派遣	81 オランダ独立宣言。ロシア，シベリアへ進出
1583 11	〃		賤ヶ岳の戦い。大坂築城（～88）		
1584 12	〃		小牧・長久手の戦い。スペイン人平戸来航		
1585 13	〃		羽柴秀吉，四国平定。関白となる		
1586 14	後陽成		秀吉，太政大臣，豊臣の姓を賜わる	87 聚楽第なる	88 英，スペイン無敵艦隊を破る
1587 15	〃		秀吉，九州平定。バテレン追放令		
1588 16	〃		刀狩令。海賊取締令。天正大判を鋳造	90 天正遣欧使節帰着。活字印刷機を伝える	
1590 18	〃		秀吉，小田原を平定。家康，関東に移封。奥州平定（全国統一完成）		
1592 文禄1	〃		文禄の役：秀吉，朝鮮に出兵		
1596 慶長1	〃		サン＝フェリペ号事件。26聖人殉教	◆朝鮮より活字印刷・製陶法伝わる	
1597 2	〃		慶長の役		
1598 3	〃		秀吉死去。朝鮮より撤兵		
1600					
1600 5	〃		蘭船リーフデ号漂着。関ヶ原の戦い		00 英，東インド会社設立
1603 8	〃	家康	徳川家康，征夷大将軍となる	03 阿国歌舞伎始まる	02 蘭，東インド会社設立
1604 9	〃	〃	糸割符制始まる		
1607 12	〃	秀忠	朝鮮使節はじめて来日	◆姫路城なる	
1609 14	〃	〃	島津氏，琉球出兵。蘭，平戸に商館開設し，貿易開始。己酉約条	12 幕領でキリスト教禁止，翌年，全国に及ぶ	
1613 18	後水尾	〃	伊達政宗，慶長遣欧使節。イギリス，平戸に商館開く		16 ヌルハチ，後金を建国
1614 19	〃	〃	大坂冬の陣	◆人形浄瑠璃成立	
1615 元和1	〃	〃	大坂夏の陣：豊臣氏滅亡。一国一城令。武家諸法度・禁中並公家諸法度発布	17 日光東照宮なる	18 三十年戦争
1616 2	〃	〃	欧州船の寄港地を平戸・長崎に制限	20 桂離宮の造営（～24）	
1623 9	〃	家光	イギリス，日本より撤退		23 アンボイナ事件
1624 寛永1	〃	〃	スペイン船の来航禁止		28 英：権利請願
1629 寛永6	〃	〃	紫衣事件。この頃長崎で絵踏始まる	30 キリシタン書籍の輸入禁止	
1631 8	明正	〃	奉書船の制開始：老中奉書必須		

年表　421

1633〜1867　江戸時代

年代	天皇	将軍	政治・経済・社会	文化	世界
1633　10	明正	家光	奉書船以外の渡航禁止	36 後金を清と改称	
1635　12	〃	〃	日本人の海外渡航・帰国禁止		
1637　14	〃	〃	島原の乱(〜38)		40 英：イギリス革命
1639　16	〃	〃	ポルトガル人の来航禁止		
1641　18	〃	〃	平戸のオランダ商館を長崎出島に移す		43 仏：ルイ14世の治世(〜1715)
1643　20	後光明	〃	田畑永代売買の禁令	54 明僧隠元，黄檗宗を伝える	
1649 慶安 2	〃	〃	慶安の触書発布とされるが疑問		44 明の滅亡
1651　4	〃	家綱	由井正雪の乱。末期養子の禁を緩和	57 『大日本史』の編纂着手(1906完成)	51 英：航海法
1655 明暦 1	後西	〃	糸割符制を廃し，相対貿易とする		82 露：ピョートル1世即位(〜1725)
1657　3	〃	〃	明暦の大火：江戸城本丸など焼失	65 諸宗寺院法度	
1669 寛文 9	霊元	〃	シャクシャインの戦い	82 『好色一代男』	88 英：名誉革命(〜89)
1671　11	〃	〃	河村瑞賢，東廻り海運を開く	84 貞享暦採用，翌年より使用開始	
1673 延宝 1	〃	〃	分地制限令		89 ネルチンスク条約(清・ロシア)
1685 貞享 2	〃	綱吉	生類憐みの令(〜1709)。糸割符制復活	90 聖堂を湯島に移す	
1700					
1702 元禄15	東山	〃	赤穂浪士大石良雄ら，吉良義央を討つ	08 宣教師シドッチ，屋久島に着く	01 スペイン継承戦争(〜13)
1709 宝永 6	中御門	家宣	幕府，新井白石を登用(正徳の政治)		
1715 正徳 5	〃	家継	海舶互市新例(長崎新令・正徳新令)	15 『国性爺合戦』	
1716 享保 1	〃	吉宗	徳川吉宗，享保の改革(〜45)	◆『西洋紀聞』	
1719　4	〃	〃	相対済し令		33 ジョン=ケイ(英)，飛び杼発明(産業革命の出発点)
1721　6	〃	〃	人口調査開始。評定所に目安箱設置	20 洋書輸入の禁緩和	
1722　7	〃	〃	上げ米令。参勤交代を緩和	29 石田梅岩，心学を講ず	
1723　8	〃	〃	足高の制		40 オーストリア継承戦争(〜48)
1732　17	〃	〃	享保の飢饉：西国，蝗害で大凶作		
1742 寛保 2	桜町	〃	公事方御定書なる	53 ?『自然真営道』	57 プラッシーの戦い(インドでの英仏対決)
1758 宝暦 8	桃園	家重	宝暦事件：竹内式部，捕えられる	65 鈴木春信，錦絵を始める	
1767 明和 4	後桜町	家治	田沼意次，側用人となる(田沼時代〜86，72老中)		
			明和事件：山県大弐死刑。竹内式部流罪	74 『解体新書』	75 アメリカ独立戦争(〜83)
1778 安永 7	後桃園	〃	ロシア船，蝦夷地厚岸に来航	84 ?志賀島で委奴国王の金印を発見	76 アメリカ独立宣言
1782 天明 2	光格	〃	天明の飢饉，翌年浅間山大噴火	91 『海国兵談』	89 フランス革命(〜99)
1787　7	〃	家斉	松平定信，老中	93 和学講談所設立	
1789 寛政 1	〃	〃	棄捐令：旗本・御家人の負債免除	97 昌平坂学問所直轄	96 清：白蓮教徒の乱(〜1804)
1790　2	〃	〃	人足寄場設置。寛政異学の禁		
1792　4	〃	〃	林子平の筆禍。ラクスマン，根室に来航	◆滑稽本流行	
1798　10	〃	〃	近藤重蔵ら，千島探査		
1800					
1804 文化 1	〃	〃	レザノフ，長崎に来航，通商要求		04 ナポレオン，帝位につく
1808　5	〃	〃	間宮林蔵，樺太探査。フェートン号事件		
1825 文政 8	仁孝	〃	異国船打払令(無二念打払令)	11 蛮書和解御用設置	14 ウィーン会議(〜15)
1828　11	〃	〃	シーボルト事件	◆読本流行	
1833 天保 4	〃	〃	天保の飢饉(〜39)	14 『南総里見八犬伝』(〜41)	23 モンロー宣言
1837　8	〃	家慶	大塩の乱。生田万の乱。モリソン号事件		40 アヘン戦争(〜42)
1839　10	〃	〃	蛮社の獄	21 大日本沿海輿地全図	42 南京条約
1841　12	〃	〃	天保の改革(〜43)。株仲間の解散令		51 太平天国の乱(〜64)
1842　13	〃	〃	天保の薪水給与令	◆人情本流行	
1843　14	〃	〃	人返しの法。上知令失敗で水野忠邦失脚	38 中山みき，天理教を開く	53 クリミア戦争(〜56)
1846 弘化 3	孝明	〃	ビッドル，浦賀に来航，通商要求		
1853 嘉永 6	〃	〃	ペリー浦賀に，プチャーチン長崎に来航	42 人情本出版禁止	
1854 安政 1	〃	家定	日米和親条約		
1858　5	〃	家茂	日米修好通商条約。安政の大獄	56 蕃書調所を開設	56 アロー戦争(〜60)
1860 万延 1	〃	〃	桜田門外の変。五品江戸廻送令	58 種痘館設置。福沢諭吉，私塾を開く(68慶応義塾)	58 アイグン条約・天津条約
1862 文久 2	〃	〃	坂下門外の変。和宮降嫁。生麦事件		
1863 文久 3	孝明	家茂	薩英戦争。八月十八日の政変		ムガル帝国滅亡
1864 元治 1	〃	〃	禁門の変。第1次長州征討		60 北京条約
1865 慶応 1	〃	〃	第2次長州征討宣言。条約勅許	65 大浦天主堂完成	61 イタリア統一。米：南北戦争(〜65)
1866　2	〃	〃	薩長連合。改税約書調印。長州再征中止		
1867　3	明治	慶喜	大政奉還。王政復古の大号令		

1868～1925　明治・大正時代

年代		天皇	総理	政治・経済・社会	文化	世界
1868	明治 1	明治	太政大臣	戊辰戦争。五箇条の誓文。一世一元の制　東京遷都。版籍奉還。箱館五稜郭の戦い	68 神仏分離令，廃仏毀釈運動	
1869	2	〃			浦上事件	
1871	4	〃	三条	新貨条例。廃藩置県。日清修好条規		
1872	5	〃	〃	田畑永代売買の解禁。国立銀行条例	70 大教宣布	70 プロイセン＝フランス戦争(～71)
1873	6	〃	〃	徴兵令。地租改正条例。征韓論敗れる	71 郵便開業。戸籍法	
1874	7	〃	〃	民撰議院設立の建白。佐賀の乱。台湾出兵	72 学制公布。新橋・横浜間鉄道開通。太陽暦採用	71 ドイツ帝国成立
1875	8	〃	〃	元老院・大審院設置。立憲政体樹立の詔。樺太・千島交換条約		
1876	9	〃	〃	日朝修好条規。廃刀令。秩禄処分。神風連・秋月・萩の乱。三重県など農民一揆	73 禁教の高札撤廃。明六社発足	77 ロシア＝トルコ戦争(～78)
1877	10	〃	〃	西南戦争。立志社建白	75 同志社創立	
1878	11	〃	〃	三新法制定	76 札幌農学校創立	
1879	12	〃	〃	琉球藩を廃し，沖縄県設置(琉球処分)	77 東京大学開設	
1880	13	〃	〃	国会期成同盟。集会条例。工場払下概則	79 教育令制定	81 イリ条約
1881	14	〃	〃	明治十四年の政変。国会開設の勅諭。自由党結成。松方財政開始	82 東京専門学校創立　83 鹿鳴館落成	82 独・墺・伊三国同盟
1882	15	〃	総理	改進党結成。壬午軍乱。日銀開業	85『小説神髄』	
1884	17	〃		華族令制定。秩父事件。甲申事変	86 学校令制定	84 清仏戦争
1885	18	〃	伊藤	天津条約。大阪事件。内閣制度発足	87 東京音楽学校・東京美術学校設立	
1887	20	〃	〃	大同団結運動。三大事件建白。保安条例		
1888	21	〃	黒田	市制・町村制公布。枢密院設置	89 東海道線全通	
1889	22	〃	〃	大日本帝国憲法発布。大隈外相遭難	90 教育勅語発布	91 露仏同盟。シベリア鉄道起工
1890	23	〃	山県	府県制・郡制公布。第1回帝国議会開会	92 北里柴三郎，伝染病研究所を設立	94 甲午農民戦争
1891	24	〃	松方	大津事件。足尾鉱毒事件問題化		
1894	27	〃	伊藤	日英通商航海条約調印。日清戦争(～95)	96 白馬会創立	98 アメリカ＝スペイン戦争
1895	28	〃	〃	下関条約調印。三国干渉	98 日本美術院創立。日本映画はじめて製作	99 南アフリカ戦争(～1902)
1897	30	〃	松方	金本位制の確立。労働組合期成会結成		
1899	32	〃	山県	改正条約実施(法権回復)		
1900	33	〃	〃	治安警察法。北清事変。立憲政友会結成		00 義和団事件(～01)
1901	34	〃	桂	社会民主党結成。八幡製鉄所操業開始	02 木村栄，Z項発見	01 北京議定書
1902	35	〃	〃	第1次日英同盟協約締結	03 小学校教科書国定化	
1904	37	〃	〃	日露戦争(～05)。第1次日韓協約		04 英仏協商
1905	38	〃	〃	第2次日英同盟協約。ポーツマス条約。第2次日韓協約(保護条約)	『平民新聞』発刊　06『破戒』	05 シベリア鉄道完成　07 英露三国協商
1906	39	〃	西園寺	日本社会党結成。鉄道国有法。満鉄設立	07 義務教育6年。文部省美術展覧会	08 青年トルコ革命
1907	40	〃	〃	ハーグ密使事件。第3次日韓協約		
1909	42	〃	桂	伊藤博文暗殺される	08 戊申詔書	
1910	43	〃	〃	大逆事件。韓国併合条約	09 自由劇場創立	
1911	44	〃	〃	日米新通商航海条約(関税自主権回復)。工場法公布。第3次日英同盟協約	10『白樺』創刊　11『青鞜』創刊	11 辛亥革命
1912	大正 1	大正	西園寺	友愛会創立	14 日本美術院再興(院展)	12 中華民国成立
1913	2	〃	桂	大正政変(第一次護憲運動)	二科会結成	14 第一次世界大戦(～18)
1914	3	〃	山本/大隈	ジーメンス事件。第一次世界大戦に参戦　中国に二十一カ条の要求	15 理化学研究所設立	17 ロシア革命
1915	4	〃	〃		19 帝国美術院設置(帝展)	19 五・四運動。ヴェルサイユ条約
1917	6	〃	寺内	金輸出禁止。石井・ランシング協定		
1918	7	〃	〃/原	シベリア出兵。米騒動。原内閣成立		
1919	8	〃	〃	三・一独立運動。ヴェルサイユ条約調印	20 森戸事件	20 国際連盟成立
1920	9	〃	〃	新婦人協会発足。日本社会主義同盟結成	21『種蒔く人』創刊	21 ワシントン会議(～22)
1921	10	〃	〃/高橋	友愛会，日本労働総同盟と改称。ワシントン会議で四カ国条約に調印		22 イタリア，ファシスト政権成立
1922	11	〃	高橋/加藤(友)	九カ国条約・海軍軍縮条約。全国水平社・日本農民組合・日本共産党結成		
1923	12	〃	山本	関東大震災。虎の門事件	24 築地小劇場完成	26 蒋介石，北伐開始(～28)
1924	13	〃	清浦/加藤(高)	第二次護憲運動	25 ラジオ放送開始	
1925	14	〃	〃	日ソ基本条約。治安維持法。普通選挙法		

年表　423

1927〜1969 昭和時代

年代		天皇	総理	政治・経済・社会	文化	世界
1927	昭和2	昭和	若槻/田中	金融恐慌。山東出兵(〜28)		28 パリ不戦条約
1928	3	〃	〃	普通選挙実施。三・一五事件。済南事件。張作霖爆殺事件。不戦条約	29『蟹工船』。旅客飛行開始	29 世界恐慌
1930	5	〃	浜口	金輸出解禁。ロンドン条約調印	31 清水トンネル開通。初の国産トーキー映画	30 ロンドン軍縮会議
1931	6	〃	〃/若槻/犬養	柳条湖事件：満州事変。金輸出再禁止		33 ドイツ、ナチス政権成立
1932	7	〃	〃/斎藤	上海事変。血盟団事件。満州国建国宣言。五・一五事件。日満議定書調印		アメリカ、ニューディール政策開始
1933	8	〃	〃	国際連盟脱退通告。塘沽停戦協定	33 京帝大滝川事件	35 イタリア、エチオピアに侵入
1934	9	〃	岡田	満州国帝政実施	34 丹那トンネル開通	
1935	10	〃	〃	天皇機関説、問題となる。国体明徴声明	35 湯川秀樹、中間子論。第1回芥川賞・直木賞	36 スペイン内戦(〜39)。西安事件
1936	11	〃	〃/広田	二・二六事件。日独防共協定。ワシントン・ロンドン条約失効		38 ミュンヘン会談
1937	12	〃	近衛	盧溝橋事件：日中戦争。日独伊防共協定	37 文化勲章制定。国民精神総動員運動	39 独ソ不可侵条約。第二次世界大戦(〜45)
1938	13	〃	近衛声明。国家総動員法。張鼓峰事件			40 南京に汪政権
1939	14	〃	平沼	日米通商航海条約廃棄通告		
1940	15	〃	近衛	北部仏印進駐。日独伊三国同盟成立。大政翼賛会。大日本産業報国会	40 津田左右吉著書発禁	41 大西洋憲章。独ソ戦争
1941	16	〃	〃/東条	日ソ中立条約締結。南部仏印進駐。ハワイ真珠湾攻撃：太平洋戦争(〜45)		43 イタリア降伏。カイロ会談
1942	17	〃	〃	翼賛選挙。ミッドウェー海戦	41 国民学校令公布	45 ヤルタ会談。ポツダム会談。国際連合成立。インドネシア独立
1943	18	〃	〃	ガダルカナル撤退。学徒出陣		
1944	19	〃	〃/小磯	サイパン島陥落。本土爆撃本格化	42 関門海底トンネル開通	
1945	20	〃	〃/鈴木	東京大空襲。アメリカ軍、沖縄本島占領。広島に原子爆弾。ソ連参戦。長崎に原子爆弾。ポツダム宣言受諾		46 フィリピン独立。インドシナ戦争(〜54)
			東久邇幣原	降伏文書に調印。連合国軍の本土進駐。五大改革指令。財閥解体。農地改革指令。新選挙法(女性参政権)。労働組合法		47 インド・パキスタン分離独立。コミンフォルム結成(〜56)
1946	21	〃	〃/吉田	天皇人間宣言。公職追放令。農地改革(一次・二次)。金融緊急措置令。極東国際軍事裁判開始。日本国憲法公布	46 第1回日展。第1回国民体育大会。当用漢字告示	48 ビルマ・大韓民国・朝鮮民主主義人民共和国独立
1947	22	〃	〃/片山	二・一ゼネスト中止。労働基準法。独占禁止法。日本国憲法施行。労働省設置。過度経済力集中排除法公布	47 教育基本法・学校教育法公布。六三制実施	49 北大西洋条約。中華人民共和国成立
1948	23	〃	吉田	極東国際軍事裁判判決。経済安定九原則	48 教育委員会法公布	50 朝鮮戦争(〜53)
1949	24	〃	〃	ドッジ＝ライン。単一為替レート決定(1ドル=360円)	49 法隆寺壁画焼損。岩宿で旧石器確認。湯川秀樹、ノーベル物理学賞	54 インドシナ休戦協定
1950	25	〃	〃	下山・三鷹・松川事件。シャウプ税制勧告。警察予備隊新設。レッドパージ		
1951	26	〃	〃	サンフランシスコ平和条約・日米安全保障条約調印。社会党分裂	50 金閣全焼。文化財保護法制定。53 テレビ放送開始	55 アジア＝アフリカ会議。ワルシャワ条約
1952	27	〃	〃	日米行政協定。メーデー事件。破防法成立。IMF加盟。保安隊設置	54 平城宮跡の発掘開始	57 ソ連、人工衛星打上げ成功
1953	28	〃	〃	内灘基地反対闘争。奄美大島返還		
1954	29	〃	〃	日米MSA協定。防衛庁・自衛隊発足	56 新教育委員会法。南極観測始まる	62 キューバ危機
1955	30	〃	鳩山	砂川事件。社会党統一。保守合同		65 米、ベトナム北爆開始
1956	31	〃	〃	日ソ共同宣言。国連加盟	57 東海村原子炉の点火	
1960	35	〃	岸	日米新安全保障条約調印。民主社会党結成		66 中国文化大革命(〜77)
1961	36	〃	池田	農業基本法制定		67 EC発足
1963	38	〃	〃	部分的核実験停止条約に調印		68 核兵器拡散防止条約
1964	39	〃	池田/佐藤	IMF 8条国移行。OECD加盟	64 東海道新幹線開通。東京オリンピック開催	ソ連・東欧軍のチェコスロヴァキア侵入
1965	40	〃	〃	ILO87条約承認。日韓基本条約調印		
1967	42	〃	〃	公害対策基本法制定		
1968	43	〃	〃	日中覚書貿易開始。小笠原諸島返還実現。GNP、資本主義国第2位	68 文化庁設置	69 アポロ11号で、人類初の月面に達
1969	44	〃	〃	日米共同声明(沖縄72年返還)		

1970〜 昭和・平成時代

年代		天皇	総理	政治・経済・社会	文化	世界
1970	昭和45	昭和	佐藤	核兵器拡散防止条約参加	70 人工衛星打上げ。日本万国博開催	
1971	46	〃	〃	沖縄返還協定調印。環境庁発足		71 印パ戦争
1972	47	〃	〃/田中	沖縄祖国復帰実現。日中共同声明	72 札幌オリンピック。高松塚古墳壁画発見	73 ベトナム和平協定
1973	48	〃	〃	円の変動為替相場制移行。石油危機		79 米中国交樹立。ソ連、アフガニスタンに軍事介入
1976	51	〃	三木	ロッキード事件問題化		
1977	52	〃	福田	漁業専管水域200海里時代の開幕	75 沖縄海洋博開催	
1978	53	〃	〃	日中平和友好条約調印	78 新東京国際空港(成田)開港	80 イラン＝イラク戦争(〜88)
1983	58	〃	中曽根	参議院、比例代表制による初の選挙		
1986	61	〃	〃	行政改革で総務庁発足	83 国立歴史民俗博物館開館	86 ソ連の原子力発電所原子炉事故で放射能拡散
1987	62	〃	〃/竹下	JR新会社。全民労連(連合)発足		
1989	平成1	今上	〃/宇野	消費税実施。参議院選挙で与野党逆転	85 科学技術万国博覧会開催	89 ベルリンの壁撤去
1991	3	〃	海部/宮沢	証券不祥事問題化		91 ソ連消滅
1992	4	〃	宮沢	PKO協力法成立	88 青函トンネル・瀬戸大橋開通	93 EU発足
1993	5	〃	宮沢/細川	自民党分裂。非自民連立内閣成立		
1994	6	〃	羽田/村山	社会・さきがけ・自民3党連立内閣		
1995	7	〃	村山	阪神・淡路大震災	94 三内丸山遺跡で縄文時代の巨大建造物などの遺構発見	
1996	8	〃	橋本	小選挙区比例代表並立制の総選挙		
1997	9	〃	〃	アイヌ文化振興法成立		
1998	10	〃	小渕	日韓首脳共同宣言		
1999	11	〃	〃	新ガイドライン関連法	98 長野オリンピック	99 EU、単一通貨ユーロ導入
2000	12	〃	森	沖縄サミット開催	00 旧石器ねつ造事件	
2001	13	〃	森/小泉	中央省庁再編。テロ対策特別措置法成立		01 米で同時多発テロ
2002	14	〃	〃	日本・北朝鮮、初の首脳会談		
2003	15	〃	〃	有事関連三法成立		03 米・英、イラク攻撃
2004	16	〃	〃	自衛隊、イラクへ派遣		04 スマトラ沖で津波災害
2005	17	〃	〃	JR西日本福知山線で脱線事故。郵政民営化法成立		
2006	18	〃	〃/安倍	教育基本法の改正		
2007	19	〃	〃/福田	参議院選挙で自民党大敗	07 高松塚古墳の石室解体	
2008	20	〃	〃/麻生	北海道洞爺湖サミット		
2009	21	〃	〃/鳩山	衆議院選挙で民主党大勝		
2011	23	〃	菅/野田	東日本大震災		

索引

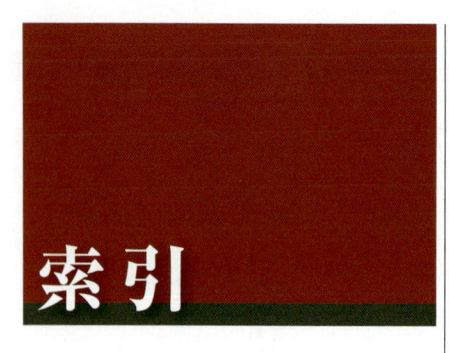

【あ】

鮎川義介 348
愛国社 276
相沢三郎 350
相沢忠洋 10
会沢安 241, 244
相対済し令 218
アイヌ 109, 130, 268
アイヌ文化振興法 268
亜欧堂田善 231
青木昆陽 219, 225
青木周蔵 287
赤い鳥 335
赤絵 185
明石人 9
赤松克麿 349
赤松満祐 132
秋田城 49
秋月の乱 275
商場 182
芥川龍之介 337
悪党 113
悪人正機 113
安愚楽鍋 312
明智光秀 160
上げ米 219
赤穂事件 200
阿衡の紛議 69
浅井忠 315
浅野総一郎 304
浅野長政 162
浅間山大噴火 223
按司 109
アジア＝アフリカ会議 386
足尾鉱毒事件 307
足利学校 146
足利成氏 148
足利高氏(尊氏) 121
足利直義 132
足利政知 148
足利持氏 132
足利基氏 126
足利義昭 159
足利義勝 133
足利義教 128, 132
足利義尚 134
足利義政 134

足利義視 134
足利義満 124
足利義持 128, 132
足軽 134
芦田均 378
阿修羅像 59
飛鳥浄御原宮 39
飛鳥浄御原令 40
飛鳥寺 36
飛鳥文化 36
預所 80
東歌 56
麻生太郎 414
直 33
安達泰盛 109
阿知使主 27
安土城 159
吾妻鏡 117
阿弖流為 61
アニミズム 14
姉川の戦い 159
安部磯雄 298
安倍晋三 414
阿倍内麻呂 38
阿倍比羅夫 49
阿部信行 358
阿部正弘 251
アヘン戦争 250
天草四郎 176
天草版 169
網漁 193
アメリカ教育使節団 374
アメリカ軍基地反対闘争 388
新井白石 201, 215, 225
荒木貞夫 350
荒事 213
アラブ石油輸出国機構 403
アララギ 314
有島武郎 337
有田焼 185
有馬晴信 158
鞍山製鉄所 323
安重根 296
安政の改革 252
安政の五カ国条約 253
安政の大獄 254
安全保障理事会 369
安帝 20

安藤(東)氏 130
安藤昌益 227
安藤信正 255
安徳天皇 92
安和の変 69
安保闘争 390

【い】

井伊直弼 252, 254
イエズス会 158
家子 82
伊賀惣国一揆 135
斑鳩寺 36
衣冠 77
生きてゐる兵隊 358
イギリス公使館焼打ち事件 254
生田万の乱 238
生野銀山 194
生野の変 256
池貝鉄工所 304
池田勇人 390
池田光政 199, 228
池田屋事件 256
池大雅 231
池坊専応 144
池坊専慶 144
池坊専好 144
生花 143
意見封事十二箇条 79
異国警固番役 108
異国船打払令 236
いざなぎ景気 394
いざり機 194
伊沢修二 314
胆沢城 61
石井・ランシング協定 322
石川啄木 314
石川達三 358
石川雅望 246
石田梅岩 227
石田三成 170
石橋湛山 336, 388
石原莞爾 345
石包丁 16
石山戦争 159
石山本願寺 159
泉鏡花 313
出雲阿国 168
伊勢神道 116
伊勢宗瑞 148
伊勢長島一向一揆 159
伊勢物語 73
石上宅嗣 55
イタイイタイ病 401
板垣退助 273, 274
板付遺跡 15
市川左団次(初代) 314
市川団十郎(初代) 213
市川団十郎(7代目) 247
市川団十郎(9代目) 314
市川房枝 330
一期分 112
市座 151
一条兼良 144

一の谷の合戦 96
市司 46
一木造 66
一味同心 124
一門・一家 105
一里塚 206
一揆 124, 132
一休宗純 147
一向一揆 147, 159
一向宗 114
一国一城令 171
乙巳の変 38
一世一元の制 261
一地一作人 162
一中節 230
一遍 114
一遍上人絵伝 118
伊藤左千夫 314
伊藤仁斎 214
伊東東涯 214
伊藤博文 254, 277, 283, 286, 291, 292, 296
伊東マンショ 158
伊東巳代治 283
糸割符制度 178
糸割符仲間 178
稲作 15
稲村三伯 225
稲荷山古墳出土鉄剣銘 27
犬追物 105
犬養毅 318, 346
犬上御田鍬 36
犬筑波集 145
井上馨 254, 282, 287
井上毅 283
井上準之助 343
井上日召 346
伊能忠敬 244
井原西鶴 212
今井宗久 168
今鏡 93
今川義元 158
今様 93
斎蔵 34
壱与 22
入浜塩田 205
色絵 217
磐井の乱 33
岩倉使節団 263, 272
岩倉具視 258
岩崎弥太郎 267
石清水八幡宮 137
岩宿遺跡 10
岩戸景気 394
磐舟柵 49
院 87
院宮王臣家 63
隠元隆琦 177
院政 87
院宣 88
院展 338
インドシナ休戦協定 387
院近臣 88
院庁 87
院庁下文 88
印旛沼干拓 223, 239

院分国	89	衛士	44	大臣	33	刑部親王	41
陰陽五行説	78	蝦夷ヶ島	109, 130	大鏡	93	尾崎紅葉	313
【 う 】		えた	186	大川周明	327	尾崎行雄	292, 318
		江田船山古墳出土鉄刀銘	32	大木喬任	263	小山内薫	314, 338
ヴァリニャーニ	158, 169	江戸	170	大王	25	大佛次郎	337
ウィッテ	296	江藤新平	274	大久保利通	257	織田有楽斎	168
ウィリアム=アダムズ		江戸川乱歩	337	大隈重信	277, 287,	織田信雄	160
	177	江戸町会所	232		292, 311, 319	織田信長	158
右院	263	エネルギー革命	395	大蔵	34	小田原攻め	161
植木枝盛	278	榎本武揚	261	大蔵永常	203	御伽草子	145
上杉景勝	162	ABCD包囲陣	361	大御所(前将軍)	170	おとな(長・乙名)	131
上杉謙信	148	海老名弾正	310	大坂	210	踊念仏	114
上杉慎吉	350	絵踏	176	大阪会議	276	尾上菊五郎(5代目)	314
上杉憲実	146	江馬細香	247	大阪事件	281	小野妹子	36
上杉治憲	234	恵美押勝の乱	51	大坂城	160	小野篁	64
上田秋成	245	蝦夷	48	大坂の役	171	小野道風	75
上原勇作	318	MSA協定	387	大阪紡績会社	301	大原女	136
ヴェルサイユ条約	326	撰銭	137	大阪砲兵工廠	267	小渕恵三	414
宇垣一成	351	撰銭令	138	大塩の乱	238	御文	147
浮雲	313	LT貿易	390	大塩平八郎	238	御触書寛保集成	220
宇喜多秀家	162	円覚寺舎利殿	118	大新聞	312	オホーツク文化	15
右京職	42	延喜格式	63	大杉栄	330	臣	33
浮世絵	217	延喜・天暦の治	69	大田南畝	246	オランダ風説書	180
浮世草子	212	延喜の荘園整理令	78	大田文	99	オリンピック東京大会	
宇佐八幡神	51	延久の荘園整理令	86	大塚久雄	384		400
氏	32	猿人	9	大槻玄沢	225	卸売市場	212
氏上	39	円・銭・厘	268	大津事件	288	尾張国郡司百姓等解	80
氏長者	70	円タク	334	大津皇子	55	蔭位の制	42
歌川国芳	246	円珍	65	大津宮	39	遠国奉行	173
宇田川玄随	225	円筒埴輪	24	大伴旅人	56	園城寺	65
歌川広重	246	縁日	248	大友皇子	39	女歌舞伎	168
唄浄瑠璃	230	円仁	65	大友義鎮(宗麟)	158	陰陽道	78
宇多天皇	69	円ブロック	359	太安万侶(安麻呂)	55		
打ちこわし	223	円墳	23	大祓	78	【 か 】	
内臣	38	塩浦	129	大原幽学	241		
内蔵	34	円本	336	大平正芳	405	快慶	118
内村鑑三	295, 310	延暦寺	65	大峰山	66	会合衆	152
内村鑑三不敬事件	311	延暦寺焼打ち	159	大神神社	31	外国人教師	267
有徳人	119			大連	33	海国兵談	233
宇野宗佑	411	【 お 】		大村純忠	158	海上警備隊	387
駅家	47			大村益次郎	257, 264	改新の詔	38
厩戸王	34	応安新式	145	大目付	173	開成所	259
梅原龍三郎	338	奥羽越列藩同盟	260	大森貝塚	13	改税約書	256
浦上教徒弾圧事件	271	応永の外寇	129	大山崎油神人	137	外戚	69
盂蘭盆会	248	応仁の乱	125	大輪田泊	92	海賊取締令	164
上絵付法	217	奥州道中	206	岡倉天心	315	解体新書	225
運脚	43	奥州藤原氏	90	御蔭参り	258	開拓使	268
運慶	118	往生伝	74	小笠原諸島	274	開拓使官有物払下げ事件	
運上	223	往生要集	74	岡田寒泉	233		277
芸亭	55	王政復古の大号令	259	岡田啓介	350	開帳	248
		汪兆銘	354	尾形乾山	217	貝塚	13
【 え 】		応天門の変	68	緒方洪庵	245	貝塚文化	15, 109
		応仁の乱	134	尾形光琳	216	回答兼刷還使	181
栄華物語	73	黄檗宗	177	岡田山1号墳出土大刀銘		懐徳堂	228
永享の乱	132	淡海三船	55		33	海南学派	214
栄西	114	近江令	39	沖津宮	31	海舶互市新例	202
叡尊	115	押領使	82	沖縄県	273	開発領主	80
永仁の徳政令	112	大海人皇子	39	沖縄戦	367	貝原益軒	215, 229
永平寺	147	大井憲太郎	281	沖縄の日本復帰	391	懐風藻	55
永楽通宝	137	大内兵衛	356, 382	沖縄返還協定	391	海部俊樹	411
ええじゃないか	258	大内義隆	158	沖ノ島	31	海北友松	167
AMS法(加速器質量分析法)		大内義弘	125	荻生徂徠	214	海竜王院	243
	11	大江健三郎	399	荻原重秀	201	カイロ宣言	367
江川太郎左衛門	243	大江広元	98	阿国歌舞伎	168	臥雲辰致	301
駅制	47	大江匡房	86	奥の細道	213	価格等統制令	356
江崎玲於奈	400	大岡忠相	218, 220	桶狭間の戦い	158	加賀の一向一揆	135
				おこぜ組	242	香川景樹	245

索 引 **427**

賀川豊彦	330	仮名垣魯文	312	閑院宮家	202	器械製糸	302
蠣崎氏	130	神奈川条約	251	官営事業	267	企画院	355
嘉吉の徳政一揆	133	金沢実時	117	寛永の飢饉	189, 199	企業勃興	299
嘉吉の変	133	金沢文庫	117	官営模範工場	268	菊池寛	337
柿本人麻呂	56	仮名草子	185	勧学院	64, 70	菊池武夫	350
部曲	33	かな文字	72	咸宜園	245	紀元節	271
学園紛争	400	金子堅太郎	283	環境庁	401	器財埴輪	24
核家族	397	狩野永徳	167	閑吟集	145	木地師	204
学館院	64	狩野山楽	167	菅家文草	64	岸田劉生	338
革新倶楽部	332	狩野探幽	184	官戸	44	岸信介	388
革新自治体	401	狩野芳崖	315	勘合	128	技術革新	394
学制	270, 310	加波山事件	280	元興寺	46	議定	259
学童疎開	366	姓	33	元興寺縁起	28	魏志倭人伝	21
学徒出陣	365	樺山資紀	291	環濠集落	18	寄進地系荘園	81
核兵器拡散防止条約	386	歌舞伎	213	勘合貿易	128	議政官	261
学問のすゝめ	269	かぶき者	168	韓国併合	296	寄生地主	305
掛屋	210	株仲間	223	関西貿易社	277	偽籍	63
勘解由使	62	株仲間の解散	239	漢字	27	義倉	232
囲米	232	貨幣法	300	乾漆像	59	貴族院	284
過去現在絵因果経	59	家法	149	甘藷	219	北一輝	327, 350
笠懸	105	華北分離工作	352	勘定奉行	173	喜多川歌麿	230
借上	111	鎌倉	96	官省符荘	81	北大西洋条約機構	379
加持祈禱	65	鎌倉公方	126	漢書地理志	20	北野大茶湯	168
鹿島屋	209	鎌倉将軍府	121	鑑真	57	北野天満宮	74
梶原景時	100	鎌倉幕府	97	完新世	8	北畠親房	122
家臣団	149	鎌倉番役	98	寛政異学の禁	233	北村季吟	215
佳人之奇遇	312	鎌倉府	126	関税自主権	253	北村透谷	313
春日権現験記	118	袴	168	寛政の改革	232	北山十八間戸	115
春日神社	89	上之国	130	寛政の三博士	233	北山文化	140
嘉助騒動	222	神屋宗湛	161	寛政暦	244	義太夫節	213
和宮	282	甕棺墓	18	観世座	142	契丹(遼)	72
ガスパル＝ヴィレラ	158	亀山天皇	120	神田青物市場	212	切符制	356
化政文化	243	賀茂葵祭	200	貫高制	149	義堂周信	141
華族	264	加茂一揆	238	乾田	18	木戸幸一	361
華族令	282	加茂岩倉遺跡	19	官田	63	木戸孝允	257
片岡健吉	276	蒲生君平	227	官道	47	畿内	41
片かな	72	鴨長明	116	関東管領	126	紀古佐美	61
肩衣	168	賀茂真淵	226	関東軍	342	木下尚江	298
方違	78	伽耶諸国	26	関東軍特種演習	361	紀貫之	72
刀狩令	163	柄井川柳	229	関東御分国	99	吉備真備	44
荷田春満	226	唐絵	75	関東御領	99	黄表紙	229
片山潜	306	韓鍛冶部	27	関東州	297	黄不動	66
片山哲	378	我楽多文庫	313	関東大震災	331	義兵運動	296
月行事	152	樺太・千島交換条約	274	関東知行国	99	奇兵隊	257, 262
勝海舟(義邦)	260	ガラ紡	301	関東庁	342	基本的人権の尊重	375
学校教育法	374	ガリオア資金	393	関東都督府	297	君	33
学校令	310	狩衣	77	関東取締出役	237	義民	222
活字印刷術	167	刈敷	110	関東ローム層	10	義務教育	310
葛飾北斎	246	刈田狼藉	123	菅直人	415	肝煎	187
活動写真	336	枯山水	143	観応の擾乱	122	格	63
桂川甫周	235	家禄	265	関白	69	九カ国条約	328
桂小五郎	257	川上音二郎	314	桓武天皇	60	旧辞	28
桂・タフト協定	296	河上肇	336	桓武平氏	82	旧人	9
桂太郎	293, 298	川崎正蔵	304	官物	79	旧石器時代	10
桂女	136	川島武宜	384	漢冶萍公司	304	弓馬の道	105
桂離宮	184	為替	111	管理通貨制度	347	己酉約条	181
花伝書	142	為替と資本の自由化	396	咸臨丸	260	旧里帰農令	232
花道	143	かわた	186	管領	125	教育委員会	374
加藤景正	119	河竹黙阿弥	314	観勒	36	教育基本法	374
加藤高明	319, 329, 332	西文氏	27			教育に関する勅語	311
加藤友三郎	325	川手文治郎	257	【 き 】		教育令	310
加藤弘之	271	川端康成	357			教王護国寺	65
家督	105	河村瑞賢	208	魏	21	狂歌	246
過度経済力集中排除法	372	漢	15	義淵	56	行基	56
門田	104	観阿弥	142	棄捐令	233, 239	狂言	145
家内手工業	193	冠位十二階	35	祇園社	74	供出制	356
		官位相当制	42	祇園祭	152	強制連行	365

京染	210	公事	87	慶安の変	198	憲法十七条	35
協調外交	328	公事方御定書	220	桂園時代	299	憲法草案要綱	375
経塚	74	倶舎宗	56	桂園派	246	憲法問題調査委員会	375
協定関税	253	九条兼実	113	慶応義塾	270	建武以来追加	103
共同運輸会社	300	公出挙	43	慶賀使	182	建武式目	122
京都大番役	98	グスク	109	経国集	64	建武の新政	121
京都議定書	415	楠木正成	121	経国美談	312	元明天皇	45
京都所司代	173	百済	26	経済安定九原則	381	硯友社	313
教派神道	257, 309	百済河成	67	経済協力開発機構	399	玄洋社	287
享保の改革	218	屈葬	15	警察予備隊	382	減量経営	406
享保の飢饉	223	工藤平助	224	警視庁	264	県令	262
京枡	162	宮内省	283	傾斜生産方式	378	建礼門院	92
京焼	210	グナイスト	282	形象埴輪	28	元老	293
清浦奎吾	332	宮内大臣	283	敬神党	275	元老院	276
狂乱物価	404	狗奴国	21	経世論	214	元禄文化	212
共和演説事件	292	クニ	19	契沖	215		
曲亭馬琴	245	国絵図	163	計帳	43	【 こ 】	
極東委員会	370	国木田独歩	314	慶長遣欧使節	178		
極東国際軍事裁判所	371	恭仁京	50	慶長勅版	167	呉	21
清原夏野	63	国侍	83	慶長の役	165	小石川後楽園	217
清元節	230	国博士	38	KS磁石鋼	337	小石川養生所	220
吉良義央	200	国造	33	下剋上	135	小泉純一郎	414
キリシタン大名	158	国役	189	華厳宗	56	小磯国昭	365
キリシタン版	169	公奴婢	44	戯作文学	312	五・一五事件	346
記録所	121	口分田	43	下司	80	後一条天皇	70
記録荘園券契所	86	熊沢蕃山	214	解脱	115	御一新	261
義和団事件	294	熊野詣	88	血税一揆	275	肥富	128
金	92	組頭	187	血盟団事件	346	古医方	225
金印	21	久米邦武	312	家人	44	興	27
金解禁	343	公文所	98	検非違使	63	講	147
金槐和歌集	117	蔵入地	161	検見法	188	郷	87
金閣	140	クラーク	268, 310	解由状	62	弘安の役	108
銀閣	142	鞍作鳥	37	県	262	公案問答	115
緊急勅令	339	蔵米	174	元	107	庚寅年籍	40
禁教令	175	蔵元	210	護園塾	214	広益国産考	203
金玉均	288	蔵屋敷	210	航海奨励法	300		
金座・銀座	208	蔵人頭	62	顕戒論	65	公害対策基本法	401
金属器	16	黒澤明	385	喧嘩両成敗法	150	広開土王	26
近代的民族主義	308	黒住教	257	顕教	65	光格天皇	224, 241
禁中並公家諸法度	174	黒住宗忠	257	乾元大宝	78	甲賀郡中惣	135
金遣い・銀遣い	209	黒田清隆	277, 286	元寇	108	江華島事件	274
欽定憲法	277	黒田清輝	315	元弘の変	120	公議所	261
均田制	242	黒田長政	170	兼好法師	117	高句麗	26
金日成	380	郡衙	47	玄室	24	高家	200
金肥	203	軍記物語	93	原子爆弾	368	孝謙天皇	50
金本位制	300	郡区町村編制法	276	源氏物語	73	郷戸	43
禁門の変	256	郡財抱合	351	源氏物語絵巻	94	郷校(郷学)	228
金融恐慌	339	郡参事会	283	源信	65, 74	庚午年籍	39
金融緊急措置令	378	郡司	41	原人	9	甲午農民戦争	290
金輸出解禁	343	軍事貴族	84	遣隋使	36	光軟天皇	120
金輸出再禁止	347	軍集墳	29	原水爆禁止世界大会	388	高山国	165
禁裏御料	174	群書類従	226	憲政会	324	貢士	261
勤労動員	365	軍人勅諭	290	憲政党	292	郷司	87
金禄公債証書	265	軍制	283	憲政の常道	333	皇室典範	285
		郡代	173	憲政本党	292	甲州道中	206
【 く 】		軍団	43	憲政擁護	319	交詢社	278
		郡内騒動	238	検地	150	豪商	195
空海	64, 65, 67	軍部大臣現役武官制		建長寺船	127	考証学派	228
郡家	47		292, 351	検田使	81	工場制手工業	241
空也	74	群馬事件	280	遣唐使	36, 45, 71	工場法	308
公営田	63	軍役	149	元和の大殉教	175	好色一代男	212
陸羯南	308			顕如	159	公職追放	371
盟神探湯	31	【 け 】		元亨	77	庚申	248
愚管抄	116			元文一揆	222	甲申事変	289
公暁	101	桂庵玄樹	146	言文一致体	313	更新世	8
供御人	111	慶安の触書	189	玄昉	44, 56	荒神谷遺跡	19
草双紙	229			憲法講話	318	庚申塔	248

索引 429

強訴	89	国性(姓)爺合戦	213	骨角器	13	西国立志編	269
皇族将軍	104	国体の本義	356	国家社会主義	349	税所	87
小歌	145	国体明徴声明	350	国家主義	309	細石器	10
好太王碑の碑文	26	石高制	162	国家総動員法	355	最澄	65
幸田露伴	313	国定教科書	311	国共合作(第1次)	342	在庁官人	80
小桂	77	国府	47	国共合作(第2次)	353	斎藤隆夫	359
公地公民制	38	国風文化	72	滑稽本	245	斎藤実	346
郷帳	170	国分寺	47	国権論	308	済南事件	342
香道	168	国分寺建立の詔	50	固定為替相場制	393	財閥	303
皇道派	350	国分尼寺	50	後藤庄三郎	209	財閥解体	372
幸徳秋水	295	国防会議	389	後藤象二郎	258, 274, 282	催馬楽	93
孝徳天皇	38	国民学校	360	後藤祐乗	143	割符	138
高度経済成長	394	国民協会	286	後鳥羽上皇	101	斉明天皇	39
抗日救国運動	353	国民協同党	378	小西行長	176	西面の武士	101
抗日民族統一戦線	353	国民精神総動員運動	356	小西隆佐	161	采覧異言	225
弘仁格式	64	国民徴用令	355	五人組	188	左院	263
弘仁・貞観文化	64	国民之友	312	近衛声明	354	堺	152
光仁天皇	52	国免荘	81	近衛文麿	351	酒井田柿右衛門	185
鴻池	209	石盛	162	小早川隆景	162	堺利彦	295, 330
豪農	221	黒曜石	14	小林一三	334	坂下門外の変	255
河野広中	281	国立銀行	279	小林一茶	245	坂田藤十郎	213
高師直	122	国立銀行条例	269	小林多喜二	338	嵯峨天皇	62, 67
公武合体	255	国連加盟	389	五品江戸廻送令	254	坂上田村麻呂	61
興福寺	46	国連平和維持活動(PKO)		後深草上皇	120	佐賀の乱	275
興福寺仏頭	40		410	五奉行	162	坂本龍馬	257
工部省	267	御家人[中世]	98	古墳	23	酒屋役	126
光武帝	20	御家人[近世]	172	五榜の掲示	262	佐川急便事件	411
工部美術学校	315	護憲運動(第一次)	319	小牧・長久手の戦い	160	防人	44
弘文院	64	護憲運動(第二次)	332	後水尾天皇	174	防人歌	56
高弁	115	護憲三派	332	小村寿太郎	288	左京職	42
光明子	49	小御所会議	259	米騒動	324	佐久間象山	245
光明天皇	122	古今著聞集	117	小物成	189	桜会	346
皇民化政策	360	後嵯峨上皇	103	後陽成天皇	161	佐倉惣五郎	222
孝明天皇	252	小作争議	330	御霊会	73	桜田門外の変	255
公明党	392	五山・十刹	141	五稜郭	261	座繰製糸	302
紅毛人	177	五・三〇事件	329	御料所	126	鎖国	179
河本大作	342	後三条天皇	86	後冷泉天皇	70	雑喉場魚市場	212
高野山	65	後三年合戦	84	コレジオ	158	佐々木高行	263
高野詣	88	五山版	141	伊治呰麻呂	61	座敷浄瑠璃	230
高麗	72	五山文学	141	惟宗直本	63	指出検地	150
公領	86	五・四運動	326	ゴローウニン事件	235	坐禅	114
幸若舞	145	古事記	55	権現造	183	佐竹義和	234
評	38	五色の賤	44	金光教	257	沙汰人	131
御恩	98	古寺巡礼	337	金剛峰寺	65	薩英戦争	256
五街道	206	越荷方	242	今昔物語集	93	雑訴決断所	121
古学派	214	児島惟謙	288	誉田御廟山古墳	25	薩長連合(薩長同盟)	257
古河公方	148	コシャマイン	130	金地院崇伝	171	薩南学派	146
五箇条の誓文	261	55年体制	389	コンツェルン(企業連携)		札幌農学校	268
五力商人	178	呉春	246		304	薩摩焼	185
古賀精里	233	古浄瑠璃	145	健児	62	佐藤栄作	390
後漢書東夷伝	20	後白河上皇	88	墾田永年私財法	53	佐藤信淵	244
古義堂	214	子代	33	近藤重蔵	235	佐野学	349
古今伝授	144	小新聞	312	コンビニエンスストア		サミット	404
古今和歌集	69, 73	御親兵	262	(コンビニ)	408	侍	83
国衙	47	後朱雀天皇	86	困民党	281	侍所[鎌倉]	97
国学[古代]	56	御成敗式目	102, 146			侍所[室町]	125
国学[近世]	226	戸籍	43	【　さ　】		猿楽	93
国衙領	86	五節句	248			猿楽能	142
国・郡・里	41	五節句金岡	75	座	111, 137	早良親王	60
国際通貨基金	393	御前帳	163	西園寺公望	293, 298	讃	27
国際連合	369	小袖	168	在華紡	323	三・一五事件	341
国際連盟	326	五大改革	371	西行	116	三・一独立運動	327
国際連盟脱退	347	後白河天皇	117, 120	最恵国待遇	251	三院制	263
国策	355	五代友厚	277	在郷軍人会	298	三貨	209
国司	41	五大老	162	西郷隆盛	257, 260,	三角縁神獣鏡	24
国人	124	国会開設の勅諭	277		263, 274, 276	山家集	116
国人一揆	124	国会期成同盟	277	在郷町	187	三月事件	346

三管領	125
三卿	220
産業報国会	356
ざんぎり頭	271
参勤交代	172
三家	171
三光作戦	365
三教指帰	65
三国干渉	291
三国協商	320
三国通覧図説	233
三国同盟	320
三斎市	110
三山	129
三種の神器	398
三条実美	256
三職	259
三世一身法	53
三跡(蹟)	75
三代格式	63
三大事件建白運動	282
三ちゃん農業	397
三都	193, 206, 209
山東京伝	229
山東出兵	342
三筆	67
サン=フェリペ号事件	164
三奉行	173
サンフランシスコ平和条約	383
三別抄の乱	108
参謀本部	290
讒謗律	276
三方領知替え	240
三浦の乱	129
三毛作	136
山門派	65
参与	259
三論宗	56

【 し 】

自衛隊	387
自衛隊の海外派遣	411
GHQ	370
紫衣事件	175
思円	115
慈円	116
ジェーンズ	310
市会	283
四カ国条約	328
志賀重昂	308
地方知行制	173
志賀直哉	337
紫香楽宮	50
地借	190
只管打坐	115
式	63
私擬憲法	278
信貴山縁起絵巻	94
式亭三馬	245
式目追加	103
地下請	132
地下検断・自検断	132
四国艦隊下関砲撃事件	256

自作農創設特別措置法	373
市参事会	283
鹿ヶ谷の陰謀	93
四鏡	126
寺社奉行	173
時宗	114
治承・寿永の乱	96
四条派	246
賤ヶ岳の戦い	160
閑谷学校	199, 228
市制	283
氏姓制度	32
支石墓	18
使節遵行	123
自然主義文学	314
自然真営道	227
士族	264
士族授産	265
士族の商法	265
下地中分	106
寺檀制度	176
七・七禁令	356
自治体警察	376
七道	41
七博士	295
七分積金	232
私鋳銭	137
志筑忠雄	179, 245
執権	100
漆胡瓶	59
執金剛神像	59
湿田	18
十返舎一九	245
幣原外交	329
幣原喜重郎	329, 371
賜田	63
四天王寺	36
地頭	92
地頭請所	106
持統天皇	40
シドッチ	225
寺内町	151
品川弥二郎	286
品部	33
神人	111
地主手作	220
私奴婢	44
芝居小屋	213
司馬江漢	231
柴田勝家	160
柴野栗山	233
支払猶予令	340
司馬遼太郎	399
渋沢栄一	215
渋沢栄一	269, 301
シベリア出兵	322
シーボルト	245
資本主義	300
島井宗室	161
島木健作	357
島崎藤村	313, 357
島地黙雷	309
島津家久	181
島津忠義	255
島津斉彬	242, 254
島津久光	255

島津義久	161
島原の乱	176
清水家	220
清水重好	220
持明院統	120
四民平等	264
ジーメンス事件	319
除目	78
下肥	136
霜月騒動	109
下野薬師寺	52
下関条約	291
下山定則	381
下山事件	381
寺門派	65
シャウプ	381
謝恩使	182
社会大衆党	349
社会民衆党	341
社会民主党	298
釈迦十大弟子像	59
シャクシャインの戦い	182
写実主義	313
車借	138
社倉	232
三味線	168
洒落本	229
上海事変(第1次)	345
上海事変(第2次)	353
朱印船	178
集会条例	277
十月事件	346
集議院	261
衆議	284
衆議院議員総選挙	286
自由劇場	314
自由党	277
十二単	77
自由之理	269
周文	141
十便十宜図	231
自由民権運動	275
自由民主党	388
宗門改め	176
重要産業統制法	343
儒教	28
宿駅	206
宿場町	206
綜芸種智院	64
主権在民	375
朱元璋	127
修験道	66
守護	97
守護請	123
守護代	126
守護大名	124
朱子学	183
朱舜水	217
シュタイン	282
聚楽第	161
首里城	130
受領	79
俊寛	93
循環型社会形成推進基本法	415
殉死の禁止	198

順徳上皇	102
淳仁天皇	51
春陽会	338
巡礼	248
書院造	142, 166
攘夷運動	254
貞永式目	102
荘園整理令	86
唱歌	314
蔣介石	342, 353, 367, 380
城郭	166
奨学院	64
松下村塾	245
小学校令	310
城下町	150, 189
荘官	80
貞観格式	63
承久の乱	102
貞享暦	215
上宮聖徳法王帝説	28
将軍後見職	255
貞慶	115
上皇	87
成功	80
彰考館	199
正作	104
城柵	61
尚歯会	239
成実宗	56
小説神髄	313
正倉院宝庫	58
尚泰	273
城代	173
正中の変	120
定朝	76
象徴天皇制	376
正長の徳政一揆	133
上知令	240
乗田	52
賞典禄	265
浄土教	74
正徳小判	202
正徳新令	202
聖徳太子	34
称徳天皇	51
正徳の政治	201
浄土宗	113
浄土真宗	114
上人	93
尚巴志	130
定火消	220
消費税	409
商品作物	202
蕉風(正風)俳諧	212
正風連歌	145
昌平坂学問所	228, 233
承平・天慶の乱	83
障壁画	166
正法	74
常民	337
聖武天皇	49
定免法	219
将門記	93
縄文土器	12
縄文文化	11
庄屋	187

索引 **431**

秤量貨幣	209	新人	9	崇徳上皇	91	善阿弥	143
性霊集	64	壬申戸籍	264	スーパーマーケット		全学連	390
生類憐みの令	200	新進党	412		398	戦旗	338
青蓮院流	119	壬申の乱	39	スミソニアン体制	402	選挙干渉	286
昭和恐慌	343	薪水給与令	250	住友	304	前九年合戦	84
承和の変	68	新制	99	角倉了以	207	戦後恐慌	339
女学校	270	新石器時代	10	住吉具慶	216	全国水平社	331
初期荘園	53	新選組	256	住吉如慶	216	戦国大名	148
蜀	21	新撰菟玖波集	145	相撲絵	230	千石簁	202
職業婦人	333	新体制運動	359	受領	71, 79	戦後政治の総決算	409
殖産興業	267	新田開発	187			宣旨	70
蜀山人	246	伸展葬	18	【 せ 】		宣旨枡	86
続日本紀	55	寝殿造	75			禅宗様	118
続日本後紀	55	新皇	82	世阿弥	142	専修念仏	113
諸国高役(国役)金	201	親魏将軍	104	斉	27	漸次立憲政体樹立の詔	
庶子	105	神皇正統記	140	西安事件	353		276
所司	126	陣定	70	征夷大将軍	61, 97	先進国首脳会議	403
女子師範学校	270	新派劇	314	正院	263	山水河原者	143
女子挺身隊	365	新藩	171	性学	241	戦争放棄	376
諸司田	63	神風連	275	征韓党	275	羨道	24
諸社禰宜神主法度	177	新婦人協会	330	征韓論	273	尖頭器	10
諸宗寺院法度	177	神仏習合	57	政教社	309	全日本産業別労働組合会	
女真人	72	神仏分離令	270	聖教要録	214	議(産別会議)	373
如拙	141	新聞紙条例	276	生口	20	全日本民間労働組合連合	
職工事情	306	新聞発行綱領	371	政治小説	312	会	409
所得倍増	390	新補地頭	102	政事総裁職	255	善の研究	336
ジョン=ケイ	300	新補率法	102	政社	277	千利休	143, 168
ジョン=ヘイ	293	神本仏迹説	116	政商	269, 303	専売制	234
白糸	178	人民戦線事件	356	清少納言	73	千歯扱	202
白樺派	337	神武景気	394	政体書	261	全藩一揆	222
白河天皇	87	親鸞	113	征台の役	273	戦犯容疑者	371
新羅	26			青銅器時代	9	前方後円墳	23
白浪物	247	【 す 】		青鞜社	330	前方後方墳	23
白水阿弥陀堂	94			青銅製祭器	19	賤民	44
芝蘭堂	225	隋	34	西南戦争	276	扇面古写経	94
史料編纂掛	311	垂加神道	214	青年会	298	川柳	229
志波城	61	水干	77	政府開発援助(ODA)			
秦	15	出挙	43		407	【 そ 】	
晋	26	推古天皇	34	西洋紀聞	225		
新安保条約	389	帥升	20	西洋事情	269	租	43
新恩給与	98	水稲耕作	15	清良記	203	祖阿	128
辛亥革命	298	水墨画	141	政令201号	380	惣	131
新ガイドライン関連法		枢軸	352	清和源氏	83	宋(南宋)	92
	414	枢密院	284	清和天皇	68	宋(北宋)	71
心学	227	須恵器	30	世界恐慌	343	惣掟	132
新貨条例	268	スエズ戦争	403	世界最終戦争	345	宋学	117
辰韓	26	末次平蔵	178	関ヶ原の戦い	170	宗鑑	145
新感覚派	357	陶作部	27	石錘	13	宗祇	145
神祇官	41	陶晴賢	149	関孝和	215	総合切符制	365
慎機論	238	末吉孫左衛門	178	石棒	14	総合雑誌	312
親魏倭王	21	菅江真澄	248	石油危機(第1次)	403	総裁	259
神宮寺	66	菅野真道	61	世間胸算用	212	蔵志	225
新劇	314	菅原道真	64, 69, 71	絶海中津	141	創氏改名	360
人権新説	278	杉田玄白	225	摂家将	69	惣持寺	147
塵劫記	215	数寄屋造	184	摂関政治	69	装飾古墳	29
新興工業地域経済群	408	杉山元治郎	330	石器時代	9	宋書倭国伝	27
新興財閥	348	助郷	206	摂家将軍	101	宋銭	111
新古今和歌集	116	崇峻天皇	34	雪月	143	造船奨励法	300
壬午軍乱(壬午事変)	288	調所広郷	242	摂政	68	惣村	131
神護寺	66	鈴木貫太郎	367	折衷学派	228	惣町	152
真言宗	65	鈴木商店	339	折衷様	118	曹洞宗	115
震災手形	339	鈴木善幸	405	摂津職	42	惣百姓	131
新左翼	392	鈴木春信	230	節用集	146	惣百姓一揆	222
新三種の神器	398	鈴木文治	329	瀬戸焼	119	崇福寺	183
新思潮派	337	鈴木牧之	246	銭座	209	惣無事令	161
真珠湾奇襲攻撃	362	鈴木三重吉	335	セミナリオ	158	僧兵	89
尋常小学校	310	鈴木茂三郎	349	施薬院	57	像法	74

草木灰	110
雑徭	43
惣領制	105
副島種臣	274
疎開	366
蘇我入鹿	38
蘇我馬子	34
蘇我蝦夷	38
蘇我倉山田石川麻呂	38
続縄文文化	15, 109
束帯	77
束髪	317
塑像	59
曽根崎心中	213
側用人	199
尊円入道親王	119
尊号一件	234
尊勝寺	88
尊王攘夷論	255
尊王論	226
孫文	298
村法	132

【 た 】

大安寺	46
第一議会	286
第一国立銀行	269
第一次世界大戦	320
大院君	288
太陰太陽暦	271
大学	56
大覚寺統	120
大学章句	146
大学別曹	64, 70
大学令	335
大学或問	214
大化改新	39
代官	173
大官大寺	40
大韓帝国(韓国)	294
大韓民国	380
大義名分論	117
大逆事件	298
大教宣布の詔	270
太閤検地	162
大黒屋光太夫	235
醍醐天皇	69
第五福龍丸事件	388
大衆文化	335
大嘗会	200
太政官[古代]	41
太政官符	70
大正政変	319
太政大臣	41
大正デモクラシー	324, 332
大人	21
大審院	276
大政奉還	258
大政翼賛会	360
大戦景気	323
大仙陵古墳	25
帯刀	185
大東亜会議	364
大東亜共栄圏	359
大同団結	282

大徳寺	147
大徳寺大仙院庭園	143
第二次世界大戦	358
対日理事会	370
大日本沿海輿地全図	244
大日本古文書	311
大日本産業報国会	357
大日本史	199
大日本史料	311
大日本青少年団	360
大日本帝国憲法	284
大日本婦人会	360
大日本翼賛壮年団	360
大日本労働総同盟友愛会	329
台場	252
代表越訴型一揆	222
大仏造立の詔	50
大仏様	117
太平記	140
太平洋戦争	362
大宝律令	41
大菩薩峠	337
大犯三カ条	98
台密	65
大名田堵	79
題目	114
太陽	312
太陽暦	271
平清盛	90
平貞盛	82
平重盛	91
平忠常の乱	84
平忠正	91
平忠盛	90
平徳子	92
平将門	82
平正盛	90
平頼綱	109
大老	173
対露同志会	295
台湾銀行	339
台湾出兵	273
台湾総督	291
高請地	188
高倉天皇	92
高碕達之助	390
高三隆達	168
多賀城	49
高杉晋作	257
高田事件	280
高田屋嘉兵衛	235
高杯	16
高取焼	185
高野岩三郎	375
高野長英	238
高野房太郎	306
高橋景保	244
高橋和巳	399
高橋是清	325
高橋由一	315
高碕至時	244
高機	205
高浜虚子	314
高松塚古墳壁画	40
高向玄理	36
高持	188

高山右近	164, 175
高山樗牛	309
高山彦九郎	227
高床倉庫	17
兌換銀行券	269
滝川幸辰	349
滝口の武者	83
滝廉太郎	314
沢庵	175
田口卯吉	311
竹下登	409
竹田出雲(2世)	230
武田勝頼	159
武田信玄(晴信)	148
竹取物語	73
竹内式部	224, 226
武野紹鷗	143
竹本義太夫	213
太宰春台	215
大宰府	42
太政官[近代]	263
太政官札	269
打製石器	10
たたら精錬	194
館侍	83
橘奈良麻呂	51
橘逸勢	67
橘諸兄	50
脱亜論	289
辰野金吾	338
館	130
竪穴式石室	23
竪穴住居	13
竪杵	17
立花	143
伊達政宗	161
伊達宗城	243
田堵	79
田荘	33
田所	87
田中角栄	404
田中義一	332
田中丘隅	218
田中勝介	177
田中正造	307
店借	190
谷崎潤一郎	337, 357
谷時中	214
谷文晁	247
田沼意次	223
田沼意知	224
種子島時堯	157
種蒔く人	338
田能村竹田	247
玉鋼	194
濃絵	166
ターミナルデパート	334
為永春水	239, 245
田安家	220
田安宗武	220
田山花袋	314
樽廻船	208
俵物	205
俵屋宗達	184
単一為替レート	381
団琢磨時代	314
段祺瑞	321

塘沽停戦協定	347
湛慶	118
段銭	126
炭素14年代法	11
団琢磨	346
単独相続	123
壇の浦	96
談林俳諧	212

【 ち 】

治安維持法	332
治安警察法	292, 308
治外法権	253
地下鉄サリン事件	413
近松半二	230
近松門左衛門	212
地球温暖化防止京都会議	415
知行国	89
蓄銭叙位令	47
地券	266
地租改正	266
地租改正反対一揆	266
地対財特法	401
秩父事件	281
千々石ミゲル	158
秩禄処分	265
秩禄奉還の法	265
知藩事	262
地方改良運動	306
地方官会議	276
地方三新法	276
地方自治法	376
地方税規則	276
チャーチル	367
茶道	143
茶の湯	143
茶寄合	140
中央公論	312
中華人民共和国	380
中華民国	298
中間小説	399
仲恭天皇	102
中国分割	293
中尊寺金色堂	94
中朝事実	214
中東戦争	403
中流意識	399
調	43
町	152, 190
長安	44
張学良	342
丁銀	209
町組	152
重源	117
長講堂領	89
張鼓峰事件	358
張作霖爆殺事件	342
逃散	132
町衆	152
鳥獣戯画	94
長州征討(第1次)	256
長州征討(第2次)	257
長征	353
朝鮮	129
超然主義	286

索引 433

朝鮮戦争	381	貞門俳諧	185
朝鮮総督府	296	手織機	300
朝鮮民主主義人民共和国		出開帳	248
	380	手賀沼干拓	224
長宗我部元親	160	適々斎塾(適塾)	245
町村制	283	出島	179
重任	80	手島堵庵	227
町人	190	手塚治虫	399
徴兵告諭	264	鉄器	18
徴兵令	264	鉄器時代	9
鳥毛立女屏風	59	鉄製工具	17
長吏	186	鉄道国有法	303
勅旨田	63	鉄砲	157
勅撰漢詩集	64	手紡	301
勅選議員	284	寺請制度	176
勅撰和歌集	73	寺内正毅	297, 321, 324
珍	27	寺子屋	229
チンギス=ハン	107	寺島宗則	272
賃金労働者	306	テレビ放送	399
鎮護国家思想	56	出羽国	49
鎮守府	61	田楽	93
鎮西探題	109	天下布武	159
鎮西奉行	98	田健治郎	327
賃租	52	転向	349
頂相	118	転向文学	357
鎮台	264	天智天皇	39
陳和卿	117	天主教	158
		藤四郎吉光	119
【 つ 】		天正大判	161
		天正遣欧使節	158
追捕使	82	天津条約	289
通信使	181	天台宗	65
築地小劇場	338	天誅組の変	256
継飛脚	207	天長節	271
月待	248	天皇	39
筑紫観世音寺	57	天皇機関説問題	350
佃	104	天王寺屋	209
菟玖波集	145	天皇大権	284
津田梅子	272	田畑永代売買の禁止令	
津田三蔵	288		189
津田左右吉	337	田畑勝手作りの禁	189
津田宗及	168	天平文化	54
津田真道	260	天賦人権の思想	269
土一揆	133	天賦人権弁	278
土御門上皇	102	天賦人権論	278
椿説	191	天文法華の乱	147
坪内逍遙	312	天保の改革	239
妻問婚	52	天保の飢饉	237
冷たい戦争	379	天満青物市場	212
鶴屋南北	247	伝馬役	206
徒然草	117	天武天皇	39
兵	82	天明の打ちこわし	232
兵の道	105	天明の飢饉	223
		天文方	215
【 て 】		天理教	257
		天龍寺	127
帝紀	28	天龍寺船	127
定期市	110	電力国家管理法	355
庭訓往来	146		
帝国議会	284	【 と 】	
帝国国策遂行要領	361	刀伊	72, 83
帝国国防方針	351	問	111
帝国在郷軍人会	298	問屋[中世]	138
帝国大学令	310	問屋[近世]	195
帝国美術院美術展覧会		問屋制家内工業	211
	338	問屋場	207
帝展	338	唐	36

東亜新秩序	354	徳川家康	169
銅戈	19	徳川家慶	237
東海散士	312	徳川綱吉	199
東海道	206	徳川斉昭	242, 252, 255
東海道新幹線	399	徳川秀忠	170
東海道線	302	徳川和子	175
東学の乱	290	徳川光圀	199
統監府	296	徳川家宣	254
道鏡	51	徳川慶喜	255, 258, 260
東京音楽学校	314	徳川吉宗	218
東京裁判	371	特需景気	392
東京専門学校	311	読史余論	215
東京大学	270	徳政論争	61
東京美術学校	315	独占禁止法	372
東京砲兵工廠	267	得宗	109
東求堂同仁斎	142	得宗専制政治	109
銅剣	19	独ソ戦争	361
道元	115	独ソ不可侵条約	358
東郷荘	106	徳田秋声	314
東寺	65	徳富蘇峰	308
同志社	270	徳冨蘆花	314
堂島米市場	212	徳永直	338
東洲斎写楽	230	特別高等課(特高)	299
同潤会	334	十組問屋	211
唐招提寺金堂	58	独立党	288
東条英機	361	土壙墓	18
藤四郎吉光	119	常滑焼	119
東清鉄道	297	土佐日記	73
唐人屋敷	180	外様	171
刀子	17	土佐光起	216
統帥権の干犯	344	十三湊	130
統帥権の独立	284	祈年の祭	30
統制派	350	土錘	13
東禅寺事件	254	土倉	138
東大寺南大門	117	土倉役	126
東大寺法華堂	58	斗代	162
東大新人会	330	戸田茂睡	215
銅鐸	19	土地調査事業	297
闘茶	140	ドッジ=ライン	381
東常縁	144	隣組	360
討幕の密勅	258	舎人親王	55
銅版画	247	鳥羽上皇	88
東福門院	175	鳥羽・伏見の戦い	260
逃亡	54	飛び杼	300
東方会議	342	富岡製糸場	268
同朋衆	143	富くじ	248
銅矛	19	戸水寛人	295
唐箕	202	富突	248
東密	65	富永仲基	228
東洋拓殖会社	297	朝永振一郎	400
棟梁	83	伴造	33
同和対策事業特別措置法		伴善男	68
	401	豊田佐吉	301
富樫政親	136	豊臣秀次	164
土器	12	豊臣秀吉	160
土岐康行の乱	125	豊臣秀頼	170
常磐津節	230	渡来人	27
土偶	14	虎の門事件	331
徳川家定	254	ドル危機	402
徳川家重	223	トルーマン	379
徳川家継	201	曇徴	36
徳川家斉	198	屯田兵制度	268
徳川家斉	232	ドン=ロドリゴ	177
徳川家宣	201		
徳川家治	223	【 な 】	
徳川家光	171		
徳川家茂	254	内閣制度	283

索引項目	ページ
内国勧業博覧会	268
乃而浦	129
内大臣	283
内地雑居	287
ナイフ形石器	10
内務省	264
ナウマンゾウ	8
永井荷風	337
中井竹山	228
中内功	398
中浦ジュリアン	158
中江兆民	269, 278
中江藤樹	214
長岡京	60
中岡慎太郎	257
仲買	195
長崎新令	202
長崎造船所	267
長崎高資	120
中里介山	337
中沢道二	227
長篠合戦	159
中先代の乱	122
中山	206
中曽根康弘	409
永田鉄山	350
長塚節	314
中臣鎌足	38
中大兄皇子	38
中野重治	357
仲間	195
仲間掟	195
長光	119
中村正直	269
長屋王	49
中山忠光	256
中山みき	257
名子	188
名代	33
ナチズム	352
長束正家	162
夏目漱石	314
NATO	379
731部隊	365
難波	42
難波宮	38
名主	187
鍋島直正	242
鋤山貞親	349
生麦事件	254
鉛製活字	271
納屋物	210
成金	323
鳴滝塾	245
南学	214
南京事件	353
南禅寺	141
南総里見八犬伝	245
南朝	122
南都	89
南都六宗	56
難波大助	331
南原繁	382
南蛮人	157
南蛮屏風	169
南蛮貿易	157
南部仏印進駐	361

索引項目	ページ
南北朝の合体	125
南鐐二朱銀	223

【 に 】

索引項目	ページ
新潟水俣病	401
新島襄	270
新嘗の祭	30
二科会	338
二官	41
ニクソン=ショック	402
西周	271
西川如見	225
錦絵	230, 271
錦織部	27
日陣	210
西田幾多郎	336
西原借款	321
西廻り海運	208
西村茂樹	271
西山宗因	212
二十一カ条の要求	321
二十四組問屋	211
26聖人殉教	164
二条良基	145
NIES	408
似絵	118
日英通商航海条約	288
日英同盟協約	295
日独伊三国同盟	360
日独伊三国防共協定	352
日独防共協定	352
日米安全保障条約	384
日米行政協定	384
日米修好通商条約	252
日米相互協力及び安全保障条約	389
日米和親条約	251
日満議定書	347
日明貿易	127
日蓮	114
日蓮宗	114
日蓮宗不受不施派	176
日露協商論	294
日露協約	298
日露戦争	295
日露和親条約	251
日韓基本条約	390
日韓協約	296
日刊新聞	271
日光・月光菩薩像	59
日光東照宮	183
日光道中	206
日産コンツェルン	348
日親	147
日清修好条規	272
日清戦争	290
日宋貿易	92
日ソ基本条約	329
日ソ共同宣言	389
日ソ中立条約	360
新田義貞	121
日窒コンツェルン	348
日中関税協定	344
日中共同声明	404
日中国交正常化	404
日中戦争	353

索引項目	ページ
日中平和友好条約	405
日朝修好条規	274
日本永代蔵	212
新渡戸稲造	310
二・二六事件	350
二宮尊徳	240
日本往生極楽記	74
日本海海戦	295
日本開化小史	311
日本改造法案大綱	327
日本学術会議	384
日本勧業銀行	300
日本共産党	330
日本協同党	375
日本銀行	280
日本興業銀行	300
日本国憲法	375
日本国家社会党	349
日本三代実録	55, 69
日本社会主義同盟	330
日本社会党	298
日本自由党	374
日本主義	309
日本書紀	55
日本人	312
日本進歩党	375
日本人拉致問題	414
日本製鋼所	304
日本製鉄会社	348
日本鉄道会社	302
日本農民組合	330
日本之下層社会	306
日本橋魚市場	212
日本万国博覧会	400
日本美術院	316, 338
日本文学報国会	358
日本放送協会	337
日本町	178
日本民主党	388
日本無産党	349
日本文徳天皇実録	55
日本郵船会社	300
日本列島改造論	404
日本労働組合総同盟（総同盟）	373
日本労働組合総評議会（総評）	382
日本労働組合総連合会（連合）	409
日本労働組合評議会	341
日本労働総同盟	330
日本労農党	341
二毛作	110
ニュータウン	397
女房装束	77
人形浄瑠璃	168
人間宣言	371
忍性	115
人情本	245
人足寄場	232
寧波の乱	128

【 ぬ 】

索引項目	ページ
額田王	56

索引項目	ページ
淳足柵	49

【 ね 】

索引項目	ページ
年行司	152
年貢	87
年中行事	78
粘土槨	24
念仏	113
年輪年代法	11

【 の 】

索引項目	ページ
能	142
能楽	140
農業基本法	395
農業協同組合（農協）	373
農業全書	203, 215
農具便利論	203
農工銀行	300
農山漁村経済更生運動	349
農産物輸入自由化	407
直衣	77
農事試験場	305
農書	203
農村救済請願運動	349
農地委員会	373
農地改革	373
農民労働党	340
野口遵	348
野口英世	337
野中兼山	214
野々村仁清	217
ノーベル賞	384
野村吉三郎	360
ノモンハン事件	358
ノルマントン号事件	287
野呂元丈	225

【 は 】

索引項目	ページ
俳諧	185
俳諧連歌	145
配給制	356
廃娼運動	310
梅松論	140
ハイテク産業	406
廃刀令	265
廃藩置県	262
廃仏毀釈	270, 309
破壊活動防止法	387
博多	152
馬借	26
萩焼	185
白山	66
パークス	256
白村江の戦い	39
白馬会	315
幕藩体制	172
白鳳文化	40
ハーグ密使事件	296
幕領	172
白瑠璃碗	59
箱式石棺墓	18
箱根用水	191
土師器	30

箸墓古墳	23			平野屋	209	藤原秀衡	90
橋本雅邦	315	【 ひ 】		平山城	166	藤原広嗣	50
橋本欣五郎	346			広沢真臣	259	藤原不比等	41
橋本左内	255	稗田阿礼	55	広田弘毅	351	藤原冬嗣	62, 68
橋本龍太郎	413	菱垣廻船	208	琵琶法師	117	藤原道長	70
馬借	138	非核三原則	391	貧窮問答歌	56	藤原通憲（信西）	91
場所請負制度	182	東久邇宮稔彦	371	貧乏物語	336	藤原基経	69
長谷川等伯	167	東廻り海運	208			藤原元命	80
支倉常長	177	東山文化	142	【 ふ 】		藤原基衡	90
秦氏	27	被官	188			藤原百川	52
羽田孜	412	彼岸会	248	府	262	藤原行成	75
旗本	172	引揚げ	377	武	27	藤原良房	68
八月十八日の政変	256	引付	103	ファシズム	352	藤原頼経	101
八虐	42	引付衆	103	分一銭	134	藤原頼長	91
八院家領	89	飛脚問屋	207	風姿花伝	142	藤原道通	70
八代集	73	比企能員	100	風土	337	婦人参政権獲得期成同盟	
八・八艦隊	318	樋口一葉	313	フェートン号事件	236	会	331
八部衆像	59	PKO協力法	411	フェノロサ	315	不戦条約	341
八角墳	32	土方与志	338	不換紙幣	269	蕪村	231
抜歯	15	菱川師宣	217, 230	溥儀	346	譜代	171
八省	41	聖	93	富貴寺大堂	94	札差	233
閥族打破	319	ひすい	14	復員	377	二葉亭四迷	313
バテレン追放令	164	備前焼	119	不空羂索観音像	59	府知事	262
鳩山一郎	349, 375, 388	直垂	77	福岡孝弟	259	プチャーチン	251
鳩山由紀夫	414	備中鍬	202	複合不況	412	普通選挙法	332
花の御所	125	ビッドル	251	福沢諭吉	269, 289	仏教	28
花畠教場	199	悲田院	57	福島事件	280	服忌令	200
塙保己一	226	尾藤二洲	233	福島正則	170	復興金融金庫	378
埴輪	24	人返しの法	239	副葬品	18	復古神道	244
馬場辰猪	278	一橋家	220	福田赳夫	405	武道伝来記	212
バブル経済	408	一橋宗尹	220	福田康夫	414	風土記	55
浜北人	9	一橋慶喜	254	福地源一郎	279	太占の法	31
浜口雄幸	343	人掃令	164	福原京	96	船成金	323
蛤御門の変	256	非人	186	武家諸法度	171	不入	81
林子平	233	火野葦平	357	武家伝奏	174	史部	28
林銑十郎	351	日野富子	134	府県会規則	276	フビライ＝ハン	107
林鳳岡（信篤）	200	日比谷焼打ち事件	296	府県制	283	部分的核実験停止条約	
林羅山（道春）	183	日傭	248	封戸	42		386
隼人	49	卑弥呼	21	富山浦	129	富本銭	40
祓	31	姫路城	166	藤田東湖	244	踏車	202
原敬	324	百姓一揆	222	藤田幽谷	244	負名	79
原マルチノ	158	百姓請	132	武士団	82	夫役	87
ハリス	252	百姓代	187	武士道	105	不輸	81
礫茂左衛門	222	百万町歩の開墾計画	53	伏見城	166	冬の時代	299
播磨の土一揆	133	百万塔陀羅尼	60	藤原京	40	部落解放同盟	401
ハル	360	百貨店	334	藤原将軍	101	プラザ合意	408
ハル＝ノート	362	ヒュースケン	254	藤原惺窩	183	フランシスコ会	164
ハルマ和解	225	日用	186	藤原家隆	116	フランシスコ＝ザビエル	
パレスチナ戦争	403	氷河時代	8	藤原緒嗣	61		158
藩	172	兵庫北関入船納帳	138	藤原兼家	70	振売	136
藩校（藩学）	228	兵庫造船所	267	藤原兼通	70	風流	146
藩札	209	評定衆	102	藤原清衡	84, 90	古河市兵衛	304
蛮社の獄	239	評定衆（院評定衆）	103	藤原伊周	70	古田織部	168
反射炉	242	評定所	173	藤原定家	116	フルベッキ	260
蕃書調所	259	平等院鳳凰堂	76	藤原佐理	75	プレス＝コード	371
蛮書和解御用	244	兵部省	264	藤原純友	82	浮浪	54
阪神・淡路大震災	413	日吉神社	89	藤原隆家	83	ブロック経済圏	348
半済令	123	平頼綱	225, 231	藤原隆能	118	プロレタリア文学運動	
版籍奉還	262	平形銅剣	19	藤原忠平	69		338
藩専売制	241	平がな	72	藤原種継	60	文永の役	107
伴大納言絵巻	94	平城	166	藤原時平	69	文学界	313
班田収授法	43, 63	平田篤胤	244	藤原仲麻呂	50	文化財保護法	384
藩閥政府	263	平塚らいてう（明）	330	藤原成親	93	文化住宅	333
反本地垂迹説	145	平戸	177	藤原信実	118	文華秀麗集	64
板門店休戦協定	382	平戸焼	185	藤原陳忠	80	文化大革命	386
万里集九	146	平沼騏一郎	358	藤原頼嗣	91	文化庁	384
		平野国臣	256	藤原秀郷	82	分割相続	105

文官高等試験	284
文官任用令改正	292
文久の改革	255
墳丘墓	18
文鏡秘府論	64
文芸協会	314
分国	148
分国法	149
文人画	230
文治主義	200
分地制限令	189
文展	316, 338
文明開化	269
文明論之概略	269
文禄の役	165

【 へ 】

部	33
平安京	60
平曲	117
平家納経	94
平家没官領	98
平家物語	117
平治の乱	91
平城京	45
平城天皇	62
平成不況	412
兵農分離	164
平民	264
平民宰相	325
平民新聞	295
平民的欧化主義	308
平和主義	375
北京議定書	294
ベトナム戦争	387
ベトナム和平協定	403
ヘボン	260
ペリー	251
弁韓	26
変動相場制	402

【 ほ 】

保	87
ボアソナード	285, 311
保安条例	282
保安隊	387
防衛庁	387
貿易摩擦	407
俸給生活者	333
方形周溝墓	18
封建制度	99
保元の乱	91
房戸	43
奉公	98
法興寺	36
奉公衆	126
防穀令	290
宝治合戦	103
北条氏綱	148
北条氏政	161
北条氏康	148
方丈記	116
法成寺	76
北条早雲	148
北条高時	120

北条時房	101
北条時政	100
北条時宗	107
北条時行	122
北条時頼	103
北条政子	100
北条泰時	101
北条義時	100
奉書船	179
奉天会戦	295
報徳仕法	240
法然	113
方墳	23
法隆寺	36
法隆寺金堂壁画	40
宝暦事件	224
俸禄制度	174
北越雪譜	246
北槎聞略	235
北清事変	294
北朝	122
北伐	342
穂首刈り	17
北部仏印進駐	360
北面の武士	88
北嶺	89
保司	87
干鰯	205
保科正之	198
保守合同	389
戊戌夢物語	238
戊申詔書	309
戊辰戦争	261
細川勝元	134
細川重賢	234
細川護熙	411
渤海	45
北海道旧土人保護法	268
北海道庁	268
北家(藤原氏)	68
法華一揆	147
法華宗	114
法勝寺	88
法相宗	56
掘立柱住居	52
堀田正俊	199
堀田正睦	252
ポツダム宣言	368
ポツダム勅令	370
ポーツマス条約	296
穂積八束	285
棒手振	221
ホトトギス	314
堀河天皇	87
堀越公方	148
本阿弥光悦	184
盆踊り	146
本家	81
本山・末寺	177
本地垂迹説	73
本所	81
本多利明	207
本草学	215
本多光太郎	337
本多利明	243
本朝十二銭	47, 69
本土空襲	366

本途物成	188
本能寺の変	160
本百姓	188
本末制度	177
本領安堵	98
本両替	209

【 ま 】

前島密	267
前田玄以	162
前田綱紀	199
前田利家	162
前野良沢	225
前原一誠	275
蒔絵	75
巻狩	105
牧野伸顕	326
纒向遺跡	22
枕草子	73
正岡子規	314
真崎甚三郎	350
正宗	119
増田長盛	162
マーシャル＝プラン	379
増鏡	140
益田時貞	176
磨製石器	12
町方	190
町年寄	191
町火消	220
町奉行	173
松岡洋右	347
松尾多勢子	244
松尾芭蕉	212
マッカーサー	370
マッカーサー草案	375
松方正義	279, 286, 292
松川事件	381
末期養子	198
末寺	177
松平容保	255
松平定信	232
松平慶永	243, 254
松永貞徳	185
松永久秀	148
末法思想	74
松前氏	182
松前奉行	235
松村月渓	231
松本烝治	375
松本清張	399
間部詮房	201
マニュファクチュア	241
間宮林蔵	235
豆板銀	209
マルクス主義	336
丸山真男	384
万延貨幣改鋳	254
満韓交換	294
満州	347
満州事変	345
満州某重大事件	342
曼荼羅	67
満鉄	297
政所[鎌倉]	97

政所[室町]	125
万福寺	183
万葉集	55
万葉代匠記	215

【 み 】

三池争議	395
三井寺	65
御内人	109
三浦按針	177
三浦梧楼	294
三浦泰村	103
三浦義澄	100
三木武夫	405
三島通庸	281
三島由紀夫	399
水城	39
水野忠邦	239
水呑	188
見世棚	110
禊	31
溝口健二	385
美空ひばり	385
三鷹事件	381
三谷	209
三井合名会社	304
三井高利	209
密教	64
ミッドウェー海戦	363
三蔵	34
三菱	267
三菱長崎造船所	303
水戸学	226, 244
水無瀬三吟百韻	145
港川人	9
水俣病	401
南淵請安	36
南満州鉄道株式会社	297
源実朝	100
源高明	69
源為義	91
源経基	83
源範頼	96
源信	68
源満仲	83
源義家	84
源義親	90
源義経	96
源義仲	91
源義仲	96
源頼家	100
源頼朝	96
源頼信	83
源頼政	95
源頼光	83
源頼義	84
見沼代用水	201
美濃部達吉	318, 350
美濃部亮吉	401
壬生車塚古墳	32
身分統制令	164
任那	26
屯倉	33
三宅雪嶺	308
宮座	131
宮崎安貞	203, 215

索引　437

宮崎友禅	217	【 め 】		屋島の合戦	96	【 よ 】	
宮沢喜一	411			安井算哲	215		
名	79	明治維新	261	安井曽太郎	338	庸	43
明恵	115	明治憲法	284	安田	304	謡曲	142
冥加	223	明治十四年の政変	277	耶蘇会	158	用作	104
苗字	185	明治天皇	261	宿屋飯盛	246	養蚕	305
名主	87	明治美術会	315	矢内原忠雄	356	洋書調所	259
明星	313	明正天皇	175	柳沢吉保	199, 217	煬帝	36
妙心寺	147	明治六年の政変	274	柳田国男	337	遙任	80
三善清行	79	明徳の乱	125	矢野龍渓	312	陽明学	214
三好長慶	148	明暦の大火	198	八幡製鉄所	303	養老律令	41
三善康信	98	明六雑誌	271	流鏑馬	105	翼賛選挙	363
旻	36	明六社	271	山内豊信(容堂)	258	横穴式石室	24
明	127	明和事件	227	山鹿素行	214	横須賀造船所	260
民会	276	目付	173	山県有朋	264, 283, 286	横浜正金銀行	300
民主社会党	392	メーデー	330	山県大弐	226	横光利一	357
民主自由党	380	目安箱	220	山片蟠桃	228	横山源之助	306
民主党	414			山川捨松	272	横山大観	338
明徴	137	【 も 】		山川均	330	与謝野晶子	295, 313
民撰議院設立の建白書				山崎闇斎	214	吉川英治	337
	274	蒙古襲来	108	山背大兄王	38	芳沢あやめ	213
民俗学	337	蒙古襲来絵巻	118	山城の国一揆	135	慶滋保胤	74
明兆	141	毛沢東	380	邪馬台国	21	吉田兼倶	145
民党	286	毛利輝元	170	山田長政	178	吉田茂	375
民部省札	269	毛利元就	149	山田美妙	313	吉田松陰	245, 255
民法典論争	285	最上徳内	224, 235	大和絵	75	吉田光由	215
民本主義	324	裳着	77	大和猿楽四座	142	吉野ヶ里遺跡	20
民約訳解	278	木製農具	17	ヤマト政権	23, 32	吉野作造	323
民友社	309	目代	80	東漢氏	27	吉村虎太郎	256
		モース	13	大和本草	215	寄席	247
【 む 】		モータリゼーション	399	山名氏清	125	寄木造	76
無学祖元	115	持株会社整理委員会	372	山名持豊(宗全)	134	寄場組合	237
麦と兵隊	357	以仁王	95	山伏	66	四日市ぜんそく	401
向ヶ岡貝塚	16	木簡	48	山部赤人	56	米内光政	358, 365
無産政党	340	木棺墓	18	山本権兵衛	319	世直し一揆	257
武者小路実篤	337	モッセ	283	山脇東洋	225	読本	245
無宿人	232	本居宣長	226	闇市	377	嫁入婚	105
無制限潜水艦作戦	320	本木昌造	271	弥生土器	16	寄合	131
夢窓疎石	140	物忌	78	弥生文化	15	寄親・寄子制	149
無高	188	物部守屋	34	錘	17	ヨーロッパ共同体(EC)	
陸奥将軍府	121	モボ	334	ヤルタ会談	367		386
陸奥宗光	288	木綿	129	野郎歌舞伎	168	四・一六事件	341
陸奥話記	93	桃山文化	165	ヤン゠ヨーステン	177	四大公害訴訟	401
宗像大社	31	もやい	187				
無二念打払令	236	モラトリアム	340	【 ゆ 】		【 ら 】	
宗尊親王	104	森有礼	271, 310	結	187	来迎図	77
棟別銭	126	森鷗外	313	由井(比)正雪の乱	198	頼山陽	227
棟割長屋	222	モリソン号事件	238	友愛会	329	楽市	151
村入用	187	森戸辰男	330	友禅染	217	楽市令	160
村請	132	護良親王	121	有職故実	117	ラクスマン	235
村請制	188	門前町	151	猶存社	327	楽焼	184
村掟	132	問注所	98	雄藩	243	楽浪郡	20
村方三役	187	文部省	270	郵便制度	267	ラジオ放送	336
村方騒動	221	文部省美術展覧会	316	雄略天皇	27	螺鈿	75
村上天皇	69	文武天皇	49	湯川秀樹	384	螺鈿紫檀五絃琵琶	59
紫式部	73			遊行上人	114	蘭学	225
連	33	【 や 】		湯島聖堂	200	蘭学階梯	225
村芝居	247			輸出入品等臨時措置法		蘭溪道隆	115
村田珠光	143	館	104		354	ランシング	322
村田清風	242	八色の姓	39	弓月君	27		
村山富市	412	薬師寺	40	弓矢	11	【 り 】	
室生寺金堂	66	薬師寺吉祥天像	59	由利公正	261	理化学研究所	337
室鳩巣	218	薬師寺僧形八幡神像	66			力織機	301
室町幕府	125	役者絵	230			六義園	217
		八坂神社	74				

リクルート事件 411	陵戸 44	令部 370	【　わ　】
李鴻章 289, 291	領事裁判権 253	連雀商人 136	
李舜臣 165	廖承志 390	連署 102	隈板内閣 292
李承晩 380	梁塵秘抄 93	蓮如 135, 147	和歌 73
リストラ 412	領知宛行状 198		和学講談所 226
李成桂 129	両統迭立 120	【　ろ　】	若衆歌舞伎 168
里長 41	令義解 63		獲加多支鹵大王 32
立憲改進党 279	令集解 63	朗詠 93	若槻礼次郎 333
立憲国民党 319	量販店 408	老中 173	若年寄 173
立憲自由党 286	良民 44	郎党 82	若菜集 313
立憲政友会 292	林下 147	労働関係調整法 373	倭館 181
立憲帝政党 279	林家 183	労働基準法 373	脇街道 206
立憲同志会 319	臨済宗 115	労働組合期成会 306	脇本陣 207
立憲民政党 333	綸旨 121	労働組合法 373	和気清麻呂 51
六国史 55, 69	臨時資金調整法 354	労働省 373	倭寇 127
立志社 276	臨時雑役 79	労働農民党 340	和事 213
立志社建白 277	琳派 216	良弁 56	和算 215
律宗 56	隣保班 360	ロエスレル 283	倭人 20
リットン 346		六斎市 136	ワシントン会議 327
吏党 286	【　る　】	六・三・三・四制 374	ワシントン海軍軍縮条約
リーフデ号 177		六分の一衆 125	328
龍角寺岩屋古墳 32	類聚三代格 63	六勝寺 88	渡辺崋山 238
琉球王国 130, 181, 273	類聚神祇本源 116	六波羅探題 102	渡辺錠太郎 350
琉球処分 273	ルイス＝フロイス 158	鹿鳴館 287	和田義盛 100
琉球藩 273	留守所 80	盧溝橋事件 353	度会家行 116
柳条湖事件 345		ロシア革命 322	度会神道 116
隆達節 168	【　れ　】	ローズヴェルト(セオドア) 296	和辻哲郎 336
流通革命 398			和同開珎 46
龍安寺庭園 143	冷戦 379	ローズヴェルト(フランクリン) 367	王仁 27
凌雲集 64	霊廟建築 183		倭の五王 27
両界曼荼羅(教王護国寺) 67	黎明会 330	ロッキード事件 405	侘茶 143
	暦象新書 245	ロッシュ 257	和様 75
両替商 209	レザノフ 235	露仏同盟 320	ワルシャワ条約機構 379
良観 115	レッドパージ 382	ロマン主義文学 313	湾岸戦争 410
良寛 246	連歌 145	ロンドン海軍軍縮条約 344	
領家 81	蓮華王院 91		
令外官 62	連合国軍最高司令官総司		

索引 439

著作者 (五十音順)	老川　慶喜	立教大学名誉教授
	加藤　陽子	東京大学教授
	五味　文彦	東京大学名誉教授
	坂上　康俊	九州大学名誉教授
	桜井　英治	東京大学教授
	笹山　晴生	東京大学名誉教授
	佐藤　信	東京大学名誉教授
	白石太一郎	国立歴史民俗博物館名誉教授
	鈴木　淳	東京大学教授
	高埜　利彦	学習院大学名誉教授
	吉田　伸之	東京大学名誉教授
	株式会社 山川出版社	

表紙デザイン	菊地信義
本文レイアウト	柴永事務所

アナウンサーが読む

聞く教科書　山川 詳説日本史

2013年11月25日　1版1刷発行
2022年3月31日　1版6刷発行

本書は文科省検定教科書『詳説日本史』(日B301)をもとに作製しています。

著作者	笹山晴生　佐藤信　五味文彦　高埜利彦 (ほか10名)
発行者	株式会社 山川出版社　　代表者　野澤武史
	東京都千代田区内神田 1-13-13
印刷者	協和オフセット印刷 株式会社
	東京都港区浜松町 1-3-1
発行所	株式会社 山川出版社
	〒101-0047　東京都千代田区内神田 1-13-13
	電話　03(3293)8131(代)　振替口座　00120-9-43952

ISBN978-4-634-12001-3

© 山川出版社 2013　Printed in Japan

- 造本には十分注意しておりますが、万一、落丁・乱丁などがございましたら、小社営業部宛にお送りください。送料小社負担にてお取り替えいたします。
- 定価はカバーに表示してあります。
- 本書の内容構成にそった指導書・図録・ワークブック類はいっさい無断発行を禁じます。